GRAND JACQUES
LE ROMAN DE JACQUES BREL

Direction d'ouvrage
Fred Hidalgo

Marc Robine

GRAND JACQUES
LE ROMAN DE JACQUES BREL

Préface de Pierre Perret

Editions Anne Carrière / Editions du Verbe (Chorus)

DU MÊME AUTEUR

Volkslieder aus Frankreich
(Fischer Taschenbuch Verlag, Francfort, 1985)

Francis Cabrel
(Editions Seghers, collection « Livre Compact », 1987)

Le Roman de Julien Clerc
(Editions Seghers/Paroles et Musique, 1988)

Georges Brassens, histoire d'une vie
En collaboration avec Thierry Séchan, préface de Renaud
(Editions Fred Hidalgo/Fixot, 1991)

Anthologie de la chanson française
Des trouvères aux grands auteurs du XIXᵉ siècle
Préface de Michel Ragon
(Editions Albin Michel/EPM, 1994)
Prix de l'Académie Charles-Cros 1995

Cet ouvrage comporte un cahier photos de 8 pages noir et blanc
(tous droits réservés).

ISBN : 2-84337-066-3

© Editions Anne Carrière / Editions du Verbe (Chorus), 1998.

A ma mère qui, la première,
me fit découvrir et aimer Brel,
au tout début des années 60.

A Hélène, ma fée...

Et à Jacques aussi, bien sûr,
sans qui la vie ne serait pas
tout à fait comme elle est.

« *On peut apprendre qui était Untel... On peut finalement comprendre pourquoi il a fait telle ou telle œuvre. Car on ne comprend pas une œuvre... On comprend l'homme qui l'a faite ; et il faut d'abord, je le crains, aimer l'œuvre, ce qui vous donne le goût de connaître l'homme.* »

Boris VIAN

« *Les hommes chantent parce qu'ils ont goûté à la mort.* »

Tristan TZARA

*Je suis un mort
Encore vivant !*

Jacques BREL
(« La chanson de Van Horst »)

Préface

Durant sa courte vie, il fut un honnête homme et un grand enfant. Un enfant qui aima les femmes et détesta l'hypocrisie.

Jacques Brel dénonça et méprisa *« ces gens-là »*, cette bourgeoisie dont il était issu. Ces bourgeois mesquins, étriqués, que dénoncèrent Prévert, Brassens, Vian, Ferré ou Caussimon, Jacques pouvait en parler mieux que quiconque puisqu'il en était, lui, le rejeton. Lorsqu'il en prit conscience, la lucidité d'une telle condition l'anéantit et le rendit... combatif !

On peut régler leur compte aux bourgeois, mais pour les femmes, un simple stylo suffit-il ? Rien de pire, de plus mal avisé que de souffrir lorsqu'une femme vous quitte. Car évidemment, ce sont elles qui le quittaient. Contrairement au processus habituel jusqu'alors, c'est lui, l'homme, qui était « la chose » des femmes. En désespoir de cause, que faire, sinon écrire une chanson ?

En plus des femmes et de l'écriture, il aima les copains, la douleur de la création, la poésie, les auteurs aventuriers, les bières du Nord, le vertige que provoque une salle en délire, les nuits blanches, la vie.

Hormis tout cela, il passa le reste de son temps à essayer de savoir qui il était.

D'abord, ce Flamand, mal à l'aise d'en être un, avait-il les mêmes racines que Bruegel ? On est en droit de le penser si l'on évalue la truculence des tableaux qu'il brossa parfois.

Fut-il, par ailleurs, un tant soit peu le cousin de Cervantes ? Eh bien, les siècles d'occupation de la Flandre, et a fortiori d'influence espagnole, l'ont sans aucun doute conforté dans cette idée plutôt réchauffante pour lui.

Ces quelques « gouttes de sang espagnol » qui drainent le plasma flamand dans ses artères justifieraient-elles, à elles seules, la vertueuse et bouillante détermination à se battre une vie entière... contre des moulins à vent ?

Marc Robine, dès le début de cette éblouissante biographie sans concession, explique fort bien cette dualité éprouvante pour l'ami Jacques. Ce dernier aurait-il pu trouver mieux pour régler ce douloureux problème que d'écrire et de chanter avec la fougue qu'on lui sait « Les Flamandes » en s'accompagnant à la guitare espagnole ? Cette rigueur, ce « mysticisme tragique » que lui inspirait la Flandre ne furent-ils pas sans cesse combattus chez lui par cette « sensualité insouciante des Latins » qui tant l'attirait ?

Les digressions philosophiques de ce noctambule, qui remit si souvent tout en question, ne firent-elles pas office en l'occurrence de boucliers contre une réalité que tant il redoutait ? Quelques-unes de ces clés sont, sans aucun doute, le sésame pour une introspection dans cette étrange et déroutante personnalité.

La vie libre, cloutée d'éclats de rires de femmes, fut le perpétuel Graal après lequel il ne cessa de courir. « Je ne me souviens pas avoir vu mon père rire » : cette terrible phrase justifierait à elle seule toutes les outrances...

Il aima aussi passionnément les femmes que sa liberté, mais ensemble elles lui paraissent antinomiques. Son comportement vis-à-vis de ce problème – et ce qu'il en dit – est plutôt flou. Il déclare – et cela ne sera pas la seule fois ! – tout... et son contraire.

« La femme éprouve le besoin de pondre un œuf. » Et l'homme, bien sûr, est la victime toute désignée pour s'occuper de la couvée et s'enchaîner à jamais... Pauvres maris marris !

Mais lucidement (?), il déclare un jour par ailleurs : « Les hommes ne disent que des bêtises quand ils parlent des femmes, toujours, et tous, et tout le temps. »

S'assimila-t-il jamais à ce troupeau d'irresponsables ? Son humilité et son orgueil l'en eussent bien rendu capable.

Oui, il avait un penchant certain pour le beau sexe et sa fragilité. Mais sut-il, comme il se doit, en faire part à ses représentantes ? Et aussi, n'en fut-il pas déçu, comme s'en enquit un jour ma bouchère en parlant de Casanova, qu'elle venait de voir à la télé ?

En tout cas, ces femmes qu'il moqua tant, qu'il décria tant, sur qui toute l'encre vengeresse de son innocent encrier se déversa, nul ne peut nier qu'il les aima intensément et qu'il les aima même TROP. Voilà pourquoi, sans doute, il en fut si chagriné. Tant à les convoiter qu'à les espérer ou qu'à les subir !

Le paysage rhétorique du Grand Jacques, qui refusait d'être un adulte, était peuplé de passions brûlantes pour des femmes qui avaient, semble-t-il, de fâcheux penchants vers la frivolité et l'inconstance (voir « Les filles et les chiens », « Les biches », etc.). Cherchez la victime !

Il prit un évident plaisir à crucifier allégrement « *les bonnes femmes* » (c'était son terme !) à la pointe de son stylo ! Ah ! cette « Mathilde », cette « Madeleine », cette « Fanette »... et les autres, il leur en adressa des sarcasmes, des reproches et des suppliques ! Lui en avaient-elles tant fait baver pour que cela fasse de lui le plus redoutable des poètes incompris ? Fut-il réellement si malmené par ces créatures que l'on dit pourtant de sexe faible ?

Madame promène son cul sur les remparts de Varsovie
Madame promène un con qui assure que Madame est jolie...
Bref, « mon copain Jacques [qui] a mis les bouts » était sans doute le type le plus inhibé que j'aie rencontré sur cette misérable planète. Par voie de conséquence, il passa le plus clair de son temps à essayer de *nous* et de *se* prouver le contraire. Je crois que, lorsqu'il a quitté cette terre par une funeste nuit d'octobre 1978, le 9 exactement, il n'avait pas fini de régler ses comptes avec la terre entière et bien entendu avec lui-même.

Cependant, Jacques, contrairement à Trenet ou Brassens, desquels on le rapproche assez souvent, a eu le courage de la faiblesse, de la soumission totale vis-à-vis d'une femme pour laquelle il ne compte plus. L'humiliation ne lui a pas fait peur en écrivant « Ne me quitte pas ». Il fut sans doute le premier à oser forger une chanson d'amour d'une telle impudicité, avec des mots trempés dans la pudeur.

Brassens écrivit dans ses rapports avec les femmes : « *Je m'suis fait tout p'tit* » ou « *Une jolie fleur dans une peau de vache* » ; Jacques, lui, n'hésita pas à peindre la désespérance d'un être anéanti qui se met à poil en suppliant « *Ne me quitte pas* ». Cette chanson-là, comme dit l'autre, fallait la faire ! Jacques et Georges ont cependant des points communs dans un certain « machisme ». Jacques peut pondre des chansons assassines sur les femmes, et Brassens n'a-t-il pas écrit : « *Mais pour l'amour, on ne demande pas aux filles d'avoir inventé la poudre* » ?

Le besoin de remettre les pendules à l'heure avec la famille, les bourgeois et leur éducation catholique, les femmes perverses et la connerie humaine en général, entretenait Jacques dans une combativité dont seule la mort pouvait un jour triompher.

Tout comme Léo Ferré, il fustigea à sa façon beaucoup de monde. Cependant, la régularité métronomique avec laquelle il se plut à clouer au pilori les emmerdeuses ou les salopes, ou les deux à la fois (« Vesoul », « Jef », etc.), peut surprendre, voire ébranler dans sa décision, l'amoureux transi qui s'apprête à déclarer sa flamme éternelle à sa dulcinée.

On pourrait se demander si l'écriture instinctive de ce pourfendeur de matrones vicelardes n'était pas un chouia imprégnée de misogynie. Dans ses rapports avec la religion... et avec les femmes, il annonce d'emblée la couleur de ses inhibitions :

Comment tuer l'amant de sa femme
Quand on a été comme moi
Elevé dans la religion
[...]
Y a le mépris, c'est un péché.

A partir de cette satanée éducation chrétienne qui, très jeune, lui a chamboulé le caberlot et laissé des traces indélébiles pour le restant de ses jours, il va fustiger à fond les

gamelles, dénoncer tout : « Les bigotes », « La dame patronnesse » et tant d'autres. Dans la chanson « La... la... la... », il
dit :

Et quand viendra l'heure imbécile et fatale
[...]
Toutes mes morues m'auront laissé tomber
[...]
Et j'mourirrai cerné de rigolos
En me disant qu'il était chouette, Voltaire.

Je crois que, tel Don Quichotte, l'incessant combat du
bien et du mal, du plaisir et du péché l'aura obsédé jusqu'au
bout. L'ultime et la plus sérieuse de toutes ces obsessions fut
évidemment la mort qui l'emporta si prématurément.

Tout comme *« la Camarde »* pour Georges, la mort revenait régulièrement hanter les chansons de Jacques. A ce propos, Georges ironisa un jour sur le fait que j'en parlais bien
peu dans les miennes ! *« Ça te fait peur, c'est ça... ? »*

En tout cas, chez Jacques on retrouve la fameuse *« Dame
noire »* dans : « Jojo », « Le moribond », « Fernand », « Tango
funèbre » et tant d'autres tout aussi belles chansons où il
nargue cette « salope » !

La révolte naïve qui l'inspira dès ses balbutiements fut
versifiée avec des vers rimants ou non, et un peu légers parfois, il faut bien l'avouer. Il serait honnête de souligner que la
liberté de sa plume le guidait aussi vers des chemins où vers
et prose cohabitaient sans problème, sauvés par la musique
des mots eux-mêmes. Bref, toutes ces angéliques bluettes
du début firent surnommer Jacques *« l'abbé Brel »* par ses
détracteurs.

Merci Brassens, qui le premier lança ce surnom aussi
assassin que moqueur. *« Le bon Georges »* n'aimait guère que
l'on empiétât sur les plates-bandes d'un quelconque anticonformisme contestataire, qu'il considérait une fois pour
toutes comme étant sa chasse gardée.

Le combat de Jacques pour parvenir à s'imposer fut long,
courageux et parfois désespéré. Il se plaignait souvent de
l'incurie des critiques. La sincérité de sa rhétorique ne suffisait pas toujours à en masquer les faiblesses. La naïveté difficilement contestable de certaines chansons, telles que « Les

blés » par exemple, l'obligeait bien malgré lui à prêter le flanc aux critiques professionnels qui s'en donnaient alors à cœur joie. Certains de ces gros futés ne se privaient pas, surtout, de se moquer de son allure dégingandée ou de ses dents de cheval hennissant lorsqu'il chantait. Heureusement que le public seul décide et que l'on peut faire une belle carrière « malgré » les Cassandres acharnées à vous casser les reins dès le premier accord de guitare.

Georges, à ses débuts, se refusait à lire ce genre de critique : *« Ce que raconte ce taré ne m'intéresse pas »*, dit-il un jour devant moi dans sa loge à un « ami » qui lui tendait un journal empoisonné ! Pour Georges, ignorer cette littérature malfaisante faisait partie d'une hygiène de vie, que Jacques, hélas, était loin de maîtriser. Cela le rendait malade. Il perdait son humour dans ces moments-là. Il en avait pourtant beaucoup, même si le ton prédominant de son œuvre a plus été ponctué de révolte et de dérision que d'humour.

Les caricatures exagérément outrancières de ses personnages ont souvent été émaillées de violence. C'est Daumier au pays de Fellini. L'extravagance est son oxygène. C'est l'antidote de sa peur. L'excès est sa jouvence. Il a une générosité excessive, une colère excessive, des coups de cœur excessifs, une instabilité excessive, des jugements à l'emporte-pièce excessifs : *« Je déteste les pédés »*! Des mimiques, des jeux de scène excessifs. Il éprouve un besoin physique de pallier *« l'insuffisance »* de ses textes (*dixit* Jacques) par des grimaces.

Cette formidable présence physique, ce charisme qui l'anime en scène « emportent le morceau ». Il en fait un constat lucide vers la fin de sa « carrière scénique ». Il chante dans la démesure, il enthousiasme, il gagne à tous les coups dans cette loterie. Puis, un jour, cela ne l'amuse plus du tout. *« Sur la fin, me dit-il, je faisais du Brel. J'avais l'impression de me singer moi-même. Il était temps d'arrêter... Et puis, dès le début, ce métier m'a rendu malade ! Tu en es là, toi ? »*

Non, moi, je n'en étais pas là en 1975 lorsque nous nous rencontrâmes dans la mer des Grenadines. Mais ce qu'il venait de me dire m'avait quand même filé le tracsir... pour la suite (à moi qui venais d'arrêter pour « souffler » depuis déjà deux ans).

Quelle éblouissante journée nous avions passée à refaire le monde ensemble ! Après avoir offert à lui, à la Doudou et aux miens, un mémorable blaff d'oursins au montrachet, qui les avait époustouflés – on avait tout de même séché deux magnums pour faire glisser –, nous avions repris tous nos souvenirs à zéro, Jacques et moi : de *« la mère Suzie »* (Lebrun – la patronne de L'Echelle de Jacob) en passant par les turpitudes que Vitry (patron de Bobino) ou Coquatrix (patron de l'Olympia) nous avaient fait subir, tout y était passé ! Et nous avons ri une journée entière.

Avant de nous séparer, de repartir chacun sur son bateau en promettant de nous revoir vite chez eux aux Marquises, il me dit, vaguement inquiet :

« Tu ne veux pas arrêter comme moi, définitivement ?

– Non, pas vraiment...

– Alors, reprends tout de suite, sinon t'aurais plus le courage ! »

La mort, aboutissement incontournable de cette « vie-passion-dévorante », de cette « vie-brûlot », de la « vie tout court », est bien entendu parsemée de fleurettes aux fragrances empoisonnées. Seul l'aspect enjôleur de ces dernières nous a toujours tous trompés.

Du temps de la « quiétude sentimentale » de mon ami, c'est-à-dire quelque deux ans avant de tirer sa révérence (après sa traversée des Caraïbes aux îles Marquises où ma femme et moi devions les retrouver, lui et la Doudou – cela ne se fit pas, hélas !), il m'écrivait assez régulièrement d'Hiva Oa.

L'envie de l'écriture et la souffrance qu'elle engendre alimentaient au quotidien son masochisme naturel. Quelques mois après la sortie de son dernier album auquel il avait apporté tant de soin, il était peiné et furieux à la fois de l'exploitation qu'on venait d'en faire à Paris : *« la foire »* !

Pointant du doigt le coupable de cette « honteuse » campagne de sortie de son album (*« lui ou un autre »*, ajoutait-il, fataliste !), il justifiait par cela son apathie soudaine pour la création de nouvelles chansons. Cet *« à quoi bon »* faisait peine à lire...

Evoquant son album, il écrivait : *« J'aurais voulu que cela sorte comme un murmure... depuis le temps, ici, je ne me méfiais plus que de la mer [...] De toute façon*, concluait-il dans sa lettre, *il vaut mieux ça qu'un cancer au poumon ! »* Comment interpréter une telle conclusion ? Dérision toujours et encore... C'était son avant-dernière lettre.

C'est la LUCIDITÉ, la fautive, elle met les poètes en lambeaux, elle qui vous apprend un jour que le père Noël n'existe pas. Elle qui vous bouffe l'enfance. Elle vous pousse un jour à écrire « Quand on n'a que l'amour » et quelques lustres plus tard :

Mourir de faire le pitre
Pour dérider l'désert
Mourir face au cancer
Par arrêt de l'arbitre.

Le baume sur ses plaies s'appelait Maddly. Sa Doudou, comme il disait. Elle fut sa *« tendresse »* et son dernier amour.

Je crois que Jacques était un type bien. Qu'il sera là encore longtemps, longtemps... Que la bonne chanson n'est pas un « art mineur » comme le prétendirent d'aucuns (Jacques le pensait d'ailleurs, lui aussi). Il n'y a que certaines chansons qui sont « mineures ». La plupart d'entre elles datent d'avant Brassens.

Il est indéniable que les innombrables couplets et refrains nés d'auteurs tragiques ou facétieux – écoutez « Les roses blanches » ou « Félicie aussi », « Les goélands » ou « Je n'suis pas bien portant » – relevaient plutôt de la chansonnette que de la chanson. Aurait-on quelconque peine à situer la frontière entre « Les deux oncles » et « Ha ! les p'tits pois » ? C'est un débat (d'idées) certes nouveau, mais il ne me semble guère raisonnable, sans avancer de jugement péjoratif, d'accorder à l'une et à l'autre le même statut de qualité ; la facture de ces chansons « écrites » relevant plutôt, me semble-t-il, de la littérature.

Il y en eut bien peu avant l'avènement de Brassens qui méritèrent ce distinguo mélioratif. Auparavant, « Le temps des cerises », de Jean-Baptiste Clément, est une exception perdue au milieu de quelques poignées d'autres. Les chansons du XVe siècle, en passant par celles écrites durant la

Fronde ou pour brocarder les rois qui opprimaient le peuple, les mazarinades, etc., étaient avant tout pétries de sarcasmes chansonniers écrits au jour le jour. Le reste était signé Ronsard, Clément Marot... jusqu'à Baudelaire, Verlaine ou Apollinaire. Cela est baptisé littérature. Tout comme il me semble que peuvent l'être « Ne me quitte pas », « Fernand » ou « L'orage », et tant d'autres de Brassens, « Avec le temps » de Ferré ou « Comme à Ostende » de Caussimon, qui seront un jour dans les livres de poésie, si elles n'y sont déjà. Dans l'art, rien n'est mineur par définition. Il y a le bon et le moins bon. Il en est ainsi de tous les arts. L'activité de Monsieur Tartempion, lorsqu'il peint des croûtes, est difficilement assimilable à un art majeur, au même titre que le sont les œuvres de Cézanne, Van Gogh ou Picasso.

Les chansons de Jacques, elles, seront encore fredonnées dans la rue et chantées dans les écoles durant des siècles. C'est lui qui aura le dernier mot : « *La tendresse, la tendresse,* disait-il, *il n'y a que ça de vrai, Doudou, le reste c'est de l'eau chaude* » !

Pierre P<small>ERRET</small>

Avant-propos

« Dans la vie d'un homme, il y a deux dates importantes, celle de sa naissance et celle de sa mort. Tout ce qu'on fait entre ces deux dates n'a pas beaucoup d'importance. » Brel aimait parler ainsi, par aphorismes ; quitte à se contredire dès le lendemain, d'ailleurs, au nom du principe bien établi que seuls les imbéciles ne changent jamais d'avis. Mais si l'on s'en tenait à cette assertion un peu sentencieuse, toute l'histoire se résumerait à un vague « 1929-1978 », dont l'austérité évoque immanquablement les inscriptions des pierres tombales. Or même le *Petit Larousse,* qui est un panthéon, c'est-à-dire un cimetière, se montre moins chiche dans sa sévère concision : *« Auteur-compositeur, chanteur et acteur belge, né à Bruxelles. »*

Belge ? Certes, Brel le fut jusqu'à l'outrance ! Comme tout ce qu'il faisait. Clamant haut et fort ce qu'il appelait lui-même sa *« belgitude »,* quand d'aucuns – après lui avoir long-temps rabâché, à l'époque des débuts difficiles, qu'il existait *« d'excellents trains pour Bruxelles »* – s'empressaient de l'annexer comme l'une des plus grandes figures de toute l'histoire de la chanson française. Friand de néologismes (son œuvre en est pleine), il avait, bien sûr, calqué son mot sur celui de Senghor : *« négritude »,* afin qu'il puisse tour à tour être craché par les uns, comme une insulte, brandi par les autres, comme un étendard, et reconnu de tous comme un état de fait.

Toute l'histoire de la Belgique est une déchirure ; et la blessure profonde qui écartelait le cœur de Jacques Brel y trouve sans doute ses premières racines. *« Nous étions département français, jusqu'à l'Ourthe, jusqu'à Liège... Pour avoir la paix, on nous a vendus aux Hollandais* [1]. *Et puis, après quinze ans, ça ne gazait pas du tout. On a viré les Hollandais, mais on n'a pas pu redevenir Français quand même. On nous a dit : " Il faut prendre un roi ! ", et on a acheté un Prussien qui était l'amant de Catherine de Russie* [2]... » Une question d'authenticité sur laquelle Jacques reviendra souvent : *« La Belgique n'existe pas, en fait. Je rigole toujours devant les efforts déployés depuis cent cinquante ans pour que Wallons et Flamands s'entendent ! Hé ! Pourquoi s'entendraient-ils, alors que le pays n'est qu'une vue de l'esprit ? »*

La formule peut sembler exagérée, et peut-être le mot puzzle serait-il plus approprié. Contrairement à une idée fort répandue en France, en effet, il n'existe pas deux, mais trois Belgique : la flamande, la wallonne et la germanique. Et même quatre, si l'on considère le fait que Bruxelles est presque toujours citée à part dans les statistiques sur la question culturelle [3].

Il y a donc trois idiomes officiels qui, selon les régions, sont enseignés comme première langue, à l'école et au collège, et servent à la rédaction et à la publication des textes administratifs. En théorie, cela équivaut à les placer tous les trois sur un strict plan d'égalité ; mais dans la réalité, la disproportion entre les groupes ethniques est telle que l'allemand fait figure anecdotique. On le parle cependant à l'est d'une ligne nord-sud, allant grosso modo d'Aubel (au nordest de Liège) à Athus (poste frontière avec le Luxembourg, à un jet de pierre de Longwy) et englobant la quasi-totalité du canton d'Arlon et une bonne partie de ceux de Saint-Vith, Eupen et Malmédy – ces deux derniers territoires ayant été

1. Lors du Congrès de Vienne, en 1815.
2. Léopold de Saxe-Cobourg-Gotha, roi des Belges de 1831 à 1865, sous le nom de Léopold Iᵉʳ. Egalement gendre de Louis-Philippe.
3. Les différentes communautés se répartissent ainsi : Flamands, 57 % ; Wallons, 32 % ; germanophones, 0,65 % ; et Bruxellois, 10 %, dont plus de 80 % de francophones.

rattachés à la Belgique au lendemain de la Première Guerre mondiale.

Langue unique des Wallons, le français étend son influence géographique sur la plus grande partie du pays, puisqu'on le parle, à quelques enclaves près, au sud d'une ligne imaginaire allant de la proximité de Roubaix jusqu'à Liège; et qu'il est pratiqué, de surcroît, par beaucoup de Flamands aisés ou cultivés, qui l'utilisent parfois plus volontiers que leur langue maternelle, lui conférant ainsi une sorte de statut de « langage de l'élite », si tant est que ces mots puissent avoir un sens. Ainsi est-ce en français que choisiront de s'exprimer bon nombre de grands écrivains d'origine flamande, tels Maurice Maeterlinck (seul Belge ayant eu le Prix Nobel de littérature), Emile Verhaeren ou Michel de Ghelderode. Par ailleurs, bien que n'étant pas située en Wallonie, Bruxelles est l'une des trois ou quatre plus grandes villes francophones du monde [1].

Le flamand, quant à lui, s'appelle officiellement *Het Nederlands* et s'apparente dans sa forme écrite au néerlandais, tandis que l'on rencontre plusieurs parlers locaux, notamment autour d'Anvers, dans le Limbourg et en Flandre occidentale. Ce manque d'unité constituant, de fait, l'un des handicaps majeurs d'une langue qui ne sera reconnue légalement qu'en 1898, soit près de soixante-dix ans après la proclamation de l'indépendance. Il lui faudra, ensuite, attendre encore un quart de siècle avant que ne soit pris, en 1923, l'arrêté royal ordonnant la traduction de tous les textes législatifs; mais ce n'est qu'en 1963 – alors que Brel triomphe à l'Olympia, pour la seconde fois en vedette à part entière – que sera enfin publiée la première version flamande de la Constitution belge, pourtant promulguée, en français, dès 1831.

Pratiquement cinq générations de décalage! Le temps de deux guerres mondiales, assorties chacune d'une promesse d'autonomie, par un envahisseur ayant bien assimilé le vieux

1. Marseille et Lyon, avec des populations avoisinant respectivement les 810 000 et 425 000 habitants, sont théoriquement plus petites que l'ensemble des dix-neuf communes qui forment Bruxelles (995 000 ha); mais leurs agglomérations (1 110 000 et 1 135 000 ha) sont, en définitive, plus grandes. (Sources : mairies des villes concernées.)

principe romain : « *diviser pour régner* », qui se matérialisera dès 1917 par la création du Conseil des Flandres et la séparation administrative. Provisoirement, la Belgique aura donc deux capitales, Namur et Bruxelles, tandis que les Allemands, rompant avec le monopole de l'enseignement en français, prendront la décision spectaculaire de « flamandiser » l'université de Gand.

De tels gestes, de la part de l'occupant, ne pouvant que renforcer les aspirations pangermanistes des séparatistes les plus radicaux, expliquent par avance toutes les collaborations futures, que Brel expédie d'une formule lapidaire : « *Nazis durant les guerres et catholiques entre elles* [1]... »

Pour justifiée, souvent, que puisse être cette saillie, il serait néanmoins injuste d'en faire une règle absolue. Au cours de la dernière guerre, la Résistance flamande a en effet bel et bien existé et n'a pas à rougir de la comparaison avec celle des patriotes wallons ; comme la collaboration, à l'inverse, s'est tristement illustrée dans chaque camp, avec notamment Léon Degrelle, ses amis rexistes et leur division « S.S. Wallonie ».

De même les choses furent-elles loin d'être aussi tranchées durant la guerre de 1914-1918. Si les extrémistes du mouvement Jeune Flandre réclamaient une administration et un gouvernement sous tutelle de l'Allemagne – y compris en temps de paix –, il ne faut pas oublier pour autant la terrible détermination des soldats flamands qui, à l'appel du roi Albert, évoquant le souvenir de la bataille de Courtrai [2], opposèrent à l'envahisseur une résistance farouche et tragiquement coûteuse en vies humaines. Conduits le plus souvent par des officiers francophones qui les écrasaient de leur morgue, les régiments flamands servirent littéralement de chair à canon. Au point qu'il fut décidé, à la fin de la guerre, de leur élever un monument particulier sur les lieux mêmes de leur sacrifice : sur ce front de l'Yser qu'ils tinrent

---

1. « Les F... », sur son ultime album.
2. Le 11 juillet 1302, à Courtrai, une petite armée de bourgeois flamands écrasa les troupes de Philippe le Bel, fortes de cinquante mille hommes. Symboliquement, c'est l'anniversaire de cette victoire sur les Français, connue surtout sous le nom de la Bataille des Eperons d'or, que célèbre, aujourd'hui encore, la Fête nationale flamande (voir annexes en fin d'ouvrage).

en rompant les digues et en inondant les champs de Dix-mude à Nieuwpoort, alors que Bruxelles, Dinant, Louvain et, pour finir, Anvers étaient déjà tombées.

Les fonds nécessaires à l'érection de cette *Ijzertoren* (« tour de l'Yser », mais aussi « tour de fer ») furent recueillis grâce à une vaste collecte populaire, en dépit de l'hostilité, parfois, que certains manifestèrent publiquement. Ainsi, messire Hilaire Brel, bourgmestre du petit village de Zandvoorde et « fransquillon » notoire [1], intervint-il en plein conseil munici-pal pour signifier à ses administrés son refus de participer à la souscription qui n'était, selon ses termes, *« qu'une affaire de basse politique »* à laquelle il n'était pas question que la commune apportât sa contribution. Sa déclaration prit suffi-samment d'importance pour que les journaux locaux la rap-portent, décrivant le « burgervader [2] » comme un *« libéral haïssant les Flamands »*.

Aujourd'hui, depuis sa fusion en 1967 avec la ville voisine de Zonnebeke, Zandvoorde n'a plus de bourgmestre : Hilaire Brel [3] fut le dernier à assumer cette charge qui n'était, pour ainsi dire, pas sortie de la famille depuis un siècle et demi. C'est en effet en 1832 que Jean-Augustin Brel, cultivateur, grand-père d'Hilaire et arrière-grand-père de Jacques, épousa le fille du burgervader Alex-Joseph Lau-mosnier, auquel il devait bientôt succéder.

La région était alors à majorité francophone, et les Brel, drapés dans leur statut de petits notables ruraux, avaient la réputation de ne pas beaucoup aimer *« aboyer flamand [4] »*. Fermiers et fort attachés aux valeurs traditionnelles, ils représentaient typiquement cette arrière-garde qui tentera

1. *« Un* fransquillon *est un Flamand qui collabore avec les francophones. Il s'agit, la plupart du temps, de cette bourgeoisie flamande qui préfère parler le français plutôt que le néerlandais. »* Définition donnée par le journaliste et écrivain flamand Johan Anthierens (voir annexes).

2. « Burgervader » : littéralement « père des bourgeois ». Terme de substi-tution souvent utilisé pour désigner le bourgmestre (« Burgemeester » = « maître des citoyens »).

3. Hilaire Brel – fils du dixième et dernier enfant de Jean-Augustin Brel (Emile Victor) et cousin germain de Romain Jérôme (le père de Jacques), lui-même fils d'Augustin Louis, le cinquième enfant de Jean-Augustin Brel – était donc un arrière-cousin de Jacques.

4. « Les F... ».

– en vain – de résister à la montée du néerlandais, dont la pression, de plus en plus forte, finira par bouleverser l'équilibre linguistique local, au point de marginaliser le français à l'aube des années 30.

L'étymologie du nom est assez discutée ; d'autant qu'au début du XIX⁰ siècle, et à plus forte raison au cours du XVIII⁰, on rencontre communément deux graphies fort voisines : Bril et Brel. Les deux se prononçant de la même façon en Flandre occidentale, où l'on dit pratiquement toujours « e » à la place de « i », on pourrait en déduire que Brel est une déformation phonétique du mot *bril* qui, en néerlandais, signifie « lunettes ». Mais le généalogiste Franz Van Helleputte, auteur de fort sérieuses recherches qui le menèrent jusqu'à un certain Joseph Brel, anobli en 1179 par Philippe d'Alsace, comte de Flandre, préfère quant à lui une explication à base d'assonances toponymiques [1]. Constatant le fait que plusieurs lieux-dits tels que Briel, à l'est de Dendermonde, Bril, entre Gand et Saint-Nicolas-Waes, ou encore Ten Brielen, entre Zandvoorde et Comines, semblent devoir leurs noms à une forme germanisée de *broglio* qui, en vieux celtique, signifie « enclos » ou « pré », il pense pouvoir associer le patronyme du chanteur à Brielen, petite commune située à quatre kilomètres au nord-ouest d'Ypres (à une simple portée de fronde de Zandvoorde), et dont le nom fut Briel jusqu'à la fin du XII⁰ siècle.

Si elle satisfait les généalogistes, cette explication étymologique à partir de *broglio* comble également les amateurs de correspondances mystérieuses, car elle implique que Brel et Bruegel auraient la même racine.

Mais on a beau avoir, dans ses ancêtres – par alliance, il est vrai – une litanie de Van De Walle, Van Der Helst, Van Zuytpeene et autres De Coninck [2], il n'en reste pas moins que les Flamands, ayant subi près de deux siècles et demi de domination espagnole, en conservent de fortes traces dans

---

1. Franz Van Helleputte a consacré deux ouvrages au chanteur : *Pour toi, Jacques Brel*, étude détaillée de sa généalogie et de ses quartiers d'ascendance, et *Vers toi, Jacques Brel*, recueil de poèmes contenant, en annexe, quelques renseignements historiques complémentaires (éditions à compte d'auteur ; voir bibliographie).
2. Sources : Van Helleputte.

leur hérédité et leur culture. Jacques Brel aimait d'ailleurs évoquer ces quelques gouttes de sang ibérique pour expliquer son goût des contrastes violents, des couleurs vives, des émotions fortes et de ce qu'il appelait son *« chagrin d'orgueil »*. *« Je suis flamand et d'origine espagnole »*, affirmait-il en 1965 au micro de Jean Serge (pour Europe N° 1), avant de préciser, un peu plus tard : *« La seule terre espagnole que j'ai rencontrée de ma vie, c'est la Flandre. Parce que, ce que suggère l'Espagne, la Flandre l'a finalement fait... J'explique un peu la Flandre avec les mots de Cervantes. »*

En fait, Brel revendiquera souvent une double appartenance hispano-germanique, dont il opposera toujours le mysticisme tragique à la sensualité insouciante des Latins : *« Je ne suis pas un Latin. Je suis un Germain. Ou, d'une manière plus précise, un Rhénan. »* Idée sur laquelle il reviendra, pour Jacques Chancel, à la télévision : *« Je suis germain. Dans tout ce que je pense il y a des nuages à trois cents mètres. L'horizon est plat, et les seules montagnes de ma vie intérieure sont des montagnes fabriquées par les hommes »* ; mais qu'il corrigera lors de leur fameuse *Radioscopie* du 21 mai 1973, qui reste l'une de ses dernières prises de parole comme personnage public, avant son départ définitif sur les mers : *« Je suis de caractère flamand. Je crois être plutôt flamand que rhénan. En disant " Wallons ", c'est les Rhénans en fait ; c'est des Mosans et des Rhénans. »*

Puzzle le pays, puzzle les hommes...

Mais si les origines géographiques et sociales expliquent souvent le tempérament et la sensibilité d'un individu, qu'importe la façon dont il décide de les interpréter et de les assumer. Nous sommes avant tout *« faits de l'étoffe de nos rêves »*, affirmait Shakespeare. Et Brel finira par se forger un pays presque imaginaire, *« un souvenir de couleurs, de mots »*, d'odeurs aussi, à propos duquel il écrira quelques-unes de ses plus belles chansons, piquera ses plus violentes colères, et dont il nourrira toute son œuvre. Une Belgique dont il parlera avec toute la mauvaise foi et tout l'amour possibles – l'une n'étant souvent que le masque pudique de l'autre – et dont il dira un jour qu'elle *« vaut bien mieux qu'une querelle linguistique »*.

I

L'ENFANT

> « Un homme passe sa vie
> à compenser son enfance.
> Un homme se termine
> vers seize-dix-sept ans.
> Il a eu tous ses rêves.
> Il ne les connaît pas,
> mais ils sont passés en lui. »
>
> Jacques BREL

1

Mon père était un chercheur d'or

Le tout, c'est de partir... Franchir le seuil et faire le premier pas. Rompre le cercle des habitudes et des amis, des traditions familiales, des paysages de l'enfance et de la sécurité, pour « *aller voir* ». Une expression-clé qui revient en permanence dans les propos de Brel, comme un leitmotiv, et qui, plus que toute autre, explique le personnage, son formidable appétit de vivre et son perpétuel besoin d'expériences nouvelles. Une philosophie de funambule, que le chanteur s'efforcera souvent de préciser : « *Le propre du bourgeois, pour moi, est l'immobilisme* », ou encore : « *Je crois que l'homme est foncièrement un nomade* » ; philosophie au nom de laquelle il justifiera jusqu'à son abandon de la scène : « *J'avais besoin de redevenir nomade.* »

Partir, donc... tout en sachant que « *ce qu'il y a de plus difficile, pour un homme qui habiterait Vilvoorde et qui voudrait aller à Hong-Kong, ça n'est pas d'aller à Hong-Kong, c'est de quitter Vilvoorde*[1] ».

Un jour, le héros de « La quête », chevalier à la triste figure cramponné à une vieille lance rafistolée d'une branche d'olivier, parlera de « *porter le chagrin des départs* », et de « *partir où personne ne part* » ; mais pour l'heure, il ne s'agit guère pour Romain Brel – le père de Jacques – que de quitter Zandvoorde, afin d'aller étudier à Louvain. A peine cent cinquante kilomètres à vol d'oiseau, et pourtant ce départ fait

1. Extrait de *Jacques Brel parle*, montage d'archives de la télévision belge, 1971.

figure d'événement. Si les distances ne sont jamais bien grandes, en Belgique, Louvain, tout de même, c'est déjà de l'autre côté de Bruxelles ! L'une des plus vieilles universités d'Europe, et un hôtel de ville en véritable dentelle de pierre, qui lance ses six flèches dans le ciel du Brabant, comme autant de « *mâts de cocagne* [1] ».

Dernier-né d'une famille très nombreuse où, par tradition, chaque foyer compte une dizaine d'enfants et où les cousinages finissent par être difficiles à démêler, Romain Jérôme Brel succède, dans la chronologie des naissances, à son frère Jérôme Romain. *« Chez ces gens-là »*, on le voit, l'absence de fantaisie et le souci de l'économie se manifestent jusque dans le choix des prénoms des enfants qui, fransquillons comme leurs parents, sont élevés en langue française et n'abordent le flamand que vers leur douzième année.

Lorsqu'il laisse la ferme et la boulangerie paternelles pour aller étudier à Louvain, Romain Brel est un grand gaillard à la mine ronde et au regard gris-vert, dont émane une réelle impression de force physique. Une silhouette que les années se chargeront de rendre plus massive encore. Né le 6 février 1883, il est le premier à franchir les limites du clan pour entreprendre cette ascension sociale qui mène de la bourgeoisie de la terre à celle des affaires, dont le statut peut sembler plus prestigieux. Passage, en fait, de la bourgeoisie locale à la bourgeoisie tout court.

1909. Romain Brel a vingt-six ans. Il n'a pas achevé ses études et n'a pas obtenu le diplôme d'ingénieur dont il rêvait; mais c'est un homme intelligent et énergique, qui possède une incontestable autorité naturelle. Et surtout, célibataire et libéré de ses obligations militaires, il est très disponible. Toutes qualités requises pour ce poste d'agent commercial que la Cominex, grosse société d'import-export, lui propose au Congo.

Vaste comme soixante-dix-huit fois la Belgique, l'Etat indépendant du Congo était la propriété personnelle du roi Léopold II. Mais celui-ci s'en verra dépossédé, à la suite du scandale consécutif à l'enquête parlementaire sur les méthodes d'exploitation du caoutchouc – sombres histoires

1. « Le plat pays ».

de mains coupées, de prises d'otages, d'esclavage, etc. –, par un vote de la Chambre en date du 2 mars 1907. Afin de respecter les formes et de ménager à la fois la susceptibilité et la crédibilité du souverain, certains chroniqueurs et de nombreux politiciens soucieux d'éviter une crise de régime préféreront parler d'un somptueux cadeau du roi à son peuple. Et c'est ainsi que l'Etat indépendant du Congo, par la charte du 20 août 1908, deviendra colonie belge. Dans un tel contexte, il y a vraisemblablement, pour un jeune homme libre et entreprenant, un bel avenir à se bâtir dans ce pays presque vierge, sur la carte duquel subsistent de nombreuses zones d'ombre.

Partir... « *Aller voir* »... Louvain n'était décidément pas un « ailleurs » très convaincant. Une antichambre, une étape. Tout au plus un lointain faubourg de Zandvoorde... Tandis que le Congo ! Et puis, ne surtout pas rentrer au bercail sur un échec. Pire : sur une demi-réussite.

Romain Brel s'embarque donc, via Matadi et Léopold-ville, pour un de ces minuscules comptoirs de brousse où la plupart des coloniaux s'abîment dans l'alcool, les amours ancillaires et le racisme ordinaire, où quelques rares aventuriers seulement finissent par faire fortune. Popocabaca : un nom que l'on croirait tout droit sorti de *Tintin au Congo*. Mais pour l'heure, Georges Rémi – le futur Hergé – n'a que quatre ans et, « *flamand, taiseux et sage* [1] », Romain Brel mène ses affaires avec sérieux et opiniâtreté. Trois ans plus tard, on lui confie d'ailleurs, au sud du fleuve, un territoire grand comme la Belgique qu'en commis consciencieux il parcourt en tous sens. Le plus souvent à pied ou en pirogue, accompagné d'une cohorte de porteurs indigènes. D'une certaine manière – et le climat mis à part –, son existence d'alors ressemble fort à ces récits d'aventures que son fils Jacques découvrira, bien des années plus tard, dans les romans de Fenimore Cooper, James Oliver Curwood ou Jack London, à travers lesquels il se forgera ce mythe du Far West qui le hantera toute sa vie. Chacun situe son Far West où il le peut, et celui de Romain Brel se trouvait sur les berges du Congo et de la rivière Kwango.

1. « Mon enfance ».

Jacques s'en souviendra du reste au détour d'une chanson passée un peu inaperçue aux yeux du grand public, mais qui constitue l'une des clefs de voûte de son univers et de sa thématique : « L'enfance » [1]. Deux vers y sonnent à la fois comme le pardon posthume des renoncements à venir et comme un constat d'échec :

Mon père était un chercheur d'or ;
L'ennui, c'est qu'il en a trouvé [2].

Jugé sans doute plus utile dans son comptoir de brousse, où il troque l'ivoire et le caoutchouc contre des babioles importées d'Europe, Romain Brel échappe à la mobilisation générale de 1914 et ne connaîtra de la guerre que les quelques escarmouches lointaines opposant, à l'autre bout du pays, les forces belgo-congolaises aux troupes coloniales allemandes basées au Tanganyika. Batailles de colons blancs, par « nègres » interposés, au cours desquelles le Congo ne perdra que deux cent cinquante-sept métropolitains, mais deux mille cinq cents soldats autochtones et quelque vingt mille porteurs. A peine plus que le bilan d'une journée ordinaire sur le Chemin des Dames, sans doute, mais un déséquilibre qui, localement, en dit long sur les mentalités de l'époque. De toute façon, Popocabaca est si loin du théâtre des opérations que Romain n'entend parler de tout cela que par ouï-dire.

Il ne prendra vraiment conscience de l'ampleur du carnage qu'au cours de son premier congé en Europe, un peu plus de deux ans après la fin du conflit. La Belgique est ravagée, Ypres en ruines et à Zanvoorde, qui n'est plus qu'un amas de décombres, Romain Brel ne parvient même plus à retrouver l'emplacement exact de l'église. Passablement déprimé et n'aspirant plus qu'à retourner en Afrique, il tue le temps en rendant visite à quelques amis de jeunesse installés à Bruxelles. Malgré sa morosité, c'est au cours d'une de

1. Écrite à l'occasion du film *Far West* (en 1973), à une époque où Jacques Brel avait non seulement abandonné la scène, mais également renoncé à enregistrer, « L'enfance » – à ne surtout pas confondre avec « Mon enfance » – ne figure sur aucun album du chanteur. On ne la trouve donc que dans certaines compilations et dans les différentes *Intégrales* parues à ce jour.
2. « L'enfance ».

ces sorties qu'il fait la connaissance de celle qui, quelques semaines plus tard, deviendra son épouse : Elisabeth Van Adorp, de treize ans sa cadette. Née le 14 février 1896, à Schaerbeek, l'une des dix-neuf communes qui forment la capitale, c'est une jolie brunette romantique et rêveuse dont les ancêtres, d'après les recherches de Franz Van Helleputte, remontent jusqu'à Charlemagne [1].

Le prestige du lignage – certainement ignoré, d'ailleurs, par la principale intéressée – ne signifie pas grand-chose : de fait, la jeune fille est la dixième enfant d'un modeste fabricant de vitraux, qu'elle n'a pour ainsi dire pas connu, étant décédé alors qu'elle n'avait que deux ans. Elevée en grande partie par ses sœurs aînées, qui tenaient un atelier de couture, elle a grandi, selon l'expression de Thierry Denoël, biographe de Pierre Brel [2], « *dans une ambiance morose où les économies étaient continûment à l'ordre du jour* ». Mais elle a reçu une certaine éducation artistique qui déteint sur son tempérament. Toute sa vie elle aimera écrire et quand son cadet, rompant avec le carcan familial, s'en ira chercher fortune dans les cabarets parisiens, elle le soutiendra jusqu'au bout, presque en secret. Non seulement à coups de petits chèques discrets, qui faciliteront quelques fins de mois par trop impossibles, mais aussi avec cette confiance tranquille qui ravive les courages parvenant à leur terme.

Le mariage de Romain Jérôme Brel et d'Elisabeth Lambertine Van Adorp est célébré à Bruxelles le 3 décembre 1921, deux mois à peine après leur première rencontre. Malgré la précipitation des faits, parler de coup de foudre serait très exagéré. Si chacune des parties a ses propres raisons – sans doute excellentes – de voir aboutir l'affaire, cela n'a guère à voir avec l'amour. Romain va sur ses trente-neuf ans, sa situation est stable et il aspire désormais à « se caser ». Mais les jeunes Européennes disponibles n'étant pas légion sur les rives de la Kwango, il doit impérativement trouver une épouse avant la fin de son congé, sous peine d'avoir à

1. Histoire de tempérer les enthousiasmes, Van Helleputte signale, tout de même, qu'en 1949 on évaluait à vingt millions d'individus les descendants de Charlemagne en ligne féminine *(op. cit.).*
2. *Pierre Brel, le frère de Jacques,* par Thierry Denoël (Editions Le Cri, Bruxelles, 1993).

patienter trois nouvelles années, jusqu'à son prochain retour en métropole. Quant à Elisabeth – qui n'est plus, elle-même, si jeune que cela, puisqu'elle a déjà coiffé Sainte-Catherine –, cet homme imposant, à la barbe soignée et à l'autorité assurée, la ramène à l'image d'un père qu'elle n'a jamais connu. Sans parler de la sécurité matérielle que lui apporte un époux aussi solidement installé dans la vie, ni du prestige, encore intact, de la vie aux colonies. Bref, dans le contexte du moment, Romain Brel représente un beau parti et Lisette possède les qualités requises pour faire une excellente épouse.

Aux premiers jours de l'année 1922, le couple s'embarque pour le Congo. Ayant fait son chemin au sein de la Cominex, Romain n'est plus cantonné dans son lointain district de Popocabaca, mais dispose désormais d'une belle et vaste maison à colonnade, dans le quartier résidentiel de Léopoldville, à deux pas des berges du fleuve. C'est là que naîtront bientôt deux jumeaux, Pierre et Nelly (le 13 août 1922). Ils ne vivront que cinq semaines, emportés à quelques heures d'intervalle par une typhoïde foudroyante. Aussi est-ce en Belgique, par prudence, qu'Elisabeth décide d'aller accoucher lorsque l'année suivante elle se trouve de nouveau enceinte. Le garçon qu'elle met alors au monde, le 19 octobre 1923, sera également baptisé Pierre ; comme une tentative d'effacer la blessure causée par la mort des jumeaux, voire une manière de conjurer le mauvais sort. De même, quand s'annoncera le bébé suivant, il sera attendu avec l'espoir non dissimulé d'une nouvelle petite Nelly. Mais ce sera un garçon : Jacques Romain Georges Brel.

Entre-temps, après quinze ans de bons et loyaux services en brousse, puis à Léopoldville, Romain Brel a abandonné le Congo pour regagner la métropole. Rien ne permet vraiment d'affirmer qu'il s'agit là d'un renoncement douloureux, lié à la volonté d'assurer une existence plus facile à sa femme, comme à la peur des maladies tropicales pouvant frapper leur nouvel enfant ; mais c'est une idée que Jacques fouillera avec obstination, peut-être même sans faire consciemment la relation avec l'histoire de ses propres parents. Une idée souvent reprise, et tout particulièrement développée dans les scènes finales du film *Far West* : la femme éprouve le besoin viscéral de « *pondre un œuf* » et il faut, pour cela, un nid douillet, garni de paille. C'est donc l'homme qui, au détriment de ses propres rêves et de sa liberté, va chercher de quoi construire la tanière, à laquelle il finira par ajouter un toit et toutes sortes de protections l'enchaînant à jamais.

Schématique et outrageusement caricaturale, cette conception des choses contribuera pour une bonne part à établir la réputation de misogynie du chanteur ; même si, par ailleurs, il la pulvérise lui-même à longueur d'interview : « *Les hommes ne disent que des bêtises quand ils parlent des femmes, toujours, et tous, et tout le temps. Par contre les femmes ne disent pas toujours des sottises quand elles parlent des hommes ; mais c'est aussi, sans doute, parce que les femmes se préoccupent des hommes toute la journée et que l'homme ne s'en préoccupe que dans la marge de ses appétits* [1]. »

Alors, usure de l'Afrique ou quête d'une promotion sociale justifiant le retour de Romain Brel au siège bruxellois de la Cominex ? Besoin de sécurité pour les siens ou abdication pure et simple ? Qu'importe ! Toujours est-il qu'en 1926 la famille rentre du Congo et que, délaissant le casque colonial pour la chemise au col à coins cassés, le père s'installe définitivement dans son statut de bourgeois prospère. Il n'en sortira plus, ce que Jacques ne lui pardonnera jamais :
Les adultes sont déserteurs [2]...

---

1. Propos recueillis par Jacques Chancel (*Radioscopie*, déjà citée).
2. « L'enfance ».

2

Au temps où Bruxelles bruxellait

Mis à part la grande crise consécutive au krach de Wall Street, qui frappera bientôt de plein fouet une Europe encore mal remise des effondrements monétaires résultants de la Première Guerre mondiale, l'année 1929 est symbolique à bien des égards pour ce qui concerne la Belgique. Alors que le gouvernement Jaspar tombe à propos du problème linguistique, les trois plus grandes gloires belges du siècle apparaissent presque simultanément. C'est en septembre 1929, en effet, que le jeune Georges Simenon écrira son premier Maigret, alors que Tintin est né en janvier sous le crayon d'Hergé, précédant d'une courte houppette la venue au monde de Jacques Brel.

1929 est également marquée par le retour au Havre du navigateur solitaire Alain Gerbault qui, pour avoir été le premier à boucler le tour du monde sur un petit voilier de plaisance, deviendra le héros et le modèle de toute une génération de rêveurs au long cours, dans le cœur desquels il ancrera profondément son désir d'îles ensoleillées et de mers du Sud. Une fascination qui, pour beaucoup, ne dépassera jamais le fait de contempler éperdument la ligne d'horizon ; mais que Brel, décidé à « aller voir », concrétisera un jour en mettant à la voile dans le sillage du *Fire Crest*, mouillant son *Askoy*, à un demi-siècle de distance, dans cette même baie des Traîtres où Gerbault avait fait escale, entre Galapagos et Tuamotu.

La Belgique de 1929 – qui rejette le projet d'Henri Jaspar

de flamandiser intégralement l'université de Gand et d'y supprimer tous les cours en français, au prétexte que cela aboutirait à la fin de l'enseignement francophone en Flandres – s'apprête à fêter, dans l'enthousiasme partagé, le centième anniversaire de son indépendance. Partagé... au point que l'année suivante il n'y aura pas moins de deux expositions internationales parallèles pour célébrer l'événement : l'une à Anvers, en Flandre, l'autre à Liège, en Wallonie. Mais au-delà de ces divisions impossibles à résorber, les deux communautés s'accordent au moins sur quelques valeurs fondamentales telles que le catholicisme, le colonialisme ou l'anti-bolchevisme, auxquelles tout un chacun croit avec une irréductible certitude. Les premières aventures de Tintin sont, à ce propos, fort représentatives du consensus général, et certaines mauvaises langues vont même jusqu'à affirmer que, pour camper son héros, Hergé se serait assez fidèlement inspiré du personnage de Léon Degrelle. Pour le physique, c'est fort plausible ; quant au contenu idéologique, il suffit de relire les premières tribulations du « reporter du *Petit Vingtième* » pour être édifié.

C'est donc dans ce climat que naît Jacques Romain Georges Brel, le 8 avril 1929 à Schaerbeek, dans une maison bourgeoise un peu ronde d'aspect, sise au 138 de l'avenue du Diamant, dont la façade, aujourd'hui, s'orne d'une plaque de marbre gris commémorant l'événement en vers de mirliton :

Ici est né
JACQUES BREL
1929-1978
« Il a chanté le Plat Pays,
Les Vieux, la Tendresse, la Mort
Debout, il a vécu sa vie
Et le poète vit encor »

Lui qui, à la question posée par Jean Clouzet, son premier biographe [1] : « *Que vous manque-t-il pour devenir poète ?* » ne répondit qu'un sobre : « *Y croire...* », le voilà servi !

---

[1]. *Jacques Brel*, par Jean Clouzet (Editions Seghers, collection « Poètes d'aujourd'hui », n° 119, 1964. Réédition revue et augmentée par Jacques Vassal, même éditeur, collection « Poésie et chansons », 1988).

Il est trois heures du matin lorsqu'il vient au monde, et toute sa vie il conservera ces habitudes de noctambule.

Cette maison n'est en fait qu'un lieu de passage, un havre provisoire ; la famille déménage quelques mois plus tard pour s'installer dans une demeure plus vaste, que le père fait construire au 55 de l'avenue des Cerisiers. La même rue, pratiquement, car il n'y a qu'un simple carrefour à traverser. Une vraie maison de parvenu, avec salle de bains en marbre, crépi doré sur les murs du salon et lustres à breloques dans la salle à manger. Prospérité... La crise économique s'apprête à faire imploser Wall Street et à déferler sur l'Europe, mais les mines du Congo rendent à plein et la Belgique connaît, pour quelque temps encore, une euphorie économique sans précédent. C'est l'époque *« où Bruxelles bruxellait* [1] *»*...

Voilà vingt ans que Romain Brel est au service de la Cominex. Il y a fait toute sa carrière et occupe désormais un poste de direction au siège de la société. A ce niveau de responsabilité, il ne peut plus espérer qu'une promotion lente, chaque fois qu'un décès ou un départ à la retraite rendra vacante une place pour l'instant inaccessible. Vingt ans... Lui-même tend doucement vers la cinquantaine : l'âge des bilans inévitables. Celui, surtout, où il faut réussir une fois pour toutes, ou se résigner définitivement... Aussi n'hésite-t-il que pour la forme – et peut-être pour montrer qu'il est de ces Flamands sages et responsables qui ne s'engagent pas sur un coup de tête – lorsque son beau-frère, Amand Vanneste [2], lui propose de participer au capital de la cartonnerie qu'il a reprise depuis une dizaine d'années. Il s'agit de l'ancienne maison Bichon, dont la réputation de sérieux remonte à la fin du siècle précédent. Un placement sûr ! L'usine vient d'être entièrement détruite par un incendie accidentel, et Vanneste compte profiter de l'occasion pour la moderniser de fond en comble, afin de se lancer dans la fabrication du carton ondulé : une nouveauté certainement appelée à un bel avenir.

1. « Bruxelles ».
2. Amand Vanneste est l'époux de Léontine Brel, l'une des sœurs aînées de Romain.

Pour trouver les fonds nécessaires à cette association, Romain Brel emprunte; mais quand éclate la crise économique, il est contraint de vendre la maison de l'avenue des Cerisiers et, dans l'attente que l'investissement commence à rapporter, la famille se serre un peu dans un petit appartement du boulevard d'Ypres, à quelques pas du canal qui, de Charleroi à Willebroek, relie la Sambre au port d'Anvers. A longueur de journée, de lourdes péniches, chargées à couler bas, remontent vers le Nord et la mer ou descendent vers la France, et les quais alentour s'appellent quai des Charbonnages, quai des Matériaux, quai des Péniches ou quai des Steamers... Images fortes pour un enfant dont la sensibilité exceptionnelle est encore en friche.

Plus tard, l'œuvre de Jacques Brel sera l'une des plus autobiographiques qui soient; chaque image trouvant son explication dans un souvenir d'enfance, une scène entrevue dans un bar aux petites heures de la nuit, l'émotion d'un ami, une réminiscence de rencontre ou de lecture... Pour l'heure, c'est un enfant que l'on élève d'une manière tout à fait conventionnelle, à l'abri des grands drames et des grandes passions. Le train de vie du ménage, aux premiers temps de l'association « Vanneste et Brel », a beau être un peu plus juste, cela n'en demeure pas moins confortable et serein. *« J'ai eu une enfance où il ne se passait presque rien; il y avait un ordre établi assez doux. Ce n'était pas rugueux du tout, ce n'était pas dur du tout... C'était paisible et forcément morose*[1]*... »*

Sa situation de dernier-né fait presque du petit Jacky – un diminutif dont il ne manquera pas de se souvenir – un enfant de vieux. Avec un frère, Pierre, de cinq ans son aîné, dont il ne peut partager ni les goûts ni les jeux, un père que ses responsabilités et ses remords conjugaux amènent à se renfermer, à devenir silencieux et secret, et une mère vive et enjouée dont il finira par comprendre qu'elle entretient une liaison avec l'un de ses propres professeurs. Pour discrète que puisse être cette aventure, Romain Brel n'en ignore rien; d'autant qu'il s'agit, avant tout, d'une réponse de la

1. Propos recueillis par Dominique Arban pour France Culture (juillet 1967), rapportés dans son ouvrage *Cent pages avec Jacques Brel* (Editions Seghers).

bergère au berger. C'est lui, en effet, qui a donné le premier coup de canif dans le pacte matrimonial, en prenant pour maîtresse une jeune et jolie employée de la cartonnerie. L'affaire ne dure guère que quelques semaines, mais Lisette en est cruellement blessée. Au point d'essayer de se donner la mort, en ouvrant le gaz, après avoir laissé une courte lettre à son mari. « *Quand nous sommes revenus de l'école, mon frère et moi, nous avons encore perçu une odeur de gaz dans la maison* », se souvient Pierre Brel. « *Le visage pâle et les yeux mouillés, notre mère était étendue sur son lit. Le père à ses côtés. Nous n'avons reçu pratiquement aucune explication. Nous n'en avions, d'ailleurs, pas besoin. Nous avons très vite compris la situation. Surtout lorsque notre mère a murmuré : " Il ne m'aime plus, il en aime une autre ! "...* [1] »

L'incartade du père – nous l'avons dit – sera sans lendemain et, dans un premier temps, tout semble rentrer dans l'ordre. Mais la différence d'âge commence à jouer en défaveur de Romain Brel, et Lisette, passablement délaissée, ne peut plus se dissimuler qu'elle s'ennuie au côté de ce mari de plus en plus absorbé par ses responsabilités. Au fil des mois, elle se laisse séduire par un jeune homme cultivé et sensible, nommé Maurice, qui a ses entrées chez eux, de façon naturelle, puisqu'il s'agit d'un des professeurs de Jacques. D'ailleurs, bien que n'étant pas dupe, Romain Brel apprécie lui aussi la compagnie et la conversation de celui qui, pendant plusieurs années, partagera ainsi l'intimité de la famille. « *Cette liaison [...] finit par faire partie de la vie des Brel. Tout le monde le sait. Personne n'en parle. C'est comme ça... Romain, réservé, pudique et se souvenant de sa propre infidélité, ne dit ni ne demande rien.* [2] »

Le mari, la femme, l'amant... et le secret que chacun garde soigneusement, pour préserver les convenances. Tout cela ne fait-il pas partie de la panoplie bourgeoise, au même titre que le piano dans le salon et les promenades du dimanche après-midi dans les jardins du palais royal de Laeken, où les garçons vont donner des restes de pain aux cygnes des pièces d'eau ?

1. Cité par Thierry Denoël, in *Pierre Brel, le frère de Jacques* (*op. cit.*).
2. Thierry Denoël (*ibid.*).

En dépit de cet adultère dont personne ne parle, mais qu'il devine entre deux sourires ou deux soupirs, et dont il se souviendra plus tard :

Quand ma maman reviendra,
C'est mon papa qui sera content !
Quand elle reviendra, maman,
Qui c'est qui sera content ? C'est moi[1] *!*

ou encore :

Bien sûr, tu pris quelques amants,
Il fallait bien passer le temps,
Il faut bien que le corps exulte[2]*...*

Jacques est un enfant aimé, guère différent au fond de ses nombreux petits cousins. Education catholique, cela va de soi, avec toutes les étapes obligatoires prévues au parcours : catéchisme, confirmation, première communion et communion solennelle en brassard. Et, bien entendu, messe dominicale et scoutisme. Tout juste est-il un peu plus sensible à l'ennui lors de ces fêtes familiales qui sont surtout l'occasion de lourdes mangeailles, à l'issue desquelles les *« oncles repus*[3] *»* finissent toujours par s'envelopper de tabac pour parler affaires ou sport. Politique aussi, parfois, mais avec mesure : comme il convient à des gens bien élevés, aux intérêts communs.

Ne reste plus alors pour les enfants, encore petits, qu'à se réfugier dans l'univers douillet et sécurisant des tantes, des napperons, des sucreries et des rêves de Far West. De quoi se forger en douceur une bonne haine, bien tenace, des simagrées *« de ces ronds de famille*[4] *»*, et se jurer, en aparté :

Quand je serai vieux, je serai insupportable[5] *!*

---

1. « Quand maman reviendra ».
2. « La chanson des vieux amants ».
3. « Mon enfance ».
4. *Ibidem.*
5. « La... La... La... ».

3

De grisailles en silences

Durant toute sa scolarité, Jacques ne connaîtra que cet enseignement qui n'a de libre que le nom. Tout d'abord à l'école primaire Saint-Viateur, tenue par des frères ; puis à l'Institut Saint-Louis où, parmi une majorité de prêtres, se trouvent quelques rares professeurs laïcs.

1936. Lorsque les portes de Saint-Viateur s'ouvrent pour la première fois devant Jacky, la vieille Europe est en train de craquer de toutes parts. En France, de longs mouvements de grève aboutissent au Front populaire ; provoquant, par osmose, la grève générale en Belgique et de violents affrontements, avec mort d'hommes, entre le groupe d'Awouters aux sympathies fascistes affirmées et les syndicats qui réclament la semaine de quarante heures, une hausse des allocations de chômage et six jours de congés payés. La guerre civile fait rage en Espagne où Franco reçoit l'appui de la légion Condor, venue d'une Allemagne plus que jamais verrouillée par les nazis, qui organisent l'apothéose de la race aryenne, lors de Jeux olympiques grandioses au cours desquels le Noir américain Jesse Owens remportera malgré tout quatre médailles d'or. Et tandis que le prix Nobel de la paix, Carl von Ossietzky, est détenu en camp de concentration, le roi des Belges, Léopold III, proclame la neutralité de son pays.

A Saint-Viateur, pendant ce temps, loin des fracas du monde des adultes, des enfants sages et briqués comme des sous neufs apprennent à lire et à écrire. En français, évidemment. Ils découvrent ainsi les bases de l'orthographe, du calcul, de la grammaire et du solfège ; et accessoirement quelques rudiments de flamand, matière où Jacques se montre exécrable. On leur inculque aussi l'amour et le respect de Dieu, du Roi, de la Patrie et de la Famille. Dans l'ordre.

Jacques est un élève tout ce qu'il y a de banal. Sans excès de brio ni de médiocrité. Un enfant doux et rêveur, peut-être un peu mélancolique. Plein de bonne volonté, sans doute, mais pas assez travailleur ni assez attentif. De très bonnes notes en français (rédaction et lecture) et une honnête moyenne partout ailleurs. En fait, un écolier sans grande originalité, que rien ne permet de distinguer des autres.

D'une manière générale, Jacques se sent plus proche de sa mère, qui est gaie, tendre et aime raconter des histoires, que de ce père austère qui ne parle guère et dont il dira : *« Je ne me souviens pas avoir vu mon père rire. »* Pourtant, les rares fois où monsieur Brel se laisse aller à évoquer ses souvenirs du Congo, la seule magie des mots recrée des troupeaux de zèbres ou de buffles et des lions en maraude dans l'imagination de ses fils. Toujours prêt à s'enflammer comme de l'étoupe, Jacky brode sur le moindre bout de phrase. Qu'on lui décrive le comptoir de Popocabaca ou les longues virées en pirogue sur la Kwango, et l'Afrique devient aussitôt le théâtre des exploits de Raoul et Gaston [1], tandis que son père prend des allures d'aventurier coureur de brousse. Quel contraste avec ce directeur d'usine, chercheur d'or ayant fini par en trouver, honorable bourgeois bruxellois engoncé dans la rigidité soucieuse des hommes responsables et dans l'appréhension de la guerre qui menace !

Et quel désenchantement !

Entre autres choses, Jacques ne pardonnera jamais aux adultes d'être incapables de correspondre aux rêves de leurs enfants et de refroidir toujours leurs enthousiasmes. Une idée qui le blessera jusqu'au crépuscule de sa carrière *(« Les*

---

1. Célèbres héros de bandes dessinées, créés par l'Américain Lyman Young, en août 1928, et dont la plupart des aventures se déroulent dans une Afrique coloniale fortement idéalisée.

adultes sont déserteurs [1]... »). Oh! il ne leur demande pas grand-chose, sachant déjà que tout le monde ne peut pas être Vasco de Gama ou Buffalo Bill. Simplement de ne pas trop se laisser bouffer le cœur au *« jeu des imbéciles, où l'immobile est le plus vieux* [2] ». Lui qui commence à croire en l'existence, encore imprécise, d'un possible Far West, soupçonnerait-il déjà, du haut de ses onze ans et de ses premières lectures romanesques, que :

... le monde sommeille
Par manque d'imprudence [3] ?

Ce n'est pas impensable, chacun portant en soi une sorte de compréhension instinctive qui pousse, parfois très tôt, à certaines découvertes qui ne seront vraiment analysées et formulées que longtemps après mais laissent au cœur et au caractère des marques indélébiles. Or, Brel passera sa vie à pourfendre cet amalgame d'inquiétude, de résignation, de conformisme et de raison – qu'il nomme indifféremment immobilisme ou prudence – à coups de traits secs et définitifs comme : *« Les hommes prudents sont des infirmes »*, ou encore : *« Tout le malheur du monde vient de l'immobilité. Toujours ! »*

Une constante qui lui vaudra, lui qui n'aura pour seule fierté avouée que d'avoir su devenir *« vieux sans être adulte* [4] »*, de revendiquer l'enfance, avec son absence de compromission et de calcul, comme une sorte de paradis perdu :

L'enfance,
Qui nous empêche de la vivre,
De la revivre infiniment,
De vivre à remonter le temps,
De déchirer la fin du livre [5] ?

Nostalgie qui peut sembler paradoxale, au regard de certains souvenirs :

Mon enfance passa
De grisailles en silences,

1. « L'enfance ».
2. « L'éclusier ».
3. « Jojo ».
4. « La chanson des vieux amants ».
5. « L'enfance ».

De fausses révérences
En manque de batailles [1]...

Mais la contradiction n'est qu'apparente, dans la mesure où ce que Brel regrette ainsi n'est pas l'état de fait d'une jeunesse dont il se moque bien, mais le potentiel d'émerveillement, de découverte, d'honnêteté et de rêve d'un âge où tout semble encore possible, et qu'il définit de cette façon :

L'enfance [...]
C'est rien avec de l'imprudence [2].

Le paradis perdu brélien, s'il existe, se trouve donc dans ce regard sans complaisance que seuls les enfants sont parfois capables de poser sur les jeux dérisoires des adultes ; non dans un supposé état de grâce ou d'innocence que les imbéciles et les tartufes s'obstinent à nommer « le bel âge ». A quelques années d'intervalle, aucune ambiguïté possible, la pensée du chanteur rejoint étroitement celle du héros de *Aden Arabie* : « *J'avais vingt ans. Je ne laisserai personne dire que c'est le plus bel âge de la vie* [3] » ; au point de la paraphraser ouvertement lorsqu'il évoque :

... ces vieillards qui nous ont dit
Que nos vingt ans, que notre jeunesse,
Étaient le plus beau temps de la vie [4].

Il est d'ailleurs tout à fait symptomatique de constater que le livre de Nizan fera encore partie de la bibliothèque réduite que Brel, au terme de son parcours, emportera sur son île lointaine [5].

Aucun attendrissement de circonstance, donc, dans cette quasi-mythification de l'enfance ; mais la conscience aiguë de ce regard impitoyable que, tantôt, il reprend à son propre compte :

J'avais l'œil du berger
Mais le cœur de l'agneau [6],

1. « Mon enfance ».
2. « L'enfance ».
3. *Aden Arabie*, par Paul Nizan (Editions Rieder, 1932).
4. « Vieille ».
5. L'inventaire de la bibliothèque de Brel, aux Marquises, a été établi par Olivier Todd dans son ouvrage *Jacques Brel, une vie* (Editions Robert Laffont, 1984).
6. « Mon enfance ».

et que d'autres fois il s'agira d'éviter, en adulte forcément imparfait mais néanmoins lucide :

J'aimerais que les enfants ne me regardent pas [1].

Au bout du compte le constat est féroce, et la sentence de ce gamin haut sur pattes, toujours en train de se battre contre une mèche rebelle, sera sans appel. De ces jugements que l'on peut feindre d'ignorer quand d'autres les portent sur vous, mais dont on ne se remet jamais lorsqu'on les prononce soi-même : « *Un jour, j'ai perdu le respect des adultes. Pendant longtemps je m'étais dit : " Ils jouent aux idiots. " Et, un jour, je me suis aperçu qu'ils ne jouaient pas.* »

Une certitude qui peut se formuler de manière plus abrupte, lorsque l'on est pris par l'urgence d'une chanson :

... les adultes sont tellement cons
Qu'ils nous feront bien une guerre [2]...

De dérisoires, les jeux du pouvoir, des alliances et de la finance deviennent en effet soudainement tragiques. Le 3 septembre 1939, le *statu quo* frileux de Munich vole en éclats. La France et l'Angleterre déclarent la guerre au IIIe Reich et la Belgique, tout en rappelant sa neutralité, décrète la mobilisation générale. Celle-ci concerne six cent cinquante mille hommes, un douzième environ de la population du pays. Après quelques mois d'expectative – ce que Roland Dorgelès baptisera « *la drôle de guerre* » –, c'est l'offensive allemande, la défaite et l'occupation. Pour toute une génération, dès lors, l'enfance ne sera plus jamais pareille. Comme dirait le héros d'une chanson que Brel ne chantera jamais :

Avant les grands naufrages,
Tout est toujours plus beau [3]...

---

1. « La statue ».
2. « Fernand ».
3. « Chanson de cow-boy ». Extrait de la comédie musicale inédite *Le Voyage sur la Lune* (livret de Jean-Marc Landier, chansons de Jacques Brel sur des musiques de François Rauber, 1970).

4

Puis la guerre arriva

L'armée belge tiendra très exactement dix-huit jours.

Les panzers de la Wehrmacht passent à l'attaque le 10 mai 1940, à cinq heures trente-cinq du matin, et investissent en un éclair le fort stratégique de Eben-Emael. Baptisée *Coup de faucille*, l'opération est destinée à contourner cette ligne Maginot que les stratèges français considèrent comme inexpugnable et qui, prise à revers, tombera tel un fruit mûr. Les forces alliées sont ainsi coupées en deux et les troupes de Weygand – tandis que les Anglais, repliés sur Dunkerque, organisent leur évacuation dès le 20 – tentent vainement de tenir la Somme et l'Aisne.

On est loin des fanfaronnades du lendemain de la déclaration de guerre, quand le futur président du Conseil, Paul Reynaud, proclamait : « *Nous vaincrons parce que nous sommes les plus forts* [1] *!* », et que le Grand Orchestre de Ray Ventura chantait : « *On ira pendre notre linge sur la ligne Siegfried...* »

Alors que le gouvernement belge se replie, le Premier ministre Hubert Pierlot et le ministre des Affaires étrangères Paul-Henri Spaak tentent de réorganiser la défense d'une armée en déroute. Mais le 28 mai, sans consulter ses alliés, et malgré les exhortations de ses ministres, qui lui conseillent l'exil, Léopold III annonce la capitulation sans condition. La Belgique dépose les armes. C'est la consternation ! Plus encore qu'un coup de poignard dans le dos de la

---

1. Allocution radiophonique du 10 septembre 1939, en tant que ministre des Finances.

coalition alliée, cette décision est ressentie comme une marque de sympathie vis-à-vis de l'Allemagne. Le gouvernement rejette à l'unanimité la démission collective que lui demande le roi et – tandis que Paul Reynaud résume à sa manière le sentiment général : « *On vous l'avait bien dit que votre roi n'était qu'un boche !* » – Hubert Pierlot présente au monde entier les excuses de son peuple : « *La faute d'un homme ne peut être imputée à la nation tout entière. Notre armée n'a pas mérité le sort qui lui est réservé. L'acte que nous déplorons est sans valeur légale. Il n'engage pas le pays.* »

Ainsi, aux yeux de tous, le roi apparaît désormais comme un déserteur. Vaincue, humiliée, la Belgique s'enfonce dans la nuit de l'Occupation. Images qui resteront à jamais dans la mémoire de Jacques :

Je découvris le réfugié ;
C'est un paysan qui se nomade,
C'est un banlieusard qui s'évade
D'une ville ouverte qui est fermée.
Je découvris le refusé ;
C'est un armé que l'on désarme
Et qui doit faire chemin à pied[1].

Qu'elle soit gagnée ou perdue, nul ne revient intact de la guerre. De « *Nos grands frères devenus vieillards* » à « *Nos pères devenus brouillard !* »[2].

Les déportations commencent à frapper et la collaboration – pendant que la résistance s'organise – prospère chez les Wallons comme chez les Flamands : lorsqu'il s'agira de s'engager, dans l'enthousiasme, pour grossir les troupes allemandes, la légion Wallonie de Léon Degrelle – dont Hitler disait que s'il avait eu un fils, il eût aimé qu'il lui ressemblât – répondra à la division SS Vlaanderen de Staf de Clercq. Ce dernier, leader du VNV (Vlaams Nationaal Verbond : Parti nationaliste flamand), n'hésitant pas à déclarer dans ses discours : « *Les nationalistes flamands sont décidés à établir*

---

1. « Mai 40 », chanson figurant parmi cinq titres inédits, enregistrés par Jacques Brel en même temps que son ultime album. Bien que n'ayant jamais été exploitée discographiquement, à ce jour, « Mai 40 » a néanmoins été utilisée par Frédéric Rossif, dans la bande originale de son film *Brel* (1982).
2. *Ibidem.*

en Flandres un régime national-socialiste ! » « *Nazis durant les guerres* [1]... », n'est-ce pas ? N'en déplaise à ceux qui vilipenderont Jacques Brel pour l'anathème lancé, avec ses dernières forces, dans un ultime album qui, par bien des aspects, fait aujourd'hui figure de testament.

Libéraux modérés, les Brel se tiennent à l'écart de toute cette agitation dangereuse et, sans être le moins du monde résistant, Romain Brel aspire néanmoins à la victoire des Alliés, dont il écoute la contre-propagande à la BBC – ce qui, à l'époque, n'est pas sans présenter quelques risques. Cela n'empêchera pas pour autant la cartonnerie de continuer à tourner, vaille que vaille, durant toute l'Occupation ; même s'il ne lui reste plus qu'une vingtaine d'employés, entre la mobilisation et les rafles pour le travail obligatoire, et qu'il est chaque fois plus difficile d'honorer les commandes en dehors de l'agglomération bruxelloise, après que les camions eurent été réquisitionnés.

Jacques entre en sixième, à l'Institut Saint-Louis, en face du Jardin Botanique et de sa belle verrière en demi-rotonde. De simplement terne, sa scolarité devient franchement désastreuse, et il s'enfonce peu à peu dans le rôle du cancre :
C'est le tango du temps des zéros ;
J'en avais tant, des minces, des gros,
Que j'en faisais des tunnels pour Charlot,
Des auréoles pour Saint-François [2]...
Souvent, les cancres trouvent leur épanouissement, voire leur justification sociale, dans le statut d'amuseur public. Quoi de plus désespérant, en effet, qu'un cancre mélancolique ? Comme un ratage sur toute la ligne. Jacky, quant à lui, se sent fort à l'aise dans son rôle de boute-en-train. Il fait le pitre devant ses camarades et professeurs, et développe ses dons naturels d'acteur et de parodiste, ainsi que son goût de la charge. Son œil se fait acéré et ses imitations de Charlot dérapent de plus en plus souvent vers un autre petit moustachu caricatural qui, lui, hélas ! n'a rien de comique. Il n'a

1. « Les F... ».
2. « Rosa ».

pourtant, et pour cause, jamais vu *Le Dictateur* et la manière dont Charlie Chaplin tourne Hitler en dérision : réalisé en 1939, le film est évidemment interdit dans tous les pays occupés par les nazis.

Mais au-delà des rires et des pastiches, Saint-Louis c'est aussi :

... le tango de la pluie sur la cour,
Le miroir d'une flaque sans amour
Qui m'a fait comprendre un beau jour
Que je ne serais pas Vasco de Gama [1].

L'enseignement, aux yeux de l'Eglise, doit être strictement cloisonné : les garçons chez les frères et les filles chez les sœurs. Aucun rire cristallin, aucun envol de cheveux fous au long des couloirs mornes de l'Institut, ou dans la cour de récréation cimentée, bordée de fenêtres en arcades. Au micro de Jean Serge, Brel confiera un jour à Félix Leclerc : « *Moi, j'ai encore été élevé dans la notion du péché d'amour* [2]. » Des mots qui, loin d'être une simple formule dans une conversation amicale à bâtons rompus, recouvrent une réalité intime et douloureuse, déjà évoquée quelques années plus tôt dans une chanson aux allures de règlement de comptes : « Les singes ».

... ils ont inventé l'amour qui est un péché,
L'amour qui est une affaire, le marché aux pucelles,
Le droit de courte-cuisse et les mères maquerelles ;
Et c'est depuis ce temps qu'ils sont civilisés,
Les singes, les singes, les singes de mon quartier.

Ici, le possessif prend tout son sens. Le chanteur a trop à raconter pour avoir seulement besoin d'inventer. De fait, les seules femmes que côtoie Jacques sont de cet âge indéfinissable, entre mère et grand-mère, que donnent l'usure et l'embonpoint. Parentes, voisines ou servantes. Pour ainsi dire asexuées :

Je m'étonnais déjà
Qu'elles ne fussent point plantes [3]...

1. *Ibidem.*
2. Entretien Jean Serge, Félix Leclerc et Jacques Brel, Europe N° 1, 26 mai 1968.
3. « Mon enfance ».

Quant aux autres, elles resteront longtemps du domaine du rêve ; jusqu'à les mythifier à l'extrême dans ses premières chansons, évoquées presque abstraitement, avec des mots relevant parfois de la prière, avant d'oser enfin leur donner une matérialité charnelle, non exempte de méfiance voire d'hostilité. Ainsi, bien avant le tourbillon des bus à impériale et des crinolines de la place de Brouckère, sa première vision de Bruxelles sera-t-elle, plus mélancoliquement, celle d'adolescents en mal d'amour :

Il y a le Jardin botanique
Qui fait la nique
Aux garçons de Saint-Louis
Qui attendent sous la pluie
Les filles dont ils ont rêvé [1].

De « *ces villes éteintes où le crachin balance* [2] », à ces lointaines Marquises où « *La pluie est traversière / Elle bat de grain en grain* [3] », il pleut beaucoup dans les chansons de Jacques Brel. Il pleut sur le séducteur raté de « Knokke-le-Zoute tango », sur les fleurs de l'amoureux transi de « Madeleine » ainsi qu'à l'enterrement de « Fernand ». Les exemples sont innombrables de ces faillites noyées d'averses qui correspondent – hormis le procédé d'écriture cher aux romantiques consistant à faire coïncider état d'âme et paysage – à une perpétuelle résurgence des images de l'enfance, dans un pays sans véritable horizon : « *Mon horizon s'est toujours arrêté à cent ou deux cents mètres, parce qu'il y avait une usine, ou des charbonnages, ou des choses comme ça. Ce qui fait que j'ai une autre notion du paysage. Moi, mes paysages ce sont des vitres, c'est de la pluie.* »

Quand, ayant interrompu ses études, Jacques travaillera dans un bureau de la cartonnerie, c'est d'instinct, avec les mêmes mots, qu'il exprimera son étouffement :

Il pleut,
Les carreaux de l'usine
Sont toujours mal lavés [4]...

1. « Bruxelles », chanson inédite datée de 1953. La version habituelle, totalement différente, sera écrite en 1962.
2. « Les désespérés ».
3. « Les Marquises ».
4. « Il pleut ».

pour finir par ce cri de révolte :
Les carreaux de l'usine,
Moi, j'irai les casser[1] *!*
non sans avoir, au passage – en bon chrétien qu'il est alors –
fait son acte de contrition :
Il pleut,
Et c'est ma faute à moi[2].

1. *Ibidem.*
2. *Ibidem.*

5

Les jarrets de Merckx,
le cœur d'Anquetil

La guerre, naturellement, modifie les habitudes de vie et de confort. Le couvre-feu rend les sorties difficiles et les restrictions se font cruellement sentir. La faim, le froid, l'angoisse... Pour lutter contre le manque de chauffage, rien de tel que de s'emmitoufler dans un plaid avec un bon livre. Le corps resserré sur sa propre chaleur, le plus immobile possible pour tâcher de faire durer chaque fibre d'énergie ; mais l'esprit ivre d'une liberté insoupçonnée, bousculant les frontières, les idées toutes faites et les passions. Ainsi les gens de cette génération auront-ils souvent le réflexe de se réfugier dans les livres et les rêves qu'ils colportent. Mieux, la paix revenue, nombre d'entre eux resteront de grands lecteurs : parlant de leur jeunesse, il faut les avoir entendu évoquer ces volumes que l'on se repassait de main en main comme le témoin d'une course de relais, que la pénurie rendait plus précieux encore... Heures arrachées à l'occupant, à la peur et aux privations.

Jacques est un lecteur boulimique, et ses goûts le portent surtout vers les récits de voyage et les grands romans d'aventure. Stevenson, Melville, Jack London, Joseph Conrad... tous marins. Tous bourlingueurs, dont les vies valent bien n'importe quelle fiction, sur lesquels les îles exercèrent une irrésistible fascination. Au point d'y « *aller voir* » et parfois d'y mourir. Jules Verne aussi, bien sûr, avec ses extraordinaires machines à défier l'espace et le temps ; et Fenimore Cooper ou James Oliver Curwood, qui parlent de *La*

Prairie, de grizzlis tués au couteau et d'Indiens capables de courir trois jours dans les bois, sans presque s'arrêter. Entre Far West et Vasco de Gama, les rêves de Jacques l'emportent loin d'une Belgique sévèrement bombardée, à cause de la multitude de ses ports, de ses gares et de ses ponts, et où :

... chaque bourg connut la crainte,
Et chaque ville fut éteinte [1].

Gamin plein d'enthousiasme et d'énergie, Jacques s'évade tout autant dans l'effort physique que dans la lecture. Il joue au football avec ardeur et porte le maillot rayé de Saint-Louis, fait de longues randonnées à pied avec la troupe d'éclaireurs à laquelle il appartient, nage en compagnie de son frère ou part à bicyclette avec lui pour des étapes de plusieurs heures. Luttant déjà plus contre lui-même que contre les autres, il aime se lancer des défis qui le mèneront parfois au bout de ses forces, mais auxquels, une fois engagé, rien ne saurait le faire renoncer. Alors, il pédale jusqu'à l'épuisement, jusqu'à sentir le goût du sang battant dans ses gencives : « *Je n'avais pas les jarrets de Merckx ou le cœur d'Anquetil, mais je roulais dur. Je faisais des trucs contre la montre. J'étais très animal. Il m'arrivait de tomber à la fin, de ne plus pouvoir.* »

Cela aussi se retrouvera dans ses chansons :
J'aimais courir jusqu'à tomber,
J'aimais la nuit jusqu'au matin [2]...
ou encore :
Et la fatigue plante
Son couteau dans mes reins
Et je fais celui-là
Qui est son souverain [3].

Cette opiniâtreté à ne jamais rien céder à l'épuisement ni au découragement, à refuser l'idée même d'abandon, n'est sans doute pas le seul fait du hasard ni d'ailleurs le signe avant-coureur des futurs défis bréliens, puisque Jacques la partage équitablement avec son frère Pierre ; chacun prenant

1. « Mai 40 ».
2. « J'aimais ».
3. « La ville s'endormait ».

la part qui lui ressemble de cet orgueil dont se forge la véritable endurance.

Malgré l'apparente « normalité » d'une vie passée dans les bureaux de la cartonnerie, où il finira par occuper les plus hautes fonctions, Pierre Brel est en effet une sorte d'aventurier, d'une trempe similaire à celle de son frère. Infatigable coureur de planète et amateur de raids au long cours, qui le conduiront sur les routes du monde entier, de l'Inde au Mexique et de la Russie en Côte-d'Ivoire (en passant par l'Afghanistan, la Syrie, le Sénégal, la Thaïlande, l'Irak, l'Iran, l'Egypte, le Pakistan, le Liban, le Sri-Lanka, Israël, la Jordanie, le Népal, etc.), il sera également le plus titré de tous les champions motocyclistes belges – dans la catégorie « endurance », bien entendu – après avoir été le premier à relier Bruxelles-Léopoldville-Bruxelles, en side-car, en 1954 [1]. Renonçant finalement à la moto, Pierre Brel se mettra à la course à pied à l'âge où d'autres coulent une retraite paisible et réussira l'incroyable exploit de courir cent kilomètres d'une seule traite (en douze heures et cinquante-six minutes!), le 4 octobre 1992. Il s'apprête alors à fêter son soixante-neuvième anniversaire, alors que Jacques – à cinq jours près – est mort depuis seize ans.

Au reste, et bien que leurs vies aient pris des directions radicalement différentes, les amenant à se voir seulement de loin en loin, Jacques montrera toujours un attachement sincère et non dénué d'admiration – sa correspondance en atteste – pour ce grand frère qui, comme lui, n'hésitera pas à vivre ses passions jusqu'au bout, sans jamais renoncer à ses rêves de jeunesse.

Il ne saurait pourtant être question d'aller chaque jour aux limites de ses forces. Car ces longues randonnées à bicyclette ne sont pas des courses à l'exploit mais, avant tout, des évasions. Aussi Jacques adosse-t-il souvent sa monture au parapet d'un pont de chemin de fer, pour se laisser envelopper par le nuage de vapeur des trains passant en contrebas et des

1. Raid accompli du 20 décembre 1953 au 4 septembre 1954, en compagnie de son épouse Marie-Jeanne et d'un second équipage composé de Léon et Germaine Hellebuyck.

locomotives qui manœuvrent : « *Ah! les rêves qu'on a quand on est sur un pont, qu'on est gamin, et qu'on voit une gare de triage.* » Désirs d'impossibles départs qui hantent ces années d'adolescence où l'on se sent mis en cage :

Je voulais prendre un train
Que je n'ai jamais pris [1]...

Pour compenser, il continue à faire le pitre. Y compris chez les scouts de la troupe Albert Ier où il recevra tout naturellement, lorsqu'il sera « totémisé », le nom de « Phoque hilarant ». Pierre, lui, aura été baptisé « Morse flegmatique ». Toute la différence de caractère entre les deux frères est là.

Un jour, l'aumônier de leur troupe, l'abbé Schoorman, est arrêté et déporté. Un peu plus tard, le père Vandergoten, professeur à Saint-Louis, échappe de peu à la Gestapo et doit entrer dans la clandestinité. Dieu serait-il donc incapable de protéger ses émissaires ? Ajoutées à la « désertion » d'un roi et au déchirement d'une patrie, dont une moitié traque l'autre, les valeurs fondamentales que les écoliers ont appris à respecter semblent, décidément, s'écrouler les unes après les autres. Ne reste guère que la Famille. Mais qu'en penser, dans ces conditions ?

Comment voulez-vous, bonnes gens, que nos bonnes bonnes
Et que notre belle jeunesse aient le sens des valeurs [2] *?*

Dès lors, Jacques ne croira plus jamais aux mensonges des adultes. Et voilà, très exactement, le genre de déchirure dont on ne guérit pas :

Faut vous dire, Monsieur,
Que chez ces gens-là,
On ne vit pas, Monsieur,
On ne vit pas : on triche [3] *!*

Perdre le respect des adultes ne signifie pas pour autant perdre le respect de *tous* les adultes. Il se trouvera ainsi un prêtre, dans la masse des professeurs de Saint-Louis, pour déceler sous la carapace du cancre le potentiel inexploré de cet adolescent que l'école ennuie. C'est l'abbé

1. « Mon enfance ».
2. « Grand mère ».
3. « Ces gens-là ».

Jean Deschamps qui, quoique enseignant les mathématiques, ne limite pas son rôle de formateur au simple apprentissage de la résolution des équations, faisant office de professeur principal de cette classe de cinquième à laquelle Jacques accède enfin, après avoir redoublé sa sixième. Fait significatif : ce sera la seule classe qu'il passera sans problème, avant de refaire sa quatrième et de manquer tripler sa troisième.

Notant le contraste entre le dilettantisme chronique de Jacques, devenu la bête noire de son professeur de flamand, Monsieur Termote, et ses excellents résultats en français, l'abbé Deschamps s'attache à cet élève pourtant réfractaire à l'algèbre et à la géométrie. Il en conservera le souvenir d'une silhouette dégingandée que des bras relativement longs semblent gêner en permanence : « *Ses yeux brillaient d'une gentille malice. Il était toujours prêt à plaisanter, à prendre les choses en riant ; mais il avait la manière et il était impossible de lui en vouloir plus d'un moment* [1]. » Ainsi, lorsque Jacques, puni, devra faire « *deux cents lignes signées par les parents* », la copie qu'il remettra, outre les paraphes paternel et maternel, sera visée par sa tante, son frère, le chien et le chat. Une autre fois, il rendra son pensum en vers. Déjà cet humour mêlé d'insolence devant l'absurdité.

Observateur fin, et très imaginatif à la fois, Jacques possède en outre un lyrisme naturel et une verve tels que ses rédactions sont souvent lues en classe, à haute voix, à titre d'exemple. Ce plaisir visible de l'écriture lui vaudra même en fin d'année un premier prix de français, à l'occasion duquel il recevra une édition reliée du *Don Quichotte* de Cervantes. Curieux cancre, qui reçoit des prix d'excellence... Et curieux rendez-vous pris avec l'avenir, à près d'un quart de siècle de distance !

En marge des cours qui ne l'intéressent pas – et ils sont légion –, il gribouille des caricatures de ses professeurs et des ébauches de poèmes, avec parfois des accents fort proches de ceux de la maturité :

La mer est belle et longue infiniment...

---

1. Propos recueillis par Pierre Barlatier, pour son ouvrage : *Jacques Brel* (Editions Solar, 1978).

Le père Deschamps l'aide également à s'orienter vers de nouvelles lectures : Chateaubriand et son romantique *Voyage en Amérique*, Verlaine, Hugo... Théophile Gautier aussi, dont il ne faudrait pas oublier que, derrière l'auteur du *Capitaine Fracasse*, se cache un poète que Baudelaire jugeait « *impeccable* », au point de lui dédier *Les Fleurs du Mal*. Et puis – audace ! – Emile Verhaeren, ancien élève de Saint-Louis, certes, mais mis à l'index par la bourgeoisie bien-pensante depuis son adhésion au socialisme. Une condamnation dont Jacques – qui adorait l'auteur de *Toute la Flandre*, des *Villes tentaculaires* et des *Campagnes hallucinées* – n'oubliera pas de se souvenir, à l'heure de ridiculiser ces belles âmes pour qui la compassion n'est qu'un théâtre dominical, et la charité une manière de se mettre en scène :

Pour faire une bonne dame patronnesse
Il faut être bonne, mais sans faiblesse ;
Ainsi j'ai dû rayer de ma liste
Une pauvresse qui fréquentait un socialiste [1].

Après le débarquement en Sicile, la capitulation italienne et la défaite de la Wehrmacht devant Stalingrad, la guerre entre dans sa phase décisive. Plus que jamais il faut des bras pour faire tourner la machine économique allemande, pendant que les hommes, de plus en plus jeunes et de plus en plus vieux, partent pour le front. Pour échapper au Service du travail obligatoire, qui n'est en fait qu'une déportation déguisée – et parfois volontaire –, Pierre Brel, qui a vingt ans et travaille depuis quelques mois dans l'entreprise familiale, est obligé de se cacher. Dormant dans une planque aménagée dans un coin de la chaufferie de l'usine, il échappe de peu aux visites-surprises de la Gestapo, qui vient à l'improviste contrôler l'identité et l'âge des employés.

Au lendemain d'une alerte un peu plus chaude que les autres, il est décidé qu'il quittera Bruxelles pour se réfugier à la campagne, près de Huy, chez des amis d'Afrique de ses parents. Le voyage – environ quatre-vingts kilomètres, à parcourir à vélo, sur des routes constamment surveillées par l'occupant – est plutôt risqué ; aussi Jacques lui propose-t-il de lui ouvrir la voie. Pédalant quelques centaines de mètres

1. « La dame patronnesse ».

en avant, il pourra prévenir son frère de tout danger afin qu'il ait le temps de se dissimuler dans le fossé ou les fourrés. Agé seulement de quinze ans, Jacques court effectivement un moindre risque en cas de rencontre avec une patrouille, mais cette longue virée à bicyclette sur des chemins peu sûrs – qu'au retour il devra faire seul – représente pour lui une aventure extraordinairement excitante. Le voilà éclaireur, sur des pistes peuplées d'Indiens, de déserteurs et de traîtres ! Sa première aventure. Son premier acte d'homme.

6

On a tellement besoin d'histoires...

A partir du printemps 1944, les bombardements sont tels que, par mesure de sécurité, les élèves de la plupart des écoles de Bruxelles sont priés de rester chez eux. Les Brel, après avoir habité un temps le boulevard Belgica, logent maintenant à Anderlecht, au numéro 7 de la rue Jacques-Manne, à quelques centaines de mètres seulement de la rue Verheyden où se trouve la cartonnerie. Tout près aussi du terminus du tram 33, celui que l'on prend *« Pour manger des frites chez Eugène* [1] *»*... et de l'actuelle station de métro « Jacques-Brel ».

Pendant cette vacance temporaire des écoles, les élèves restent néanmoins en contact avec leurs professeurs, qu'ils rencontrent régulièrement, pour leur remettre des devoirs faits à la maison. Jacques et son inséparable copain Robert Stallenberg – qui deviendra par la suite un cardiologue réputé – ont alors l'idée de mettre à profit ce temps libre pour monter une petite troupe de théâtre. Ils s'en ouvrent à l'abbé Deschamps qui trouve la proposition excellente et les aide à la mettre en œuvre. Ce sera la Dramatique Saint-Louis, dont les répétitions démarrent sur-le-champ, avec un répertoire délibérément comique, empruntant à Labiche et au vaudeville. Jacques se grime en Arlequin, porte de fausses moustaches, affecte de fumer la pipe. Il se découvre, sur scène, une aisance insoupçonnée et prend la chose bien plus

1. « Madeleine ».

au sérieux que ses camarades. Parfois, aussi, il en fait des tonnes ; mais la mesure ne sera jamais son fort.

Après quelques représentations internes, destinées à essuyer les plâtres face au public bienveillant des condisciples, des professeurs et des parents, la Dramatique Saint-Louis commence à se produire dans les autres établissements catholiques de la ville. C'est alors dans une ambiance de kermesse que toute la troupe se déplace et arrive quelques heures avant la représentation pour repérer les lieux, monter les vagues éléments de décors, effectuer les derniers raccords, vérifier les costumes et se maquiller. Un avant-goût de cette atmosphère de tournée, si fascinante qu'elle peut agir comme une drogue...

Par ailleurs, Jacques écrit de plus en plus sérieusement. Des premiers poèmes, il passe aux premières nouvelles. L'une, intitulée *Kho-Barim*, raconte la découverte et l'exploitation d'une pyramide égyptienne, sur fond de malédiction pharaonique. Une autre, *Le Chemineau, ou Le Premier Jour*, peint les pérégrinations d'un vagabond philosophe et de son chien Zoulou. Esquisses d'histoires aventureuses, pleines de réminiscences littéraires, mais comprenant déjà quelques traits typiquement bréliens, tel ce penchant pour les répétitions dont il usera ensuite comme d'une signature, qui trouve son accomplissement le plus achevé dans la succession de « vagues » sur laquelle s'ouvre « Le plat pays ».

Le 4 septembre 1944, les blindés du général Patton franchissent la Meuse. Trois jours plus tard, le premier char Cromwell des Welsh Guards fait son apparition sur le boulevard Anspach, au coin de la place de Brouckère. Il est sept heures du soir, très exactement : Bruxelles est libre.

Jacques a quinze ans et demi et, au dire de l'abbé Deschamps, il traverse une crise mystique. A l'église Saint-Rémi, où la famille assiste à la messe dominicale, il est enfant de chœur.

Pierlot, Spaak et les ministres exilés rentrent de Londres, dans les fourgons de l'armée anglaise, et reforment un gouvernement. Les Américains s'installent à Anvers, dont le port leur servira longtemps de tête de pont, tandis que la

Belgique s'apprête à régler ses comptes intestins. Des pour-suites sont engagées contre plus de quatre cent mille per-sonnes, toutes accusées à des degrés divers de collaboration avec l'ennemi. La question du retour du roi, assigné à rési-dence à Stroll, près de Salzbourg, divise l'opinion. Les catholiques et les Flamands sont pour, les Wallons et les socialistes contre. Ils exigent l'abdication. Entre autres griefs, on reproche vivement à Léopold III de s'être rendu à Berchtesgaden pour rencontrer Hitler. *« De son plein gré »*, affirme le socialiste Van Acker, qui succède à Pierlot à la tête des affaires du royaume.

Le problème empoisonnera la vie publique pendant plu-sieurs années, jusqu'à ce qu'on le soumette au jugement populaire, par voie de référendum, le 12 mars 1950 ; soit plus de cinq ans après la libération du pays. L'organisation de cette consultation donnera d'ailleurs lieu à toutes sortes de manifestations hostiles au roi (grève générale en Wallo-nie, barricades dans les rues de Liège, etc.), qui mettront la Belgique à deux doigts de la guerre civile [1].

Les enfants, les adolescents sont témoins de tous ces déchirements. Ils entendent les adultes en parler et ne peuvent échapper aux manchettes des journaux, ni aux édi-toriaux radiophoniques. S'il leur restait le moindre doute quant aux valeurs sacrées, le voilà définitivement balayé.

Culturellement parlant, la Libération est une époque de foisonnement : une sorte de renaissance. Chacun éprouve le besoin de s'étourdir, pour oublier les années de plomb. Outre le chewing-gum, le Coca-Cola, les bas nylon et les Lucky Strike, les soldats américains importent leurs jazz-bands. De Saint-Germain-des-Prés à Anvers, toute une jeu-nesse découvre alors le be-bop et le boogie-woogie. Le cinéma revit et une littérature nouvelle sort enfin de la clan-destinité où l'avait plongée la censure. Jacques découvre

1. 57,7 % des votants se prononceront pour le retour du roi (contre 41,3 % de refus). Devant la persistance des manifestations d'hostilité, se traduisant régulièrement par des rassemblements de plusieurs centaines de milliers de personnes, Léopold III abdiquera le 31 juillet 1950 au profit de son fils Baudouin.

pêle-mêle Malraux, Desnos, Camus, Sartre et surtout Saint-Exupéry qui restera toujours un de ses auteurs de chevet.

Par sa vie autant que par son œuvre, par sa manière de penser, d'agir et d'« *aller voir* », par son goût du dépassement personnel et sa remise en question de toutes les habitudes et de toute forme de sécurité, par sa fascination pour les avions et son obstination à mener jusqu'au bout chacune des aventures dans lesquelles il s'engagera, par son sens aigu de l'amitié, sa générosité – pas toujours exempt de scoutisme – et son formidable appétit de vivre, Jacques Brel semble tout droit sorti d'un roman de Saint-Ex. Cela dépasse de loin le simple parallèle superficiel, et l'on trouve ainsi dans *Citadelle* [1] – ce gros brouillon de livre que le défricheur de Cordillère appelait « *mon poème* » – des phrases qui pourraient avoir été écrites par le chanteur, tant elles sont bréliennes... avant l'heure : « *Je n'aime pas les sédentaires du cœur* », ou encore : « *Un homme qui n'est pas tendre n'est pas un homme.* »

Avant d'être fortement déconsidéré par quelques snobs du cœur, Saint-Exupéry fut une sorte de compagnon philosophique pour une génération qui ne concevait pas encore la générosité, l'enthousiasme et l'ivresse de l'aventure individuelle comme des perversions honteuses. La mode, aujourd'hui, est de s'en gausser ou de se vanter de ne l'avoir point lu... mais les modes ne servant qu'à masquer le manque d'idées et de personnalité de ceux qui les cultivent, les esprits libres finiront bien par rectifier d'eux-mêmes. Cultivant sa fidélité, Jacques restera, quant à lui, attaché jusqu'au bout à Saint-Ex : *Terre des hommes* sera de son ultime bibliothèque, entre Blaise Cendrars et le *Traité du désespoir* de Sören Kierkegaard [2].

Avec Saint-Exupéry, ces adolescents qui, pendant presque cinq ans, viennent d'être témoins de la folie meurtrière de leurs aînés, découvrent soudain un univers imaginaire où les chiffres ne comptent plus, où « la consigne » est ridicule, et où les *business men* – si semblables à leurs pères –

---

1. *Citadelle*, par Antoine de Saint-Exupéry. Ouvrage inachevé et posthume, publié en 1948, quatre années après la mort de l'auteur (Editions Gallimard).
2. Source : Olivier Todd, *op. cit.*

ne sont que de grosses boursouflures vaniteuses et rou-
geaudes. Un monde transfiguré par l'existence d'une fleur
lointaine, sur une étoile imprécise, noyée dans le fatras des
galaxies. Un monde passé au crible par le regard d'un enfant
sans indulgence, qui considère la mort avec indifférence et
attache plus de prix à l'amitié d'un renard qu'à celle des rois.
Comment ne pas être fasciné ?

On a tellement besoin d'histoires
Quand il paraît qu'on a vingt ans [1]...

A plus forte raison à seize ou dix-sept ans...

Jacques et ses amis, désormais, passeront des soirées
entières à lire à haute voix et à théâtraliser ce *Petit Prince* dont
l'auteur, de surcroît, a pris les adultes en méfiance depuis
une sombre histoire d'éléphant, de boa et de chapeau. Cela
va bien avec leur catholicisme incertain, la naïveté de leur
romantisme et cet altruisme forcené, qui les embarrasse
comme un colis encombrant dont ils ne savent que faire.

Bientôt, ils éditeront leur propre journal. Avec un titre
emprunté à leur univers de scouts : *Le Grand Feu*. Celui-ci
n'aura que deux numéros et Jacques n'écrira que dans le
premier, daté du 16 mai 1947. Si l'équipe semble fournie, il
faut faire la part des pseudonymes. A vrai dire, l'ours [2] se
réduit à trois noms : un directeur (Jacques Brel), un rédac-
teur en chef responsable (Robert Seguin) et un secrétaire
(Jean Meerts).

Jacques fournit une nouvelle, *Frédéric*, sous une signature
invraisemblable : Raoul de Signac. L'histoire d'un vieillard
en train de mourir, tandis que la famille tire déjà ses plans
sur l'héritage. Des phrases comme : « *Et toi, qu'est-ce que tu*
penses : un enterrement de seconde ou de troisième classe ? », ou
bien : « *Est-ce qu'il laisse beaucoup d'argent ?* », ressemblent à
s'y méprendre à des esquisses du « Tango funèbre » :

Est-ce qu'il est encore chaud ?
Est-ce qu'il est déjà froid ?

avec son cortège d'héritiers qui :

1. « Quand maman reviendra ».
2. « Ours » : terme du jargon journalistique qui désigne l'encadré dans
lequel chaque périodique indique un certain nombre de renseignements
administratifs, dont la liste de ses collaborateurs réguliers.

Pensent au prix des fleurs
Et trouvent indécent
De ne pas mourir au printemps
Quand on aime le lilas.

Deux poèmes, également, sont de la main de Jacques : un fort baudelairien « Spleen », et un « Pluie » qui, malgré ses maladresses juvéniles, doit beaucoup à Verlaine :

Il pleut tous les sanglots du monde
Et la ronde
Des grands mots fous berce mon cœur
Et mon malheur.

Tous deux signés Raphaël Boisseret. Des noms de plume, décidément, que l'on croirait sortis des *Illusions perdues* de Balzac.

A l'exception de Saint-Exupéry, bien en cour auprès de la bourgeoisie catholique, les lectures de Jacques, pour l'essentiel, sont extra-scolaires : Aragon, Camus, Eluard, Rimbaud, Sartre, Malraux, Voltaire... Autant d'odeurs de soufre, autant de dangers pour l'ordre moral et la foi sans états d'âme, aux yeux d'esprits pusillanimes que, plus d'un siècle et demi après sa mort, le vieillard de Ferney effraie encore. Si bien que la fracture apparaît chaque jour un peu plus nette entre un enseignement figé dans ses traditions, ses préjugés et son immobilisme, et un élève qui cherche ailleurs sa pâture intellectuelle.

Au début de l'été 1947, alors que les collégiens de Saint-Louis s'apprêtent à partir en vacances et que les éditeurs du *Grand Feu* annoncent la suspension provisoire de leur publication jusqu'à la rentrée de septembre, le verdict tombe avec les bulletins scolaires : Jacques devra tripler sa troisième classique. Excédé mais confiant dans les vertus salvatrices du travail, son père décide de lui faire abandonner le collège pour l'embaucher à la cartonnerie. Un poste modeste pour commencer, car cela n'a jamais nui à personne de démarrer au bas de l'échelle et qu'il est bon de connaître tous les secteurs d'activité d'une usine que l'on peut être, un jour, appelé à diriger... Mais il est entendu – cela va de soi – que le rejeton patronal, après une période d'adaptation, devra rapidement grimper dans la hiérarchie de l'entreprise familiale.

Le mot prend d'autant plus de signification que les créateurs de « Vanneste et Brel » sont progressivement en train de passer la main à leurs héritiers.

Amand Vanneste, propriétaire majoritaire et directeur général, a déjà cédé sa place à son fils, qui – dynastie oblige – porte le même prénom. Celui-ci approche de la trentaine et supervise, bardé d'une licence de sciences commerciales, tout le secteur administratif. Pierre Brel, lui, après avoir débuté comme sous-chef d'atelier, partage à présent, à vingt-quatre ans, le poste de directeur de la fabrication avec René Mossoux, le fiancé de Claire Vanneste. Tout reste donc en famille. Si la maison que leur ont confiée leurs pères est prospère, tous possèdent en affaires cette efficacité et

... cette assurance
Des hommes dont on devine
Que le papa a eu de la chance [1].

Jacques, pour sa part, n'a guère qu'un peu plus de dix-huit ans et un maigre certificat d'études. Si tout se passe comme prévu, il sera un jour directeur des ventes. Mais pour l'heure, on l'envoie faire un stage à Turnhout, presque à la frontière hollandaise, afin de perfectionner ce flamand auquel il est resté si réfractaire et qu'il est toutefois indispensable de maîtriser pour commander aux employés non francophones de l'usine.

L'adolescent qui s'ennuyait derrière les vitres de la classe est dorénavant un jeune homme « encartonné ».

1. « Les paumés du petit matin ».

II

LE CHANTEUR

> « Ce n'est pas la révolte
> en elle-même qui est noble,
> mais ce qu'elle exige. »
>
> Albert CAMUS

1

Ce fut la première fleur

« *Je rêvais de devenir Vasco de Gama. Les hommes sont faits pour ça. Je regardais les gens autour de moi, les voisins, les commerçants, les riches, les pauvres, et je me disais : " Ce n'est pas possible que ce soit ça la vie ! Que ce soit suffisant... " * » Pendant un an, Jacques fera vraiment des efforts. Il ne pense pas encore à la révolte (d'ailleurs, sait-il seulement que cela peut signifier autre chose que quelques paragraphes dans un roman, fût-il de Malraux ?) et manifeste même une certaine bonne volonté dans le travail. Mais il s'ennuie plus que jamais.

L'usine n'a rien à voir avec l'école. Ici, la complicité amusée des élèves dissipés ne saurait exister, et personne ne peut ignorer, tout représentant qu'il est pour le moment, qu'il est d'abord le fils du patron. Lui-même le découvre avec embarras lorsqu'il doit donner ses premiers ordres à des ouvriers beaucoup plus âgés que lui, qu'il saluait bien poliment il y a peu, quand il n'était encore qu'un gamin en culottes courtes. Il a beau jouer – comme ailier gauche – dans l'équipe de foot de l'usine, cela ne peut effacer certaines barrières, d'autant plus difficiles à saisir qu'elles ont été dressées à son insu. N'en finissant pas de traîner avec lui les lambeaux d'une adolescence qui refuse de mourir, c'est un jeune bourgeois sans le savoir qui fait l'apprentissage de la différence des classes.

Dans un premier temps, ses relents d'éducation religieuse lui souffleront qu'il s'agit d'injustice, et il croira, avec autant

de naïveté que de sincérité, qu'un peu plus de générosité et
de fraternité suffiraient à régler la question :
Par-delà le vacarme
Des rues et des chantiers,
Des sirènes d'alarme,
Des jurons de charretier,
[...]
Il nous faut regarder [1]...

Longtemps après, sous l'influence de Georges Pasquier
(Jojo) qui le suivra longtemps comme un véritable *alter ego* et
qui, homme de gauche affirmé, jouera un rôle prépondérant
dans son évolution politique, son analyse se fera plus précise :
Lorsque l'on part aussi vaincu,
C'est dur de sortir de l'enclave [2].

Rejetant à toute force le passage à l'état d'adulte, Jacques
continue quelques mois encore de se produire avec la Dramatique Saint-Louis, bien qu'il ait quitté l'Institut ; jusqu'à
ce soir de décembre 1947 où il fait la connaissance des
membres de la Franche Cordée. Fondée aux premières
années de la guerre (septembre 1941), par un couple de
jeunes militants chrétiens, Jeanne et Hector Bruyndonckx,
cette association aura une influence déterminante sur l'évolution et la formation du jeune homme. C'est là qu'il se fera
une idée plus précise de ses rapports avec la religion, la
morale et la réalité sociale, là qu'il affirmera définitivement
son goût pour le spectacle, là qu'il commencera d'écrire et
de chanter ses propres chansons ; là, enfin, qu'il rencontrera
celle qui allait devenir sa femme.

Dirigeant une petite entreprise de lubrifiants automobiles
à Anderlecht, Hector Bruyndonckx est membre du parti
social-chrétien, un parti situé à droite sur l'échiquier politique, mais sans outrance. Il est d'ailleurs curieux de constater à quel point les mots « social » ou « socialiste » peuvent
être détournés de leur sens premier, sitôt qu'on leur accole
un adjectif, quel qu'il soit : national, démocrate, libéral ou
chrétien. A divers degrés, évidemment. Ainsi, sans avoir

1. « Il nous faut regarder ».
2. « Jaurès ».

jamais été le moins du monde collaborateur, Bruyndonckx restera de ceux qui combattront avec force le méchant procès que l'on fait à ce roi qu'il appelle, non sans emphase, « *Léopold le Douloureux* ».

Convaincu que toute remise en cause des valeurs « sacrées » est un péril pour l'équilibre social, Hector Bruyndonckx fait partie de cette frange de la petite bourgeoisie catholique que l'on retrouve à toutes les époques, considérant qu'il est de son devoir d'intervenir pour préserver la jeunesse, en perpétuel danger moral... Certains s'en chargent avec plus ou moins de bonheur ou de tolérance, et le fondateur de la Franche Cordée est justement de ceux qui croient plus aux vertus du dialogue qu'à la rigidité du dogme. Dans la limite des idées et des institutions qu'il défend, c'est un progressiste en lequel, dans un premier temps, Jacques trouvera une sorte de guide spirituel. Un substitut à ce père trop âgé, avec lequel il n'a jamais vraiment parlé et qu'une récente attaque cérébrale vient de laisser définitivement diminué.

Découvrant de manière concrète la notion d'inégalité, Jacques est assez perturbé. Il doute. Ce qu'il voit à l'usine (et Dieu sait si la cartonnerie « Vanneste et Brel » est loin d'être un bagne, comme peuvent l'être la mine ou les hauts fourneaux !) ne correspond guère aux schémas sécurisants de ses cours d'instruction religieuse : amour du prochain et charité chrétienne, qu'il finira par définir comme :

... ces fausses nouvelles
Qui aident à vieillir [1].

S'il ne s'attaque pas encore aux piliers de l'édifice, comme il le fera ensuite avec cette espèce de rage désespérée qui ressemblera souvent à un constat d'impuissance, personne ne peut l'empêcher d'en constater déjà les lézardes :

Je m'étonnais surtout
D'être de ce troupeau [2]...

et bien qu'il n'en renie formellement aucun principe de base, il a besoin qu'un bon théoricien lui décode les paradoxes qui le troublent, pour les adapter à un christianisme

1. « Regarde bien, petit ».
2. « Mon enfance ».

pragmatique. Avec son goût pour les discussions enflam-
mées, son charisme exceptionnel et son mépris du matérialisme, Hector Bruyndonckx sera ce maître platonicien qui
fait défaut à Jacques. Son influence sera durable et se retrouvera dans toutes les chansons de la première période de celui
que Brassens, non sans quelque perfidie ni agacement, surnommera « *l'abbé Brel* » :

N'est-il pas vrai, Marie, que c'est chanter pour vous
Que semer nos chemins de simple poésie ?
N'est-il pas vrai, Marie, que c'est chanter pour vous
Que voir en chaque chose une chose jolie [1] *?*

Mouvement de jeunesse structuré et dynamique, la
Franche Cordée se situe au carrefour du scoutisme et de la
Dramatique Saint-Louis. Deux choses importantes aux
yeux de Jacques. On y organise des spectacles que l'on va
donner dans les maisons de retraite, les orphelinats ou les
hôpitaux, avec l'idée bien ancrée (et très scoute) de « faire
le bien ». On y consacre aussi de longues heures à la discussion et à la réflexion, sur un certain nombre de principes
qu'il semble nécessaire d'approfondir lorsque l'on a
conscience d'appartenir à une jeunesse saine et – pourquoi
pas ? – à une certaine élite morale. Notions sulfureuses qui
donnèrent en leur temps les résultats que l'on sait, mais
qui, pour l'heure, soudent ces jeunes gens autour d'Hector
et Jeanne Bruyndonckx.

La devise de la Franche Cordée est : « *Plus est en toi* »,
et les règles qui la régissent tiennent en une douzaine de
commandements au ton grandiloquent : « *Fais de ta volonté*
un soc d'acier qui mord la terre et trace un droit sillon ! »,
« *Sois, sans uniforme, le soldat vigilant de la Nation et de ton*
Roi ! », etc. Les valeurs fondamentales étant la discipline,
la rigueur et l'altruisme, chacun se doit d'être un exemple
pour les autres ; une conscience, au bout du compte, donc
un juge. Pathos idéologique qui, habileté suprême, entretient même l'illusion de forger son esprit critique. Ainsi,
les membres de la Cordée ne se privent-ils guère de fustiger les bigots et de faire la nique aux bourgeois trop cari-
caturaux :

1. « Prière païenne ».

On leur montrait notre cul et nos bonnes manières
En leur chantant :
« Les bourgeois, c'est comme les cochons,
Plus ça devient vieux, plus ça devient bête » [1] *!*

Chahut sans conséquences, tenant plus de la farce estudiantine que d'une véritable révolte ou d'une remise en cause. Devenu Brel, Jacques ne s'y trompera plus : avec une lucidité féroce, sa chanson s'achève sur l'image des mêmes noceurs qui, un peu vieillis et devenus notables à leur tour, courent se plaindre aux autorités :

De jeunes peigne-culs nous montrent leurs derrières
En nous chantant :
« Les bourgeois, c'est comme les cochons,
Plus ça devient vieux, plus ça devient bête ! »,
Disent-ils, Monsieur le commissaire [2] *!*

Le répertoire théâtral de la Franche Cordée marque une évolution sensible sur celui de l'abbé Deschamps. Vercors y remplace Labiche ; et Jacques, qui apparaît de plus en plus comme un meneur, monte une adaptation scénique du *Petit Prince*.

Toujours croyant, il commence cependant à affirmer son indépendance vis-à-vis du dogme en séchant la messe dominicale ; symbole d'anticonformisme bien plus fort qu'il n'y paraît, dans le milieu catholique pratiquant qui est le sien. Peut-être sent-il déjà toute l'inanité d'une cérémonie à laquelle il semble plus important de se montrer que de réellement participer :

C'est trop facile d'entrer aux églises [3]...

L'une des grandes innovations de la Franche Cordée, par rapport aux autres mouvements de jeunesse, est sa mixité. Pour la plupart de ces jeunes gens et jeunes filles, frais émoulus d'écoles des frères ou des sœurs, c'est une découverte. Pour la première fois de leur vie, ils peuvent se rencontrer sans parents, parler librement et organiser leurs loisirs ensemble. Les filles, bien sûr, participent aux spectacles, aux interminables discussions ainsi qu'aux activités sportives :

1. « Les bourgeois ».
2. *Ibid.*
3. « Grand Jacques ».

randonnées, natation, sorties à bicyclette, etc. Des flirts – ô combien chastes ! – s'ébauchent. Cela n'est pas mal vu, au contraire. La tradition des grandes écoles veut que l'on organise un bal annuel, afin que ceux de la promotion sortante rencontrent les filles et fils des anciens, dans l'espoir d'alliances quasi dynastiques ; de même voit-on d'un assez bon œil, à la Cordée, ces unions entre jeunes gens de bonnes familles et de bonne moralité. N'est-il pas vrai :

> *... qu'à vingt ans il faut se fiancer,*
> *Se fiancer pour pouvoir se marier,*
> *Et se marier pour avoir des enfants ?*
> *C'est ce que leur ont dit leurs parents,*
> *Le bedeau et même Son Eminence*
> *L'archiprêtre qui prêche au couvent* [1]*...*

Jacques aura donc une première idylle, avec une jeune fille de la Cordée : une grande brune tout en jambes prénommée Suzanne. Juste avant son départ pour le service militaire.

---

1. « Les Flamandes ».

2

A vingt ans, il faut se fiancer

Tout nu dans ma serviette, qui me servait de pagne,
J'avais le rouge au front et le savon à la main.
Au suivant! Au suivant!
J'avais juste vingt ans et je me déniaisais
Au bordel ambulant d'une armée en campagne [1]...

Jacky est soldat. Depuis le 1er juin 1948, il est incorporé au 15e Wings de Transport et de Communication, sous le matricule A 48-2567. Dans l'aviation, donc, comme l'indique le terme « Wings ». Et comme Saint-Exupéry. Mais lui, qui aura toujours la passion des avions, accomplit son service militaire comme « rampant », c'est-à-dire au sol, en regardant voler les autres. Et ce n'est que beaucoup plus tard, une fois venue la réussite – et avec elle l'argent –, qu'il pourra enfin tâter du manche à balai.

Après avoir fait ses classes dans le Limbourg, Jacques est affecté dans une caserne de la périphérie bruxelloise. Il n'est coupé ni de sa famille ni de ses amis de la Franche Cordée, et passe une année assez tranquille au bout de laquelle il sort caporal. Entre-temps, lors de la traditionnelle permission de fin d'année, il a rompu avec Suzanne et demandé la main de Thérèse Michielsen, une autre camarade de Cordée, que tout le monde surnomme Miche, et qui lui a dit oui.

Petite, blonde, le regard bleu et d'un naturel posé, Miche semble a priori tout le contraire de ce grand Jacques qui gesticule beaucoup, parle fort et l'agace au plus haut point lors

1. « Au suivant! »

de leur première rencontre : « *Je ne me souviens plus de quoi il m'a parlé [...] ; mais je sais qu'il me déplaisait souverainement et que sa vitalité, son agitation avaient le don de me porter sur les nerfs* [1]. »

Leurs parcours ont beau présenter quelques repères communs non négligeables – éducation religieuse, scoutisme, Franche Cordée, etc. –, cette différence de tempéraments se manifestera toujours ; le chanteur se montrant conscient de l'importance de l'action canalisante de sa femme sur son énergie un peu brouillonne.

Je sais déjà que c'est par leur murmure
Que les étangs mettent les fleuves en prison [2].

Lorsqu'ils se fiancent, Miche travaille comme secrétaire de direction chez Saks, un importateur-grossiste en café. Elle a mené à bien ses études, parle plusieurs langues et, avec deux ans de plus que Jacques, elle est majeure. Lui, dans son bourgeron d'aviateur qui accentue encore sa dégaine d'échalas, a l'air de sortir péniblement de l'adolescence.

Le mariage est célébré en juin 1950. En deux temps. D'abord la cérémonie civile devant le bourgmestre, le 1er juin – un an, jour pour jour, après que Jacques eut été « désencaserné ». Puis la semaine suivante, passage – obligé – devant l'autorité ecclésiastique que Brel, dans une chanson farce, définira plus tard comme :

... le flic sacerdotal
Penché vers moi comme un larbin du ciel [3].

Avec des mots peut-être moins cinglants (mais n'est-ce pas dans sa nature d'être plus « bonhomme » ?), Brassens dessine, dans « Le grand chêne », une image fort voisine : le « *larbin du ciel* » devenant un « *petit saint besogneux* ».

Après la grand-messe – à laquelle Romain Brel ne peut assister, pour raison de santé –, un repas réunit les deux familles. Abondance des plats, toasts aux mariés, chansons au dessert : tableau à la Bruegel.

1. Propos rapportés par Martin Monestier, dans son ouvrage *Jacques Brel, le livre du souvenir* (Editions Tchou, 1979).
2. « Le prochain amour ».
3. « La... La... La... ».

Les dîneurs familiaux
Repoussent leurs assiettes
Et disent qu'il fait chaud.
Les hommes lancent des rots
De chevaliers teutons [1]...

Au terme d'un court voyage de noces sur la Côte d'Azur, dans la grosse Studebaker paternelle empruntée pour l'occasion, Jacques retrouve son travail à la cartonnerie. De représentant qu'il était, le voilà promu « responsable commercial ». Le salaire est meilleur et le poste plus digne d'un fils de patron ; mais c'est aussi la fin d'une certaine liberté. Jusqu'alors il sillonnait la Belgique avec ses échantillons, rencontrant des gens assez divers, échappant à la claustration de la vie de bureau. Désormais, il est à demeure au siège de l'entreprise, et la morosité d'une existence qui lui semble toute tracée l'étouffe. « *Je m'ennuyais. Je vivais au sein d'une bourgeoisie prudente. Je m'ennuyais. Je ne crachais pas sur ce que je vivais, ni sur la bourgeoisie de mes parents ; non, je m'ennuyais.* »

Dans une chanson restée longtemps introuvable, il posera la question, avec la régularité obsédante d'un refrain :
Pourquoi faut-il que les hommes s'ennuient ?
Pourtant il nous reste à rêver,
Pourtant il nous reste à savoir,
[...]
Il nous reste à être étonné [2].

Alors, Jacques se réfugie de plus en plus souvent dans le rêve. Assis à sa table de travail, devant des colonnes de chiffres, des piles de bons de commande et des classeurs pleins de factures, il franchit, à l'insu de tous, ces « *carreaux de l'usine* » qui lui sont une cage. S'il ne les brise pas encore, cela ne saurait plus tarder : comme l'affirmait Lawrence d'Arabie – qui savait de quoi il parlait –, les rêveurs sont des

1. « Je suis un soir d'été ».
2. « Pourquoi faut-il que les hommes s'ennuient ? » – qui constitue la musique originale du film *Un roi sans divertissement*, d'après l'œuvre de Jean Giono – ne figure sur aucun disque de Jacques Brel. Elle a cependant été incluse dans l'intégrale en dix CD, réalisée par Phonogram-Barclay au printemps 1988.

gens dangereux [1]. Pas n'importe quels rêveurs : ceux qui, les yeux grands ouverts, prennent un jour à bras-le-corps ce que chacun tient pour la réalité, la bousculent et finissent par fracasser le monde dans lequel ils vivaient.

Le rôle de meneur que Jacques occupait d'une manière naturelle et tacite, au sein de la Franche Cordée, s'est affirmé au point qu'il en est maintenant le président. Les traditionnelles réunions qui se tenaient chez les Bruyndonckx ont donc lieu, à présent, dans le petit appartement où Miche et lui se sont installés, au 29 de l'avenue Brigade-Piron, à Molenbeek, à mi-chemin entre la cartonnerie et l'un des plus grands cimetières de Bruxelles.

Jacques ayant déjà grand besoin d'animation autour de lui, les amis n'ont guère à user de prétextes pour venir chez les Brel bavarder quelques heures. C'est une maison vivante, où l'on s'assied volontiers par terre, comme autour d'un feu de camp, et qui résonne de rires, de chansons et de mots qui enflent comme des vagues, lorsque chacun se laisse emporter par le feu de la discussion :

C'est pas grand, mais il y a de la place [2]...

On y fait des lectures à voix haute pour préparer les spectacles de la Cordée, qui ressemblent de plus en plus à de l'animation socioculturelle avant la lettre. Jacques joue de la guitare. Il écrit ses premières chansons et en offre la primeur à ses camarades. Paradoxe d'un auteur qui se cherche encore, le ton oscille en permanence entre un optimisme non débarrassé de scoutisme et un pessimisme dont la gravité, un peu trop littéraire, dérape souvent dans la grandiloquence. Rien de tout cela n'est vraiment abouti, même si, au milieu de textes pour la plupart médiocres, on découvre parfois un éclair virtuellement brélien :

La vie qui s'en vient
Et qui s'en va

---

1. « *Tous les hommes rêvent, mais pas de la même façon. Ceux qui rêvent la nuit [...] s'éveillent le jour et rêvent que c'était vanité. Les rêveurs du jour sont des hommes dangereux, car ils peuvent jouer leur rêve les yeux ouverts, et le rendre possible.* » Thomas Edward Lawrence, *Les Sept Piliers de la sagesse* (Editions Jonathan Cape, Londres, 1926).
2. « Le gaz ».

Nous laisse pantois
Comme des chiens [1]...

En fait, Jacques est un pur produit de son environnement.
Il transpose en paroles et en musique la masse des bons sentiments qui, au-delà de la Franche Cordée et des associations similaires, animent généralement les enfants de la
bourgeoisie bien-pensante, avant que ne s'estompe définitivement l'idéalisme de la jeunesse. Altruisme, mansuétude
et générosité convenus : ces restes flous d'éducation chrétienne ne sont que des mots servant à préserver un équilibre
social où faute de justice – ainsi que Brel finira par le découvrir – la charité apparaît comme une vertu. Comme un cata-
plasme sur une jambe de bois.

Bienfaisance et commisération faisant écran à toute vision
politique de la réalité, de même qu'à toute vision réaliste de
la politique, Jacques peut alors chanter :

Je voudrais que dans les tramways
On soit gentil;
Qu'on dise « merci » et « s'il vous plaît »,
Sur les plates-formes des tramways [2] ;

à l'heure où la Belgique se déchire sur la question de l'abdication du roi, où la crise du charbon place les bassins miniers
dans une situation catastrophique et où l'on assassine en
pleine rue Julien Lahaut, le président du parti communiste
belge [3]...

Lorsque le jeune chanteur s'en ira, seul, tenter sa chance
dans les cabarets parisiens, il sera coupé de son milieu d'origine, de sa famille et de ses amis. C'est ce qui le sauvera,
artistiquement parlant : au-delà de toutes les opportunités
professionnelles qui en découleront – et finiront par débou-
cher sur l'une des carrières les plus exemplaires de toute
l'histoire de la chanson –, cette transplantation dans un ter-
reau radicalement différent lui permettra en effet de s'affran-
chir de toute pression sociale et d'exprimer, enfin, une
sensibilité et une révolte n'appartenant qu'à lui.

1. « De deux vieilles notes », chanson inédite (archives : famille Brel).
2. « Ballade », chanson inédite (archives : famille Brel).
3. Julien Lahaut, né en 1884, député liégeois et président du parti communiste belge, abattu devant son domicile, à Seraing, le 19 août 1950.

3

J'aurais voulu faire une chanson

L'Ilot Sacré : un nom qui évoque ces parcelles de terrain qu'il a fallu défendre à tout prix, au cours de la Première Guerre mondiale, quelles que soient la pression de l'ennemi et les pertes en vies humaines. Mais à Bruxelles, c'est un lieu de distraction. Tout un quartier de petites ruelles qui convergent vers la Grand-Place, où foisonnent les restaurants de nuit, les cabarets, les boîtes de jazz et les brasseries-spectacle.

En ce début des années 50, cela prend des allures de Saint-Germain-des-Prés, et l'on y va, en petites bandes, écouter les rythmes cuivrés de la Nouvelle-Orléans, tout en savourant une bonne bière à la mousse crémeuse et compacte :

Tournées généreuses de Kriek Lambic,
Des verres de Gueuze
Sortis d'alambics
De chez nous [1]...

Jacques et ses copains deviennent bientôt des habitués du quartier. Leur point de chute préféré est une boîte, située sur deux niveaux : La Rose noire. Grande salle pour le jazz au rez-de-chaussée et cabaret-chanson, plus intime, à l'étage.

Sous l'influence de personnalités aussi fortes que celles de Félix Leclerc ou de Stéphane Golmann, qui seront tous

---

1. « Bruxelles », version inédite de 1953.

deux révélés au grand public à quelques mois d'intervalle [1], la mode est alors aux chanteurs à guitare et aux textes denses, mi-poétiques, mi-philosophiques. C'est l'âge d'or de la chanson rive gauche, derrière laquelle se profilent les interrogations des existentialistes ; Jean-Paul Sartre, lui-même, écrivant pour Juliette Gréco, dès 1949 [2].

A force d'assiduité à La Rose noire, Jacques Brel finit par sympathiser avec Louis Laydu, l'animateur du lieu. Il lui montre ses compositions et ce dernier lui propose de tenter un essai, dans un contexte plus professionnel que les animations de la Franche Cordée. Chanter, enfin ! devant un vrai public qui, lui, n'a aucune raison d'être complaisant – ce qu'en termes de métier on appelle « faire ses débuts ». L'offre de Laydu ressemble à un défi, mais Jacques est de ceux qui les relèvent, il le prouvera toute sa vie.

Le soir de sa première, la salle a quand même été un peu préparée. Les camarades de la Cordée se sont déplacés en force pour soutenir leur champion, tandis que par curiosité autant que par politesse les amis de la famille sont venus voir et écouter ce jeune Brel, certes original, mais « si sympathique »...

Guitare à la main, Jacques entre en scène dans un costume de velours noir, cravate neutre et moustache invraisemblable. Posant le pied sur un tabouret, il attaque une poignée de chansons entrecoupées de poèmes et d'histoires drôles, car il se présente alors comme un « fantaisiste ». Le succès est mitigé. Les gentils archaïsmes du chanteur, cette façon qu'il a de dire « ma mie » chaque fois qu'il parle d'une femme, peuvent séduire ou irriter. Son naturalisme bon

1. En 1950, à l'invitation de Jacques Canetti, le Québécois Félix Leclerc vient chanter en France pour la première fois. Ses chansons (« Le p'tit bonheur », « Moi, mes souliers », etc.) y rencontrent un accueil enthousiaste, que le Grand Prix de l'Académie Charles-Cros viendra confirmer quelques semaines plus tard. La même année, Stéphane Golmann connaît son premier succès avec « Actualités » (reprise par Yves Montand), bientôt suivie par « La Marie-Joseph » qui sera largement popularisée par Les Frères Jacques. Tous deux sont aujourd'hui disparus : Félix Leclerc le 8 août 1988, et Stéphane Golmann (qui s'était installé au Québec, après avoir abandonné la chanson) le 10 avril 1987.
2. « Rue des Blancs-Manteaux » (paroles de Jean-Paul Sartre, musique de Joseph Kosma).

enfant est plaisant, lorsqu'il décrit une foire où, parmi les manèges et les lampions,

Ça sent la graisse où dansent les frites,
Ça sent les frites dans leurs papiers,
Ça sent les beignets qu'on mange vite,
Ça sent les hommes qui les ont mangés [1].

Qu'il arpège les cordes de sa guitare ou les martèle avec passion, il ne manque ni de présence ni de conviction, et « Sur la place », cette vision d'une Esméralda dansant dans un village désert, au beau milieu d'une esplanade « *vibrante d'air chaud* », fait l'unanimité. Même si :

... pour ne point entendre son chant
Les hommes ferment leurs carreaux,
Comme une porte entre morts et vivants.

Ah ! ces carreaux, ces vitres, ces fenêtres ! Il y aurait toute une étude à mener sur leur symbolique dans l'œuvre de Brel. Remparts, prison, refuge ou porte des rêves, les vitres sont tantôt la marque d'un bonheur éblouissant :

Même qu'on se dit souvent
Qu'on aura une maison,
Avec des tas de fenêtres,
Avec presque pas de murs,
Et qu'on vivra dedans,
Et qu'il fera bon y être [2],

tantôt la matérialisation de l'ennui :

Ah ! je n'ose pas penser
Qu'elles servent à voiler
Plus qu'à laisser entrer
La lumière de l'été [3],

voire de l'imbécillité :

Les fenêtres grimacent
Quand parfois j'ai l'audace
D'appeler un chat un chat [4].

Pour l'instant, il ne s'agit encore – à mots à peine couverts, il est vrai – que des verrières de la cartonnerie, derrière

1. « La foire ».
2. « Ces gens-là ».
3. « Les fenêtres ».
4. *Ibid.*

lesquelles Jacques prend de plus en plus conscience de gâcher sa jeunesse. Lorsqu'il parle de les faire voler en éclats, c'est une métaphore, bien sûr, qui enthousiasme les copains de la Franche Cordée et quelques jeunes spectateurs en rupture de bourgeoisie, mais choque les amis des familles Vanneste et Brel : ce jeune homme, finalement, a bien mauvais esprit ! Qu'il joue au saltimbanque, soit ! mais il y a des choses qu'on ne dit pas en public quand on est l'héritier d'une maison honorablement connue sur la place de Bruxelles ! Non, décidément, cela n'est pas convenable. Pire : à la fin de sa prestation, Jacques fait la quête ! Il passe la sébile... Encore heureux que Monsieur Brel père, malade et fatigué, n'assiste pas à cette exhibition d'un goût déplorable !

Mais, quoi qu'en pensent
Ceux qui ont la tête haute parce qu'ils ont tout appris,
Et qui ont l'âme sereine parce qu'ils n'ont rien compris [1],
l'arrivée de Jacques Brel dans le petit monde de la chanson bruxelloise ne passe pas complètement inaperçue. Angèle Guller, animatrice de l'émission de radio *La Vitrine aux chansons*, s'intéresse à son cas. Pas tout à fait par hasard, il est vrai, puisque l'une de ses meilleures amies n'est autre que Claire Vanneste, qui croit en l'avenir de son cousin et provoque la rencontre.

Angèle Guller est une sorte de Denise Glaser belge : une femme passionnée par la chanson, qui sait écouter entre les lignes et déceler le talent, même lorsqu'il se présente sous une forme encore un peu confuse. Séduite par la personnalité de Jacques, elle l'invite à plusieurs reprises dans son émission, et le présente ainsi : « *Il chante et c'est comme si une lampe s'allumait dans la nuit, et qui ne s'éteindra que si vous refusez de répondre à l'appel pressant de cette sensibilité émerveillée, rare et profonde.* » Le moins que l'on puisse dire est qu'il fallait une jolie dose d'intelligence et d'intuition, pour sentir aussi justement le parcours à venir de Brel, derrière la maladresse empruntée de l'adolescent attardé, trop vite monté en graine. Car tout est dit en une simple phrase. Brel sera un allumeur de lampes, dans la conscience de toute une généra-

1. « Les gens », chanson inédite (archives : famille Brel).

tion – et peut-être de plusieurs –, même s'il y en aura d'autres que lui. Brassens, Ferré, pour ne citer qu'eux, seront également d'indispensables porteurs de lumière ; ce que Baudelaire appelait « *des phares* ». Mais Brel diffère de tous les autres dans la mesure où le succès n'apaisera jamais ses impossibles rêves d'« *inaccessible étoile* [1] ». *« Car il ne suffisait pas à Brel d'être applaudi, il voulait être " suivi ". Non que le succès, la gloire même, lui eussent été indifférents, mais il attendait on ne sait quel miracle* [2]*... »*

Dès lors, il était fatal que le Grand Jacques, désenchanté, finirait par tirer le rideau prématurément sur une carrière en laquelle il ne voyait plus qu'un engrenage machinal, d'une finalité dérisoire au regard de la démesure de ses rêves. A défaut de changer le monde, qu'au moins le monde ne le change pas, lui. L'histoire de *L'Homme de la Mancha* et de ses moulins à vent... Jacques ne reprenait pas encore sa vie – il le ferait bientôt –, simplement il se lançait dans une ultime tentative.

Consciente de l'importance de sa découverte, Angèle Guller présente le jeune chanteur à son mari, Clément Dailly, qui occupe un poste de responsabilité au sein de la filiale bruxelloise de la société phonographique Philips : l'une des plus prestigieuses maisons de disques de l'époque. Celui-ci propose alors au protégé de son épouse d'enregistrer quelques titres, pour en faire un disque de démonstration : un « souple » qui restera hors commerce, mais qu'il pourra faire circuler parmi ses amis producteurs de radio et les différents directeurs artistiques de la firme. Rendez-vous est donc pris pour le 17 février 1953.

Comme toujours lorsqu'il est question, après coup, de revendiquer la paternité du premier coup de pouce apporté à une future vedette, l'armée des « j'y étais » et autres « je l'ai bien connu » se chamaille pour se pousser du col. L'un prétend que c'est lui, l'autre affirme le contraire. Difficile, dans ces conditions, de s'y retrouver avec certitude. D'autant que l'arrivée de Jacques Brel chez Philips ne fut pas – on s'en doute – un événement assez considérable pour qu'on en

1. « La Quête ».
2. *Le 9ᵉ Art*, par Angèle Guller (Editions Vokaer, Bruxelles, 1978).

conserve des archives précises. De toute façon, entre les nombreux déménagements de sièges, les différentes fusions d'entreprises, les rachats de catalogues et autres restructurations imposées par les multinationales qui gèrent aujourd'hui la quasi-totalité de l'industrie discographique mondiale, la plupart des archives de l'époque ont été détruites ou dispersées. Reste à croire les gens sur parole, à défaut de pouvoir effectuer – avec toute la rigueur souhaitée – les vérifications indispensables à l'établissement de l'incontestable vérité. Ainsi, même France Brel (la propre fille de Jacques, qui dispose pourtant de toutes les archives de la Fondation internationale Jacques Brel, qu'elle a créée) et son coauteur, André Sallée, reconnaissent que « *retrouver, trente-cinq ans après, le trajet et les guides qui menèrent Brel à son premier studio ressort de l'exploration d'une mini-jungle où les pistes sont brouillées* [1] ».

Félix Faecq, le premier éditeur des chansons de Brel, affirme que c'est lui qui a introduit Jacques chez Philips... mais Madame Jacqueline Van Binst, qui était alors la secrétaire de Georges Israël, dit Rieding, directeur artistique de la maison, soutient que le chanteur est venu seul et de lui-même passer une audition au milieu de nombreux autres candidats. Dans son *Livre du souvenir*, Martin Monestier évoque par ailleurs « *une religieuse belge* », cousine de Jacques (les Vanneste ont effectivement deux filles sous le voile), qui aurait présenté ses chansons à Jean Thévenot, producteur de l'émission de radio *Aux quatre vents*. On finirait par s'y perdre s'il n'y avait cette lettre, charmante de naïveté, de Lisette Brel à son fils Pierre, parti en side-car pour le Congo : « *Hier, j'ai envoyé un mot à Mme Dailly* (Angèle Guller, donc) *et un peu d'eau de Cologne. Elle le méritait bien, car c'est quand même elle qui le lance. Pour moi, c'est peu de chose, mais ça fera beaucoup de bien pour Jacky* [2]. »

Quoi qu'il en soit, ce 17 février 1953, Jacques n'a pas tout à fait vingt-quatre ans. Il est marié et père de famille, car une première petite fille, Chantal, est née le 6 décembre 1951. Miche est à nouveau enceinte et l'accouchement est prévu

1. *Brel*, par France Brel et André Sallée (Editions Solar, 1988).
2. Cité par Thierry Denoël, dans son ouvrage *Pierre Brel, le frère de Jacques*.

pour juillet. S'il n'a rien de bien passionnant, le poste qu'il occupe à la cartonnerie est d'une stabilité certaine : il gagne plutôt bien sa vie et, sauf accident, il sera bientôt directeur commercial.

Conscient de toutes ces responsabilités, il hésite encore à franchir le pas et à rompre, une fois pour toutes, avec cette vie immobile. La chanson reste une simple soupape qui lui permet de tenir en lâchant un peu de pression à intervalles réguliers. Pour mieux mener cette double vie, il a même opté, un temps – à la demande de son père –, pour un pseudonyme : Jacques Bérel. Jekyll et Hyde : cadre respectable le jour, baladin acerbe la nuit. D'aucuns atteindront ainsi l'âge de la retraite, en crachant quotidiennement dans la soupe qui les nourrit, fonctionnaires du courroux et de la révolte. Mais Jacques n'a pas de ces souplesses morales. Il sait déjà qu'il est *« trop facile de faire semblant [1] »*.

Il y a du Cyrano dans cet homme-là : la même haine des préjugés, des compromis, du mensonge et de la sottise [2]. *Exit* donc l'éphémère « Jacques Bérel – Fantaisiste », de ses premières cartes de visite d'artiste :

Je chante, persiste et signe, je m'appelle Jacques Brel [3] !

---

1. « Grand Jacques ».
2. Voir *Cyrano de Bergerac*, d'Edmond Rostand, acte V, scène 6, vers 323 à 329.
3. « Les F... ».

4

L'heure qui conduit à Paris

Il n'est plus, aujourd'hui, de découvreurs de talents de la trempe de Jacques Canetti, et il n'est pas sûr qu'il ait eu des prédécesseurs aussi clairvoyants que lui. Entré comme jeune garçon de courses et colleur d'étiquettes chez Polydor, il finira par régner sur le monde de la chanson d'auteur, en étant tout à la fois programmateur et animateur d'émissions de radio, organisateur de tournées, propriétaire de cabaret et directeur artistique (chez Philips), avant de monter sa propre maison de production phonographique... Plus d'un demi-siècle d'activités incessantes, qui le virent batailler à tous les avant-postes du music-hall et de la variété [1].

La litanie de ses découvertes constitue presque un annuaire du show-business à elle seule. Et quel catalogue! Félix Leclerc, Georges Brassens, Guy Béart, Les Frères Jacques, Philippe Clay, Leny Escudero, Francis Lemarque, Mouloudji, Catherine Sauvage, Jacques Higelin, Henri Salvador, Boris Vian, Léo Ferré, Anne Sylvestre, Jeanne Moreau, Jean-Claude Darnal, Lucienne Delyle, Jacqueline François, Serge Gainsbourg, Dario Moreno, Raymond Devos, Michel Legrand, Serge Reggiani, etc. Sans parler d'Edith Piaf et de Charles Trenet – qu'il contribuera large-

1. Jacques Canetti a publié ses mémoires, sous le titre *On cherche jeune homme aimant la musique* (Editions Calmann-Lévy, 1978). Né en 1909 à Roustchouk, en Bulgarie, il est décédé le 8 juin 1997 à Paris (voir dossier Canetti dans la revue *Chorus, les Cahiers de la chanson* n° 21, automne 1997).

ment à faire connaître en étant le premier à diffuser leurs chansons, de manière systématique, sur les ondes de Radio-Cité – ni de Marlène Dietrich qu'il réussira à convaincre d'enregistrer en français. A dire vrai, le seul grand talent à côté duquel Jacques Canetti soit passé, sans lui porter l'ombre d'un intérêt, est celui de son frère Elias, dont il avouait publiquement ne pas apprécier les écrits [1].

C'est en mai 1953 que le « souple » de Jacques Brel, enregistré en février à l'initiative de Clément Dailly, arrive sur le bureau de Canetti, aux Trois-Baudets (le cabaret-théâtre qu'il a ouvert au numéro 2 de la rue de Coustou, à l'angle du boulevard de Clichy, au pied de la butte Montmartre. « Entre Pigalle et Blanche », comme dit la chanson). Un 78 tours de plus, dans la masse du courrier qu'il reçoit chaque jour ; mais Canetti, avec son inépuisable curiosité, écoute tout ce qu'on lui envoie. Le pire et le meilleur ; du médiocre le plus souvent, du rabâché, de l'inconsistant. Cette fois, les timbres et le cachet de la poste indiquent que le paquet provient de Belgique. *« Pourquoi pas la Belgique, après tout ? »* se dit Canetti fataliste, posant la galette sur son tourne-disque au terme d'une journée chargée, après le départ des derniers clients des Trois-Baudets.

Un chanteur à guitare (encore un !), mais habilement soutenu par un accordéon et une contrebasse ; et deux chansons pour se faire une idée. Ou peut-être quatre... Car là aussi, rien n'est moins sûr et la vérité presque impossible à établir, Canetti lui-même variant dans ses souvenirs, d'une déclaration ou d'un écrit à l'autre. Ainsi parle-t-il de quatre titres, dans son livre de mémoires : « La haine », « Le grand Jacques », « Sur la place », « Il peut pleuvoir ». Cela semble toutefois hautement improbable, si l'on se réfère à la discographie exhaustive, et remarquablement précise, établie par Jacques Lubin [2]. Selon ce dernier, les quatre titres enregistrés par Brel au cours de cette fameuse séance du 17 février

---

1. Elias Canetti (1905-1994), auteur de *L'Autre Procès, L'Autodafé, Le Territoire de l'homme, La Conscience des mots, Histoire d'une jeunesse,* etc. Prix Nobel de littérature en 1981.
2. Voir annexes.

1953 [1] sont : « Il y a », « La foire », « Sur la place » et « Il pleut ». « La haine », « Grand Jacques » et « Il peut pleuvoir » ne peuvent donc, en toute logique, avoir figuré sur le « souple » envoyé à Canetti. D'autre part, interrogé plus récemment par France Brel et André Sallée, celui-ci ne parlera plus que d'une épreuve à deux titres : « Il pleut » et « Sur la place » [2]. Archives, fiches de studio, bandes magnétiques et « souple » ayant disparu depuis longtemps – de même, malheureusement, que bon nombre de témoins oculaires –, il est donc à peu près impossible, dans cette histoire, de démêler le vrai du faux ; et il est fort probable que nous n'en saurons jamais plus sur les circonstances exactes des premiers pas de Brel dans le métier.

Reste, néanmoins, un tout premier 78 tours (à deux titres : « Il y a » et « La foire »), sorti en Belgique courant 1953 et dont la diffusion fut presque confidentielle : moins de deux cents exemplaires vendus. Un disque que l'on ne peut même plus écouter, puisque le propre exemplaire de Miche Brel, conservé à la Fondation internationale Jacques Brel, est aujourd'hui cassé [3].

1. Pour cet enregistrement du 17 février 1953, Jacques Brel était accompagné par l'orchestre de Lou (Louis) Logist. Un trio musette comprenant, outre ce dernier à l'accordéon, Marcel Mortier à la guitare et Julien Maclot à la contrebasse. Comme beaucoup d'auteurs-compositeurs autodidactes, Brel ne savait pas vraiment écrire la musique et il n'était pas possible, à l'époque, de déposer un titre – en tant que compositeur – sans savoir en établir soi-même la partition. Aptitude dûment contrôlée par un examen. La règle (établie conjointement par les maisons d'édition et les sociétés de perception des droits d'auteur) était donc de désigner comme compositeur officiel le musicien ou le copiste qui transcrivait la mélodie et son harmonisation ; celui-ci devenant, de fait, propriétaire de la moitié des droits relatfs à l'œuvre en question. Ainsi Lou Logist sera-t-il, dans un premier temps, le compositeur attitré des premières chansons de Brel. Apprenant que ce dernier se rendait à Paris pour tenter sa chance auprès de Canetti, l'accordéoniste eut l'élégance de retirer sa signature pour ne pas priver Jacques de l'entière paternité de ses chansons. Un geste suffisamment rare et généreux pour qu'il nous soit permis de le saluer ici. (Sources : *Brel*, par France Brel et André Sallée, *op. cit.*).
2. *Brel*, par France Brel et André Sallée *(op. cit.)*.
3. Disque Philips P 19055 H. Les deux titres en question sont longtemps restés introuvables, n'ayant jamais été repris dans la discographie française du chanteur. Ils figurent néanmoins, dans leur version originale, sur le troisième CD de l'*Intégrale Jacques Brel* publiée par Phonogram-Barclay, en 1988.

il en soit, Canetti est accroché. L'enregistrement qu'il vient d'écouter n'est pas exempt de maladresses, et la voix se rengorge un peu ; mais le flair du découvreur est mis en alerte. Il y a là un ton, quelques trouvailles d'auteur et une manière d'entrer sans préambule dans le vif du sujet qui ne trompent pas. Par prudence, il réécoute le tout, puis décroche son téléphone et appelle Dailly à Bruxelles, sans bien réaliser qu'il est minuit passé. Monsieur Canetti veut rencontrer Jacques Brel ; que celui-ci vienne donc le voir le plus rapidement possible !

A Paris ?

Evidemment !

Jacques n'y est encore jamais allé. Si ! une fois, en 1951, à l'occasion du salon de l'emballage. Mais sans rien en voir. C'est pourtant, à l'époque, une ville incomparablement plus vivante et bouillonnante que Bruxelles. Avec une vie culturelle intense et une profusion de cabarets en renom, où un jeune chanteur ne peut manquer de trouver des engagements et des occasions de réussir, pour peu qu'il ait du cœur au ventre, et quelque chose à dire.

Celui-là a le cœur dehors
Et si frêle, et si tendre
Que maudits soient les arbres morts
Qui ne pourraient point l'entendre !
A plein de fleurs dans les yeux,
Les yeux à fleur de peur,
De peur de manquer l'heure
Qui conduit à Paris [1].

Il y a, dans toute vie, des dates qui ressemblent à ces lampes contre lesquelles les insectes volants viennent se fracasser au crépuscule. Elles attirent les événements et, par on ne sait trop quel concours de circonstances, elles établissent des anniversaires en espaliers. Pour Jacques, ce sera le 1er juin, jour de la Saint-Justin : un prénom désuet comme il les affectionne. Incorporé, libéré et marié ce jour-là, c'est également un 1er juin qu'il quitte définitivement son bureau, chez Vanneste et Brel. Il y sera resté un peu plus de cinq ans.

Dans son entourage immédiat, les réactions sont parta-

_____
1. « Les cœurs tendres ».

gées. Miche, enceinte de presque huit mois, accepte la décision de son époux avec autant d'intelligence que de courage.
Elle pense que Jacques doit tenter sa chance jusqu'au bout,
sous peine de n'être jamais heureux. Le père tempête et prévient son rejeton qu'en cas d'échec il n'est pas question de
jouer au « retour de l'enfant prodigue », tandis que Lisette
Brel assure son fils de son soutien moral et matériel. Elle
promet de veiller sur Chantal et Miche, ainsi que sur le bébé
à venir, et de lui envoyer un peu d'argent, de temps à autre,
pour l'aider à subvenir à ses besoins.

Malgré la colère du père, ce départ n'est pas une rupture,
et au bout du compte la famille transige. Jacques ne s'en ira
pas totalement démuni : la cartonnerie lui versera, un an
durant, l'équivalent du salaire minimum d'un employé au
plus bas de l'échelle. Charge à lui, dès que possible, de rem-
bourser le tout. Avec intérêts, évidemment, car « chez ces
gens-là », on sait compter, Monsieur...

Quelques jours plus tard, Jacky prend le train pour Paris et
se présente chez Jacques Canetti qui lui fait passer une audition en règle. L'homme des Trois-Baudets est un peu
décontenancé par le physique de sa découverte. Selon une
légende tenace [1], il va même jusqu'à lui suggérer de se
contenter d'écrire des chansons pour les autres. Après tout,
les cabarets parisiens ne manquent pas d'interprètes de
talent, et cela peut être une façon de gagner très correctement sa vie. Mais Jacques n'a pas quitté Miche, Bruxelles et
la cartonnerie pour vivre ses rêves par procuration. Ce qu'il
veut, lui, c'est chanter. Affronter le public, scander les mots
sur sa guitare et drainer le silence : brusquer l'émotion pour
mieux la partager, se tromper s'il le faut, mais ouvrir son
cœur aux spectateurs, comme on s'ouvre les veines.

Canetti comprend bien que cette détermination relève à la
fois de l'orgueil, de la ténacité et de l'appel de détresse. Le
jeune homme a brûlé ses vaisseaux et tout joué sur cette ren-

---

1. Accréditée par Jacques lui-même, cette histoire fut toutefois formellement démentie par Canetti : « *Pourriez-vous, SVP, d'une manière claire,
démentir la phrase que Todd m'a prêtée ? NON JE N'AI JAMAIS FAIT LA MOINDRE
ALLUSION à la GUEULE DE J. B. Oui, je lui ai conseillé de faire arranger sa dentition. Ce qu'il a d'ailleurs fait.* » (Lettre de Jacques Canetti à l'auteur, avril
1988. Les majuscules sont de M. Canetti).

contre : le genre d'aventure dont on ne sort pas indemne si elle tourne au fiasco.

Finalement, Jacques Canetti engage Brel pour un essai de deux semaines aux Trois-Baudets. Mais pas avant septembre, le programme étant complet jusqu'à la fin de la saison... Alors, profitant de son séjour à Paris, Jacques court les cabarets et les boîtes à chanson, tant sur la rive droite (Chez Gilles, A la Villa d'Este...) que sur la rive gauche (La Rose rouge, L'Ecluse, etc.). Il passe audition sur audition : autant d'échecs. Quelle que soit la façon, plus ou moins diplomatique, dont cela lui est présenté, le leitmotiv des refus tourne toujours autour de son physique. A l'époque, les grandes vedettes masculines se nomment Eddie Constantine ou Yves Montand : des personnages bourrés de talent, certes, mais pourvus aussi d'une présence et, surtout, d'une gueule ! Rien de comparable avec ce grand scout un peu gauche, qui prétend chanter l'amour d'un sourire chevalin, à la Fernandel, et hache ses mots de telle manière qu'on dirait parfois qu'il les crache.

Rebuffades, déconfiture, mortification...

Bien longtemps avant « Jacky » et son célèbre « *Beau et con à la fois* », Brel se rassure comme il le peut : « *On ne meurt pas de se casser la figure. On ne meurt pas d'humiliation. On meurt d'un coup de couteau dans le dos.* »

Le 12 juillet, il est à Bruxelles, pour la naissance de France, sa seconde fille – l'un de ces événements qui rassemblent les familles et portent à l'indulgence et la réconciliation :

Un enfant
Et nous voilà patience [1]...

On complimente la mère, on congratule le père, et chacun montre son plaisir de le voir revenu dans le giron familial. S'il le voulait, rien ne serait définitivement tranché. Après tout, trois ou quatre semaines d'escapade à Paris peuvent bien passer pour des vacances...

1. « Un enfant ».

5

Et c'est Paris chagrin

Septembre !

La date fatidique, fixée par Canetti, est là. Jacques reprend le train pour Paris. Maigre bagage : sa guitare et une valise. Rien de superflu. Dans les jours, les semaines, les mois qui viennent, il lui faudra d'ailleurs apprendre à vivre sans le superflu. Parfois même sans le nécessaire...

Gare du Nord. Début d'automne, une fin d'après-midi. Premier hôtel venu. Simplement pour souffler et faire le point, en l'attente du lendemain :

Une chambre un peu triste
Où s'arrête la ronde [1]...

Demain, il se rapprochera des Trois-Baudets et cherchera à se loger du côté de Montmartre. Bientôt il sera pris par l'action. Il courra de nouveau les auditions, sortira sa guitare pour montrer ses chansons, multipliera les rencontres et se fera des amis, ou des rivaux, parmi ces chanteurs faméliques qui, comme lui, chassent le cacheton et vont chaque soir de boîte en boîte, pour quelques centaines de francs. Anciens, bien sûr [2]. Tout juste de quoi vivre au jour le jour. Autant

1. « Les prénoms de Paris ».
2. Créés par l'ordonnance du 27 décembre 1958, les nouveaux francs (NF) entreront en vigueur à partir du 1er janvier 1960. Il est toujours difficile de donner des équivalences monétaires, à tant d'années de distance, car les paramètres qui varient sont multiples. Pour information, le pouvoir d'achat de cent francs, en 1953 (soit un franc à partir de la création des NF) correspond à peu près à celui de douze francs aujourd'hui ; et en février 1954, le SMIG horaire était de cent quinze francs (sources INSEE).

que la foi et la persévérance, dans ce métier il faut avoir la santé.

Demain, donc, il sera un chanteur parmi la foule des autres. Il commencera à faire partie du paysage, en attendant de faire partie de la famille. Mais ce soir, assis sur son lit, devant sa valise et sa guitare, dans cette chambre fanée, au papier peint vieillot, il se sent seul comme un chien.

Vers le milieu des années 70, lorsque Jacques Brel prendra la mer sur son long yawl noir, pour aller jeter l'ancre aux Marquises, devant l'île d'Hiva Oa, les comparaisons iront bon train. Car le nom de ce grain de poussière sur la mappemonde n'est pas complètement inconnu. C'est là, en effet, que Gauguin est venu mourir, et sa tombe, bout de roc envahi par les herbes, n'est qu'à quelques centaines de mètres de la maison du chanteur. Bientôt, ils seront encore plus proches. La rumeur le laisse entendre. Brel, lui, le sait. Le « crabe » lui a déjà rongé un poumon et, pour ce qui reste de l'autre, ce n'est ni plus ni moins qu'une question de temps.

Alors, je viendrai pour de bon
Dormir dans ton cimetière [1]...

Les amateurs de parallèles édifiants s'en donneront à cœur joie. Brel-Gauguin, Gauguin-Brel, quelle aubaine ! De quoi épiloguer longuement, à la une des gazettes, sur cet étrange rendez-vous funèbre. Spectaculaire et pourtant si superficiel... Même si, à y regarder de près, les deux hommes sont loin d'avoir seulement un coin de cimetière en commun.

Tous deux fils de la bourgeoisie aisée, ils sont élevés chez les frères et se retrouvent mariés avant d'avoir vraiment vécu. Voués aux affaires (l'un comme agent de change, l'autre comme marchand de carton), les voilà installés dans leurs meubles, pères de famille : presque notables. Chacun son avenir tout tracé ; mais chacun son dégoût d'une vie sans surprise, et chacun sa rupture. L'un comme l'autre finissant par laisser femme et enfants, sans brouille ni tragédie, pour aller jusqu'au bout de sa propre vérité. En partant pour la Polynésie, Paul Gauguin aura ce mot si incroyablement

1. « Fernand ».

« brélien » : « *Je suis deux choses qui ne peuvent être ridicules : un enfant et un sauvage* [1]*... »*

La même fierté, la même certitude. La même solitude aussi.

Pour ses débuts aux Trois-Baudets, Jacques Brel s'est affublé d'une espèce de tunique gris sombre, sans col ni manches, qui hésite entre la défroque de ménestrel et la chasuble. Lui-même n'a pas encore vraiment fait le tri entre le prêche missionnaire et un Moyen Age de pacotille :

Je suis un vieux troubadour,
Qui a conté beaucoup d'histoires :
Histoires gaies, histoires d'amour,
Et sans jamais beaucoup y croire [2].

Si l'on ajoute une fine moustache de séducteur latin, et une coiffure brillante de gomina, l'ensemble est proprement ridicule. Il fait sourire un habitué des lieux, « *moyen-âgeux* » de cœur, lui aussi – et moustachu d'abondance –, mais beaucoup plus crédible en la matière et grand bouffeur de soutanes devant l'Eternel. Lorsqu'il voit débarquer Brel pour la première fois, il n'a guère plus d'un an d'ancienneté dans le métier, mais tout le monde y prononce déjà son nom avec respect : Brassens. C'est le meilleur des hommes, et peut-être le seul véritable ami chanteur que Jacques aura jamais ; mais il a la dent dure lorsqu'il est avec sa bande et, surtout, il n'a jamais su résister au plaisir d'un bon mot, si féroce soit-il. Quitte à en éprouver ensuite du remords, tel un potache penaud d'avoir un peu forcé la dose.

Avisant la « chasuble », la dégaine et le ton du jeune Belge, il laisse tomber, railleur : « *Tiens, voilà l'abbé Brel !* » Ce qui aurait pu n'être qu'une boutade perdue, aussitôt dite aussitôt oubliée, est repris au vol, colporté et ressassé avec une joie maligne par la petite cour que le « Gorille » promène déjà dans son sillage. Dès lors, c'est à qui entraînera le nouveau venu vers le bar avec le plus d'hypocrite cordialité : « *Alors, l'abbé, une chartreuse ? Une bénédictine ? Un cardinal ?* »

1. *Oviri – Ecrits d'un sauvage,* par Paul Gauguin (Editions Gallimard, collection Folio, 1974).
2. « Le troubadour », chanson inédite (archives : famille Brel).

Bien sûr, on ne meurt pas d'humiliation... mais il faut quand même savoir serrer les dents. Tâcher de ne rien laisser paraître. Au moins ne pas leur donner ce plaisir...

Plus tard, lorsque ces mêmes gens de bien n'auront plus assez de superlatifs pour encenser le « Grand Jacques », combien seront-ils à saisir l'amertume de certains vers ?

La Parlote...

C'est au bistrot qu'elle rend ses sentences [1]...

Combien se souviendront alors qu'à cette époque de vaches maigres il écrivait, dans des chansons sur lesquelles personne n'aurait misé un verre de saint-émilion :

Les gens qui ont bonne conscience
Ont souvent mauvaise mémoire [2] ?

Côté public, non plus, l'accueil n'est pas très enthousiaste. Plutôt indifférent. Jacques passe en lever de rideau. Il interprète « Il y a », « La foire », « Il pleut » et « Sur la place ». Quatre chansons et l'on passe au suivant. *« Au suivant ! Au suivant ! »* Applaudissements polis, qui n'engagent à rien ; à l'inverse, si quelques sarcasmes montent parfois de la salle, ce n'est pas non plus le « bide » rédhibitoire.

Les deux semaines s'écoulent vite. Canetti n'est pas trop déçu du résultat ; du moins ne le montre-t-il pas. Il sait qu'il tient là un auteur de valeur, même si l'interprète n'est pas encore au diapason. Et puis, il a tant de fers au feu qu'il ne peut se consacrer uniquement à l'un d'eux. A chacun de faire le reste du chemin, une fois ouvertes les portes les plus difficiles à franchir. Celles du premier disque, par exemple, qu'il promet pour bientôt. Février, au plus tard.

En attendant, Jacques démarche les cabarets des deux rives. Chez Patachou, Chez Geneviève, L'Ecluse, La Fontaine des quatre saisons, Milord l'arsouille, Chez Gilles, etc. Au total, plus de quatre-vingts auditions pour le seul hiver 1953-1954 !

Les réponses, à la première écoute, sont rarement nettes. On lui demande de revenir. S'il n'y a guère de « oui » définitif, en fin de compte les « non » sans appel ne sont pas très nombreux. Le plus souvent on lui laisse un espoir ; on veut

1. « La Parlote ».
2. « Les gens », chanson inédite (déjà citée).

réfléchir, attendre de renouveler le programme... A la fin du mois, disons... ou du suivant, ou bien de la saison...

Et que si c'est pas sûr,
C'est quand même peut-être [1].

Grâce à Georges Brassens, qui lui a écrit une lettre de recommandation, il est engagé à L'Echelle de Jacob, chez Suzy Lebrun, dont il finira par se faire une véritable amie. L'histoire de « l'abbé Brel » traîne toujours (et traînera encore plusieurs années), mais elle ne laisse pas de contentieux entre les deux hommes. L'un et l'autre sont intelligents et sans fausse complaisance. Brassens est conscient du message que peut faire passer sa boutade, tandis que Brel, avec toute l'honnêteté dont il est capable, commence à sentir qu'il y a du vrai là-dessous. Le reste n'est qu'amour-propre, et Jacques – sachant qu'il n'est que nombrilisme à l'usage des imbéciles – est bien trop orgueilleux pour s'y attarder. Même s'il en souffre.

Peu à peu s'organise un petit circuit de six ou sept cabarets, où il va chaque soir chanter trois, quatre chansons. Le salaire est immuable : cent francs par passage... et un verre en prime, dans le meilleur des cas, sur le compte de la maison. Une bière ou un coup de rouge.

Nuit après nuit, des kilomètres à travers Paris, de Montmartre à Saint-Germain ; les mêmes visages que l'on croise, les mêmes personnages que l'on salue, les mêmes saltimbanques avec lesquels on finit par se lier autour du dernier godet. Raymond Devos, Sim, Jean-Claude Darnal... Vian, parfois.

Au petit jour, il remonte vers la place des Abbesses, jusqu'à l'hôtel Idéal (quelle dérision !), au 3 de la rue des Trois-Frères. Une chambre sommairement meublée et sans attrait, au deuxième étage, dont l'unique fenêtre s'ouvre sur l'échoppe d'un cordonnier. Jacques envisage de s'acheter un petit réchaud à pétrole, pour cuisiner un peu ; cela lui permettrait de ne pas trop dépenser, tout en échappant à l'immuable sandwich au camembert qui constitue la base de son alimentation. Une demi-baguette et un bout de fromage : coupe-faim qui ne nourrit pas vraiment son homme.

---

1. « Ces gens-là ».

Après les carences alimentaires de la guerre, qui ont laissé à Jacques de fort mauvaises dents, son régime actuel n'arrange rien. Caries et gingivites apparaissent, déclenchant de violentes douleurs qui le laissent, parfois des journées entières, dans l'incapacité de travailler.

Son moral connaît des hauts et des bas; mais dans l'ensemble, il n'est pas trop mauvais. Aux crises de découragement succèdent des bouffées de confiance. Les lettres qui arrivent de Bruxelles, presque chaque jour, y sont pour beaucoup. Miche, qui a dû se remettre à travailler, lui parle des fillettes et l'assure de sa foi en lui, de son soutien et de son amour. Elle lui envoie aussi des colis, pour améliorer l'ordinaire; comme à un prisonnier. Lisette, également, lui adresse des lettres-fleuves, dans lesquelles elle entretient leur tendresse réciproque. Quand elle le peut, elle y glisse un petit mandat; si les ponts sont presque coupés avec le père, les liens avec la mère restent très étroits.

Pour sa part, Jacques écrit tous les jours. Souvent même plusieurs fois par jour : ses lettres sont non seulement datées mais portent aussi l'indication de l'heure à laquelle il les reprend lorsqu'il s'est interrompu en cours de rédaction. L'ensemble forme une sorte de journal qui rend compte de ses démarches, de ses succès, de ses échecs, de ses rencontres et de ses déboires. De ses espoirs aussi. Jamais de ses incertitudes; comme s'il n'en avait pas, lui qui confiera un jour à Jean-Pierre Chabrol : « *Quand j'ai débuté, je savais que j'étais une vedette. C'est les autres qui ne le savaient pas...* »

Vers la fin de sa vie – au sommet de sa maîtrise et de sa légende –, parlant d'un amour fracassé dans ce qui reste l'une de ses plus belles chansons, il aura cette formule :
Elle vivra de projets
Qui ne feront qu'attendre [1]...

Ce qui dépeint très exactement sa situation, en ces fêtes de fin d'année, qu'il passe seul à Paris, à espérer la concrétisation de vagues promesses d'engagements et l'enregistrement du fameux disque évoqué par Canetti.

---

1. « Orly ».

6

C'est la première chance

L'année 1954 commence plutôt mieux que la précédente ne s'était achevée. Jacques Canetti, pugnace, a fini par imposer ses vues aux instances dirigeantes de Philips : la date d'enregistrement est enfin arrêtée. Brel signe son contrat le 12 février et entre en studio trois jours plus tard. D'une seule traite, il met en boîte neuf chansons [1]. Rien d'exceptionnel à cette époque où les chanteurs sont obligés d'enregistrer en direct, avec l'orchestre au complet. Les magnétophones multipistes n'existant pas encore, il ne saurait en effet être question de « re-recording ». Sauf cas particuliers, Brel conservera toujours cette habitude de travailler sans possibilité de « repentir » (comme disent les peintres de fresques qui, eux non plus, n'ont pas droit à l'erreur). Une technique qui finira par apparaître comme une prouesse, lui valant l'estime indéfectible de ses musiciens et ingénieurs du son. Et donnera également, à chacun de ses disques, cette présence unique qui rappelle tant la scène et que l'actuel découpage piste à piste, en studio, ne permet jamais de restituer vraiment.

Pour l'heure, les arrangements confiés à André Grassi sont pour la plupart bâclés. Certains frôlent même l'indigence ; ainsi les quelques mesures de clavecin chargées d'évoquer la danse dans « Il pleut », et qui constituent le seul

---

1. Et non pas huit, ou dix, comme l'écrivent certains biographes. Information aisément vérifiable, puisqu'il suffit de se reporter au disque 33 tours 25 cm : *Jacques Brel et ses chansons* (Philips B 76 027 R).

apport d'*André Grassi et son orchestre* à une chanson portée de bout en bout par la seule guitare de Jacques.

« La haine », « Le diable (Ça va) », « Il peut pleuvoir », « C'est comme ça », « Il nous faut regarder », « Le fou du roi », « Il pleut », « Grand Jacques » et « Sur la place »[1]. Neuf titres, donc, aux climats fort différents, derrière lesquels se dessinent déjà, non sans quelque naïveté et maladresse, les premiers grands traits de l'univers brélien.

« La haine », à cet égard, est typique. Première chanson enregistrée de « l'œuvre officielle » de Jacques Brel, elle montre son écartèlement entre deux visions contradictoires de la femme : celle, idéalisée, d'un *« puceau tardif »*, qui a tellement rêvé *la* femme que l'image qu'il s'en est faite est presque mythique (Brel, plus tard, dira d'ailleurs : *« Quand un homme n'a pas peur de coucher avec une femme, c'est qu'il ne l'aime pas »*) ; et celle d'un homme qui réalise combien le quotidien, avec son cortège de concessions, d'habitudes qui s'installent et de silences qui se créent ou se prolongent, a terni le rêve qu'il s'était forgé. Manquant encore de maturité, il ne comprend pas que la femme n'y est pour rien... et que l'on pourrait aussi bien inverser les rôles, comme le fait Claude Nougaro dans l'une de ses premières chansons, lorsqu'il évoque *« le moment fatal / Où le vilain mari tue le prince charmant* [2] ». Personne ne songerait à taxer Nougaro de misanthropie pour un tel constat : c'est pourtant sur de semblables descriptions d'échec que d'aucuns fondent la solide réputation de misogynie qui poursuivra Brel au-delà même de la mort.

Chanson mineure, « La haine » a toutefois le mérite de montrer, déjà, les deux aspects du paradoxe. Côté non-dits, elle ne contient que des regrets et une détresse mal dissimulée :

1. L'ordre indiqué ici, et pour les productions suivantes, est celui des prises de son, tel qu'il apparaît sur les fiches techniques de studio. C'est l'ordre des bandes magnétiques, que nous donnons afin d'établir une chronologie aussi exacte que possible des enregistrements de Jacques Brel. Mais c'est rarement l'enchaînement du montage final effectué pour les disques. Sur ce point, se reporter à la discographie en fin de volume.
2. « Une petite fille », 1962 (paroles de Claude Nougaro, musique de Jacques Datin).

Tu n'as commis d'autre péché
Que de distiller chaque jour
L'ennui et la banalité,
Quand d'autres distillent l'amour.
[...]
Tu as peint notre amour en gris,
Terminé notre éternité ;

côté parade, l'amertume sombre dans l'odieux :

L'amour est mort, vive la haine,
Et toi, matériel déclassé,
Va-t'en donc accrocher ta peine
Au musée des amours ratées.

Raymond Devos – qui a beaucoup côtoyé Brel à cette époque, pour avoir longtemps fait partie des tournées Canetti – en donne cette analyse pertinente et sensible : *« Il digérait mal l'aventure humaine. La dualité chair-esprit, chez lui, était à vif. »* Soit, mais quelle violence dans l'invective ! De toute évidence, Brel oublie, ici, que pour ne pas se comprendre – comme pour se comprendre, cela va sans dire –, il faut être deux. L'idée qu'un tel fiasco puisse être imputable aux deux parties ne semble pas l'effleurer un seul instant. La rancœur primaire et une méchanceté très infantile l'emportent sur tout autre sentiment, et l'auteur n'en sort guère à son avantage :

Comme un marin je partirai,
Pour aller rire chez les filles,
Et si jamais tu en pleurais,
Moi, j'en aurais l'âme ravie.

Une des rares chansons de Brel – il y a en d'autres, nous y viendrons – qui soient totalement indéfendables, quelle que soit la manière dont on essaie d'aborder le problème. D'autant que, pour solde de tout compte, l'arrangement d'André Grassi est lamentable. Une rythmique mal en place et une trompette bouchée qui, sous prétexte d'improvisation, aligne une interminable collection de poncifs et de banalités. Décidément, « La haine » mérite bien d'être passée aux profits et pertes.

« Le Diable (Ça va) », également publiée sous le titre inverse : « Ça va (Le Diable) », souffre de son prologue parlé, très maniéré, trop appliqué et pour tout dire : superflu. Car Jacques Brel n'est pas encore le phénoménal interprète capable, à l'instar de Piaf, d'habiter n'importe quel texte, même les plus faibles. Pour l'instant, il récite. Avec la raideur de ceux qui ont la certitude d'avoir raison. Déjà plus expérimentée, plus sûre de son talent, plus fine dans la nuance, Juliette Gréco en donnera d'ailleurs, quelques mois plus tard, une version beaucoup plus rouée, jouant d'une ambiguïté toute féline et, pourquoi pas, presque faustienne.

Au vrai, l'idée de départ est assez intéressante, bien que le ton soit naïvement manichéen, et l'écriture parfois un rien pesante :

On traite les braves de fous
Et les poètes de nigauds ;
Mais dans les journaux de partout,
Tous les salauds ont leur photo...

Il est assez habile de mettre en scène un moraliste a contrario. Cela évite à l'auteur une dénonciation trop simpliste. Ici, le diable prend donc à rebours le sens de tout ce qu'il voit sur terre et l'enchante forcément, puisque ce monde – aux yeux du jeune chrétien qui subsiste en Jacques – n'est qu'un vaste ensemble d'injustices et de turpitudes.

Bientôt, le chanteur évoluera, mettra d'autres mots sur les choses de la vie, il aura même l'audace d'élever la voix. Mais son désenchantement restera assez semblable. Le temps et la maturité lui forgeront simplement une espèce de cuirasse intérieure, faite d'un semblant de cynisme et d'orgueil mêlés, qui le tiendra à l'abri des blessures les plus immédiates. Et derrière le Brel grande gueule, grand buveur, grand noceur, trousseur de filles, bouffeur de bourgeois et coureur de bordels, subsistera jusqu'au bout un zeste d'homme prude, soucieux de bienséance et de décence. Avec sa propre appréciation de ces conventions sociales ; comme il aura sa propre définition de la vulgarité – tare rédhibitoire à ses yeux : « *Deux jeunes s'aiment, et le père de la jeune fille va voir le père du jeune homme et lui demande : "Combien gagne votre fils ? "* »

N'empêche, parfois on devrait pouvoir imiter Léo Ferré, qui réécrivit et réenregistra trois fois « Les temps difficiles » :

on imagine sans peine ce que l'auteur de « Ces gens-là » ou de « Grand-mère » aurait fait alors, quelque quinze ans plus tard, d'un thème comme « Le diable ».

Dans un registre diamétralement opposé, « Il peut pleuvoir » – qui respire l'espoir et la joie de vivre – n'est pas sans évoquer la légèreté insouciante d'un Charles Trenet. Y compris dans la mélodie, vive et relativement bien arrangée. C'est une chanson d'amour sans aucune arrière-pensée. Ici, la femme tient encore sur son piédestal : elle incarne un bonheur simple et tranquille. Rassurant, aussi :

Il peut pleuvoir sur les trottoirs
Des grands boulevards,
Moi, je m'en fiche,
J'ai ma mie auprès de moi...

« C'est comme ça » participe de la même bonne humeur, mais – construction déjà très brélienne – plus la pochade avance, plus le tableau se noircit. Dans une espèce de travelling cinématographique, on passe ainsi de la vision bucolique de jeunes et charmantes porteuses d'eau, à celle de :

La ville avec ses plaisirs vils,
Qui pue l'essence d'automobile
Ou la guerre civile.

Le thème de départ – l'opposition entre une campagne idyllique et la ville fétide et corruptrice – est encore une fois un peu naïf et conventionnel. Il est traité, cependant, avec une maîtrise qui surprend dans ce premier disque si peu abouti ; chaque strophe apportant un élément nouveau – appelé à la fin de la précédente –, de sorte que l'auditeur a l'impression d'être pris dans une machine d'une implacable logique. Exactement comme dans certaines chansons de Trenet, auquel on pense, ici, pour la seconde fois. Impression encore accentuée par la musique qui remplit magnifiquement son rôle : c'est une polka, propre à évoquer la campagne, mais chantée avec un tel débit, sans respiration, qu'elle en devient aussi oppressante que la vie citadine.

S'il suffisait de bons sentiments pour faire une bonne chanson, « Il nous faut regarder » serait un chef-d'œuvre. Elle n'est hélas, telle quelle, que le catalogue des aspirations généreuses mais irréalistes, voire un peu réactionnaires, des petits-bourgeois de la Franche Cordée :

Plus loin que la misère,
Il nous faut regarder
[...]
Ce qu'il y a de beau,
Le ciel gris ou bleuté...

Exactement le genre de luxe qu'on peut s'offrir quand on n'a pas été confronté, dès l'enfance, à cette misère d'apparence si poétique. Mais qu'en est-il vraiment, lorsque :

Quinze heures par jour, le corps en laisse,
Laissent au visage un teint de cendre [1]?

Sans bien s'en rendre compte, on peut le supposer, « l'abbé Brel » offre ainsi une nouvelle démonstration de la fonction sociale de la religion : masquer l'amertume de la pilule et museler toute velléité de révolte. « L'opium du peuple », en quelque sorte.

La mélodie, archiconvenue, et les arrangements faussement mozartiens, à base de hautbois et de trilles de flûte, ajoutent encore au côté « dame patronnesse » de ce presque cantique.

De la pire veine moyenâgeuse, « Le fou du roi » mérite à peine qu'on s'y arrête, si ce n'est pour songer avec nostalgie aux perles précieuses que Brassens tirera de ce genre d'exercices de style : « A l'ombre du cœur de ma mie », « Je rejoindrai ma belle », etc. Qui plus est, la chute, qui se voulait acide, est d'une platitude confondante :

La morale de cette histoire
C'est qu'il n'a pas fallu qu'on poirote
Après Gide ou après Cocteau,
Pour avoir des histoires idiotes!

Puisque c'est Jacques qui le dit, accordons-lui cette appréciation ; et passons...

Fort heureusement, les trois derniers titres enregistrés ce 15 février 1954 sont d'une tout autre facture, et annoncent déjà le meilleur Brel. « Il pleut » – qui fit grimacer les amis de la famille, lors de la première à La Rose noire – joue sur l'opposition de deux situations, de deux climats, de deux rythmes. L'ennui derrière les carreaux de l'usine, et la pluie qui fait des coulures sur ces vitres, grises de crasse, sont évo-

---

1. « Jaurès ».

qués par des arpèges de guitare un peu mélancoliques, tandis que l'instrument s'enflamme et devient espagnol dès qu'il se laisse prendre aux jeux du rêve et de l'évasion, symbolisés par le soleil, les nuages – si chers à Baudelaire –, le ciel et la lune qui danse. Encore cette antinomie entre la ville, source de tous les maux, et la nature-campagne rédemptrice.

A ce niveau de connivence entre les paroles et la musique, on peut presque parler de paraphrase, annonçant en cela les véritables explications de texte de certains arrangements ultérieurs (celui de « Fernand » par exemple) et de la gestuelle du phénoménal homme de scène que deviendra Jacques Brel, sitôt qu'il n'encombrera plus ses mains d'une guitare.

« Grand Jacques ». Ce surnom lui collera désormais à la peau et survivra longtemps à l'abandon de la défroque de « l'abbé Brel ». Tout le personnage est dans cette constante remise en cause du ton de procureur qu'il fait mine d'emprunter, le temps de trois strophes. Au rôle de moralisateur que d'aucuns aimeraient le voir endosser, il préfère celui de témoin. « *L'œil du berger* », sans doute ; mais ni son bâton, ni ses chiens de garde ! Ce que Gide formulait comme suit : « *Que l'importance soit dans ton regard, non dans la chose regardée* [1]. »

Brel, c'est l'une de ses grandes forces – et peut-être son plus grand courage –, ne s'exclura jamais des travers qu'il dénoncera. « Les bourgeois » est à ce titre une chanson exemplaire. Comme si Henri Tachan, lorsqu'il chante « La chasse [2] », avouait au dernier couplet qu'il va lui-même tirer le perdreau chaque dimanche. Car Brel ne biaise pas, il s'exprime à la première personne lorsqu'il parle de ces notaires repus dénonçant une jeunesse qui leur a échappé et qu'ils ne comprennent plus :

Et moi, moi qui suis resté le plus fier,
Moi, moi je parle encore de moi [3]...

1. *Les Nourritures terrestres*, par André Gide (Editions du Mercure de France, 1897).
2. « La chasse », 1974 (paroles et musique d'Henri Tachan).
3. « Les bourgeois ».

De même est-ce avec une lucidité proche du masochisme qu'il achève le portrait au vitriol de « Ces gens-là », sur l'image d'un pauvre type un peu timoré, dont la maladroite prise de congé ressemble à une signature :

Mais il est tard, Monsieur,
Il faut que je rentre chez moi.

Bien sûr, *« ces gens-là »* ce sont toujours les autres. Bien sûr, seuls les *« épiciers »* se prennent pour Don Juan, Garcia Lorca ou Néron, le dimanche aux arènes. Bien sûr, la tentation est forte d'être de ceux-là qui, la conscience sereine, montrent du doigt et fustigent la bêtise et la médiocrité ambiantes... Mais à l'heure de laisser tomber la sentence, comme un couperet, comment oublier cette voix qui, par-delà le temps, la distance et la mort, répète inlassablement :

C'est trop facile
De faire semblant ?

La séance d'enregistrement s'achève sur ce qui reste, intrinsèquement, la chanson la plus aboutie du lot : « Sur la place ». En rappel de « Il pleut », cette danseuse *« ondulante comme un roseau »*, qui *« frappe dans ses mains / Pour se donner la cadence »*, est l'illustration idéalisée de cette part d'Espagne que Jacques revendiquera toujours – et continuera, jusqu'à son dernier disque, d'évoquer périodiquement.

Au total, excepté quelques coups de patte, peu acérés encore, Brel reste dans une phase de découverte. Découverte du monde, des gens et de la vie. Il n'a pas encore commencé à se durcir. Encore moins à régler ses comptes. Son écriture est souvent maladroite et, dans l'ensemble, les grands sentiments lui tiennent lieu d'analyse et d'idéologie. Les arrangements *a minima* montrent que Philips n'a pas misé beaucoup d'argent sur cette production incertaine. Le résultat sera un assez joli bide. Les rares critiques sont désastreuses, quand elles ne sont pas idiotement xénophobes, comme celle de *France Soir* : *« Monsieur Brel est belge, nous lui rappelons qu'il existe d'excellents trains pour Bruxelles. »*

Avec le recul, on peut toujours disserter sur l'incurie de ces critiques et l'injustice de leurs jugements ; force est pourtant de reconnaître que le premier disque de Jacques Brel n'était pas bien fameux [1]. Et le suivant ne le sera guère davantage. C'est l'éternelle histoire du *Vilain Petit Canard* d'Andersen, dont nul ne pouvait prévoir qu'il était un cygne royal en train d'arriver lentement à sa plénitude.

Nul, sauf Jacques Canetti.

---

1. Compte tenu des standards existant à l'époque, ces neuf chansons seront réparties en trois formats différents. « Il peut pleuvoir » et « C'est comme ça » seront éditées sous forme de disque 78 tours (réf. : N 72 207). « La haine », « Grand Jacques », « Ça va (Le diable) » et « Sur la place » feront l'objet d'un 45 tours (réf. : NE 432 018), tandis que « Il peut pleuvoir » et « Il nous faut regarder » seront incluses, quelques mois plus tard, sur un second 45 t (réf. : NE 432 043), en compagnie d'autres titres enregistrés ultérieurement (« La Bastille », « Qu'avons-nous fait, bonnes gens ? », « Les pieds dans le ruisseau » et « S'il te faut »). L'intégralité de la séance, quant à elle, sera publiée en 33 tours 25 cm, ainsi qu'indiqué à la note 1 du présent chapitre. Pour d'évidentes commodités d'analyse, nous avons choisi de traiter l'œuvre originale de Jacques Brel à travers ses 33 tours, nous réservant la possibilité de donner, ponctuellement, un coup de projecteur sur certains 45 tours qui contiendraient des titres restés inédits en albums, ainsi que sur quelques productions particulières, considérées « hors œuvre ».

7

Faut dire qu'elle était belle

A cet espoir que représentait le disque succède une période de découragement. L'enregistrement n'est guère diffusé en radio et ses ventes plafonnent à quelque deux cents exemplaires. Brel continue donc son marathon quotidien, de cabaret en cabaret, passant alternativement de l'une à l'autre rive et interprétant dans sa soirée une trentaine de chansons, par paquets de quatre, dans sept ou huit endroits différents.

Drôles d'entractes! On se chauffe pendant le premier titre, on prend de l'aisance au second, le public commence à accrocher (ou à se désintéresser ostensiblement) au troisième, et au quatrième on est en sueur. C'est alors qu'il faut remballer sa guitare, rendosser son manteau et repartir dans la nuit vers un autre lieu plein de lumière et de fumée, où des gens bien au chaud et bien nourris porteront distraitement des jugements péremptoires sur vous et vos chansons.

Chez Patachou, à Montmartre, Jacques se fait siffler presque chaque soir : il faudra que la maîtresse des lieux monte elle-même sur scène pour le présenter et réclamer, sinon l'attention, du moins le silence. Sur la Butte toujours, Chez Geneviève, il doit faire la plonge après son tour de chant et se retrouve à rincer les verres en compagnie d'un autre débutant avec lequel la critique est tout aussi féroce : « *Avoir la prétention, avec un tel physique et une telle voix, de se présenter devant un public est une pure folie. [...] Cela prouve une totale inconscience.* » Il ne s'agit, il est vrai, que de Charles Aznavour. Excusez du peu...

Ah ! ce sacro-saint physique ! Quel handicap ! Mais quel prodigieux moteur ! Aznavour y puisera une véritable hargne de réussite qui, quarante-cinq ans après, est toujours vivace. Quant à Brel, il affirmera à Jacques Chancel : *« Si j'avais été beau, je n'aurais sans doute pas eu de carrière du tout* [1]. »

Sur la rive gauche, cela va un peu mieux. Léon Noël, le patron de L'Ecluse, le fait passer à Radio-Luxembourg. Suzy Lebrun le prend en affection : quoi qu'il arrive, L'Echelle de Jacob lui sera toujours ouverte. Cette femme de cœur – qui finira par le convaincre de changer de coiffure et de raser sa moustache – ira même jusqu'à lui prêter vingt-cinq mille francs (de l'époque), pour qu'il puisse s'acheter une nouvelle guitare, après qu'on lui eut volé la sienne un soir qu'il chantait chez elle. Brel, qui avait coutume de dire que la fidélité en amitié l'émouvait jusqu'aux larmes, montrera souvent que ce n'était pas une simple formule. Ainsi, au faîte de sa gloire, quand il remplira de New York à Moscou les plus grands music-halls du monde, ne manquera-t-il pas de revenir chanter dans la petite salle de cent cinquante places de la rue Jacob, pour aider Suzy Lebrun alors en difficulté.

Aux petites heures de la nuit, lorsque les boîtes à chansons referment leurs portes sur les derniers noctambules, les saltimbanques se retrouvent à La Cloche d'or ou au Tire-bouchon, et se réchauffent le cœur comme ils peuvent. Mouloudji, Francis Lemarque (qui connaissent déjà le succès, grâce au « Petit coquelicot » et « A Paris »), Guy Béart, Jean-Claude Darnal... et Serge Gainsbourg qui, pour payer ses études de peintre, joue de la guitare et du piano derrière de moins talentueux que lui. On refait le monde en égratignant le bourgeois, on se réconforte en caressant l'espoir de triomphes à venir, et l'on prend des habitudes d'insomniaques. Jacques, avec son éternelle fringale et ses rages de dents, restera toujours de ceux qui n'arrivent pas à se coucher. *« Ce qui frappait, c'était son état de santé,* se souvient Raymond Devos. *Il était fragile, il dormait peu. Il avait mal partout et je l'entends encore dire : " Je ne suis pas bien, je ne sais pas si je pourrai continuer. " Or, non seulement il dominait tout*

1. *Radioscopie* (déjà citée).

cela, mais je n'ai jamais vu quelqu'un, en scène, se livrer ainsi au public, au point de se trouver mal. »

En fait, Jacques passe par une profonde période de doute. Lui qui, jusqu'à présent, était porté par une certitude d'acier commence à se demander s'il verra un jour le bout du tunnel. Il n'y a pourtant que quelques mois qu'il s'est lancé dans l'aventure et – quoi qu'on ait pu en dire ou écrire – il ne vit pas dans la misère noire. Sa mère continue à lui faire parvenir un peu d'argent à intervalles réguliers et, bien que ses cachets restent ridiculement bas, il ne manque plus de travail. Mais la solitude, malgré les lettres de Miche, lui pèse de plus en plus ; sentiment renforcé, probablement, d'un brin de mauvaise conscience lorsqu'il songe à ses filles restées seules avec leur mère.

Et puis, l'orgueil est atteint. On n'essuie pas impunément autant de rebuffades en si peu de temps.

Pendant quelques mois, la machine va tourner à vide. Le ressort semble brisé. Jacques cesse d'écrire et vit sur son stock de chansons. La tentation mystique est forte ; il s'en ouvre dans ses lettres à Hector Bruyndonckx, avec lequel il n'a jamais cessé de correspondre, et à Miche : *« Si tu savais à quel point je désire par moments mettre mon sort entre les mains de n'importe qui* [1]*... »*

De son côté, Canetti ne désarme pas. Il remet Jacques Brel au programme des Trois-Baudets, avec Philippe Clay et Fernand Raynaud, en première partie de *Ciné Massacre*, un spectacle de Boris Vian. Pour l'occasion, le critique du *Parisien libéré* fait preuve d'un peu plus de clairvoyance que ses confrères : *« Ce n'est pas être prophète que prévoir sa prochaine accession à la tête d'affiche* [2]*. »* Le genre de compliment qui n'engage pas à grand-chose, mais fait d'autant plus plaisir que c'est la première fois que la presse française semble prêter une quelconque valeur au jeune chanteur belge – et que nul, en outre, n'est prophète en son pays : Jacques a dû en convenir lorsqu'il s'est retrouvé, en juillet 1953, à

1. Correspondance privée de Mme Brel, citée par Olivier Todd.
2. La plupart des articles de presse mentionnés dans les pages suivantes ont été collectés par Edouard Caillau, pour une étude intitulée *Quelques dates, faits et anecdotes dans la carrière de Jacques Brel*, publiée dans les bulletins n°s 38, 39 et 40 de la Fondation internationale Jacques Brel.

Knokke-le-Zoute, une station balnéaire de la mer du Nord, dont il fera, par la suite, l'un des hauts lieux de quelques-uns de ses couplets les plus satiriques :

Même si un jour à Knokke-le-Zoute,
Je deviens, comme je le redoute,
Chanteur pour femmes finissantes [1]...

ou encore dans le superbe et dévastateur « Knokke-le-Zoute tango », de son tout dernier disque :

Ce soir, il pleut sur Knokke-le-Zoute,
Ce soir comme tous les soirs
Je rentre chez moi,
Le cœur en déroute
Et la bite sous le bras.

Jacques Canetti, qui est membre du jury, l'a incité à se présenter au Festival de la chanson de variété de Knokke : un concours, en fait, qui n'ose pas afficher son nom. Vingt-huit candidats, dont l'un ne dépassera même pas la phase préparatoire tant on le trouve mauvais, laid et mal dégrossi. C'est René-Louis Lafforgue, le copain de Brassens, auteur de cette jolie « Julie la rousse » qui semble ne jamais devoir s'arrêter de danser. Brel finira donc vingt-septième, sous les sarcasmes du jury, puisque le bon Lafforgue a eu l'élégance de lui céder la dernière place.

En mai 1954, Juliette Gréco inscrit « Le diable » à son répertoire, pour son premier passage en vedette à l'Olympia. Quelques semaines plus tard, c'est Jacques lui-même qui chante chez Bruno Coquatrix, du 8 au 22 juillet. Se contentant plus modestement du lever de rideau, il ouvre le spectacle de Billy Eckstine, qui est l'occasion de l'ultime apparition de Damia sur une grande scène. Et une fois de plus les critiques ne sont pas tendres avec lui. Ainsi Maurice Ciantar, dans *Combat* : « *Il écrit de belles chansons, le regrettable est qu'il persiste à les interpréter.* »

Trois jours après sa dernière à l'Olympia, Jacques part pour une de ces tournées d'été que Canetti baptisait « Festival du disque ». Un spectacle par jour, du 25 juillet au 31 août ; deux, parfois, lorsqu'il y a matinée. Affiche compo-

---

1. « Jacky ».

site : la vedette est Sidney Bechet ; pour le reste, Jacques Brel, Philippe Clay, Dario Moreno et Catherine Sauvage se partagent la première partie. La chanteuse est encore auréolée de son récent Grand prix du disque et d'un passage à l'Olympia en tête d'affiche. Elle chante « L'homme », « Paris-canaille », etc. Des textes de Ferré, mais aussi de Brecht ou de Mac Orlan. C'est ce que Francis Cabrel, aujourd'hui, appellerait « Une star à sa façon ».

Le cachet de Jacques, pour cette tournée, est de quatre mille francs par jour, six mille en cas de matinée : plus que le salaire hebdomadaire d'un ouvrier au SMIG. Ce n'est pas encore mirifique, mais c'est un net progrès par rapport aux cent francs quotidiens des cabarets parisiens. Les frais, il est vrai, sont à la charge exclusive des artistes, ce qui grève assez lourdement le budget...

Henri Gougaud, alors jeune lycéen, a gardé un souvenir très précis du spectacle donné à Carcassonne, et notamment de la prestation de Brel : « *Il chantait quatre chansons, en première partie : "Sur la place", "Ça va (Le diable)" sous un projecteur rouge, et deux autres dont je n'ai pas souvenir. Ce soir-là, il n'eut guère de succès. Sans doute était-il trop simple, trop perdu et poétiquement maladroit pour inspirer autre chose qu'un sentiment d'étrangeté[1] ?* »

Une ville chaque jour... C'est-à-dire de longues étapes par la route, souvent harassantes. Brel partage la voiture de Catherine Sauvage, une Aronde. Au fil des kilomètres, des discussions, des haltes et des hôtels, une idylle se noue. Liaison sans conséquence ni lendemain, mais qui constitue le premier accroc de Jacques au pacte conjugal. Celui qui, comme au billard, coûte le plus cher. Beaucoup plus mûre que lui, la chanteuse ne prend guère au sérieux l'aventure avec ce grand escogriffe, qui n'en finit pas d'évacuer ses restes de scoutisme. Lui, en revanche, s'imagine amoureux... et se montre jaloux, injuste et possessif.

En fin de tournée, le retour à Paris lui dessillera les yeux : refermant la parenthèse d'un été, Catherine Sauvage retourne à sa vie, dans laquelle il n'aura été qu'une brève passade. Pour Jacques, qui n'a pratiquement aucune expé-

---

1. *Souvenirs de Jacques Brel*, texte inédit d'Henri Gougaud (voir annexes).

rience des femmes, ce premier échec sentimental marque
également le premier coup de canif dans son amour-propre
de jeune mâle. Ce que Brassens résume d'un sourire sans
rancune :

Je reçus de l'amour la première leçon,
Avalai la première arête [1]...

sera, chez lui, la première étape importante d'une évolution
irréversible. Même si pris de remords, il signe ses lettres à
Miche d'un presque pitoyable *« Le nouveau fiancé de
Madame Brel »*, destiné à faire oublier ses frasques, l'image
idéale qu'il se faisait de la femme est désormais quelque peu
écornée. En toute mauvaise foi, néanmoins : car, insensiblement, il déplace le problème de la responsabilité. Ainsi
– puisqu'il en demande sincèrement pardon – n'est-ce plus
lui qui a trompé son épouse, mais cette maîtresse d'un été
qui l'a odieusement abusé.

Au fond de lui-même, Jacques Brel est beaucoup trop
honnête pour cultiver avec lucidité une telle duplicité.
Comme il serait beaucoup trop simpliste d'imputer son attitude à sa prétendue misogynie. Reste, donc, à envisager le
fait qu'il n'ait rien compris – pendant longtemps, au moins –
ni aux femmes ni à l'amour :

Tais-toi donc, grand Jacques,
Que connais-tu de l'amour ?
Des yeux bleus, des cheveux fous ;
Tu n'en connais rien du tout [2]...

Après trois semaines de vacances, une autre tournée
l'embarque pour l'Afrique du Nord. Maroc, Algérie, Tunisie... Jacques découvre enfin le vrai soleil ; celui que, dans ses
chansons, il oppose constamment à *« la laideur des faubourgs* [3] *»*. Ce soleil auquel il comparera toujours ce qu'il
voudra valoriser :

Tu as des seins comme des soleils [4]...

et auquel il finira par assimiler la femme la plus magnifiée de
toute son œuvre :

1. « Supplique pour être enterré à la plage de Sète », 1966 (paroles et
musique de Georges Brassens).
2. « Grand Jacques ».
3. « Quand on n'a que l'amour ».
4. « Le gaz ».

Et puis, il y a Frida
Qui est belle comme un soleil [1] *!*

La troupe qui traverse la Méditerranée, en ce mois d'octobre 1954, est sensiblement la même que celle de la tournée d'été. Seul Philippe Clay n'est pas du voyage. Pour l'occasion, Jacques a pris du galon. Il est maintenant « vedette anglaise », ce qui signifie qu'il occupe la troisième place, par ordre d'importance, sur le programme. *Le Courrier du Maroc* lui consacrera un article élogieux : « *C'est alors qu'une grande révélation s'avança sur le plateau, sa guitare à la main. Il nous chanta la vie avec une flamme de jeunesse dans les yeux. Il plut et nous espérons que Jacques Brel fera une grande carrière.* »

Le moral remonte, d'autant que les engagements s'enchaînent désormais à un rythme régulier. Rentré à Paris, Jacques passe à nouveau aux Trois-Baudets, en première partie de Mouloudji. En décembre, il chante pour la première fois en vedette américaine : c'est à Bruxelles, à L'Ancienne Belgique, dans le spectacle de Bobbejaan Schoepen, l'une des plus grandes vedettes flamandes du moment. La famille Brel au complet s'est déplacée pour la circonstance. Romain y compris. Le père et le fils sont à présent proches de la réconciliation. Mais que l'on ne compte pas sur Jacques pour faire machine arrière : il n'a jamais été aussi près de réussir son pari insensé. Et il le sait.

---

1. « Ces gens-là ».

8

On a le cœur encore trop tendre

Le monde, bien sûr, ne s'arrête pas de tourner à cause des rages de dents, des passades amoureuses ou des premiers succès d'un chanteur. Fût-il, virtuellement, le plus grand. Le 7 mai 1954, au terme d'un long siège, entamé en novembre de l'année précédente, Diên Biên Phû tombe sous la pression des troupes du général Giap. Cette défaite cinglante marque la fin symbolique de la guerre d'Indochine. Les accords de paix seront signés à Genève, moins de trois mois après.

Le processus de désagrégation de l'empire colonial français est engagé de manière irréversible. Mais peu d'hommes seront autant insultés, de leur vivant, que Pierre Mendès France qui réglera la question indochinoise, en sa qualité de président du Conseil et ministre des Affaires étrangères. Et déjà le feu couve ailleurs. Au Maroc et en Tunisie, les attentats à la bombe succèdent aux assassinats politiques. L'idée d'indépendance soulève tant de passions, de part et d'autre, qu'il semble impossible d'apporter une solution pacifique aux problèmes posés.

Le 1er novembre 1954, alors que la tournée Canetti rentre à peine d'Afrique du Nord, l'Algérie vit sa « Toussaint sanglante ». Soixante-dix explosions de violence simultanées marquent le début d'un nouveau conflit. Cette fois les dirigeants de la IVe République n'osent plus parler de guerre – l'Algérie étant considérée officiellement comme département français [1] – et tentent de dissimuler la réalité de la situation sous des euphémismes aussi trompeurs que « pacification » ou « opérations de police ».

Ces « événements d'Algérie » qui, au fil de l'évolution politique et des radicalisations des parties en présence, en viendront à diviser profondément la France, la mettant presque au bord de la guerre civile, ne concernent pas directement Brel : Belge, il ne saurait être frappé par les mesures, prochaines, de rappel du contingent. Mais cette affaire le touche – et l'affecte – en tant qu'homme, et ses chansons, pendant plusieurs années, refléteront ce trouble. N'en est-il pas à sa seconde guerre ?

Jacques Brel ne sera jamais un chanteur engagé, au sens immédiat du terme. Il aura d'ailleurs une boutade célèbre à ce propos : *« Je ne délivre pas de messages ; je laisse ça aux facteurs... »* Qui plus est, il s'astreindra toujours à cette « obligation de réserve » qui interdit aux étrangers d'intervenir, directement et publiquement, dans les affaires politiques du pays qui les accueille. Pourtant, au-delà de ses sentiments et de ses émotions, son œuvre laisse filtrer visiblement le regard qu'il pose sur l'air du temps. Alors qu'un Boris Vian attaque le problème de front avec « Le déserteur [2] », subissant immédiatement les foudres de la censure, Brel procède par petites touches allusives, qu'il essaime à travers de nombreuses chansons. Moins spectaculaire que l'éclat de Vian, mais plus difficile à enrayer, cette action répétitive finit par avoir la même immuable efficacité que l'érosion. Il est d'ailleurs tout à fait remarquable, à ce sujet, qu'à l'heure où les grands mouvements pacifistes et humanitaires secoueront les Etats-Unis, pour exiger le retrait des forces américaines du Viêt-nam et l'égalité des droits civiques, les seules chansons françaises à faire partie intégrante de ce combat, outre « Le déserteur », soient « La colombe » et « Quand on n'a que l'amour ». Cette dernière devenant même, dans sa version

1. Trois départements, en fait, et non un seul comme on le dit souvent, pour simplifier. Ce découpage de l'Algérie en trois départements remonte au Second Empire (1848) et précède d'une douzaine d'années le rattachement de la Savoie à la France (1860).
2. « Le déserteur », 1954 (paroles et musique de Boris Vian).

traduite (« If we only have love »), une sorte d'hymne repris en chœur dans les manifestations.

Début 1955, sa situation matérielle s'étant un peu stabilisée, Jacques demande à Miche de venir le rejoindre, avec les enfants. La famille s'installe à Montreuil, rue du Moulin-à-vent, dans une petite maison en bois, au fond d'une cour. Presque un baraquement, avec des cloisons en planches ; mais on est en mars, on va vers le printemps et l'absence de confort sera plus facile à supporter au début. En attendant d'aménager un peu et de s'habituer...

Ce même mois de mars, Jacques Brel entre à nouveau en studio, pour enregistrer son deuxième et dernier 78 tours, ainsi que son second 45 tours. Cette fois le travail n'est pas aussi rapide que pour le disque précédent, et il faudra trois séances, étalées sur plusieurs mois, pour mettre quatre titres en boîte. Cela tient en partie à la présence de deux orchestrateurs se partageant les arrangements : Michel Legrand et André Popp.

Si incontestable que soit son talent, Michel Legrand ne comprend visiblement pas l'univers de Brel : dans deux cas sur trois (« S'il te faut » et « Qu'avons-nous fait, bonnes gens ? »), ses arrangements représentent de véritables contresens. Le premier est tonitruant, comme une bande-son de mauvaise superproduction hollywoodienne (la mode étant aux péplums, on s'attend presque, entre chaque couplet, à voir débarquer une cohorte de gladiateurs en armes !), tandis que l'autre « jazze » à outrance sur un texte dont les musiciens paraissent se moquer comme de l'an 40, et qu'ils expédient en cent trois secondes durant lesquelles le chanteur ne cesse de leur courir au train.

Il faut reconnaître, à leur décharge, que le ton, dans ces deux chansons, est au prêchi-prêcha le plus simpliste. « L'abbé Brel » dans ses pires moments de croisade :

Et c'est dommage de ne plus voir,
A chaque soir, chaque matin,
Sur les routes, sur les trottoirs,
Une foule de petits saint Martin [1].

1. « Qu'avons-nous fait, bonnes gens ? ».

La première séance ayant eu lieu le 11 mars, Jacques retrouve Michel Legrand « et ses rythmes », au studio Apollo, dès la semaine suivante. Sur un tempo de slow passablement soporifique, « Les pieds dans le ruisseau » essaie de retrouver cette nonchalance naturelle qui fait le succès d'Yves Montand ou d'Eddie Constantine. Mais ce genre convient mal à Brel, dont le langage donne seulement sa pleine mesure dans le fracas des sentiments forts et des passions contrariées. L'indolence est une arme de séducteurs-nés. Lui, pour plaire, il doit d'abord convaincre ; et cette bluette est exactement ce qu'au théâtre on appellerait un contre-emploi.

Alors, il sombre dans la mièvrerie, et là l'arrangement n'y est pour rien :

Les gentils poissons me content leurs vies
En faisant des ronds sur l'onde jolie ;
Et moi je réponds, en gravant dans l'eau
Des mots, jolis mots, mots de ma façon.

Puis Jacques repart donner des galas en province et en Belgique. Il tourne durant l'été et continue la ronde des cabarets. Interrompue quelques mois, la production reprendra le 25 octobre, juste le temps de fixer, en deux prises, une vieille chanson datant des veillées de la Franche Cordée : « La Bastille ».

C'est l'une des très rares fois où le chanteur utilisera un procédé qui, au fond, ne convient guère à son tempérament : on enregistre d'abord l'accompagnement d'orchestre écrit par André Popp (très martial, sujet oblige), puis l'on repasse le tout pour coller la voix sur le play-back. En fait, c'est du semi-direct et, de toute manière, les techniques de prise de son du moment ne permettent aucun truquage sophistiqué. Mais l'orchestre passe ici par des niveaux sonores si différents qu'il est plus facile ainsi, par rapport au chant, d'en contrôler les volumes. Jacques n'est pourtant pas à son aise. On lui a chichement compté les heures de studio et, à l'écoute, on sent qu'il s'applique avec excès. Son interprétation est scolaire, maniérée, et sa diction forcée.

La chanson elle-même n'est pas très bonne. Cherchant à ménager la chèvre et le chou, elle comprend un fatras d'idées contradictoires, et parfois généreuses :

Même s'il est sincère
Aucun rêve jamais
Ne mérite une guerre...,

pour n'aboutir qu'à un évident non-sens historique :

On a détruit la Bastille
Et ça n'a rien arrangé.
On a détruit la Bastille
Quand il fallait nous aimer.

Outre ces quatre titres, dont deux (« La Bastille », on l'a vu, mais aussi « Qu'avons-nous fait, bonnes gens ? ») remontent à la période bruxelloise, le 45 tours reprendra deux reliquats de la séance de février 1954 : « Il peut pleuvoir » et « Il nous faut regarder [1] ». Il semble alors évident que Jacques traverse une réelle crise d'inspiration. Tant qualitative que quantitative.

---

1. « Il nous faut regarder », « Il peut pleuvoir », « La Bastille », « Qu'avons-nous fait, bonnes gens ? », « Les pieds dans le ruisseau » et « S'il te faut » sortiront sous la forme d'un super 45 tours à six titres (réf. : NE 432 043). Les deux derniers titres faisant l'objet d'un 78 tours (réf. : N72274).

9

Avec l'ami Jojo

Un soir d'avril, alors qu'il traîne aux Trois-Baudets, Jacques Brel écoute distraitement la prestation d'un groupe de bruiteurs : les Trois Milson. Capables de reproduire les sonorités les plus incongrues et d'imiter n'importe quel chanteur en vogue, ils offrent un numéro de fantaisistes assez amusant, quoique sans grand avenir puisque aucun d'entre eux n'envisage sérieusement de devenir professionnel.

Après leur passage, Brel – qui ne chante pas ce soir-là – leur propose un verre et prolonge la discussion fort avant dans la nuit avec le plus grand des trois : Georges Pasquier, une espèce de colosse, aussi solide que lui-même a l'air malingre. Au sein des Milson, ne chantant pas, il paraît un peu effacé ; mais dans la vie, c'est un roc. Grand amateur de fêtes rabelaisiennes et de palabres autour d'une bière, il semble aussi infatigable que peut l'être Jacques.

Le lendemain ils se revoient, et la conversation reprend spontanément, comme si les deux hommes se connaissaient depuis des années. « Jojo » vient d'entrer dans la vie de Jacques Brel, et ni l'un ni l'autre ne savent encore qu'il s'agit d'une des deux ou trois rencontres les plus importantes de toute leur vie. La naissance d'une de ces amitiés que rien ne viendra jamais briser ; pas même la mort.

Après avoir fait le tour des cabarets parisiens et joué en complément de programme à l'Olympia et à Bobino, les Trois Milson sont engagés par Canetti pour sa nouvelle tournée en Afrique du Nord. Jacques, bien entendu, est du voyage et, bientôt, Jojo et lui deviennent inséparables.

Quand les Milson se désuniront, Georges Pasquier, qui avait fait des études d'ingénieur et s'était spécialisé dans le pétrole, s'en ira travailler sur les forages d'Hassi-Messaoud. Rentré en France, vers la fin des années 50, il se retrouve à l'Institut du pétrole de Rueil-Malmaison. Il habite alors à Paris, au 18 rue de Tournon, à deux pas du Sénat, juste au-dessus d'un bar-tabac, Le Tournon, qui présente la particularité d'être ouvert vingt-quatre heures sur vingt-quatre. La propriétaire, Madame Alazard (Germaine pour les habitués) assurant elle-même le service de nuit, Jacques et Jojo prennent vite l'habitude d'achever leurs virées nocturnes au Tournon et deviennent ses amis. Dès lors, certains soirs, le bar se transforme en cabaret improvisé : pied sur une chaise et guitare en mains, Brel montre ses nouvelles chansons, et Jojo imite Charles Trenet, dont il connaît par cœur tout le répertoire.

Le plus souvent, après force tournées de bière, les deux compères refont le monde avec des noceurs de rencontre qui, comme eux, n'arrivent pas à aller se coucher :

Jojo se prenait pour Voltaire
Et Pierre pour Casanova,
Et moi, moi qui étais le plus fier,
Moi, moi je me prenais pour moi [1]...

Parfois, sortant de séances marathons du Sénat, quelques messieurs bien mis viennent, en pleine nuit, faire provision de cigares ou de cigarettes. Ils ont un air qui ne trompe pas et, en ces temps de conflit algérien et de discorde nationale, préféreraient certainement passer inaperçus. Sûrs de leur bon droit et de leur fief, Jacques et Jojo les interpellent, les brocardent et ne sont sans doute pas loin de leur montrer leurs derrières, en guise de « *bonnes manières* ».

Au passage, Jacques emmagasine une image, retient une idée, enregistre une situation ou un climat. « *Mes chansons,* affirmera-t-il, *sont inspirées par ce qui m'arrive, ou m'est arrivé il y a longtemps. J'ai des sensations qui me reviennent avec deux ans de retard.* » N'écrivant rien à chaud, ce qui serait le

---

1. « Les bourgeois ».

propre d'un chanteur engagé, il digère lentement ses expériences, juxtapose des réminiscences et, partant, atteint à une dimension beaucoup plus universelle. Ainsi ses « Bourgeois » doivent-ils, à coup sûr, autant aux escapades dans l'Ilot Sacré de Bruxelles, entre camarades de Cordée, qu'aux esclandres de bistrot en compagnie de Jojo.

D'Hector Bruyndonckx à Jean-Pierre Grafé, jeune avocat politicien qui deviendra ministre de la Culture de Wallonie, les amis bruxellois de Jacques Brel évoluent pour la plupart dans la même mouvance politique : celle du parti social-chrétien. Une droite catholique et conservatrice, sachant parfois laisser poindre une ombre de libéralisme [1]. A Paris, bien sûr, le ton est différent. La faune des cabarets se réclame volontiers d'un certain anarchisme, qui ne signifie pas grand-chose, dans la mesure où l'analyse politique de cette bohème – souvent égocentrique, comme peuvent l'être les artistes – repose sur le seul mépris du bourgeois et des conventions sociales. Vernis bien superficiel au demeurant, comme Jacques l'apprendra à ses dépens, lorsque Gabriello – chansonnier à la solide réputation de non-conformisme –, apprenant que sa fille Suzanne a une liaison avec lui, téléphonera, scandalisé, à Montreuil pour faire une scène... à Miche, qui n'y peut mais. Vaudeville !

Il y a certes quelques exceptions notoires. Brassens et Ferré, par exemple, se sont investis personnellement dans le mouvement libertaire et, dans leurs bouches, le mot ne relève pas d'un babillage de comptoir. Le premier a même écrit, un temps, dans le journal de la fédération anarchiste, *Le Libertaire*, tandis que le second restera jusqu'au bout un habitué des concerts militants organisés par cette dernière. Quelques artistes, aussi, se réclament du parti communiste ; mais dans l'ensemble, tout ce petit monde baigne dans un apolitisme folklorique et insouciant. A commencer par Jacques.

Georges Pasquier, en revanche, est un véritable homme de gauche. Sa réflexion s'appuie sur de solides lectures et l'observation attentive de l'actualité. A l'évangélisme naïf et

1. Sans que ce mot, toutefois, ne doive être entendu au sens politico-économique qui est aujourd'hui le sien.

un peu abstrait de « l'abbé Brel », il oppose un discours argumenté qui, peu à peu, va modifier la sensibilité de Jacques et transpirer dans son écriture. Cela prendra du temps, car on ne balaie pas ainsi vingt-cinq années d'éducation, et il y aura même, épisodiquement, de navrants retours en arrière (tel « Je prendrai », début 59) ; mais la rencontre avec Jojo, pour Jacques Brel, est à l'évidence l'une des étapes cruciales sur le chemin de la maturité.

Bientôt, l'indispensable compagnon du chanteur devient son chauffeur-secrétaire-régisseur et homme de confiance. Il partage avec lui les longues heures sur les routes et les bringues d'après spectacle, les émotions qui vous nouent la gorge, les éclats de rire, et surtout ces nuits blanches où l'on retarde le plus possible le moment de se quitter et de se retrouver seul avec ses doutes et ses angoisses.

Cette complicité ne faillira jamais. Et c'est pour Georges Pasquier, l'ami le plus cher qu'il ait jamais eu (disparu quelques années avant lui) que Brel, à la veille de mourir, écrira l'une de ses plus belles chansons d'amour, « Jojo » :

Je ne rentre plus nulle part,
Je m'habille de nos rêves,
Orphelin jusqu'aux lèvres
Mais heureux de savoir
Que je te viens déjà.
[...]
Six pieds sous terre, Jojo, tu n'es pas mort,
Six pieds sous terre, Jojo, je t'aime encore.
Avec, au passage, ce merveilleux néologisme :
Six pieds sous terre, Jojo, tu frères encore...

10

Les filles que l'on aime

Au cours de l'été 1955, à l'occasion de la traditionnelle tournée d'été organisée par Jacques Canetti, Brel partage l'affiche avec Poiret et Serrault, et un trio féminin : Les Filles à papa. Pseudonyme transparent, évoquant avec malice leurs pères respectifs : René Dorin, chansonnier ; Raymond Souplex, l'inoubliable commissaire Bourrel de la télévision ; et Gabriello, comique rubicond et néanmoins – nous venons de le voir – soucieux des convenances.

Françoise Dorin, Perrette Souplex et Suzanne Gabriello mèneront par la suite des carrières personnelles fort différentes et connaîtront des succès très inégaux ; mais pour l'instant, ce sont trois jeunes débutantes pleines de fantaisie et de joie de vivre, qui trouvent Jacques sérieux comme un pape et, à vrai dire, un peu assommant. Et d'un moche !

Longtemps après, évoquant sa liaison avec Brel, Suzanne Gabriello aura encore ces mots : *« Je le regardais dormir ; mais qu'est-ce qu'il était laid ! »* Etat de fait dont Jacques a fini par se convaincre, depuis le temps qu'on le lui serine sur tous les tons :

Faut dire qu'elle était belle
Comme une perle d'eau,
Faut dire qu'elle était belle
Et je ne suis pas beau [1]...

Mais la gentillesse de Jacques, sa générosité avec ses camarades de tournée, son humour aussi (bien qu'il n'appa-

---

1. « La Fanette ».

raisse guère dans ses chansons de l'époque), finissent toujours par forcer la sympathie. Et parfois un peu plus.

C'est à Saint-Valéry-en-Caux, petit port de pêche de la
côte normande, que l'histoire se nouera. Plus par désœuvre-
ment de la part de Suzanne – que tout le monde appelle
Zizou – que par réel désir mutuel. D'ailleurs, aucun des
deux amants ne veut s'engager durablement. Elle, sachant
ce que valent ces amourettes de tournée, qui se dénouent
sitôt celle-ci achevée ; lui, conservant un souvenir douloureux de son idylle, fort similaire, avec Catherine Sauvage. Et
puis, surtout, la situation a changé : Miche et les fillettes sont
maintenant à Montreuil. L'affaire ne saurait donc avoir de
suite au-delà des quelques galas qu'il reste encore à assurer.

En fait, elle durera cinq ans. Avec des moments de grande
passion et des ruptures spectaculaires. Cinq années pendant
lesquelles Jacques et Zizou se joueront, à tour de rôle, le
mauvais drame des amants pathétiques, qu'un destin
contraire a unis et qui vont de déchirures en réconciliations,
semblant souffrir autant des unes que des autres. *Roméo et
Juliette* adapté au théâtre de boulevard. Avec, pour elle,
d'autres aventures en parallèle, que Jacques aura infiniment
de mal à supporter ; et, pour lui, des passades d'après spectacle et des « connaissances » de bordel.

Un dicton populaire dit qu'en amour le premier guéri est
toujours le mieux guéri. Dans le cas présent, s'il semble
évident que Suzanne Gabriello sortira à peu près intacte de
cette interminable litanie de scènes de ménage (se flattant
même volontiers, et sans beaucoup de vergogne, d'avoir été
l'inspiratrice de « Ne me quitte pas »), nul ne peut nier que
Jacques se retrouvera exsangue, et à jamais meurtri, quand,
au terme de ces cinq années tumultueuses, il se résoudra à
rompre définitivement.

Dans l'intervalle, sa vision de la femme s'est radicalement
transformée. Durcie.

Jusqu'à la mauvaise foi ?

Pour un temps, sans doute. Des chansons comme « Les
biches » ou « Les filles et les chiens » sont là pour nous le rappeler.

Mais derrière tant de hargne, on devine plus le besoin

d'une vengeance ponctuelle que l'affirmation d'un senti-ment raisonné. Ce que Pierre Perret résume subtilement, lorsqu'il avoue :

Quand je suis malheureux,
Je dis des choses étranges.
Ce sont propos scabreux,
N'écoute pas mon ange,
Je m'en souviendrais bien
Si c'était si bien qu'ça [1]...

Au reste, Brel, chez qui rien n'est jamais figé, brossera par la suite quelques portraits de femmes inoubliables de ten-dresse, et pas toujours très flatteurs pour la vanité mas-culine. Quoi que laisse penser un survol distrait de son œuvre, Jacques Brel a en effet la dent beaucoup plus dure pour les hommes que pour les femmes : de « Ne me quitte pas » à « Knokke-le-Zoute tango » en passant par « Mathilde », « Comment tuer l'amant de sa femme ? », « Les bonbons » ou « Le lion », le héros brélien apparaît souvent comme un pauvre type. Parfois un peu perdu, parfois juste un peu veule, et parfois, aussi, con jusqu'à la férocité :

Et puis, il y a l'autre,
Des carottes dans les cheveux,
Qu'a jamais vu un peigne,
Qu'est méchant comme une teigne,
Même qu'il donnerait sa chemise
A des pauvres gens heureux [2]...

La charge n'a pas toujours cette précision, mais le person-nage des « Bonbons », par exemple, est d'une égale malveil-lance, avec son persiflage sournois :

Oh! oui! Germaine est moins bien que vous!
Oh! oui! Germaine elle est moins belle!
C'est vrai que Germaine a des cheveux roux;
C'est vrai que Germaine elle est cruelle!
Ça, vous avez mille fois raison...

Brel parle quelquefois des femmes avec des mots qui s'apparentent à de la haine, mais jamais il n'en ridiculise aucune. Pas plus « Les Flamandes » que les autres! S'il est

1. « Quand je suis malheureux », 1967 (paroles et musique : Pierre Perret).
2. « Ces gens-là ».

un reproche dont on ne saurait l'accabler, c'est bien celui de machisme. Brel se méfie des femmes, c'est un fait, allant parfois jusqu'à les traiter en ennemies déclarées, mais jamais en inférieures. Au contraire, il a toujours raillé ce hochet grotesque qu'est la virilité triomphante. Tant dans ses interviews – « *Un homme qui ne tremble pas devant une femme, il ne faut pas venir me dire que c'est de la virilité : c'est de la sottise* [1] » – que dans ses chansons :

Même si je me saoule à l'hydromel
Pour mieux parler de virilité
A des mémères décorées
Comme des arbres de Noël [2]...

Le malentendu portant sur sa prétendue misogynie vient surtout de ce qu'il s'attaque à une certaine catégorie de femmes sans toujours préciser les limites de sa diatribe. Il n'y a pourtant aucune raison que l'on puisse impunément vilipender « les cons » et que, parallèlement « les connes » soient intouchables, au point de provoquer de systématiques levées de bouclier. A l'heure du bilan, dans ce qu'il faut bien considérer, aujourd'hui, comme son disque testament, Jacques, agacé, finira par mettre une fois pour toutes les points sur les « i » :

Mais les femmes, toujours,
Ne ressemblent qu'aux femmes,
Et d'entre elles les connes
Ne ressemblent qu'aux connes.
Et je ne suis pas bien sûr,
Comme chante un certain,
Qu'elles soient l'avenir de l'homme [3].

L'allusion à Jean Ferrat est limpide [4]. Or ce dernier, au-dessus de tout soupçon question misogynie, n'a pas craint d'enregistrer ces mots que Brel n'eût jamais prononcés :

Verticalement
Tu n'es pas une affaire,
Je sais bien ;

1. *Radioscopie*, avec Jacques Chancel (déjà citée).
2. « Jacky ».
3. « La ville s'endormait ».
4. « La femme est l'avenir de l'homme », 1975 (paroles et musique de Jean Ferrat).

Mais horizontalement,
C'est toi que je préfère,
Et de loin [1] !

Personne n'a fait pour autant de mauvais procès au créateur de « Ma môme », et loin de nous, aussi, l'idée de l'égratigner sur ce point. N'empêche qu'en bonne justice on peut se demander s'il n'y aurait pas, parfois, deux poids deux mesures au regard des « Trompettes de la renommée » ?

Il y a surtout que Jacques Brel était un incorrigible provocateur, capable d'en rajouter à outrance lorsqu'il s'agissait de titiller les tics démagogiques d'une époque qui en fut fort friande. Il ne s'agit pas de nier l'évidence ou de réécrire l'histoire, en passant sous silence quelques propos détestables ou excessifs, mais de relativiser le simplisme de certaines idées toutes faites. De chercher vraiment à comprendre ce que dit un artiste, au lieu de vouloir le caser, à toute force, dans un créneau préétabli à coups de lieux communs.

En l'occurrence, outre des textes comme « Orly » ou « La chanson des vieux amants », tangibles affirmations de son respect pour les femmes, Brel s'est également livré de manière fort intime, dans des œuvres passées plus inaperçues. Dans « Vieille », par exemple, écrite pour son amie Juliette Gréco [2] :

C'est pour pouvoir enfin chanter l'amour
Sur la cithare de la tendresse,
Et pour qu'enfin on me fasse la cour
Pour d'autres causes que mes fesses...

ou dans « Sans exigences », restée inédite à ce jour, qui sommeille dans les coffres de Polygram-Barclay :

Elle est partie comme s'en vont
Ces oiseaux-là, dont on découvre,
Après avoir aimé leurs bonds,

---

1. « Horizontalement », 1963 (paroles de Roland Valade, musique de Jean Ferrat).
2. *« J'ai commencé cette chanson sans penser à personne. Je l'ai commencée pour moi. Je voulais voir la chanson de l'extérieur et pas à la première personne. Je crois que c'est Bardot qui m'a donné l'idée. [...] Puis c'est resté comme cela, pas fini. Il y avait dix vers. Après, c'est Gréco qui pouvait la chanter. C'est pour cela que j'ai fini la chanson. »* Propos extraits de l'émission *Histoire d'un jour*, de Philippe Alfonsi, diffusée sur France Inter, le 11 octobre 1978, deux jours après la mort de Jacques Brel.

Que le jour où leurs ailes s'ouvrent
Ils s'ennuyaient entre nos mains...

En fait, il y a autant à apprendre, sur Jacques, dans les chansons qu'il n'a jamais enregistrées lui-même, ou qui ne sont jamais sorties, que dans ses succès connus de tous. Ainsi cette vision du mâle « *superbe et généreux* », de retour au bercail :

Il reviendra grand, gros et bête,
Avec sa grande gueule et son cuir déchevelu,
Entre deux vins ou entre deux tempêtes,
Il reviendra comme il est déjà revenu.
Et tant pis si les pisseuses te bavardent,
Toi, tu seras fière de retrouver ton velu.
Il ne vaut pas le coup, maman, mais est-ce que ça me regarde ?
Si tu es heureuse, moi, je ne demande rien de plus [1].

Quelle affection, en filigrane, dans le portrait de cette femme ! Une femme qui n'entretient plus d'illusions, mais refuse de renoncer à un amour qu'elle est encore capable d'arborer avec dignité, sans souci du qu'en-dira-t-on.

Au fil du temps, le vocabulaire de Brel – à propos des femmes – est passé d'une vision quasi mystique de la féminité (clarté, blancheur, source, aube, feu, joie, espace, baume, etc.) à une amertume désabusée (hiver, grisaille, nuit, brouillard, vent, déroute...). Brel est entré dans une sorte de fatalité de l'échec et, à Jean Clouzet, il dira même son impression d'avoir été trompé : « *Le Far West et l'amour n'étaient que des farces* [2]... » Or, en amour, qui dit échec dit solitude.

Avant de se résigner à cette faillite, il tente néanmoins un ultime appel au secours :

Non, les filles que l'on aime
Ne comprendront jamais
Qu'elles sont à chaque fois
[...]
Notre dernière chance [3]...

1. « Hé ! m'man », 1967. Chanson écrite à l'origine pour Mireille Mathieu, qui refusera de la mettre à son répertoire.
2. *Jacques Brel*, par Jean Clouzet, *op. cit.*
3. « Dors, ma mie ».

Celle-ci gâchée, il ne lui reste plus, pour refouler le sentiment d'abandon, voire de rejet, qui l'assaille, qu'à se réfugier dans la chaleur sécurisante des amitiés masculines que, faute de mieux, l'on dit indéfectibles. Pour Brel, désormais, le bonheur – s'il est encore possible – se trouve ailleurs que dans la passion amoureuse. Mais contrairement à une idée largement répandue, il n'en tient grief à personne. Abordant le sujet avec Jacques Chancel, il ne cherchera pas de faux-fuyants : *« J'ai conscience d'avoir manqué quelque chose d'essentiel. »*

11

Quand on n'a que l'amour

En ce milieu des années 50, il est beaucoup question des prêtres-ouvriers. On les rencontre surtout à l'usine ou sur les chantiers, mais certains sont également camionneurs, facteurs, garagistes, balayeurs, etc. Voire chanteurs. Cette tentative d'évangélisation du monde du travail, par l'intérieur, a pour but avoué de présenter une alternative spirituelle et chrétienne au matérialisme marxiste, alors solidement implanté dans la classe ouvrière. Par ailleurs, les mouvements de jeunesse comme les JOC (Jeunesses ouvrières chrétiennes) ou JEC (Jeunesses étudiantes chrétiennes) sont plus vivaces que jamais et, à l'occasion de leurs différentes fêtes locales, Canetti multiplie les engagements en province pour Jacques.

Cette fréquentation assidue des fêtes religieuses renforce la réputation de prêcheur de « l'abbé Brel ». Jacques, il est vrai, se prête au jeu avec une indiscutable complaisance : ainsi, lorsqu'il s'avance vers le public, posant sa guitare entre deux chansons, et déclame sur le ton d'un sermon en chaire « Dites, si c'était vrai » – un texte que n'auraient certainement pas renié les pères Duval ou Cocagnac, et autres « calottes chantantes » de l'époque :

Dites, dites, si c'était vrai,
S'il était né vraiment à Bethléem, dans une étable,
Dites, si c'était vrai,
Si les Rois Mages étaient vraiment venus de loin, de fort loin,
Pour lui porter l'or, la myrrhe, l'encens...

Mieux, il va jusqu'à confier au journal *Le Patriote de Nice* [1] que les autorités ecclésiastiques lui ont demandé d'écrire des prières, et qu'il vient de s'acquitter de sa tâche avec plaisir. Il convient cependant, sur ce point, de se montrer circonspect car nul n'a jamais trouvé trace de ces fameux cantiques qui, à en croire Jacques, auraient même fait l'objet d'un enregistrement... Il s'agit vraisemblablement d'une de ces bravades dont il était friand, qui lui permettaient de narguer la critique en renchérissant sur elle pour mieux la désarmer. La tactique, en quelque sorte, de Cyrano de Bergerac dans la fameuse « Tirade des nez » ; avec assez de finesse pour ne pas se laisser percer trop facilement.

De galas en province en petites tournées à l'étranger, l'audience de Jacques s'élargit. Pourtant, il a le sentiment de piétiner. Son second 45 tours n'a pas marché du tout, et Philips ne semble guère décidé à renouveler l'expérience.

1956. En Algérie, la « pacification » ne peut plus cacher son nom : c'est la guerre. En avril, la France rappelle ses « disponibles ». Tous ceux qui, ayant déjà effectué leur service militaire, sont pour quelques années encore à la disposition de la nation. Tollé général ! Orchestré le plus souvent par le parti communiste dont les militants, pour faire obstacle au départ des trains de « rappelés », vont jusqu'à couler du ciment sur les rails de chemins de fer. Dans la foule de ceux qui embarquent à Marseille, pour Alger, nombreux sont ceux qui sifflent « Le déserteur » en sourdine. Car la censure n'a pas empêché la chanson de circuler de bouche à oreille... même si bien peu savent que dans sa première version, loin d'être l'appel au pacifisme passif popularisé depuis, elle était en fait une incitation sans équivoque à la résistance active :

Si vous me poursuivez,
Prévenez vos gendarmes
Que j'emporte des armes
Et que je sais tirer.

En novembre, c'est l'expédition catastrophique de Suez qui voit la déconfiture des armées coloniales anglaise et fran-

1. Edition du 8 août 1956.

çaise. Dans le même temps, un millier de chars soviétiques investissent Budapest. Le 4 au matin, un message pathétique, véritable appel au secours, est lancé par radio, en direction de l'Occident : « *Nous n'avons plus beaucoup de temps. Vous savez ce qui nous arrive. Aidez la nation hongroise, ses travailleurs, ses paysans et ses intellectuels. A l'aide ! A l'aide ! A l'aide !* »

Empêtré dans ses querelles diplomatiques, compliquées par l'affaire du canal de Suez, l'Occident ne bouge pas et, le 11 novembre, la Hongrie est définitivement broyée. Jean-Paul Sartre – qui, voici quelques mois, écrivait encore : « *Porté par l'histoire, le PC manifeste une extraordinaire intelligence objective : il est rare qu'il se trompe.* » – publie dans *L'Express* un article rageur : « *C'est l'horreur qui domine !* »

L'horreur, en effet. Partout !

Comment un être aussi sensible que Brel à tout ce qui se passe autour de lui, eût-il pu rester sourd et indifférent ? Ce qu'il voit le bouleverse et, à l'occasion d'une nouvelle tournée algérienne, il constate avec lucidité et tristesse : « *C'est peut-être la dernière fois que nous venons chanter ici ; mais les Français doivent partir...* »

C'est dans cette conjoncture troublée, lui qui sait depuis longtemps déjà que « *les adultes sont déserteurs* », qu'il connaîtra bientôt son premier véritable succès discographique, avec une chanson résumant bien les angoisses du moment :

Quand on n'a que l'amour
Pour parler aux canons,
Et rien qu'une chanson
Pour convaincre un tambour [1]...

D'aucuns ont voulu voir là une réponse à chaud aux événements de Budapest. Certains l'ont même écrit. Mais cette hypothèse est absurde.

D'abord – on ne le dira jamais assez – parce que Jacques Brel n'est pas un chanteur engagé. Ses chansons vont bien au-delà de la simple prise de position au jour le jour, du billet d'humeur à la une d'un quotidien. Il travaille en mosaïste, mariant avec patience de multiples pièces, d'origines fort

---

1. « Quand on n'a que l'amour ».

diverses, pour former un ensemble qui prend sa cohérence au prix d'un minimum de recul. C'est un art lent, mais, plus que tout autre, la mosaïque est faite pour défier le temps. Ensuite, parce que la première version de « Quand on n'a que l'amour » a été mise en boîte le 14 mai 1956, au studio Apollo ; soit plus de six mois avant le siège de la capitale hongroise...

Cette prise ne sera d'ailleurs pas retenue, et Jacques devra patienter jusqu'en septembre pour enregistrer son troisième 45 tours, bouclé en deux séances. Deux titres le 18 et trois le lendemain, sur des arrangements d'André Popp.

Le disque sort quelques mois plus tard, préfacé par Pierre-Jean Vaillard [1] avec lequel Jacques a beaucoup tourné cette année-là. « Quand on n'a que l'amour » entame rapidement une belle carrière radiophonique.

Le thème est dans l'air du temps. Il traduit un sentiment partagé par toute une jeunesse qui, dorénavant, se méfie autant du communisme féodal que du capitalisme colonialiste, tout en ressentant néanmoins le besoin d'extérioriser sa générosité foncière. Soudain, les mots fraternels de Brel atteignent leur but, et les ventes de ses disques décollent...

Ce n'est pas le tube fracassant que sera bientôt « La valse à mille temps », mais un succès capable, déjà, d'asseoir une carrière. D'autant que le 33 tours qui suit reçoit le prix de l'Académie Charles-Cros, le 11 juin 1957.

Ce prix prestigieux est une véritable consécration aux yeux du « métier », une sorte d'indiscutable label de qualité ; mais il touche peu le grand public. Et l'on serait surpris, en épluchant son palmarès, de constater le nombre de lauréats, prometteurs sans doute, dont les talents sont restés lettre morte. Ainsi Jacques est-il encore loin, et il s'en faut de beaucoup, d'avoir conquis ses galons de vedette. Pour s'imposer, il devra continuer à se battre, avec la même détermination et le même courage ; mais il vient de franchir une

---

1. Chansonnier d'origine sétoise et condisciple de Georges Brassens, Pierre-Jean Vaillard fut, avec Georges Bernardet et Charles Vébel, l'un des piliers de la première équipe des Trois-Baudets. Animateur, sur Radio-Luxembourg, de l'émission quotidienne *Je vous salue, Mesdames*, il terminera sa carrière de pamphlétaire comme collaborateur assidu de l'hebdomadaire *Minute*.

étape cruciale, et pour lui le temps des vaches maigres est définitivement terminé. Il aura duré quatre ans. Presque jour pour jour.

C'est peu, si l'on songe à ces artistes qui connaîtront d'interminables années de « galère » avant d'avoir (ou pas) leur première véritable chance. C'est énorme, lorsque l'on fait le bilan des rebuffades, des privations, des heures de désespoir et des humiliations subies.

12

Tous ces mots que l'on dit d'amour

André Popp est le premier arrangeur qui ait réellement tenté d'apporter aux chansons de Jacques Brel autre chose qu'un simple environnement musical. La plupart des orchestrations qu'il écrit, pour ce second 33 tours, sont construites, en évoluant parallèlement aux idées exprimées par les textes. Alors qu'André Grassi ou Michel Legrand essayaient de plier l'interprète à leur propre moule (c'est particulièrement flagrant avec les « jazzifications » hors sujet de Legrand ; comme si Brel avait l'air d'un chanteur de jazz !), André Popp se met à son service. Il varie les genres, diversifie les timbres et donne plus d'épaisseur à la matière sonore. Contrairement à ses prédécesseurs, on sent qu'il n'oublie jamais qu'il accompagne un individu doué d'une personnalité propre, et que l'essentiel est de pousser celui-ci vers l'avant et non de se faire plaisir, à ses dépens, entre « requins de studio ».

Premier succès de Jacques, « Quand on n'a que l'amour » sort donc dans un contexte perturbé qui lui est extrêmement profitable. Cela ne saurait toutefois suffire à expliquer la faveur dont jouit, aujourd'hui encore, cette chanson. Ni l'attachement que lui portera son auteur, qui la ré-enregistrera toute sa vie, à intervalles réguliers. Une première fois en 1960, lorsque François Rauber aura définitivement pris en main la direction musicale de sa carrière ; puis en public, en 1961 à l'Olympia, sous la baguette de Daniel Janin ; en 1972 enfin, quand, ayant provisoirement cessé d'écrire, il reprendra onze de ses meilleurs titres avec des orchestrations nouvelles [1].

Cette constance est assez significative pour qu'on puisse affirmer que Brel voyait en elle une chanson clef. Une charnière dans son évolution. La passerelle reliant à jamais le jeune idéaliste qu'il fut à cet homme que la vie se chargerait de durcir malgré lui, et qui chercherait inlassablement à retrouver un peu de son innocence perdue. Quitte à mythifier l'enfance.

Le ton nouveau que cette chanson introduit dans l'œuvre de Jacques Brel, plus qu'à un changement d'écriture, est dû à un regard différent. Les discussions-fleuves avec Georges Pasquier ont fini par ébranler sa conviction que l'on pouvait tout résoudre à l'aide de bons sentiments. Brel commence à entrevoir les limites de cet évangélisme naïf, dont il mettra encore quelque temps à se débarrasser. Mais avant de lancer des réquisitoires, il dresse une manière de constat d'échec :

Quand on n'a que l'amour
A offrir à ceux-là
Dont l'unique combat
Est de chercher le jour...

Il a beau s'accrocher à ce qui ressemble toujours à de l'espoir, si ténu soit-il, et nous donner une interprétation prodigieusement « habitée » de ce credo, cette apparente profession de foi sonne en fait comme un douloureux aveu d'impuissance. Et le final fougueux, au terme d'un long crescendo, s'apparente plus à la méthode Coué qu'à une véritable certitude :

Alors, sans avoir rien
Que la force d'aimer,
Nous aurons dans nos mains,
Amis, le monde entier!

Ce même 18 septembre 1956, Jacques enregistre également une « Prière païenne », qui n'est qu'une série d'images pieusement fleur bleue sur le thème de l'amour idyllique, du mariage et de la maternité (l'auteur chercherait-il, lourdement, à se faire pardonner ses frasques extra-conjugales ?). Invoquant la Vierge, « l'abbé Brel » retrouve ses vieux

---

1. De François Rauber, bien sûr (*Ne me quitte pas,* disque Barclay 80 381).

démons et nous assène quelques paradoxes qui se veulent hugoliens mais ne sont que poncifs :

N'est-il pas vrai, Marie, que c'est prier pour vous
Que pleurer de bonheur en riant comme un fou,
Que couvrir de tendresse nos païennes amours
C'est fleurir de prières chaque nuit, chaque jour ?

Mais peut-être, après tout, s'agit-il là d'un des fameux cantiques prétendument commandés par le clergé...

Le ton général du disque est lui-même à la dévotion : la première chanson engrangée le lendemain ne s'appelle-t-elle pas « Saint Pierre » ? Pour l'occasion, Jacques essaie d'introduire un peu d'humour dans sa façon de traiter le sujet : saint Pierre, amoureux transi, se désole,

Mais le Bon Dieu lui vient en aide
Car les barbus sont syndiqués...

D'aucuns y ont vu de l'impertinence ! C'est faire grand cas d'une simple blague de potache, qui ne remet nullement le dogme en question. Au contraire, Dieu, saint Pierre, le paradis et ses anges sont des entités tellement indiscutables ici que l'on peut se permettre de les banaliser, et même de s'en amuser gentiment, pour montrer qu'on a l'esprit large. Mais cela sonne faux. Brel n'a pas les mots pour faire de la fantaisie badine ; genre dans lequel excellent Brassens et Trenet. Il n'est à l'aise que dans le grinçant, et ses quelques réussites en matière de chansons d'humour, comme « Grand-mère » ou « Les bonbons », se situeront toujours aux confins du tragique.

Tout aussi légère, tout aussi infantile, tout aussi ratée, « Les blés » présente un refrain qui est un modèle de fadaise :

Les blés sont pour la faucille,
Les soleils pour l'horizon,
Les garçons sont pour les filles
Et les filles pour les garçons !

Le reste du texte est à l'avenant et, fait notable, la mélodie aussi. Quand on songe que l'auteur approche de la trentaine, il y a de quoi frémir... Rejeter le monde des adultes, soit ! Mais serait-il impossible qu'il y ait des limites ?

La séance s'achève sur « Dites, si c'était vrai », qui n'est pas une chanson mais un poème en vers très libres, récité plutôt que dit, sur fond d'orgues d'église. Très appliqué, Brel ne semble guère convaincu. Il montrera en d'autres circonstances qu'il est bien meilleur acteur et bien meilleur diseur qu'il ne le laisse ici paraître.

Tiré par « Quand on n'a que l'amour », le 45 tours regroupant ces cinq titres [1] aura un écho si rapide que, quatre mois à peine après sa sortie, Jacques Brel et André Popp retournent en studio pour achever enfin ce fameux 33 tours qui n'en finit pas de se finir... Le studio est retenu pour le 22 mars 1957 et, cette fois, ils enregistrent cinq titres d'une seule traite. Une performance non négligeable si l'on considère que les arrangements sont assez élaborés et demandent une mise en place soignée.

« La bourrée du célibataire », par exemple, première chanson mise en boîte ce jour-là, passe par de multiples couleurs musicales, faisant alterner les sections de cuivres et de cordes, auxquelles répondent d'habiles contrepoints d'accordéon qui ponctuent les refrains. Contrairement à ce qu'indique le titre, il ne s'agit pas d'un rythme de bourrée, mais de sardane, dont la cadence rapide et sèche gêne visiblement Jacques qui scande son texte plus qu'il ne le chante. Celui-ci montre un Brel aspirant à un bonheur conjugal tranquille, auprès d'une compagne douce et effacée : ce qu'il fuira toute sa vie comme la peste ! Avec ses images d'Epinal dérisoires et ses archaïsmes, si artificiels qu'il est impossible d'y croire, cette fausse bourrée marque l'une des très rares fois où Jacques sera pris en flagrant délit de non-sincérité.

D'une tout autre veine est « L'air de la Bêtise », où il se fait plaisir en chantant à la manière d'un ténor d'opéra, sur une orchestration qui parodie « L'air de la Calomnie », du *Barbier de Séville* de Rossini. Il enfle son interprétation de façon si outrancière qu'elle lui permet de faire passer sans accroc un texte parfois inégal mais qui s'achève sur une signature très brélienne :

Salut à toi, Dame Bêtise,
Mais, dis-le-moi, comment fais-tu ?
[...]
Pour qu'il puisse m'arriver

1. Réf. NE432126.

De croiser certains soirs
Ton regard familier
Au fond de mon miroir.

Le grand Brel à venir est déjà là, qui nous rappelle sans ambages – après avoir fustigé les multiples variantes de la connerie et de la veulerie quotidiennes – qu'il n'a jamais prétendu être au-dessus de tout soupçon, décuplant ainsi l'impact de son attaque.

Sans être une œuvre majeure, « Heureux » figure pourtant parmi les réalisations les plus intéressantes de ce disque. L'arrangement d'André Popp, d'abord, est agréablement travaillé. S'ouvrant sur un solo de violon tzigane, la chanson démarre sur un tempo de slow-fox, rythmé par une caisse claire jouée aux balais, qui ne laisse rien augurer de très bon. Au couplet suivant, un pupitre de cordes vient étoffer la base sonore, bientôt rejoint par un piano littéralement martelé, qui souligne les accents dramatiques d'un chant de plus en plus tendu. Enfin, une vague de cuivres explose en fanfare, pendant que la voix atteint le point culminant de son crescendo. Un procédé que Jacques utilisera ensuite régulièrement, au point que l'on parlera souvent de « crescendo brélien » pour définir son style. Pour un premier essai, il est vrai, c'est une réussite totale.

Quant au texte, il illustre bien le va-et-vient incontrôlable auquel ressemble la vie sentimentale de Jacques : ses ruptures à répétition avec Suzanne, suivies d'autant de réconciliations dans les larmes ; ses remords face à Miche, doublés de ces grandes bouffées d'affection et de tendresse qui les unissent quoi qu'il advienne :

Heureux les amants séparés
Et qui ne savent pas encore
Qu'ils vont demain se retrouver.
[...]
Heureux les amants épargnés
Et dont la force de vingt ans
Ne sert à rien qu'à bien s'aimer...

Sur une mélodie qui évoque le chant polyphonique – et fera les beaux jours de nombreuses chorales –, « J'en appelle » est une espèce de synthèse des idées-forces qui animaient la Franche Cordée (dont la devise, rappelons-le, était « Plus en toi »), auxquelles Jacques n'a jamais cessé de croire :

Pour que monte de nous, et plus fort qu'un désir,
Le désir incroyable de se vouloir construire,
En préférant plutôt que la gloire inutile
Et le bonheur profond et puis la joie tranquille...

Au passage, parmi les souvenirs de cette époque – d'apparence heureuse au regard des événements qui incendient alors le monde, d'Alger à Budapest –, Jacques glisse une réminiscence de ses lectures d'adolescence :

J'en appelle [...]
A la fraîcheur certaine d'un vieux puits de désert...

Le Petit Prince, bien sûr ; et cette idée si séduisante qu'il n'est pas de désert qui ne cache une fontaine, dont il tire sa plus secrète beauté.

C'est sur le seul arrangement franchement raté que s'achève la séance d'enregistrement : « Pardons », un slow pour frotter dans les surprises-parties, avec une vague trompette bouchée aux allures de trombone. Superficiel et ridicule jusqu'à l'ennui, cet effet gomme complètement les trop rares instants où le texte semble vouloir décoller :

[Pardon pour...] tous ces mots
Que l'on dit mots d'amour
Et que nous employons
En guise de monnaie...

Lorsque Jacques Brel obtiendra le prix de l'Académie Charles-Cros, d'aucuns ne manqueront pas de se gausser de l'honorable jury pour couronner d'aussi médiocres choses. Il est vrai, même si l'avenir se chargera de donner raison aux doctes académiciens, que le déchet est encore énorme sur ce second 33 tours [1] d'un chanteur qui n'arrive pas à se dépê-

---

1. Ce 25 cm contient dix titres : « Qu'avons-nous fait, bonnes gens ? » et « Les pieds dans le ruisseau », orchestrés par Michel Legrand, « Quand on n'a que l'amour », « Les blés », « Saint-Pierre », « La bourrée du célibataire », « L'air de la Bêtise », « Heureux », « J'en appelle » et « Pardons », arrangés par André Popp (réf. : N 76 085 R). « Prière païenne » et « Dites, si c'était vrai » n'étant sortis qu'en 45 tours (cf. note n° 1, p. 131) resteront longtemps introuvables, avant d'être intégrés aux différentes *Intégrales* réalisées par Philips, puis par Phonogram-Barclay.

trer de ses contradictions. Tous les ingrédients, pourtant, qui feront de lui l'un des auteurs-compositeurs-interprètes majeurs de son temps sont désormais en place. A force de courir inlassablement les cabarets et les tournées, sa technique vocale s'est rodée. Il possède maintenant à la perfection cet art qui n'appartient qu'à lui de mettre un mot en valeur, en retroussant ses lèvres comme pour mieux le cracher. Son écriture a mûri, sa palette musicale commence à s'élargir et sa présence scénique s'est affirmée. Il ne lui manque plus que l'essentiel : faire le tri des grands courants qui l'habitent.

13

Les sanglots que chante la guitare

Ce jour-là, on joue sous le kiosque à musique.

Il fait soleil sur le parc municipal de Grenoble, en ce lundi 23 juillet 1956. Au programme : Pierre-Jean Vaillard, Pierre Dudan, Nicole Louvier, les Trois Ménestrels et Jacques Brel. Le pianiste accompagnateur, engagé par Jacques Canetti pour la durée de la tournée, est un jeune homme de vingt-trois ans, de retour d'Algérie. Dans le civil, il est étudiant au Conservatoire national de musique de Paris, dans la classe de fugue de Tony Aubin. Il s'appelle François Rauber, se destine plus particulièrement à la composition et s'il a accepté ce travail peu gratifiant, c'est avant tout parce qu'il faut bien vivre.

Très vite, Jacques et lui sympathisent et décident de voyager dans la même voiture : une Peugeot 203 qui a connu des jours meilleurs. Les interminables heures de route, entre deux galas, si favorables à l'ébauche de flirts, le sont tout autant pour jeter les fondations d'une amitié. On a le loisir de bavarder, d'apprendre à se connaître et de se deviner avec patience.

Peu à peu, François Rauber découvre en Brel un passionné de musique classique, qui parle avec enthousiasme de Schubert, Stravinski, Debussy, Ravel ou Bartok. De son côté, Jacques, qui ne sait pratiquement pas lire une note – les cours de solfège de Saint-Viateur sont si loin ! –, est fasciné par la maîtrise du pianiste et sa profonde connaissance de la théorie musicale. L'immense majorité des chansons peut en effet s'accompagner sur une petite demi-douzaine d'accords simples. Trois majeurs, trois mineurs, disons un ou deux septièmes pour faire joli, et vogue la galère ! Mais on peut également enrichir l'harmonisation presque à l'infini : procéder à des renversements d'accords, remplacer un majeur déjà utilisé par son relatif mineur, pour éviter une répétition, augmenter, diminuer, etc. Enfin tout, pourvu qu'on sache ce que l'on fait. Et justement, François Rauber le sait très bien.

Farouche détracteur de la guitare, il explique à Jacques que le fait de composer avec un instrument sur lequel il ne connaît qu'un nombre restreint d'accords de base ne peut que limiter son inspiration. Et puis, pourquoi s'encombrer les mains, alors qu'elles peuvent être si expressives et ajouter à l'interprétation ? Le chanteur lui propose alors de travailler avec lui, non seulement comme accompagnateur de scène mais aussi pour l'aider à mettre ses textes en musique. C'est le début d'une collaboration de vingt ans, à laquelle seule la mort de Brel mettra un terme.

Poursuivant ses études au Conservatoire, François Rauber ne peut guère suivre le chanteur dans ses galas en province. A Paris, en revanche, il s'arrange pour être le plus disponible possible et on les voit bientôt se produire ensemble dans différents cabarets : Le Drap d'or, La Villa d'Este, L'Echelle de Jacob, Chez Patachou, etc.

Dans un premier temps, Jacques conserve sa guitare pour faire la rythmique ou les arpèges, tandis que le piano brode des contre-chants derrière la ligne mélodique de la voix. Mais son jeu trop limité s'avère vite une entrave à la liberté d'inspiration de son accompagnateur, lequel propose de plus en plus souvent des finesses harmoniques que le chanteur est incapable de jouer. Cela renforce François Rauber dans son dédain pour la guitare : « *Son avènement a mutilé notre métier. On a pris un retard dont on n'est pas encore sorti à l'heure actuelle* », déclare-t-il volontiers.

Bien sûr, c'est terriblement injuste, et l'instrument – qui ne saurait être déconsidéré à cause de la médiocrité de ceux qui prétendent s'improviser musiciens en quelques jours – est en fait l'un des plus complets qui soient, puisqu'il permet

– comme le piano – de jouer à la fois la mélodie, l'harmonie et le rythme ; les trois composantes fondamentales de la musique. De Paul McCartney à Doc Watson, de Frank Zappa à João Gilberto, et de Mark Knopfler à Francis Bebey ou Atahualpa Yupanqui (sans oublier Vincent Scotto qui fut l'un des plus grands, des plus féconds et des plus éclectiques mélodistes de la variété française, et qui composait exclusivement à la guitare), nombreux sont les grands créateurs pour nous rappeler que la guitare est heureusement autre chose que ce tambour à peine amélioré que François Rauber voue aux gémonies. Même s'il a eu raison, sans le moindre doute, dans le cas de Brel, de lui conseiller son abandon : *« On lui a souvent reproché, au début, d'avoir quitté la guitare, mais je suis sûr que ça a été un progrès ! Ça lui a permis de se révéler comme comédien... Imaginez qu'il ait gardé sa guitare sur le ventre jusqu'à la fin de sa vie, quand on voit maintenant ce qui nous reste de lui dans « Ces gens-là », dans « Fernand », dans « Les bonbons », « Les vieux » ! Ce que ses mains étaient belles ! Elles étaient beaucoup mieux que sur une guitare* [1] *! »*

Au début de l'année 1957, dans les mois qui précèdent son prix Charles-Cros, Jacques multiplie les activités. En janvier, il revient aux *Anciennes Belgiques*. Au pluriel, car il y en a deux : l'une à Bruxelles, l'autre à Anvers. Deux semaines dans chaque. Et en vedette, cette fois, avec France Gabriel (l'autre fille de Gabriello), Florence Véran et Richard Marsan en complément de programme. Compositrice de quelques succès d'Edith Piaf, dont « Je hais les dimanches [2] » et du fameux « Noyé assassiné » de Philippe Clay (toutes deux écrites sur des paroles de Charles Aznavour), Florence Véran est, elle aussi, une transfuge du Conservatoire. Profitant de leur rencontre, Jacques lui propose de composer la musique d'une chanson, « Dis-moi, tambour », que, finalement, il ne chantera jamais. Le texte

1. Interview de François Rauber extraite du dossier « Spécial Jacques Brel » du mensuel *Paroles et Musique* (n° 21, juillet-août 1982).
2. Tout d'abord refusée par Edith Piaf, « Je hais les dimanches » fut créée en 1950 par Juliette Gréco, qui obtiendra pour l'occasion le Grand Prix d'interprétation de la ville de Deauville et le Prix de la SACEM. Vexée mais belle joueuse, Piaf l'intégrera alors à son propre répertoire.

un peu plat, presque bâclé, reprenant des images déjà utilisées ailleurs, tel ce « *Je bats pour ces matins / Ecrasés de lumière...* », si proche de l'introduction de « J'en appelle » : « *J'en appelle aux maisons écrasées de lumière...* »

Lorsqu'il ne travaille pas avec Florence Véran, Jacques fait les honneurs des brasseries bruxelloises au compagnon de cette dernière, le fantaisiste Richard Marsan ; lequel deviendra quelques années plus tard, lorsqu'il aura définitivement renoncé à sa propre carrière de saltimbanque, le directeur artistique et ami de Léo Ferré [1].

Au cours de ce même séjour à Bruxelles, Jacques Brel participe au tournage d'un petit film, réalisé par Paul Deliens : *La Grande Peur de Monsieur Clément*. Ce court métrage d'une vingtaine de minutes, dont il a écrit le scénario, ne sera jamais distribué en France. La scène se passe dans les bistrots qui entourent la Grand-Place, et le rôle principal est tenu par Jean Nergal, futur directeur du Théâtre du Parc. Jacques, lui, joue le rôle d'un comparse et en fait des tonnes, tandis que Miche assure les fonctions de script-girl !

Peu de temps auparavant, Brassens a lui aussi tâté du cinéma, mais de façon beaucoup plus sérieuse. Il interprète en effet, aux côtés de Pierre Brasseur, Henri Vidal, Dany Carrel et Raymond Bussières, l'un des personnages clefs de *Porte des Lilas*, long métrage de René Clair, tiré d'un roman de son copain Fallet [2]. C'est un chef-d'œuvre. Le « Gorille », pourtant, ne retournera jamais devant les caméras, alors que Brel, quelque dix ans plus tard, fera une entrée fracassante au box-office du septième art.

Si en Belgique, parfois, il passe déjà en vedette, en France Jacques Brel reste cantonné dans les premières parties. Il ne fait plus les « levers de torchon » depuis longtemps, mais sa place, dans le monde si cloisonné du music-hall, est encore modeste. Car ici chacun, telle une pièce de puzzle, a une fonction bien définie, qui correspond à un ordre de passage

1. Léo Ferré écrira une très belle chanson, pleine de mélancolie, pour son ami « Richard » (album *Il n'y a plus rien*, 1973). Signalons également que c'est à l'opiniâtreté de Richard Marsan et de sa collaboratrice, Thérèse Chasseguet, que nous devons la réalisation de *L'Intégrale Jacques Brel*, en 10 CD, publiée par Phonogram-Barclay en 1988.
2. *La Grande Ceinture*, par René Fallet (Editions Denoël, 1956).

immuable et à un nombre précis de chansons. L'importance du lieu joue également son rôle : un artiste peut faire toute une tournée en vedette américaine dans les théâtres de province et se retrouver, quelques jours plus tard, en simple « anglaise » dans une salle prestigieuse de la rive droite parisienne. Loin d'être une reculade, ou la marque d'une carrière en dents de scie, cela peut au contraire représenter un véritable pas en avant ; car le passage dans un grand music-hall permet de toucher d'un coup un public beaucoup plus vaste. En outre, la presse se faisant généralement l'écho de ce genre d'événement, une très bonne prestation permet souvent de forcer le destin et de franchir à la hussarde quelques étapes supplémentaires vers la tête d'affiche.

C'est donc en petits caractères que le nom de Jacques figurera sur le programme de Zizi Jeanmaire, à l'Alhambra-Maurice Chevalier, en février 1957. La danseuse vient juste de triompher au cinéma dans le film d'Henri Decoin *Folies-Bergère*, où elle chante « La croqueuse de diamants » et « Paris Bohème ». Elle est alors au sommet de sa gloire, et sa première (au cours de laquelle elle crée ce qui reste sa chanson fétiche : « Mon truc en plumes ») attire le ban et l'arrière-ban du Tout-Paris.

Avant que le rideau ne se lève, Jacques est mort de peur. Il vomit – une habitude qui ne le quittera plus jamais. Même lorsqu'il n'aura plus rien à prouver à personne, il vomira ainsi avant chaque entrée en scène. Deux fois dans la journée quand il y aura matinée !

Lisette Brel a fait le voyage depuis Bruxelles. Elle est dans la salle, fort émue, au côté de Miche. Le lendemain, la page spectacle du *Monde* prononce la sentence : « *Le programme de l'Alhambra, à part Zizi, ne vaut d'être retenu que pour Jacques Brel.* » Une critique qui ne laisse pas Zizi Jeanmaire indifférente : dès le mois de mai, elle invitera Jacques à partager avec Raymond Devos la vedette américaine du nouveau show qu'elle présente au Théâtre des Variétés.

Les deux hommes sont amis de longue date. Ils se sont connus aux temps les plus difficiles de leurs débuts, soignant souvent leurs doutes et leurs insomnies autour d'un verre de bière, aux heures où l'on commence à empiler les chaises dans les bistrots de nuit. Jacques Canetti, dont les tournées reviennent avec la même régularité que les saisons, trouve qu'ils forment une bonne équipe et les engage tous deux pour son rituel tour de France estival, au cours duquel, à Nice, le chanteur confie au journaliste-écrivain Louis Nucera : « *J'aurais aimé être Don Quichotte...* » Dix ans avant *L'Homme de la Mancha* ! Brel, on le voit, restera toujours aussi fidèle à ses rêves qu'à ses amitiés.

En novembre, la troupe du Festival du disque s'embarque une nouvelle fois pour l'Afrique du Nord, pour une série de représentations réduite à une véritable peau de chagrin. La situation est encore confuse au Maroc et en Tunisie, pays indépendants de fraîche date, tandis qu'en Algérie les choses vont de mal en pis. Les attentats à la bombe se multiplient dans les lieux publics, notamment les bars fréquentés par les métropolitains, et l'armée durcit sa position. Dès février 1957, *Témoignage chrétien* et *L'Humanité* – deux journaux peu soupçonnables de partager une idéologie ou des intérêts identiques – ont commencé à évoquer le problème de la torture. Le 28 mars suivant, le général de La Bollardière demande à être relevé de son commandement, en signe de protestation contre ces interrogatoires au deuxième degré qui, affirme-t-il, ne sont pas de simples bavures mais des pratiques systématiques. Et en mai, Pierre Mendès France déclare publiquement : « *C'est le fascisme qui règne en Algérie !* » Le pire, pourtant, reste à venir.

Le plateau proposé par Canetti est néanmoins des plus séduisants. Outre Brel et Raymond Devos, on y trouve les Frères Jacques, Maurice Béjart, Claude Bolling, Simone Langlois, Catherine Sauvage et Guy Béart. Mais la tournée sera de courte durée, la sécurité ne pouvant être assurée, qui se limitera pour l'essentiel aux environs d'Alger.

De retour en France, Jacques Brel passe en vedette américaine dans le spectacle d'Yvette Giraud, à Bobino, avant de retrouver Les Trois-Baudets en compagnie de Catherine Sauvage. Emploi du temps chargé s'il en est, mais Jacques ne concevra jamais son métier de chanteur que dans la boulimie. Quitte à en brûler toutes les sensations en un temps record et se retrouver, à moins de quarante ans, avec l'envie furieuse de faire autre chose et d'« *aller voir* » ailleurs.

14

La lumière jaillira

Infatigable Jacques !

Il semble être partout à la fois. Débutant l'année 1958 par un spectacle à Rome, avec Raymond Devos et Catherine Sauvage, on le retrouve deux jours plus tard au palais des Beaux-Arts de Bruxelles. Entre-temps, bien sûr, il est repassé par Paris. Les mois suivants le verront en Suisse, en Israël, en Afrique du Nord, et jusqu'au Canada. La peur de l'immobilité le hante et transpire jusque dans ses interviews : « *Ce que je regrette le plus, ce sont les moments de ma vie durant lesquels je suis resté sans bouger, alors que j'aurais dû agir.* »

La logistique de Canetti peine à suivre un tel rythme, d'autant que celui-ci doit également s'occuper des carrières et des contrats d'une bonne douzaine d'autres artistes. Et ce Brel qui en demande toujours plus ! Ça n'est même pas une question d'argent – à vrai dire, il serait plutôt moins exigeant que la moyenne – mais, à l'écouter, il voudrait chanter tous les jours... Il finira presque par y parvenir, d'ailleurs, allant jusqu'à totaliser, à une certaine époque, plus de trois cents galas dans l'année.

Pour accroître ses contacts en Belgique, tout en soulageant le secrétariat de Canetti, Jacques confie alors une partie de ses affaires à Harry Perrez, un imprésario bruxellois qui lui trouve rapidement de nombreux engagements à Namur, Charleroi, Anvers, Knokke-le-Zoute, etc. Cela tombe assez bien car Miche, enceinte pour la troisième fois, a décidé de retourner accoucher à Bruxelles où sa famille pourra l'aider.

Le 22 février, Brel revient pour une semaine à L'Ancienne Belgique. En américaine de son spectacle, il retrouve un groupe qu'il connaît déjà bien, pour avoir tourné avec lui au cours de l'été 1956 : les Trois Ménestrels. C'est un ensemble très visuel, qui fait presque de la chanson mimée. En réalité, semblables aux mousquetaires de Dumas, ils sont quatre : une chanteuse, deux chanteurs et un pianiste-accompagnateur que l'on n'a pas jugé utile de comptabiliser, puisqu'il se tient en retrait et change régulièrement. Celui du moment est jeune et s'appelle Gérard Jouannest. Comme François Rauber, il vient du Conservatoire où il se destinait à de plus nobles tâches. Mais, fraîchement démobilisé, il a besoin lui aussi de gagner sa vie. Alors il prend son mal en patience...

Contrairement à ce qui avait pu se passer avec Rauber, Jacques et lui ne se lient pas tout de suite. Leurs relations sont cordiales, mais ne dépassent guère cette sympathie superficielle en vertu de laquelle tous les gens qui font ce métier se croient obligés de se tutoyer. C'est même avec une relative indifférence qu'ils se disent au revoir, au terme de leurs contrats respectifs.

Ils se retrouveront à Paris, quelques mois après, à l'occasion d'un gala pour lequel – pris de court, car François Rauber n'est pas libre – Jacques doit trouver un pianiste en catastrophe. Se souvenant de Jouannest, il l'appelle et celui-ci accepte de le dépanner. La représentation a lieu en matinée, au Gaumont-Palace, immense salle de cinéma de cinq mille places (aujourd'hui détruite et remplacée par une galerie marchande et un immeuble de bureaux), abritant de grandes orgues dignes d'une cathédrale. Les deux hommes commencent à se découvrir. Il leur faudra encore un peu de temps pour nouer de véritables liens d'amitié, mais les premiers pas sont franchis. Ils proviennent pourtant de milieux sociaux que tout oppose. L'un est fils de bourgeois traditionalistes et prospères, l'autre vient d'une famille ouvrière où l'argent se gagne à la sueur de son front et où l'on vote rouge.

Une anecdote résume toute l'ampleur de cette différence.

S'il y eut toujours un piano dans le salon des Brel, personne – sauf à s'amuser distraitement, de loin en loin – n'y toucha vraiment. Le père de Gérard Jouannest, en revanche, était un vrai passionné de musique, amoureux de piano en particulier. Mais, manquant à la fois de place et de moyens pour s'offrir un tel instrument chez lui, il s'en construisit un, factice, de ses propres mains, en carton et en bois. Alors, s'installant devant le clavier pour rêver, il laissait courir ses doigts sur des touches désespérément muettes, pour des mélodies intérieures qu'il était le seul à entendre. Son fils, lui, aurait la possibilité d'étudier la musique ; quoi qu'il puisse en coûter ! Ainsi Gérard Jouannest réalisera-t-il, au-delà de toute espérance, les rêves de son père ouvrier, en décrochant un premier prix du Conservatoire de Paris, dans une promotion où figurait – jugez du peu ! – un virtuose comme Erich Heidsieck.

Dans l'impossibilité de l'accompagner en déplacement, François Rauber – retenu par ses cours à Paris – suggère à Jacques de proposer la place à Gérard Jouannest. Qui l'accepte. Celui-ci n'aura plus besoin de jouer les utilités derrière les Trois Ménestrels ou le tout-venant des cabarets. Cette fois, l'équipe est au complet. Elle ne changera plus. Toute l'évolution musicale de Jacques Brel se fera, désormais, au travers du filtre Rauber-Jouannest. L'un et l'autre, parfois les deux ensemble, composeront pour lui, ou avec lui, l'aidant à mettre en place ses idées rythmiques et ses intuitions mélodiques.

Au bout de quelque temps, on assiste à un partage naturel des tâches. François Rauber écrit les arrangements, dirige l'orchestre durant les séances d'enregistrement et dans les grandes occasions, et apporte, d'une manière générale, leur couleur définitive aux chansons de Jacques. Gérard Jouannest, lui, l'accompagne sur scène. Où qu'il aille. Du plus petit casino des faubourgs d'Ostende au grand auditorium de Carnegie Hall. Ils se voient donc presque tous les jours et travaillent inlassablement à l'élaboration de nouveaux titres.

Chaque spectacle étant précédé d'un « filage » (séance d'échauffement au cours de laquelle chacun prend ses marques par rapport à l'acoustique de la salle du jour, essaie une idée nouvelle ou vérifie la mise en place d'un passage plus délicat), Jacques en profite pour roder les chansons qu'il estime encore inachevées. D'un filage à l'autre, les mots, les notes, les respirations et les gestes trouvent leur équilibre définitif, jusqu'au jour où le morceau est intégré au répertoire, pour subir le test du public. Si quelque chose ne va pas, on cherchera à y remédier au filage du lendemain ; quitte à tout reprendre à zéro.

Perfectionniste acharné, comme presque tous les cancres de talent, Brel impose un rythme forcené à ses musiciens. Chaque chanson est jouée et chantée des centaines de fois avant d'être gravée sur disque ; chaque geste en scène, au lieu d'être calculé, doit finir par s'imposer comme une évidence.

Miche et les fillettes (qui ont maintenant cinq et sept ans) vivant désormais à Ganshoren, faubourg nord-ouest de Bruxelles qui jouxte la basilique du Sacré-Cœur, Jacques quitte la maison de Montreuil et loue un petit studio à deux pas de la place Clichy, Cité Lemercier. Une ruelle en impasse aux gros pavés inégaux, bordée de jardins où court le lierre, semés d'arbustes et de fleurs. Un lieu clos, hors du temps, à l'abri du bruit et de la circulation. Sa chambre est à peine assez grande pour contenir un lit, une penderie, sa guitare et un monceau de livres. Trop petite pour vivre à deux. Mais Suzanne Gabriello n'habite pas très loin, rue Versigny, de l'autre côté de la Butte Montmartre : une promenade agréable par beau temps. De toute façon, Jacques est si peu à demeure que l'inconfort de son studio ne saurait lui peser.

Le prix Charles-Cros a grandement facilité ses relations avec Philips. Commence alors l'enregistrement d'un nouveau 33 tours. André Popp est encore présent sur plus de la moitié des titres, mais François Rauber signe ici ses premières orchestrations. Curieusement, c'est Popp qui écrit les arrangements de trois des cinq chansons composées par le tandem Brel-Rauber : « Dors, ma mie », « La lumière jaillira » et « Voici », les deux autres étant « L'homme dans la cité » et « Litanies pour un retour ». Malgré les réussites précédentes d'André Popp, la différence de complicité entre

Jacques et ses orchestrateurs saute aux oreilles dès la première écoute. François Rauber est manifestement celui qui comprend le mieux son univers.

La première séance a lieu le 14 mars 1958 et s'ouvre sur un véritable pensum : « Demain l'on se marie (La chanson des fiancés) ». Un sommet de platitude (si l'on peut dire), dont l'arrangement d'André Popp souligne l'inanité. Au début de chaque couplet, comme un leitmotiv, une choriste à peu près aussi sensible qu'un rouleau compresseur (pauvre Janine de Waleyn, commise d'office pour ânonner ces âneries, mais si fine musicienne lorsqu'elle joue des ondes Martenot) invite Jacques à lui vanter les joies du mariage. Lequel, qui n'est pas le mètre étalon du mari modèle, ne trouve rien d'autre à lui répondre qu'une série de niaiseries :

Nous forcerons l'amour à bercer notre vie
D'une chanson jolie qu'à nous deux nous chanterons,
Nous forcerons l'amour, si tu le veux, ma mie,
A n'être de nos vies que l'humble forgeron.

Et le morceau s'achève sur une montée de trompette à la limite du barrissement d'éléphant. Consternant !

Quinze jours plus tard, c'est François Rauber qui tient la baguette, et le ton évolue dès le premier morceau. Une caisse claire, jouée comme un tambour, avec une rigueur de batterie écossaise, donne une intensité obsédante à « L'homme dans la cité ». Construit comme une marche – pas une marche militaire mais celle d'une foule en mouvement –, le crescendo est magistralement mené, qui évoque irrésistiblement – mais intentionnellement, de toute évidence – le *Boléro* de Ravel.

« *Pourvu que nous vienne un homme !* », cet appel à un être providentiel, sorte de nouveau Messie, sonne étrangement en ce début d'avril 1958, alors que la France se déchire plus que jamais sur la question algérienne et que de Gaulle s'apprête à prendre le pouvoir. Quand le disque sortira, certains voudront y voir un hommage direct au Général. Affabulation ridicule s'il en fut. Brel, d'abord, déteste les militaires, et son évolution politique, ensuite, sous l'influence de Jojo, le pousse vers la gauche. L'homme tant espéré que dépeint la chanson est de toute façon trop abstrait pour être vrai ; il ressemble plus à un modèle que Jacques se fixerait à lui-même. Une alternative aux préceptes religieux auxquels il ne croit plus guère ; comme une ligne de conduite à tenir, moins théorique peut-être que les commandements de la Franche Cordée :

Et que sa colère soit juste,
Jeune et belle comme l'orage,
Qu'il ne soit ni vieux, ni sage,
Et qu'il rechasse du temple
L'écrivain sans opinion,
Marchand de rien, marchand d'émotion.

Avec « Je ne sais pas », le grand Brel se précise enfin. Ses images se sont dégagées de toute complaisance, et les paysages qu'il brosse ont maintenant la vérité des peintures :

Je ne sais pas pourquoi la route
Qui me pousse vers la cité
A l'odeur fade des déroutes
De peuplier en peuplier...

La chanson suit une progression géographique : couplet après couplet, le héros chemine parallèlement à un amour qui se défait. De sa campagne, il emprunte une route qui le conduit en ville, devant une gare d'où s'en ira bientôt un train pour Amsterdam. Pour lui le voyage s'arrête là ; mais il sait que d'Amsterdam un navire emmènera la femme qu'il aime vers un port dont il ignore jusqu'au nom [1]. Alors, tout sera irrémédiablement perdu. L'espoir subsiste tant qu'on peut le relier à des lieux familiers, qu'il est possible de nommer, donc d'imaginer, donc de s'approprier. Mais au-delà, l'inconnu est synonyme d'abandon.

Chantée à la perfection, « Je ne sais pas » est certainement la meilleure réalisation de ce troisième disque. Le début aussi de la concrétisation de toutes ces promesses que Jacques Brel porte en lui.

Exercice de style à l'écriture un peu académique, « Litanies pour un retour » s'apparente plus à un poème qu'à une

1. Entre autres choses, cette progression du proche et familier, vers le lointain et l'inconnu, indique que le crescendo brélien n'est pas qu'une histoire d'arrangement et d'interprétation. La montée en puissance, chez Brel, existe aussi dans la construction de ses textes et l'enchaînement des images et des couplets.

chanson. Sa mélodie est fort plate et l'arrangement de François Rauber pour une fois sans grand intérêt. Rarement Brel a tenté de magnifier une femme à ce point; mais cette accumulation de métaphores est loin de connaître la puissance d'émotion de deux vers aussi « simples » que :

Adieu, ma femme, je t'aimais bien.
Adieu, ma femme, je t'aimais bien, tu sais [1]...

« Au printemps » constituera le gros succès de ce troisième 33 tours. Succès de vente immédiat, mais également succès à long terme, car c'est exactement le genre de chanson de circonstance que les radios ressortent à dates fixes, en fonction du calendrier. Un peu comme « Petit Papa Noël »... dans un genre différent. Cette valse au tempo très serré recèle un tourbillon et quelques images clefs qui ne pouvaient qu'en faire une rengaine populaire, dans la lignée des meilleures réussites d'un Francis Lemarque, d'un Pierre Perret ou d'un Jean Dréjac :

Au printemps, au printemps,
Et mon cœur et ton cœur sont repeints au vin blanc...

En revanche, certaines idées, directement inspirées des conversations avec l'ami Jojo, passeront pratiquement inaperçues du grand public :

En riant tout Paris se changera en baisers,
Parfois même en grand soir...

Mais il est vrai que, sous leur innocence apparente, les chansons populaires qui évoquent le printemps ont souvent un sens caché :

J'aimerai toujours le temps des cerises;
C'est de ce temps-là que je garde au cœur
Une plaie ouverte [2]...

« Dors, ma mie » montre parfaitement les limites des arrangements d'André Popp par rapport à ceux de François Rauber. Alors que celui-ci n'a pas une seule fois utilisé la batterie pour soutenir ses rythmiques, Popp replonge Jacques dans un univers de musique de variétés conventionnelle, en réintroduisant une caisse claire et un charleston

---

1. « Le moribond ».
2. « Le temps des cerises », 1868 (paroles de Jean-Baptiste Clément, musique d'Antoine Renard).

joués avec des balais, pour accompagner cette jolie mélodie de berceuse signée Rauber. Contrairement à la plupart des chansons de rupture écrites par Brel, ce n'est pas l'homme qui est abandonné ; cette fois, c'est lui qui s'en va. Sans véritable grief, mais par ennui, par peur (encore) de l'immobilité. Le butor de « La haine » s'est passablement calmé, mais, au fond, il s'agit d'une variation sur un thème très voisin : la femme n'a pas su tenir les promesses de l'amante, elle l'a déçu et il s'en va. En tirant doucement la porte, au lieu de la claquer, certes, mais en lui laissant néanmoins l'entière responsabilité de leur échec :

Tu m'auras gaspillé
A te vouloir bâtir
Un bonheur éternel
Ennuyeux à périr,
Au lieu de te pencher
Vers moi, tout simplement.

Entre les lignes se dessine, une nouvelle fois, une impossible vision de l'amour. Au-delà de la période de séduction et de conquête réciproques, celui-ci ne serait-il qu'un leurre ? A moins que Jacques ne soit le prototype de l'amoureux romantique, tel que le décrit Jean Purcelle : « *Il faut plus de force et de talent pour conserver que pour acquérir. [...] C'est pourquoi l'amour romantique échoue. [...] L'amour romantique attend quinze ans le moment du bonheur ; mais après il ne se passe rien. L'éternité est venue après le temps, mais elle a tué le temps* [1]. »

Autre apologie du mariage, « La lumière jaillira ». Jacques n'a jamais autant loué les vertus des épousailles, décidément, que depuis le retour de Miche à Bruxelles. Mais la distance et l'absence ne lui valent pas, en la matière, une inspiration plus originale. La chanson n'est qu'une suite de déclarations de principe gentillettes et pleines de bons sentiments ; lesquelles ne l'engagent pas à grand-chose :

La lumière jaillira
Et nous nous marierons,
Pour n'être qu'un combat,
N'être qu'une chanson.

1. *Le Temps*, par Jean Purcelle (Editions PUF).

« Le colonel », laborieuse métaphore réclamant une soixantaine de vers pour expliquer l'image finale, n'offre guère d'intérêt non plus, sinon celui d'apporter la confirmation que, dans un même genre d'arrangements, André Popp rate totalement ce que François Rauber a si bien réussi avec « L'homme dans la cité ».

Cette ultime séance s'achève avec l'enregistrement de « Voici », pour lequel il a fallu déplacer tout l'orchestre jusqu'au grand temple protestant de Paris, avenue de la Grande-Armée. *« On a fait une chanson sous forme de fugue,* explique François Rauber, qui a cosigné la musique* [1]. Il y avait trois entrées d'orchestre, la quatrième était la voix de Jacques ! On l'avait enregistrée aux orgues du temple de l'Etoile ; il y avait des cuivres et des trompettes dans l'église, et moi j'étais à l'orgue... Il fallait être fou pour faire des choses pareilles ! »*

---

1. *Paroles et Musique*, 1982 (n° 21, dossier « Spécial Jacques Brel »), *op. cit.*

15

Le soleil qui se lève

Avec un manque d'à-propos qui relève du gag, au lieu de sortir « Au printemps », le disque [1] arrivera dans les bacs des disquaires le 21 juin, premier jour de l'été. Cela ne l'empêchera pas de se vendre de façon satisfaisante au cours des mois suivants.

Autre sujet de satisfaction pour Jacques, Yves Montand met l'une de ses chansons (« Voir ») à son répertoire. Chanteur-acteur fortement marqué à gauche [2], soupçonné même d'appartenir au parti communiste depuis son voyage en URSS en 1957, Montand représente une sorte de perfection dans le monde du music-hall. Ses spectacles sont d'une précision d'horloge qui impressionne Jacques lorsqu'il le découvre en scène, aux premiers temps de son séjour à Paris. Au point d'en parler à Miche dans l'une de ses lettres : *« Jamais on ne pourra présenter des chansons comme il les pré-*

---

1. 33 tours 25 cm, comprenant les titres suivants : « Demain l'on se marie », « Au printemps », « Je ne sais pas », « Dors, ma mie », « Le colonel », « La lumière jaillira », « Dites, si c'était vrai », « L'homme dans la cité », « Litanies pour un retour » et « Voici » (réf. : B 76 423 R). « Demain l'on se marie », « L'homme dans la cité », « La lumière jaillira » et « Voici » ont par ailleurs fait l'objet d'un super-45 tours, le cinquième de Jacques Brel (réf. : BE 432 260). « Au printemps » et « Je ne sais pas » seront inclus sur un autre super-45 tours (réf. : BE 432 326), avec d'autres titres enregistrés ultérieurement.
2. En ce temps-là... c'est-à-dire il y a quarante ans. Les choses, depuis, ont passablement changé.

sente. Mais c'est une force énorme que de pouvoir utiliser les mains [1]*... »*

En outre, Montand a toujours eu la réputation de sélectionner ses auteurs avec le plus grand soin. Entrer dans son répertoire n'est donc pas une mince affaire. Interrogé sur le choix de cette chanson, Montand aura une explication qui surprendra dans la bouche de quelqu'un que l'on s'acharne (alors) à peindre en rouge : *« Jacques voit la vie comme un chrétien. C'est un poème merveilleux, un poème de l'amour au sens le plus large du terme. »*

Mais Yves Montand n'est pas le seul à chanter Brel en cette année 1958, car Jacques Canetti – toujours lui ! – réussit un joli coup en faisant enregistrer tout un disque de chansons de Jacques à Simone Langlois. Sorte de jeune prodige, chantant Piaf – dès l'âge de quatorze ans – d'une façon assez convaincante pour faire carrière alors que le modèle est au faîte de sa gloire, Simone Langlois traverse à ce moment-là une difficile période de renouvellement de répertoire. L'adolescente qui intriguait, pour avoir fait comme Piaf ses premières armes dans la rue et montrer un coffre digne de la Môme, n'intéresse plus grand monde maintenant qu'elle a vingt et un ans. Pourquoi, en effet, écouter Langlois reprendre Piaf quand celle-ci vient, coup sur coup, de créer « Les amants d'un jour », « La foule » et « Mon manège à moi » ?

Pour que la jeune femme puisse, une fois pour toutes, se défaire de cette image d'ersatz de Piaf qui la poursuit, Canetti ne voit que Brel. Les arrangements sont donc confiés à François Rauber, qui connaît parfaitement son sujet, et Jacques lui-même prête la main au projet, en chantant « Sur la place » en duo avec Simone [2]. L'album, confirmant ainsi le flair de Canetti, remportera le prix Francis-Carco de l'Académie du disque français.

Au-delà de l'interprète extraordinaire qu'il est en train de devenir, Jacques est désormais reconnu pour ses qualités

1. Correspondance privée de Mme Brel, citée par Olivier Todd.
2. Cet enregistrement fort rare, et très recherché des collectionneurs, a été réédité à l'occasion de *L'Anthologie de la chanson française*, par EPM (coffret 1950-1960).

d'auteur. Sa propre carrière n'arrive pourtant pas à franchir ce cap décisif qui ferait de lui une vedette à part entière. Il a beau multiplier les galas comme personne et, souvent, écraser de sa présence des spectacles dont il devrait n'être qu'un faire-valoir, rien n'y fait : la réputation de « l'abbé Brel » lui colle aux basques. Certes, il commence à vendre du disque, mais le public se déplacerait-il sur son seul nom ? Rien n'est moins sûr, et aucun directeur de grande salle ne veut prendre le risque de le vérifier.

Ah, cet « abbé Brel » ! Quel tort Brassens, sans l'avoir voulu, a-t-il pu lui causer ! Même Bruno Coquatrix ne veut pas en démordre : « *Brel, c'est l'abbé Brel, un point c'est tout !* » rétorque-t-il à Suzanne Gabriello, alors présentatrice à l'Olympia, quand elle lui suggère d'engager Jacques en américaine du prochain spectacle de Philippe Clay. L'insistance conjuguée de Suzanne, de Jean-Michel Boris (qui prendra plus tard la succession de Coquatrix à la direction de l'Olympia) et de Jacques Canetti [1] finit cependant par le fléchir et le convaincre, au moins, de rencontrer le chanteur, le temps d'un déjeuner ; histoire de voir où il en est.

« *Nous avions rendez-vous dans un restaurant qui s'appelle Le Petit Zinc, rue Montorgueil*, raconte Jean-Michel Boris [2], *et le repas s'est passé magnifiquement. Les rapports avec Bruno ont pu s'éclaircir, et Jacques est effectivement revenu à l'Olympia. Il était heureux et détendu de se retrouver là ; et il y a chanté jusqu'à la fin de sa carrière, puisque c'est ici qu'il a fait ses adieux. Par la suite, ses relations avec Bruno Coquatrix étaient devenues telles que, lorsqu'il est revenu à Paris, très peu de temps avant de mourir, il a demandé à Charley Marouani de lui organiser un dîner avec lui.* »

C'est donc décidé, Brel fera « l'américaine » de Philippe Clay. Celui-ci est déjà passé à l'Olympia en vedette, l'année précédente, et compte quelques beaux succès à son actif :

---

1. « *Ce passage décisif de Brel à l'Olympia (en fin de première partie) a été obtenu par moi ; et au forcing. Coquatrix voulant absolument obtenir mon accord pour l'engagement de Philippe Clay en vedette, ce qui ne dépendait que de moi. Donnant, donnant. C'est à contrecœur que Coquatrix a accepté mon exigence : engager Brel en américaine.* » (Lettre de Jacques Canetti à l'auteur, avril 1988.)
2. Propos recueillis par l'auteur (le 14 avril 1988).

« Le noyé assassiné », « On n'est pas là pour se faire engueuler » (Vian), et surtout « Le danseur de charleston ».

En attendant la date fatidique, Jacques s'envole pour le Canada. C'est la première fois qu'il aborde ce pays qui, avec ses deux cultures, lui rappelle la Belgique : *« Rien ne ressemble plus au Canada qu'Anvers modernisé par des collégiens »*, plaisante-t-il. Au Québec, il noue quelques solides amitiés et, désormais, le pays de Félix Leclerc fera partie des dates rituelles de son emploi du temps annuel.

A Montréal, il fait la connaissance de Claire Oddéra, qui vient d'ouvrir une petite boîte à chansons, Chez Clairette, où la colonie française exilée prend peu à peu l'habitude de se retrouver, et où de jeunes auteurs-compositeurs font leurs débuts. Henri Tachan sera de ceux-là, quelques années plus tard, travaillant comme serveur de restaurant dans la journée et faisant parfois l'artiste le soir, pour essayer de vider un peu de ce trop-plein qui bouillonne en lui. Jacques Brel – qui l'encouragera, lui conseillant de rentrer à Paris – aura un jour une formule bien à lui pour décrire cet étrange sentiment : *« La seule manière de se raconter des histoires et de ne pas en crever, c'est de les raconter à une flopée de gens. »*

Claire Oddéra n'a rien d'une Québécoise. C'est une Marseillaise bon teint, qui a d'abord commencé par faire du cinéma. Notamment chez Pagnol. Chaleureuse et gaie, elle interprète des chansons réalistes dans un décor de filets de pêche ; comme si elle vivait toujours à deux pas du Vieux-Port. Jacques se sent bien chez elle. Il y vient régulièrement terminer la soirée après son tour de chant et s'y attarde fort avant dans la nuit, comme il le faisait avec Devos, Jean-Claude Darnal ou Sim, à L'Ecluse ou à L'Echelle de Jacob. Une habitude qu'il conservera à chacun de ses séjours québécois. Ainsi, en 1964 : *« Quinze jours durant, se souvient Henri Tachan [1], nous nous sommes vus tous les soirs jusqu'à la fermeture de la boîte à six heures du matin. Je l'ai connu quinze jours qui valaient quinze siècles... »*

---

1. Rencontre avec Henri Tachan, dans la revue *Chorus, les Cahiers de la chanson* (n° 16, été 1996).

Et puis, novembre est là...

Le 19 novembre 1958.

C'est la première à l'Olympia. Un programme copieux : Philippe Clay, Jacques Brel, Colette Chevrot, Georges Reich, Great Putzai Troups et l'orchestre burlesque suisse de Hazy Osterwald. Plus deux présentateurs : Jean-Marie Proslier et Suzanne Gabriello. Jacques a amené sa propre formation : une basse, une batterie, un accordéon et deux pianos – François Rauber et Gérard Jouannest, l'un jouant plus mélodique, l'autre plus rythmique.

C'est un triomphe ! Brel casse littéralement la baraque, et Philippe Clay, après lui, a bien du mal à s'imposer. D'aucuns soutiendront même que le contraste avec Brel donnera un sérieux coup de frein à une carrière pourtant fort bien engagée. Le lendemain, il faut bien le dire, les critiques n'en ont que pour Jacques. Tandis que Max Favalelli, dans *Paris-Presse*, résume le sentiment général : *« Le meilleur du programme : Jacques Brel ! »* Henri Rabine, dans *La Croix*, tente l'analyse du phénomène : *« Il faut applaudir des deux mains et saluer l'un de ces très rares artistes capables de chauffer une salle, de l'entraîner, de la faire battre à son propre rythme, de lui faire aimer ce qu'il aime. De la faire autre, enfin, et meilleure pour quelques instants. Le métier et le talent, indispensables d'ailleurs, n'y suffisent pas : il faut aussi une certaine qualité d'âme et d'inspiration. Et du cœur au ventre ! »*

L'impact est tel qu'à la fin de l'année, lorsque la revue *Music-Hall*, dirigée par Pierre Barlatier, dresse son palmarès annuel des artistes les plus populaires (« Les bravos du music-hall »), Jacques s'y trouve classé pour la première fois. Il n'est encore qu'en seizième position ; mais en 1965, succédant à Charles Aznavour, il s'installera à la première.

16

Qu'on partage ma joie

Bien que Bruno Coquatrix se soit laissé fléchir, la soutane de « l'abbé Brel » a encore de beaux jours devant elle, avant d'être rangée (définitivement?) au rayon des accessoires vétustes. Ainsi, à l'initiative du journal *Marie-Claire* – qui lance en collaboration avec Philips une revue d'un genre nouveau, *Disque Magazine*, intégrant un 45 tours en plastique souple à un livret illustré –, Jacques enregistre-t-il un disque de Noël, intitulé *Un soir à Bethléem*. Sur une musique de circonstance, dont les arrangements, chose curieuse, sont signés Brel-Rauber, il récite un poème qu'il a écrit (« Je prendrai ») et joue le rôle du narrateur dans l'histoire de la Nativité selon saint Luc (à côté de Simone Langlois et des comédiens Roland Ménard, Henri Nassiet et Madeleine Clervanne). Une réalisation qui ne laissera pas de traces impérissables dans sa discographie mais relève, d'un point de vue technique, d'une curieuse façon de procéder. Au lieu d'enregistrer voix et orchestre simultanément, comme à son habitude, ou de céder à l'usage de plus en plus répandu qui veut que l'on enregistre d'abord l'accompagnement musical pour y ajouter ensuite la voix, tout se passe ici de manière radicalement opposée. Sa prestation est mise en boîte au cours d'une simple séance de lecture datée du 22 octobre 1958; puis, environ trois semaines plus tard – le temps pour François Rauber de caler ses mouvements d'orchestre sur ce rythme imposé par le débit naturel du texte lu –, l'habillage musical est ajusté aux mots, telle une parure qui serait confectionnée sur mesure.

Profitant de ce passage éclair en studio, Jacques enregistre deux nouveaux titres, qui compléteront le 45 tours inachevé de « Au printemps » : « Voir », la chanson choisie par Yves Montand, et « L'aventure ». Les deux ont en commun une idée originale d'arrangement : l'interprétation du gros de l'accompagnement par une chorale – dont le nom, « La Joie au village », est un programme à lui tout seul.

Une chorale peut s'utiliser de bien des façons, et François Rauber en offre ici des exemples extrêmes. Autant « L'aventure » donne-t-elle l'impression d'assister au passage d'une troupe de jeunes scouts en partance pour leur pique-nique dominical, autant « Voir » s'enfle-t-elle comme une voile, avec une majesté d'orgue de cathédrale. Un véritable oratorio !

Revenu d'Hassi-Messaoud, Jojo travaille à présent pour le compte de l'Institut du pétrole, à Rueil, et les deux amis se voient chaque fois que Jacques n'est pas en tournée ; trop peu à leur gré. Leurs rencontres sont autant de récréations, et Jacques voudrait que la récréation ne s'interrompe jamais : *« J'aime les amis, je suis pour la vie commune. Je crois aux copains, comme les enfants. Je m'emmerde dans le monde des adultes. »* Déjà, il songe à un arrangement qui permettrait de prolonger à l'infini leurs discussions interminables de pourfendeurs de moulins à vent, leurs bringues nocturnes et leurs éclats de rire gargantuesques. Pourquoi ne pas intégrer Jojo à l'équipe ? Il ne joue d'aucun instrument, certes, mais Jacques a de plus en plus besoin d'un homme de confiance. Il a tant à faire... Mais peut-être est-ce un peu tôt ? Si sa carrière marche plutôt bien, tout demande encore à être confirmé, étayé, développé.

Sur les conseils de Canetti, il prend enfin un véritable imprésario : Charley Marouani. Une institution, ces Marouani ; mieux, une dynastie. Venus de Sousse, en Tunisie, Félix et Daniel Marouani ont monté leur première agence de spectacle vers la fin des années 30. Rapidement, les deux frères en viennent à gérer les intérêts des plus grosses vedettes du moment : Tino Rossi, Maurice Chevalier, Edith Piaf, Luis Mariano ; entre autres... Bientôt, leurs cousins Eddy et Maurice se lancent à leur tour dans le *business*, en créant une agence concurrente. Puis les fils, les neveux, d'autres cousins et même des parents par alliance diversifient les secteurs d'activité de la famille et investissent l'édition musicale, la promotion, la photographie, la direction artistique de certaines maisons de disques et la production. En moins de deux décennies, le réseau familial finit par être si étendu, et si dense en même temps, qu'il devient presque impossible de passer entre ses mailles. Brel aura d'ailleurs cette boutade amicale : *« Pour m'endormir, je ne compte pas les moutons, je compte les Marouani. »*

C'est chez Félix, l'un des deux pionniers de la première génération, que Charley a fait ses classes. Il est prêt à voler de ses propres ailes quand il a la chance de rencontrer Jacques Brel, qui sera la première grande vedette de son catalogue. Le chanteur et l'imprésario grandiront ensemble dans le métier. Et ils en conserveront, au-delà de l'amitié qui finira par les lier, une profonde gratitude mutuelle.

Fin gourmet, malgré la difficile période des sandwichs au camembert de ses débuts, Jacques ouvre un restaurant à Bruxelles, quai au Bois-à-Brûler, à quelques centaines de mètres du boulevard d'Ypres où la famille Brel habitait lorsqu'il était enfant. L'Amiral : un nom qui lui va bien et colle parfaitement aux spécialités de poisson de la carte. Charles Aznavour et Georges Ulmer se chargent de l'inaugurer, et Brassens ne manque jamais d'y venir dîner, lorsqu'il est de passage.

Ça n'est pas Jacques, toujours par monts et par vaux, qui peut s'occuper de faire tourner l'affaire ; ce sera donc Miche. Lui, quand il est là, se contente de jouer à l'hôte et d'offrir des bouteilles aux amis. Jamais il ne manquera de largesses. Mais bientôt, il en aura vraiment les moyens.

Après Les Trois-Baudets, où il passe désormais en vedette – avec, cette fois-ci, Serge Gainsbourg qui vient juste de sortir son premier 45 tours, *Le Poinçonneur des Lilas*, Bernard Haller et, en américaine, Ricet Barrier qui fait rire la France entière avec « La servante du château » et « La java des Gaulois » –, Jacques retourne à Bruxelles. Car Miche a donné naissance à une troisième fille, Isabelle, dont François Rauber est le parrain. Malgré son emploi du temps surchargé, il essaie en effet de voir un peu ses enfants et, heureuse coïncidence, il chante beaucoup en Belgique ces temps-ci : Dinant, Ostende, Huy, Uccle, Knokke, Anvers et Mouscron, le pays natal de Raymond Devos où, plus d'une fois, ils se produisent ensemble.

Jacques a beau se plaindre, parfois, que les tournées lui prennent trop de temps et d'énergie pour lui permettre d'écrire, c'est un mode de vie qui agit sur lui comme une drogue et dont il ne peut ni ne veut se passer. Car rien ne l'oblige, après chaque concert, à traîner de bar en bar jusqu'à cinq ou six heures du matin. Et c'est fort mollement qu'il essaie alors de s'en expliquer : *« Un type qui revient du bureau ne se met pas au lit tout de suite. Moi, c'est pareil. »*

En réalité, Brel écrit en permanence. Sur des cahiers qui ne le quittent jamais, il note tantôt un bout de phrase, tantôt une idée à développer, une assonance à creuser, une image à enrichir. Il n'est pas de ceux qui écrivent une chanson de la première à la dernière ligne, avant de passer à la suivante. Encore moins de ceux qui écrivent d'un jet. Lui, il rature, corrige, taille, il sculpte dans la matière des mots, les tord, modifie leur fonction, les bouscule et en invente même de nouveaux quand le vocabulaire lui semble à court de ressources. Il mène constamment plusieurs chansons de front, déplaçant parfois une image de l'une à l'autre pour mieux la valoriser, revenant régulièrement en arrière, doutant sans cesse.

Illisibles pour tout autre que lui, ses manuscrits sont l'illustration parfaite de sa notion du talent : *« Je suis convaincu d'une chose : le talent, ça n'existe pas. Le talent, c'est d'avoir envie de faire quelque chose. Je prétends qu'un homme qui rêve tout d'un coup de manger un homard, il a le talent, à ce moment-là, dans l'instant, pour manger convenablement un homard, pour le savourer. Et je crois qu'avoir envie de réaliser un rêve, c'est le talent. Tout le reste, c'est de la sueur. C'est de la transpiration. C'est de la discipline. Je suis sûr de ça. L'art, moi je ne sais pas ce que c'est. Les artistes, je ne connais pas. Je crois qu'il y a des gens qui travaillent à quelque chose. Et qui travaillent avec une grande énergie, finalement. L'accident de la nature, je n'y crois pas. Pratiquement pas* [1]. »

Les mélodies se mettent en place avec la même patience obstinée. Il ne s'agit pas d'écrire, paroles et musique, sur un schéma couplet-refrain, puis d'aligner les vers suivants sur ce canevas ; non, il faut que chaque mot colle à chaque note, tout au long de la chanson. Quitte à réécrire l'ensemble, parvenu au dernier couplet, pour un vers jugé plus satisfaisant que les autres, mais d'un équilibre différent.

Le 5 novembre 1959, Jacques Brel passe pour la première fois en tête d'affiche dans l'une des salles les plus prestigieuses de Paris : Bobino, « le théâtre de la chanson et du rire ». En fait, il prend au pied levé la place de Francis Lemarque qui, malade, a dû se décommander en catastrophe. Jacques vient juste de terminer son quatrième 25 cm, et les chansons de ce nouveau cru sont très supérieures à tout ce qu'il a pu écrire jusqu'alors. Quelques-unes, même, figurent parmi les meilleures qu'il écrira jamais. Simultanément, François Rauber atteint sa plénitude d'arrangeur. Débarrassé des scories des productions précédentes, le disque est presque parfait. Comme l'est le tour de chant.

La presse déborde d'enthousiasme dans ses comptes rendus de la première. « *Spectacle inoubliable à Bobino*, écrit *Combat : salle transportée, bouleversée, hachant d'applaudisse-*

---

1. Propos extraits de *Brel parle*, émission de télévision réalisée par Henry Lemaire et Marc Lobet, pour la RTB (Radio Télévision Belge) ; archives de la Fondation internationale Jacques Brel.

ments chacune de ses chansons. » « Inoubliable », oui : c'est le mot, désormais, qui reviendra à chaque évocation d'un spectacle du Grand Jacques, quel que puisse être celui (ou celle) qui en témoignera.

Le mois suivant, le nouveau 33 tours reçoit le prix Francis-Carco de l'Académie du disque. Celui qu'avait obtenu Simone Langlois l'année précédente. Avec le Charles-Cros, les chansons de Brel ont donc reçu trois distinctions honorifiques en trois ans. Jacques a tout juste trente ans, il a fêté son anniversaire le 8 avril. Mais, pour lui, les choses sérieuses ne font que commencer.

17

Ne me quitte pas

La liaison de Jacques Brel avec Suzanne Gabriello est entrée dans sa phase terminale. La part de jeu a disparu et les querelles se font plus douloureuses chaque fois. Jacques en souffre plus qu'il ne le montre et s'il exerce en public son acrimonie contre « *les bonnes femmes* », c'est pour mieux dissimuler le désarroi que lui cause la découverte de la faillite amoureuse.

Car quelque chose s'est brisé en lui. Sa vision de l'amour reposait sur une croyance éperdue, et cette croyance s'est effritée. Non qu'il ne croie plus aux femmes – sa profonde affection pour Alice Pasquier (l'épouse de Jojo), Claire Oddéra ou Suzy Lebrun montre d'ailleurs, lorsqu'il n'est pas question d'amour ou de possession, qu'il sait être le meilleur et le plus fidèle des amis –, tout simplement il a perdu foi en l'amour. Du moins en cette passion quasi mystique et complètement désincarnée qu'adolescent on lui avait laissé entrevoir :

Je n'aimais rien, non, j'ai adoré [1]...

Sans doute, par la suite, parlera-t-il encore d'amour avec sincérité. Car il y aura, bien sûr, d'autres femmes dans sa vie. Mais au fond de lui-même, Brel s'est persuadé que « l'amour » n'est qu'une habitude culturelle. Un contrat social permettant de conjurer ensemble des peurs que l'on n'ose pas nommer ni vraiment définir. Un leurre ; pire, une convention collective... Et on ne peut « *pas croire qu'une chose*

1. « J'aimais ».

existe, disait Jean Rostand (qui fera toujours partie des lectures de Jacques [1]), *parce qu'il serait trop horrible qu'elle n'existât point. Il n'y a pas de preuve par l'horrible [2] ».

Pour s'être rendu compte qu'il avait toujours cru en aveugle, Jacques se forge la certitude, tout aussi illusoire, qu'il a cessé de croire. Mais en matière de passion amoureuse – plus qu'en toute autre chose –, il y a loin de la théorie à la pratique... Paradoxe qu'il accepte, d'ailleurs, avec humour :

On a beau faire, on a beau dire
Qu'un homme averti en vaut deux,
On a beau faire, on a beau dire,
Ça fait du bien d'être amoureux [3].

Dès lors (c'est dans son tempérament), Jacques cherche des solutions pragmatiques pour combler ce vide soudain... et, tout à trac, découvre la tendresse. Il n'en démordra plus, jusqu'à en faire l'un des thèmes récurrents de ses chansons, puis de ses films. Il la porte au pinacle, autant qu'il avait pu le faire de l'amour : « *Je suis convaincu que le grand amour est un ennemi social. La compréhension, la tendresse, la patience sont les ennemis du grand amour.* » Brûler à ce point ce que l'on a adoré la veille révèle, à l'évidence, une déception sans bornes. Mais cette désespérance profonde, Brel le sait bien – contrairement à ceux qui, par facilité, ramènent tout à sa misogynie –, n'est pas le fait de la femme. Ni celui de l'homme, d'ailleurs. Elle tient à l'essence même de la nature humaine, à cette impossibilité de communiquer sans limites :

On est deux, mon amour,
Et l'amour chante et rit ;
Mais à la mort du jour,
Dans les draps de l'ennui,
On se retrouve seul [4].

Ce que Léo Ferré traduira, avec son génie propre, dans ce

---

1. A Hiva Oa, son île des Marquises, Brel possédera jusqu'à trois exemplaires de *L'Homme* (sources Olivier Todd, *op. cit.*).
2. *Pensées d'un biologiste*, par Jean Rostand (Editions Stock, 1939).
3. « Le prochain amour ».
4. « Seul ».

qui reste aujourd'hui l'une des plus belles chansons d'amour qui soient, et l'une des plus désespérées : « Avec le temps ».

Et l'on se sent blanchi comme un cheval fourbu,
Et l'on se sent glacé dans un lit de hasard,
Et l'on se sent tout seul, peut-être, mais peinard,
Et l'on se sent floué par les années perdues...
Alors, vraiment,
Avec le temps, on n'aime plus.

Reflet de la déroute sentimentale de Jacques, trois chansons (sur dix) du nouveau 33 tours portent des titres aussi transparents que « Ne me quitte pas », « Seul » ou « La tendresse » ; tandis que la plus faible de l'ensemble – comme pour corroborer son état d'esprit du moment – s'intitule « Je t'aime ».

Ce quatrième disque est enregistré en l'espace d'une semaine, entre le 11 et le 17 septembre 1959. François Rauber, cette fois, en supervise seul la direction musicale. Il a écrit l'intégralité des arrangements et c'est lui qui conduit l'orchestre. Gérard Jouannest, bien sûr, est au piano.

Première chanson mise en boîte, « La tendresse » semble vouloir proposer une alternative optimiste et positive au noir désespoir de « Ne me quitte pas ». Encore que le héros, sans parler de devenir l'ombre d'un chien, se déclare prêt à de sérieuses concessions :

Pour un peu de tendresse,
Je changerais de visage,
Je changerais d'ivresse,
Je changerais de langage.

Cette idée de troc, sous-jacente de bout en bout, est peut-être plus démoralisante que le ton détaché ne voudrait le laisser paraître. La tendresse ? Un pis-aller, au fond, qui a son prix – pour le simple matelot en escale jusqu'à l'empereur et ses ménestrels :

Pourquoi crois-tu, la belle,
Que les marins au port
Vident leurs escarcelles
Pour offrir des trésors
A de fausses princesses ?
Pour un peu de tendresse.

On a beaucoup épilogué sur « Ne me quitte pas », l'une des chansons les plus célèbres de son temps, dans le monde entier. De Nina Simone à Frank Sinatra, en passant par Tom Jones et Johnny Hallyday, les reprises sont aussi nombreuses qu'inattendues. On en recense des adaptations (plus ou moins réussies) en hollandais, allemand, italien, espagnol, anglais, hébreu, suédois, danois, finnois, yougoslave, japonais, russe, etc. Avec plusieurs versions, parfois, dans la même langue, voire plusieurs versions pour un même interprète. Brel, lui, l'a enregistrée en français et en flamand.

Etrange destinée que celle de cette chanson dont Edith Piaf disait qu'« *un homme ne devrait pas chanter des trucs comme ça* ». Son auteur lui-même affirmait ne pas l'aimer et la présentait, sans complaisance, comme « *un hymne à la lâcheté. A la lâcheté des hommes. C'est jusqu'où un homme peut s'humilier. Je sais qu'évidemment ça peut faire plaisir aux femmes qui en déduisent, assez rapidement semble-t-il, que c'est une chanson d'amour. Et ça les réconforte ; et je comprends bien ça* [1]... »

Aujourd'hui, plusieurs femmes revendiquent le triste honneur d'avoir inspiré « Ne me quitte pas » – le plus probable est qu'il s'agisse de Suzanne Gabriello, qui ne s'en cachera pas, d'ailleurs, lors de la mort de Jacques –, mais qu'importe, au fond : au-delà de l'anecdote personnelle, « Ne me quitte pas » atteint en effet une dimension universelle. Dans sa façon de peindre l'impuissance devant la décomposition de l'amour et ce sentiment intense d'abandon à l'approche de la séparation.

Comme toujours, Brel utilise un processus de progression ; mais à l'inverse de ses crescendos habituels, celle-ci tend inexorablement vers la déchéance. Partant d'une proposition, somme toute banale :

Oublier le temps
Des malentendus
Et le temps perdu,

le personnage s'enferre peu à peu dans un réseau inextricable de promesses vaines, irréalistes et pathétiques, qui

1. Dialogue de Jacques Brel avec Geneviève de Vilmorin, au micro d'Emmanuel Poulet (RTL, 1966).

ne sont bientôt plus que des esquisses de promesses. Délais-sant l'affirmation au profit du « *paraît-il* », puis renonçant à tout gage d'amour, d'affection ou simplement de tendresse, il n'implore plus finalement que le droit de rester présent. Pas même comme un objet, comme une ombre... La pro-gression est achevée : le héros a abdiqué toute personnalité.

« *On compose une chanson pour trois mots, disait Brel ; trois mots qui vous transpercent le cœur, un jour, on ne sait pourquoi. Pour ces trois mots on écrit un poème. On cherche des phrases qui les amènent, qui les encerclent. Ce qu'il y a d'important, ce sont ces trois mots ; le reste, c'est du remplissage* [1]. » Ces mots, en l'occurrence, il est fort probable que Jacques les ait trouvés chez Dostoïevski : « *Je ne te demanderai rien, rien de plus. [...] Ne me réponds rien, ne fais même pas attention à moi, laisse-moi seulement te regarder de mon coin, fais de moi ta chose, ton chien* [2]... »

S'il a vraisemblablement éprouvé ici – découvrant en ces mots la traduction parfaite de sa propre déroute senti-mentale – le besoin de mettre en chanson ce qui, sous la plume de Dostoïevski, constituait le récit d'une agonie [3], Jacques a toujours eu à cœur, en fait, de partager ses rémi-niscences littéraires avec son public. Un penchant dont « Zangra », véritable démarquage du *Désert des Tartares* de Dino Buzzati, est l'illustration par excellence.

De même parsème-t-il ses disques d'allusions musicales plus ou moins transparentes, simples clins d'œil complices ou jalons importants – selon l'humeur du moment – dans son univers. D'aucuns parleront de plagiat (notamment à propos d'« Amsterdam »), d'autres de ressemblances for-tuites : des affirmations qui résistent d'autant moins à l'ana-lyse que François Rauber et Gérard Jouannest – ne

1. Propos recueillis par Pierre Barlatier et cités par Martin Monestier dans *Jacques Brel, le livre du souvenir* (*op. cit.*).
2. « Douce », de Fiodor Dostoïevski, extrait du *Journal d'un écrivain*, 1876 (Editions Gallimard, Bibliothèque de la Pléiade, 1972).
3. On peut également faire le rapprochement entre « Ne me quitte pas » et ces vers de Federico Garcia Lorca, extraits de « Casida del sueño al aire libre » : « *Si tu es mon trésor caché / Si tu es ma croix et mon chagrin mouillé / Si je suis le chien de ta seigneurie / Ne me laisse pas perdre ce que j'ai gagné* », où se retrouvent tout à la fois l'idée de trésor, d'eau et de royauté, et toujours l'image servile du chien.

l'oublions pas – sont l'un et l'autre premier prix de conservatoire. A un tel niveau de culture musicale, on ne plagie plus :
on cite. En toute connaissance de cause et sans chercher à
dissimuler des références qui, dès lors, s'apparentent plus à
de discrets hommages qu'à des emprunts. Comme ce petit
thème de piano – « mi-mi fa-mi-mi » – qui introduit chaque
couplet de « Ne me quitte pas », évoquant irrésistiblement
l'amorce du second mouvement de la sixième *Rhapsodie
hongroise* de Liszt, avant que les deux mélodies ne prennent
leurs distances.

L'arrangement de François Rauber pour « Ne me quitte
pas » compte parmi ses plus belles réussites, avec l'introduction d'un instrument mal connu, les ondes Martenot (jouées
ici par Sylvette Allart et assez proches à l'écoute d'une scie
musicale), une utilisation particulièrement intelligente du
hautbois et la partie de piano de Gérard Jouannest, déliée et
poignante comme un nocturne.

18

La colombe est blessée

Célébrant l'enterrement de « l'abbé Brel » à sa manière, « La dame patronnesse » est la première vraie réussite de Jacques dans le domaine de l'humour. C'est aussi la première fois qu'il théâtralise son chant à ce point, annonçant déjà les véritables explications de texte que seront plus tard ses interprétations de « Ces gens-là » ou des « Bonbons 67 ».

Débarrassé des tentatives de badinage à la Trenet – un genre qui, par sa légèreté, ne lui convenait guère –, Brel a enfin trouvé un comique à lui, qui sera toujours mêlé de vitriol. Tel ce conseil fielleux, en guise de chute :

Pour faire une bonne dame patronnesse,
Mesdames, tricotez tout en couleur caca d'oie,
Ce qui permet le dimanche à la grand-messe
De reconnaître ses pauvres à soi!

On est aux antipodes, désormais, des animations charitables de la Franche Cordée qui prétendaient relever le niveau moral des « classes les moins favorisées ».

Autre clin d'œil musical, plus appuyé cette fois, « La mort » démarque de fort près le « Dies irae » de la *Symphonie fantastique* de Berlioz. Aucun doute n'est permis quant aux intentions des musiciens, car le morceau s'ouvre sur une citation textuelle de la mélodie et de son éclatante descente de trompettes. Ce thème de la mort – sur lequel Jacques reviendra à maintes reprises – apparaît ici pour la première fois; mais à trente ans, la mort lui semble une éventualité si lointaine qu'elle en devient presque abstraite. Entre elle et lui se dressent en effet ses rages de dents et ses bringues avec Jojo, ses quatre paquets de celtiques par jour et ses peines de cœur. C'est bien assez compliqué comme ça.

Commençant, mine de rien, sur un petit métallophone évoquant ces boîtes à musique dont il suffit de soulever le couvercle pour voir tourner une petite ballerine de celluloïd en tutu, « La valse à mille temps » prend progressivement une respiration d'orgue de Barbarie, avant de s'étourdir dans la frénésie d'un emballement incontrôlable. La tension monte de bout en bout, portée d'abord par une somptueuse ligne de piano, à l'élégance un peu désuète, par des roulements de cuivres ensuite, tandis que Brel se livre à un véritable exploit vocal, enchaînant à un rythme de plus en plus soutenu les coups de flash d'une danse qui se démultiplie.

Jamais encore l'adéquation paroles et musique n'avait été aussi totale dans l'œuvre de Jacques Brel que dans cette « Valse à mille temps » dont il se vendra un demi-million d'exemplaires en un temps record. Un « tube » énorme. Au point que les chansonniers en feront un pastiche, pour brocarder le gouvernement, au sujet de la hausse des prix : « La vache à mille francs »...

Si « La valse » est l'air de la consécration, « Les Flamandes », elles, soufflent le vent de la discorde.

Discorde un peu ridicule, à vrai dire, car il ne s'agit ici que d'une commodité de langage. Rien à voir avec les véritables attaques en règle que Brel lancera, plus tard, contre les Flamingants (« La... La... La... », « Les bonbons 67 » et surtout « Les F... »). Outre que le titre renvoie à Emile Verhaeren, l'un de ses poètes préférés (dont le premier recueil publié porte ce même nom [1]), Jacques l'a choisi seulement parce qu'il se sent Flamand lui-même. Il a ainsi des points de référence précis pour étayer ses images. Mais il aurait pu aussi bien, dira-t-il chaque fois qu'on lui posera la question, intituler sa chanson « Les Bretonnes », voire « Les Normandes ».

Autre procès ridicule fait aux « Flamandes », l'accusation (encore !) de misogynie. Faut-il ne pas savoir écouter pour refuser d'entendre que cette chanson ne s'en prend ni à la

---

1. *Les Flamandes*, par Emile Verhaeren (1890).

Flandre ni aux femmes, mais à toute une société! Tout un ensemble de conventions et de traditions, de médiocrité, d'hypocrisie et de bigoterie mêlées, qui dépasse largement le cadre d'une région, fût-elle la Flandre. La chanson de Brel eût-elle été mieux accueillie en Belgique si elle s'était appelée « Les Lapones »? Il n'est pas interdit, hélas, de le penser.

S'il est compréhensible que les Flamands aient pu se sentir blessés par des œuvres ultérieures les prenant à partie sur des questions spécifiques, la réaction haineuse suscitée par « Les Flamandes » est totalement extravagante. Y compris aux yeux d'intellectuels flamands, comme Johan Anthierens, ayant échappé par bonheur à la normalisation idéologique de rigueur : *« En tant que Flamand, Brel a tout à fait le droit de dire ce qu'il pense de la Flandre et des Flamingants, s'il le veut. Car l'autocritique est la première des critiques et si l'on n'ose pas la pratiquer, il n'y a plus qu'à se taire quant aux autres* [1]. »

Ecrite pour la naissance de sa troisième fille, sur une musique de François Rauber (qui, rappelons-le, en était le parrain), « Isabelle » s'apparente à ces œuvres de circonstance qui ne devraient jamais sortir du cadre familial. Jacques ne la traitera pas autrement, d'ailleurs, et ne la chantera pour ainsi dire jamais.

En revanche, « Seul » est d'une facture remarquable. Le texte, dense et d'une construction rigoureuse, suit comme toujours une progression – allant ici du particulier au général et du simple à la multitude – mais, parvenue à son sommet, la courbe redescend et au bout du compte :

[...] lorsqu'on voit venir
En riant la charogne,
On se retrouve seul.

Epousant exactement le sens des paroles, la musique gagne en tension jusqu'à l'apogée de la parabole, puis l'orchestre se désagrège petit à petit et le chant s'achève sur une simple guitare. Seul! Brel a compris que les passions, les ivresses et les rires de l'être humain ne servent qu'à lui masquer son incurable solitude. Il ne s'en remettra jamais. Et son texte, d'une lucidité sans complaisance en l'occurrence, touche au fond du désespoir.

1. Propos recueillis par l'auteur. Voir interview en annexe.

Nous sommes à l'automne de l'année 1959. De Gaulle est revenu aux affaires depuis une quinzaine de mois [1] et il vient de déclarer, faisant « la tournée des popotes » en Algérie : « *Moi vivant, le drapeau FLN ne flottera jamais sur Alger.* » Les rappelés sont donc plus nombreux que jamais et les questions de Jacques Brel, dans ce contexte, prennent une résonance terrible :

Pourquoi ce lourd convoi
Chargé d'hommes en gris,
Repeints en une nuit
Pour partir en soldats ?
Pourquoi ce train de guerre ?
Pourquoi ce train de pluie ?
Pourquoi ce cimetière
En marche vers la nuit [2] *?*

Ne ressemblent-ils point comme des frères de misère à « *ces soldats sans armes / Qu'on avait habillés pour un autre destin* [3] », ces grands gosses « *repeints en une nuit* » entassés dans leur train ? Cette image du train remonte à l'enfance, à l'époque où Jacques posait son vélo contre les parapets des ponts, pour rêver : « *Quand on est enfant, on est toujours plus ou moins marqué par une machine, un paysage, un coin. Moi, j'ai toujours été marqué par les gares, les trains. [...] Je restais là des heures... [...] Et puis cette idée de trains m'a poursuivi. Aujourd'hui encore les gares représentent pour moi la guerre. Je n'imagine pas le mot « guerre » sans le mot « train » : les femmes qui sont sur le quai, les soldats qui partent... Parce qu'un train, c'est implacable* [4]*... »*

Cette assimilation du train à la guerre – alors que le chemin de fer appartient à ses meilleurs souvenirs d'enfance – est aisément explicable : pour Jacques, la guerre marque la fin de l'enfance, tout au moins la fin de l'innocence. Au propre comme au figuré. Il le dira on ne peut plus nettement

1. Suite aux événements du 13 mai 1958, Charles de Gaulle est nommé chef du gouvernement, le 29 du même mois, à la demande du président Coty. La IVᵉ République vit alors ses derniers jours.
2. « La colombe ».
3. « Il n'y a pas d'amour heureux », poème de Louis Aragon, mis en musique par Georges Brassens (1954).
4. Archives radiophoniques de la RTB.

en conclusion de « Mon enfance » *(« Et la guerre arriva / Et nous voilà, ce soir... »)*, mais ici l'évocation est à peine moins explicite, détournant ostensiblement une ronde enfantine pour en faire la colonne vertébrale de son refrain :

Nous n'irons plus au bois, la colombe est blessée,
Nous n'allons pas au bois, nous allons la tuer.

Mais le *« cœur de l'agneau »* – Jacques nous l'a suffisamment dit – n'exclut pas l'acuité de *« l'œil du berger »* ; aussi est-ce avec courage et lucidité que « La colombe » pose des problèmes de fond qui vont bien au-delà d'un simple refus de marcher au canon :

Pourquoi l'enfant mort-né
Que sera la victoire ?
Pourquoi ces jours de gloire
Que d'autres auront payés ?

Toute l'efficacité de la chanson repose sur ce mode interrogatif, beaucoup plus subversif, au fond, que ces refrains en forme de tracts ou de mots d'ordre qui touchent seulement ceux qui sont déjà convaincus. Ici, Brel ne prétend rien démontrer : il suggère, apporte des éclairages différents et instille le doute. Mais il arrive forcément un jour, lorsque l'on pose de telles questions au public, avec autant d'honnêteté et de dignité, où celui-ci va se mettre à en chercher les réponses...

A ce titre, « La colombe » est une formidable chanson antimilitariste. Largement reprise aux Etats-Unis au moment de la guerre au Viêt-nam [1], elle jettera les bases de cette estime profonde que les milieux intellectuels américains finiront par porter à Jacques Brel, au point d'en faire le personnage central d'une comédie musicale qui, plusieurs années durant, sera l'un des succès de la scène new-yorkaise.

Au regard de chansons comme « Ne me quitte pas », « La colombe », « La valse à mille temps » ou « Les Flamandes », la dixième et dernière enregistrée au cours de cette séance fait un peu figure de fond de tiroir. Vu à quel point l'écriture de Brel a évolué en quelques mois, on reste confondu par la pla-

1. Juddy Collins et Joan Baez, pour ne citer qu'elles, en donneront chacune une version très personnelle ; particulièrement magnifique dans le cas de la première.

titude des métaphores de « Je t'aime » et les détours de la
syntaxe :

Pour le doigt de la pluie
Au clavecin de l'étang
Jouant page de lune
Et ressemble à ton chant,
Je t'aime...

Ce disque [1] clôt, en quelque sorte, le cycle d'apprentissage
de Jacques Brel. Voilà près de sept ans qu'il s'est lancé dans
l'aventure de la chanson et jusqu'ici, il s'en faut de beaucoup, il n'a pas écrit que des chefs-d'œuvre. Mais en sept
ans, il a largement payé le prix de ses tâtonnements et de ses
maladresses. Réalisant l'étendue de ses lacunes à son arrivée
en France, il a travaillé sans relâche avec un dictionnaire à
portée de main ; tandis que Canetti, auquel il allait montrer
ses nouvelles chansons, lui conseillait bien souvent de revoir
sa copie, voire de tout reprendre à zéro. Loin de s'offusquer,
Jacques a su mettre son orgueil sous le boisseau et admettre
que l'homme des Trois-Baudets avait raison. Et voilà qu'à
présent on commence, à son propos, à parler de poésie...

Bien sûr, il récuse le terme. Non par modestie, mais par
lucidité ; comme tous les vrais orgueilleux, il n'a ni vanité ni
fausse pudeur : « *Quand je lis Baudelaire*, affirme-t-il, *je sais
tout ce que j'ai raté. Ça rend humble...* »

Qu'importe ! Poète ou non, Jacques Brel est désormais
considéré comme l'un des plus grands créateurs de la chanson d'auteur. Au moment même où cette dernière va recevoir de plein fouet une vague que personne n'avait vu venir
et qui balaiera presque tout sur son passage : le rock'n'roll.

---

1. « La valse à mille temps », « Seul », « La dame patronnesse », « Je t'aime »,
« Ne me quitte pas », « Les Flamandes », « Isabelle », « La mort », « La tendresse » et « La colombe » figurent sur le 33 tours 25 cm BZ 840 907 (le
code BZ indiquant désormais les enregistrements stéréophoniques). « La
valse à mille temps », « La tendresse », « Ne me quitte pas » et « La dame
patronnesse » feront l'objet d'un premier super-45 tours, le septième pour
Brel (réf. : BE 432 371) ; « La colombe », « Les Flamandes », « Isabelle » et
« Seul » sortant quelques mois plus tard sur un nouveau super-45 tours
(réf. : BE 432 425).

19

Copains, copains, copains

La fin des années 50 marque une sorte d'âge d'or pour la chanson française, dont la plupart des créateurs majeurs se révèlent simultanément ou presque : Georges Brassens, Léo Ferré, Charles Aznavour, Guy Béart, Gilbert Bécaud, Jean Ferrat, Boby Lapointe, Anne Sylvestre, Serge Gainsbourg, Pierre Perret, etc. Voire Claude Nougaro, Leny Escudero ou Maurice Fanon, un peu plus tard... Des figures historiques comme Edith Piaf, Charles Trenet, Yves Montand ou Francis Lemarque sont en pleine activité, et Maurice Chevalier, bien qu'il annonce ses adieux définitifs avec une régularité qui fait sourire, est toujours là. Au Canada, Félix Leclerc a fait école : Claude Léveillée et Gilles Vigneault se sont lancés sur ses traces ; et en Belgique, il y a Brel.

Economiquement parlant, l'essentiel repose encore sur les radios et le spectacle vivant, car les cabarets et les petites salles sont légion, et les gens à l'affût du talent. La télévision dépasse à peine un stade expérimental, émettant quelques heures par jour sur une seule chaîne. Quant au disque, s'il existe depuis la fin du siècle dernier, de fréquents changements de standards ont empêché un développement massif [1], le parc des appareils de lecture étant longtemps resté

1. En matière de disques, il y eut successivement – et même simultanément, en fonction des différentes marques et des différents fabricants – toute une gamme de formats hétéroclites allant du 70 tours au 100 tours/minute, en passant par le 75, le 78, le 80 ou le 90 tours. En France, la première usine de pressage phonographique fut fondée le 13 juin 1895 par les frères Pathé.

disparate. Et si le vénérable 78 tours passe définitivement à la trappe en 1957, au profit de formats nouveaux tels que le 33 tours – on devrait d'ailleurs dire : 33 tours 1/3 – et le 45 tours (respectivement commercialisés en 1946 et 1949), le marché demeure limité, le temps que se répandent les tourne-disques adaptés aux technologies récentes.

Son envol se produira surtout à partir de 1955, grâce à l'apparition du microsillon ; si bien que des ventes comme celles de « La valse à mille temps », qui seraient excellentes de nos jours, représentent à l'époque une manière de record. Les radios diffusent certes beaucoup de chansons, mais au-delà des droits d'auteur qui en résultent, cela sert surtout à remplir les salles de spectacle. Car on va volontiers découvrir un chanteur dont on a entendu la voix à la TSF. Les artistes vivent donc sur leurs cachets, non sur la vente de leurs disques.

L'année 1959 est achevée. Piaf vient de créer « Milord » et Sacha Distel a signé le tube de l'été avec « Scoubidou » ; Fidel Castro a pris le pouvoir à Cuba ; Boris Vian et Gérard Philipe sont morts à quelques mois d'intervalle. Ni l'un ni l'autre n'avaient quarante ans. Quelques jours après le Nouvel An, ce sera le tour d'Albert Camus, à l'âge de quarante-six ans. Pour le rock'n'roll, l'essentiel est déjà dit, ou presque. Elvis Presley est sous les drapeaux, en Allemagne, après avoir définitivement enterré sa légende de rebelle, Buddy Holly s'est tué en avion, et il ne reste que très peu de temps à Eddie Cochran avant de franchir les « trois marches du paradis [1] ».

C'est donc avec un certain retard sur l'Histoire que le rock'n'roll arrive en France, pour y provoquer le plus grand bouleversement socio-économique de l'après-guerre. Il y est d'ailleurs attendu de pied ferme, car Vian, qui avait des antennes aux Etats-Unis, a prévenu son monde : le rock est *« un chant tribal ridicule, à l'usage d'un public idiot »*.

Le 14 mars 1960, la sortie du premier 45 tours de Johnny Hallyday marque l'acte de naissance officiel du rock français. Un disque que Lucien Morisse, directeur d'Europe N° 1,

1. Quelques semaines avant son accident mortel (le 17 avril 1960, à Londres), il créait le prémonitoire « Three Steps to Heaven ».

cassera en direct sur les ondes, promettant à ses auditeurs qu'ils n'entendront plus jamais parler de l'hurluberlu en question.

Ce jour-là, Jacques Brel est en tournée. En Suisse. Il arrive de Belgique et s'apprête à s'envoler pour la Tunisie. A son planning des prochains mois : l'Egypte et Israël. Pour être franc, l'avenir du rock'n'roll en France n'est pas le premier de ses soucis. Quant à la carrière de Johnny... Sous prétexte qu'il se roule par terre en chantant, les journaux parlent d'indécence, d'hystérie et de provocation. Question provocation, Jacques, lui, vient de s'en offrir une vraie – une belle, comme il les affectionne – à l'université de Louvain, là où son père fit ses études. On lui a demandé d'y chanter pour un public composé en grosse majorité d'étudiants flamingants. Se méfiant des réactions hostiles, et peut-être violentes, de ces derniers, le responsable souhaite que le chanteur retire « Les Flamandes » de son programme. Brel, évidemment, refuse. On lui propose alors de la chanter en dernier, afin de limiter les possibilités de chahut. Nouveau refus de Jacques, pour qui ce serait tricher de balancer l'objet du scandale et de s'esquiver aussitôt. S'il doit y avoir des vagues, il veut faire face... Il veut pouvoir en profiter.

A l'heure dite, il chante sa chanson, à sa place habituelle, et les quelques remous, les quelques manifestations houleuses qui naissent dans la salle sont vite noyés par les applaudissements qui éclatent à la fin du morceau. Déçu de ne pas avoir eu son charivari, Jacques la rechante immédiatement, à la stupéfaction générale, dérogeant ainsi pour la toute première fois à la règle formelle qu'il s'est imposée de ne jamais bisser une chanson ni de faire de rappel. Un refus systématique qu'il justifie en expliquant que son spectacle est un tout, auquel rien ne saurait être ajouté ni enlevé : « *On ne demande pas aux acteurs de rajouter un acte, à la fin d'une pièce de théâtre réussie. Moi, c'est pareil. Quand j'ai fini, j'ai fini.* »

Trajectoire fulgurante.

Six mois après la sortie de son premier disque, Johnny Hallyday passe à l'Alhambra, en vedette américaine du spectacle de Raymond Devos. Surprise ! Ceux qui ont payé pour voir l'humoriste ne s'attendaient certainement pas à devoir supporter la prestation très agitée de celui que le programme présente comme « Le jeune prince du rock'n'roll ». Les réactions oscillent entre scandale et triomphe. *« Quelque chose est en train de se produire là, et vous ne savez pas ce que c'est. N'est-ce pas, Mister Jones* [1] *? »* On aurait sans doute pu poser cette question narquoise de Bob Dylan à l'ensemble de la presse, au lendemain d'une première-événement qui apparaît, avec le recul, comme la bataille d'*Hernani* du rock français.

Bientôt Johnny part en tournée, provoquant de véritables émeutes partout où il passe. Certaines villes lui sont même interdites : Cannes, Strasbourg, Biarritz... Mais le rock, en moins d'un an, a radicalement bouleversé le paysage des variétés. Des groupes naissent tous les jours : Chaussettes noires, Chats sauvages, Pirates, Lionceaux, Champions, Daltons et autres Cyclones. Toutes les données économiques du métier sont chamboulées. Tandis que les tourne-disques, les fameux Teppaz, se multiplient à un rythme accéléré, du jour au lendemain et sur un seul titre, des chanteurs complètement inconnus la veille vendent des centaines de milliers de microsillons. Richard Anthony ira jusqu'à enregistrer douze 45 tours en une seule année ! Sur Europe N° 1, Daniel Filipacchi et Frank Ténot créent l'émission *Salut les copains*, qui battra rapidement tous les records d'audience ; d'autant que le poste à transistors a fait son apparition et que l'on peut dorénavant emporter la radio avec soi.

Parallèlement à l'énorme marché en train de s'ouvrir, on voit surgir une presse spécialisée, à l'usage de cette jeunesse qui accède d'un coup aux délices de la consommation : *Disco Revue, Moins 20, Age tendre et tête de bois, Nous les garçons et les filles, Bonjour les amis* et surtout le parangon de la réussite : *Salut les copains*, dont la promotion, bien entendu, est relayée par l'émission.

---

1. « Ballad of a Thin Man », paroles et musique de Bob Dylan (1965).

Désormais les jeunes ont la parole – du moins ont-ils cette illusion – et ils ne la rendront plus. Quitte à engendrer parfois un certain malaise chez les générations précédentes. Certaines réactions épidermiques font aujourd'hui sourire. Ainsi de Gaulle déclarant : « *Ces jeunes gens ont de l'énergie, qu'on leur fasse construire des routes !* », ou Philippe Bouvard s'interrogeant dans *Le Figaro* : « *Quelle différence entre le twist de Vincennes et des discours d'Hitler au Reichstag* [1] *?* » Contrecoup de ce raz de marée, de nombreux artistes que l'on tenait pour des valeurs sûres de la « chanson de qualité » disparaissent en un rien de temps, comme gommés de la mémoire collective. D'autres, ne voyant aucun intérêt à affronter le phénomène de face, font le gros dos en attendant que la vague ait fini de déferler. Et chacun à sa façon tâche de survivre à l'orage. Tantôt avec la dernière démagogie, tantôt en exportant vers le Japon ou l'Amérique latine une certaine idée d'une tradition moribonde.

Ainsi, en octobre 1961, lorsqu'il s'agit de succéder à Johnny Hallyday à l'Olympia, les volontaires ne se bousculent pas. Bourrant chaque soir, pendant trois semaines, la salle du boulevard des Capucines et mettant constamment le public au bord de la transe, Johnny fait « un malheur ». Dans tous les sens du terme, car chaque jour il faut remplacer les fauteuils cassés par ses fans.

Plus qu'un « tabac » : le sacre d'une idole !

Marlène Dietrich, prévue à l'origine, est alors victime d'une maladie que certains jugeront fort diplomatique. Il faut donc trouver en catastrophe un spectacle de remplacement, mais aucune tête d'affiche ne veut prendre le risque de la comparaison avec Johnny. Bruno Coquatrix a beau éplucher son volumineux carnet d'adresses, tous et toutes lui font faux bond, sous des prétextes divers. Et la date de la première approchant, la situation devient critique.

Déjà convaincu que « *Le monde sommeille / Par manque*

---

1. Cet article fait suite à « la folle nuit de la Nation » du 22 juin 1963, qui rassembla quelque cent cinquante mille jeunes spectateurs, fait sans précédent dans l'histoire de la chanson française.

d'imprudence [1] », Jacques Brel, lui, va relever le défi. Parce qu'il faut toujours *« aller voir »*.

Le 13 octobre, un vendredi, à l'heure prévue pour « l'Ange bleu », ayant vomi de peur comme à son habitude, il entre en scène. Soutenu par François Rauber et Gérard Jouannest aux deux pianos, Jean Corti à l'accordéon et le Grand orchestre de l'Olympia dirigé par Daniel Janin, il attaque sur « Les prénoms de Paris », l'un des titres forts du nouveau 33 tours qu'il a sorti quelques mois plus tôt; puis enchaîne sur trois inédits : « Les paumés du petit matin », « Zangra » et « Les bourgeois ». Au total, il offre au public six chansons nouvelles, sur les quinze que contient son tour de chant.

Préfaçant le programme, Edith Piaf écrit ces mots qui la définiraient si bien elle-même : *« Il va jusqu'au bout de ses forces, parce que la chanson est ce qui lui fait dire sa raison de vivre, et chaque phrase vous arrive en pleine figure et vous laisse un peu groggy. »* Mais l'ampleur du triomphe de Jacques, ce soir-là, se mesure surtout à l'aune de ce que Pierre Ravenol écrira, le lendemain, dans *Paris-Presse* : *« Il n'y a que Georges Brassens qui, avant Jacques Brel, ait vraiment réussi cette performance exceptionnelle qui consiste à faire croire au public qu'on peut tout lui dire dans une chanson. »*

1. « Jojo ».

20

Le prochain amour

Il est des sons qui restent à jamais liés aux souvenirs de l'enfance. Aux odeurs, aux images, et à toutes ces heures où l'on a regardé rêveusement les nuages ou la mer – ou la ligne de chemin de fer et les cheminées par-delà le mur de la cité, si l'on est parti dans la vie avec un peu moins de chance.

Pour Brel, homme du Nord, de paysages adoucis par la brume et de relents mélangés de friture, de bière et de marée, il y aura toujours un accordéon pour traîner sa plainte ou placer trois mesures de gaieté dans tout ce qu'il entreprendra de décrire. Un accordéon dans les tripes, comme d'autres le blues. Même si, par boutade, il fait mine de s'en défendre :

D'ailleurs j'ai horreur
De tous les flonflons
De la valse musette
Et de l'accordéon [1]...

En août 1960, il s'apprête à partir, en vedette cette fois, pour une nouvelle tournée d'été organisée par Jacques Canetti, lorsqu'il apprend que celui-ci a engagé un accordéoniste pour accompagner la chanteuse Claude Sylvain. Y voyant une chance, Jacques demande à François Rauber de lui écrire quelques arrangements pour accordéon et, munis des partitions, ils se rendent ensemble aux Trois-Baudets où Claude Sylvain est en train de répéter.

1. « Vesoul ».

Coïncidence, Jacques a déjà rencontré le musicien en question, deux ou trois ans auparavant, dans une boîte de Bandol : le Suzy Bar. A l'époque, ils avaient sympathisé et Brel était revenu plusieurs fois l'écouter jouer et boire quelques verres avec lui. Jean Corti : un Bergamasque d'une trentaine d'années, chaleureux et ouvert. Sans même lui demander son avis, Jacques lui tend la liasse de papier ligné : « *Tiens, tu ferais mieux d'apprendre tout ça par cœur, parce que tu ne vas pas te trimbaler tout le mois avec tes partitions.* »

En quelques jours, Corti est adopté, tant par Jacques que par Jouannest et Rauber. Quand la tournée s'achève, il n'est pas question de le laisser repartir. Et c'est ensemble qu'ils s'en vont jouer au Caire, puis à Jérusalem, Tel-Aviv, Marseille, Lausanne, Genève, Bruxelles, Lyon, Grenoble, etc. Sans le savoir, Jean Corti vient d'en prendre pour six ans : « *Il était pratiquement impossible de ne pas se lier d'amitié avec Brel. C'était un mec terrible* [1] *!* »

Février 1961. Juste avant de s'envoler vers Montréal, pour une semaine à la Comédie canadienne – en compagnie, encore et toujours, du fidèle Raymond Devos – et quelques soirées mémorables chez Claire Oddéra, toute la bande entre en studio pour mettre en boîte ce qui sera le cinquième 33 tours de Jacques [2]. Le travail en équipe, durant les filages ou les rares périodes de calme à Paris, commence à porter ses fruits : Gérard Jouannest signe (ou cosigne) cinq mélodies sur les neuf chansons que compte le disque, Brel en écrit intégralement trois, tandis que François Rauber a composé la neuvième.

L'enregistrement débute le 22 février. En une seule séance, Jacques Brel grave trois chansons majeures : « On n'oublie rien », « Le moribond » et « L'ivrogne », ce qui montre la densité d'inspiration à laquelle il est enfin par-

1. Propos recueillis par l'auteur. Voir interview.
2. « Clara », « L'ivrogne », « Marieke », « Le moribond », « On n'oublie rien », « Les prénoms de Paris », « Le prochain amour », « Les singes » et « Vivre debout » figurent sur le 33 tours 25 cm BZ 840 917. Deux 45 tours furent tirés de ces séances. Le premier comprenant « L'ivrogne », « Le moribond » et « On n'oublie rien » (réf. : BE 432 518). Le second : « Clara », « Marieke », « Les prénoms de Paris » et « Le prochain amour » (réf. : BE 432 531).

venu. Répétons-le, l'œuvre de Jacques Brel est aussi auto-biographique que possible. *« Moi, je parle encore de moi... »*, dit-il dans « Les bourgeois ». Ce disque en est la parfaite illustration. Sa rupture avec Suzanne Gabriello, définitive-ment consommée, lui a fait franchir un point de non-retour : Jacques en est sorti le cœur en cendres. Non de la séparation elle-même, car déjà il vit avec une autre femme, mais de toutes ces années de déchirures et d'affrontements meur-triers, qui conduisent à *« cette affreuse prière / Qu'il faut pleurer quand l'autre est le vainqueur* [1] *»*. Formidable définition de « Ne me quitte pas ».

Chez Philips, où elle est attachée de presse, Jacques a ren-contré Sylvie. Elle sort, elle aussi, d'une idylle douloureuse. Avec Gainsbourg. Et c'est plus par tendresse, dans un pre-mier temps, et par besoin de se réchauffer mutuellement le cœur qu'ils se rapprochent. La passion viendra plus tard, mais elle n'en sera pas moins dévorante et, finalement, bri-sante.

Humilié, bafoué, meurtri par l'expérience sur laquelle il vient de tourner la page, Jacques n'est pas dupe à l'orée de ce « Prochain amour » :

Je sais, je sais que ce prochain bonheur
Sera pour moi la prochaine des guerres.

Il le dit en toute lucidité, mais sans hargne et sans amer-tume :

Je sais déjà à l'entrée de la fête
La feuille morte que sera le petit jour...

Il n'y a là, malgré tout ce qui s'est dit, aucun ressentiment à l'encontre des femmes. Celles-ci, pas davantage que les hommes, ne sont à l'abri de ces petits reniements, malenten-dus, concessions ou déceptions qui forment le tissu de la vie commune. Et Jacques analyse, avec beaucoup de finesse, cette étrange fatalité qui fait que, dans un couple, chacun croit toujours donner plus que l'autre :

Je sais, je sais que ce prochain amour
Sera pour nous de vivre un nouveau règne
Dont nous croirons tous deux porter les chaînes,
Dont nous croirons que l'autre est le vainqueur.

1. « Le prochain amour ».

Ce texte, absolument essentiel à la bonne compréhension du chanteur, est l'un de ceux qui battent en brèche l'idée d'une misogynie brélienne forcenée. C'est en outre – à l'instar de « Avec le temps » de Léo Ferré – l'une des plus profondes réflexions sur l'amour que nous ait jamais donnée la chanson.

Impossible, dans ces années 1960-1961, d'échapper à ce qui restera l'un des deux ou trois plus grands succès de la carrière d'Edith Piaf : « Non, je ne regrette rien [1] ». La chanson est dans toutes les oreilles, les radios colportant inlassablement cette espèce d'état des lieux dressé, sans beaucoup de complaisance, par une femme d'une générosité folle, que la vie a prématurément usée :

C'est payé,
Balayé,
Oublié,
Je me fous du passé !

Jacques l'a forcément entendue au moment où il écrivait « On n'oublie rien ». Et s'il ne s'agit pas d'une réponse délibérée à la chanson de Piaf, la sienne la prend à contre-pied car il est bien incapable, lui, de se foutre du passé. Loin d'allumer le feu avec ses souvenirs, il s'en nourrit quotidiennement – le propre des êtres de fidélité – tout en les nourrissant de son quotidien. A petites touches précises... De ses interminables virées nocturnes, dont il ne sera jamais sevré mais dont il sait exactement ce qu'elles valent, au fond :

... tous ces bars,
[...] tous ces attrape-cafard
Où l'on attend le matin gris
Au cinéma de son whisky,

à ces filles de rencontre avec lesquelles on partage quelques heures, pour s'offrir l'illusion d'être moins seul :

... ces bras blancs d'une seule nuit,
Collier de femme pour notre ennui
Que l'on dénoue au petit jour,

1. Paroles de Maurice Vaucaire, musique de Charles Dumont.

le désabusement commence à le gagner. La lassitude aussi, et il évoque déjà :

... ce temps où j'aurais fait
Mille chansons de mes regrets...

Si le regard, en forme de bilan, que Brel porte autour de lui semble à ce point dénué d'illusions, ce n'est pas tant la marque d'un désespoir accru que – chose rarissime chez lui – l'acceptation d'une certaine impuissance :

On n'oublie rien de rien,
On s'habitue, c'est tout...

Moment passager de faiblesse, sans doute, car le tempérament de Jacques le pousse spontanément à rejeter toute forme de résignation. Résigné, on ne s'imagine pas en Don Quichotte ou en Vasco de Gama... Mais le personnage de Jacques Brel ne saurait se réduire non plus à ces seules images de pourfendeur de moulins à vent ou de laboureur d'horizon. Chacune de ses victoires a beau être une victoire sur l'immobilité et la sottise, elle n'en porte pas moins sa propre part de défaite. Ce que suggérait implicitement Dostoïevki – que Jacques, décidément, a lu avec beaucoup d'attention – lorsqu'il analysait les conditions de survie au milieu du pire des bagnes : *« Un être qui s'habitue à tout, voilà, je pense, la meilleure définition que l'on puisse donner de l'homme* [1]. *»*

Brel entre de plain-pied dans sa maturité. Celle de l'artiste, mais aussi d'un homme qui, avançant dans la vie, se permet un coup d'œil furtif par-dessus son épaule, pour mesurer le chemin parcouru.

Sur un rythme de sardane, danse populaire et joyeuse, « Le moribond » est, après « La mort », la seconde chanson de Jacques Brel sur ce thème. Bien plus aboutie formellement que la précédente, elle montre un homme en paix avec lui-même et le reste du monde, y compris avec l'amant de sa femme. Aucun effroi, aucune angoisse, aucune révolte même dans le ton employé; seulement l'acceptation d'une fatalité à laquelle, en bon vivant, le personnage s'est depuis longtemps résigné. Peu de chan-

---

1. *Souvenirs de la maison des morts*, par Fiodor Dostoïevski (1861).

sons de Brel seront aussi sereines, en définitive, que cette histoire de « Moribond » (si ce n'est « Le dernier repas ») ; ce qui n'est pas le moindre de ses paradoxes.

Dans « L'ivrogne », l'allusion autobiographique est on ne peut plus claire, Jacques allant jusqu'à citer sa nouvelle compagne, Sylvie, qui représente un nouvel espoir auquel il préfère néanmoins ne pas trop s'accrocher :

Buvons nuit après nuit,
Puisque je serai trop laid
Pour la moindre Sylvie,
Pour le moindre regret,

après un début de couplet amer soldant des comptes anciens et, visiblement, toujours douloureux :

Buvons à la putain
Qui m'a tordu le cœur.

C'est la première fois (à l'exception d'« Isabelle », chanson de circonstance) que Brel met en scène, de manière aussi explicite, l'une ou l'un de ses proches. Aussi transparentes qu'aient pu être certaines allusions, il n'avait jusqu'alors jamais livré de nom. Jojo, l'exemple le plus fameux en la matière, n'apparaîtra clairement – une première fois – que dans « Les bourgeois », une bonne année plus tard.

On peut y voir, selon ce qu'on y cherche, la marque d'un désarroi tel qu'il serait vain de vouloir le dissimuler, ou les prémices de cette grande liberté d'écriture qui s'épanouira dans les chansons à venir, amenant parfois leur auteur à une intimité unique avec l'auditeur :

Et maintenant ils pleurent,
Je veux dire tous les deux;
Tout à l'heure c'était lui,
Lorsque je disais « il » [1].

Qui d'autre aurait pu se permettre de disséquer ainsi un élément de syntaxe dans une chanson d'amour ? Qui d'autre que Brel a su imposer l'idée d'un dialogue à ce point intime qu'il paraît ne s'adresser qu'à vous seul ? Brassens ? Le bon Georges, certes, noue avec ses fidèles des rapports de complicité souriante, mais il existe une

1. « Orly ».

nuance – aussi subtile soit-elle – entre complicité et intimité. Une différence d'intensité, disons, dans la pudeur ou l'impudeur.

Le mariage des paroles et de la musique de « L'ivrogne » est une réussite rare. François Rauber, qui a composé la mélodie en collaboration avec Gérard Jouannest, en tire une orchestration rappelant irrésistiblement cette musique à boire et à pleurer qu'est la musique tzigane. Une des formes les plus achevées de la désespérance, aimée et acceptée comme telle. Car, soulignera Brel : *« La désespérance n'est pas un drame. »* Tout au plus l'expression romantique d'une nostalgie d'enfant un peu perdu, qui ne demanderait qu'à être consolé. Et des formules comme *« J'ai mal d'être moi »* sont tout aussi tziganes, dans leur essence, que les violons qui les accompagnent.

Ceux qui ont maudit Jacques Brel à cause de ses « Flamandes » acceptent mal, aujourd'hui encore, l'idée que « Marieke » est certainement la seule chanson en langue néerlandaise à être mondialement connue. Des artistes américains, allemands, catalans, suédois, israéliens, etc. l'ont interprétée. Et tous ont conservé les couplets en flamand, adaptant seulement le refrain (en français) dans leurs langues respectives. Encore une fois, qui, mais qui d'autre que Brel a jamais fait cela ?

L'inauguration à Bruges de la statue de Marieke (œuvre du sculpteur Jef Claerhout), le 23 juillet 1988, à la suite d'une proposition de Johan Anthierens, a montré à quel point la polémique était encore vive. Certains conseillers communaux rappelèrent que Brel avait *« empêché ses filles d'apprendre le flamand »*. Peut-être... mais il l'a fait chanter à Juddy Collins, Klaus Hoffmann, Tommy Korberg, Zeev Levin, Benny Amdursky et bien d'autres, dont les disques se vendent par centaines de milliers d'exemplaires à travers le monde. Quel auteur flamand pourrait se vanter d'être aussi largement diffusé, dans le texte ?

Avec « Les prénoms de Paris », enregistrée au retour de la tournée canadienne, Jacques s'inscrit dans la lignée d'un Francis Lemarque, qui s'est fait une spécialité des chansons célébrant les beautés, les vertus et le mystère d'une des villes les plus mythiques du monde. L'une de celles, en tout cas, qui ont engendré le plus de fantasmes et inspiré le plus d'œuvres d'art. Il y a ici tous les ingrédients pour réussir une véritable chanson populaire et, une fois n'est pas coutume, l'histoire d'amour est traitée sur un mode résolument optimiste :

Et mon cœur qui s'arrête
Sur ton cœur qui sourit,
Et c'est Paris bonjour.
Et ta main dans ma main
Qui me dit déjà oui,
Et c'est Paris l'amour...

Une façon pour Jacques de célébrer, en acceptant de jouer le jeu, le début de sa liaison avec Sylvie. Qu'il appellera bientôt sa « *deuxième femme* ».

Dans la chanson suivante, « Les singes », sur fond de bruitage évoquant la grande cage d'un zoo, Brel reprend à son compte un jet de vitriol baudelairien qui apporte une nouvelle indication sur ses lectures. En effet, le poète, qui – de notoriété publique – détestait la Belgique, définissait Bruxelles comme :

La capitale des singes,
Une capitale de singes [1].

Sans monter sur ses grands chevaux, comme l'auraient fait les censeurs des « Flamandes », Jacques relève simplement le trait, avec humour : « *Les singes de mon quartier.* » Car le propos de la chanson va bien au-delà d'une simple querelle de clocher : Brel y dresse un réquisitoire tous azimuts dans lequel il s'attaque pêle-mêle aux censeurs, aux intolérances religieuses, aux hypocrisies sexuelles, aux dictateurs de tout poil, aux militaires et à

... la chambre à gaz et la chaise électrique,
Et la bombe au napalm et la bombe atomique...

Vaste programme, on le voit. Trop vaste, à l'évidence, pour que Jacques puisse l'approfondir autant qu'il le voudrait; les trois minutes d'une chanson sont parfois bien étroites. Aussi décide-t-il de donner dans la dérision grinçante et caricaturale. C'est d'ailleurs en s'incarnant sur

---

1. « Pauvre Belgique », Baudelaire, 1865.

scène que la chanson prendra sa pleine mesure, dans une interprétation grimaçante et gesticulante, un brin forcée, pour mieux appuyer cette série de petites dénonciations, qui cognent comme autant de règlements de comptes.

Quant à l'interminable et épuisante « Clara », sur un rythme brésilien conventionnel, elle ressasse la récente rupture, soulignant pour la énième fois qu'elle n'a pas été sans heurts :

Je suis mort à Paris
De m'être trop trompé,
De m'être trop meurtri,
De m'être trop donné.

Jacques joue ici du contraste entre la joie exubérante du carnaval de Rio et le désespoir de l'amoureux délaissé; mais son carnaval n'est qu'une carte postale touristique. Il se fait laborieux et devient vite soporifique.

En revanche, le flamenco – qui, bien utilisé, est une musique pleine de souveraine raideur et de dignité – convient tout à fait pour habiller ce magnifique poème qu'est « Vivre debout ». Porté de bout en bout par la guitare de Barthélémy Rosso (qui sera jusqu'à sa mort l'accompagnateur de Brassens et de Ferré) et par des traits de castagnettes, ce chant empreint de solennité amène, avec une logique inéluctable, l'implacable question : *« Serait-il impossible de vivre debout? »*

Ici, deux progressions contraires se croisent. Alors que la voix et l'accompagnement sont de plus en plus tendus, le texte montre, couplet après couplet, que chaque concession en appelle une autre. D'abord on se cache, puis on s'agenouille, enfin on se couche.

Revenant d'une phrase aux idéaux illusoires de sa jeunesse :

L'ombre des habitudes
Qu'on a plantée en nous
Quand nous avions vingt ans,

Jacques Brel réalise à quel point ils peuvent enserrer l'esprit comme un carcan :

Alors que notre espoir
Se réduit à prier...

Tout cela, il le sent, conduit progressivement à l'immobilisme et à son cortège de renoncements et de lâchetés. Sauf à réagir et à « Vivre debout », en sachant d'avance que cette voie-là, sans rémission possible, mène à la solitude.

21

Flamand, italo-espagnol

Dans la foulée des séances de son cinquième 33 tours, Jacques Brel enregistre quatre chansons en flamand, adaptées par Ernst Van Altena et Eric Franssen, qui sortiront sous forme de deux 45 tours en Belgique et aux Pays-Bas [1].

Peu à l'aise dans une langue dont il possède les bases mais qu'il maîtrise mal, Jacques – perfectionniste – demande au Néerlandais Van Altena de superviser l'enregistrement de la voix, qu'on ajoutera après coup sur les mêmes bandes orchestre que les versions françaises. Si bien qu'à la sortie du disque les journalistes flamands feront la fine bouche, considérant que Brel a un accent trop hollandais. Il s'en vantera d'ailleurs, non sans une certaine coquetterie, déclarant notamment à Jean Clouzet : « *Je chante avec l'accent d'Amsterdam qui n'est pas celui de Bruges ou de Gand. La Flandre parle le flamand comme les Méridionaux parlent le français, alors que les Néerlandais parleraient le français de la vallée de la Loire* [2]. »

Pendant des années, Jacques s'appliquera ainsi à obtenir la reconnaissance de ceux qu'il estime être les siens et qui,

1. « Marieke » et « Laat me niet alleen » (Ne me quitte pas), réf. : B 372 858 ; « De apen » (Les singes) et « Men vergeet niets » (On n'oublie rien), réf. : B 372 859. Au cours de la même séance, Brel enregistrera également une version flamande de « Quand on n'a que l'amour » qui ne sera pas retenue et restera inédite. Mais la bande existe toujours, que l'on peut écouter à la Fondation internationale Jacques Brel, à Bruxelles.
2. *Op. cit.*

régulièrement, le rejetteront sans appel. Il reviendra souvent mais en vain à la charge, avec autant de bonne volonté que de touchante sincérité, pour finir par trancher lui-même dans le vif et consommer la rupture sans possibilité de retour :

Messieurs les Flamingants, j'ai deux mots à vous rire,
Il y a trop longtemps que vous me faites frire...
[...]
Cessez de me gonfler mes vieilles roubignoles [1] *!*

Histoire de parti pris et de malentendu. D'incommunicabilité, de sottise et de rancune, aussi. Toutes choses que Jacques trouvera en permanence sur son chemin et passera son temps à pourfendre.

Dans l'immédiat, son 45 tours sort dans un contexte plus exacerbé que jamais. La querelle linguistique atteint son paroxysme, et le 22 septembre 1961 soixante-cinq mille Flamingants bloquent le centre de Bruxelles, des heures durant, en scandant : « *Brussel vlaams !* » (Bruxelles flamande). Sur le passage du cortège, des contre-manifestants wallons lancent des insultes, lèvent le poing et, par dérision, font le salut hitlérien.

Dans le même temps, à Berlin, on érige un mur... Depuis l'affaire de la baie des Cochons, à Cuba, la guerre froide a pris une tournure glaciale.

Consigne ayant été donnée à Charley Marouani de ne refuser, « par principe », aucun contrat, Jacques Brel joue à saute-mouton avec les méridiens, se forçant parfois à l'exploit. Ainsi le 10 septembre chante-t-il à Cassis, près de Marseille, et le 11 à Moscou. On le voit au Proche-Orient, en Turquie, au Portugal, au Danemark...

Jojo fait désormais partie de la bande à temps plein. Il remplit des fonctions aussi multiples qu'indéfinies. On le dit « secrétaire », en réalité il joue le rôle d'homme à tout faire : régisseur, chauffeur, homme de confiance, compagnon de bringue et d'insomnies. Jacques et lui traînent les bars ensemble, lèvent des filles, vont au bordel (Brel se targuera souvent de connaître toutes les « maisons » de

1. « Les F... ».

France) et continuent de refaire le monde. Cette fois, la mouvance idéologique a bien changé autour de Jacques. Le ton est à gauche, sans ambiguïté ni demi-mesure : Jojo est sympathisant du PSU, Jouannest plutôt communiste. La tournée en URSS offre d'ailleurs l'occasion de le charrier amicalement, à plusieurs reprises, sur tout ce qui, à l'évidence, n'est pas aussi rose que l'affirme la propagande du Parti.

Toujours d'humeur égale et bon vivant de nature, Jean Corti suit volontiers le rythme des virées nocturnes. C'est, au vrai, une sorte d'épreuve initiatique : ceux qui prétendent s'intégrer au clan – comme Jean Clouzet lorsqu'il écrira son livre – n'ont qu'à bien s'accrocher! Parfois même on force un peu la note, rien que pour eux, pour voir s'ils tiennent le choc.

Cent mille kilomètres par an, au moins. Deux cent cinquante à trois cents concerts. Chaque jour une nouvelle étape, une nouvelle ville... Fuite en avant? Sans doute. Chaque moment d'inactivité lui pèse. Mais Jacques a une santé de fer. Il a la pêche! Et si l'action n'est pas pour lui un moyen de s'étourdir, du moins est-ce une manière de mesurer sa liberté : *« J'ai été libre; dans l'année passée j'ai eu une liberté de quatre cent quarante mille kilomètres. Cela se calcule en kilomètres. [...] C'est la liberté dans le mouvement; c'est certainement vrai... La preuve c'est que l'on met les prisonniers entre quatre murs... C'est une preuve idiote, mais c'est une preuve que j'aime bien* [1]. *»*

Ce rythme fou, naturellement, l'empêche d'écrire autant qu'il le souhaiterait. Alors, pour se ménager quelques plages de silence et de repos, pour mettre un peu d'ordre dans les notes de ces cahiers qui ne le quittent jamais, il achète une petite maison à Roquebrune, entre Nice et Menton. Un cabanon, comme on dit là-bas, où tout ou presque est à refaire; mais les pieds dans l'eau. Il l'aménagera avec Sylvie et, bientôt, cela constituera leur repaire. C'est là, aussi, que Jacques s'initiera aux rudiments de manœuvre d'un petit voilier.

---

1. Propos recueillis par Dominique Arban pour France Culture, rapportés dans son ouvrage *Cent pages avec Jacques Brel (op. cit.).*

Au cours de sa dernière tournée au Québec, avec Raymond Devos, un copain mime (Marcel Cornelis) a invité les deux amis à faire une balade en avion. Un petit monomoteur à hélice pour une virée au-dessus des lacs et de la grande forêt. Le temps est superbe et c'est un éblouissement. *« Il y a des années que je rêvais de cela... »*, confie Jacques à l'atterrissage. Qui annonce à la cantonade que, dès son retour en France, il se mettra au pilotage.

Deux domaines – sur les mers comme dans les airs – dans lesquels il ira loin.

Le 16 octobre, trois jours après sa première à l'Olympia, lié par un contrat signé depuis plusieurs mois, Jacques Brel chante dans les salons d'apparat du ministère de la Marine. Olympia ou pas (mais le 16 tombe un lundi, jour de relâche), c'est un engagement qu'on ne décommande pas, puisqu'il s'agit de la réception donnée par le général de Gaulle en l'honneur du Chah d'Iran et de l'impératrice Farah Diba, son épouse, en voyage officiel en France. On a fait les choses en grand. Paris est illuminé comme une ville des *Mille et Une Nuits* et le plateau, au ministère de la Marine, est somptueux : le Grand orchestre de Jacques Hélian, Charles Trenet et Jacques Brel. Trenet pour lequel Jacques avouera toujours une admiration sans bornes, et dont il dira : *« Sans lui, nous serions tous rémouleurs... »*

Les illuminations et les fêtes dureront plusieurs jours ; mais, le lendemain, à l'heure où Brel pénètre sur la scène du boulevard des Capucines, Paris est à feu et à sang. On se bat jusque devant l'Olympia ; de Bonne-Nouvelle jusqu'à La Madeleine, autour de l'Opéra, sous le porche du Grand Rex : partout.

Dans une salle bourrée à craquer, où les records de recette tombent presque chaque soir, Brel chante quinze chansons, comme à l'accoutumée, dont « Les singes » :

Mais ils sont arrivés et c'est à coups de bâtons
Que la raison d'Etat a chassé la raison...

On ne saurait mieux dire. Dehors, une manifestation organisée à l'appel du FLN, rassemblant trente à quarante mille Algériens venus, le plus souvent en famille, réclamer la levée du couvre-feu imposé depuis une semaine aux « Français musulmans », se fait matraquer par la police parisienne épaulée par plusieurs compagnies de CRS et quelques centaines de Harkis. Il fait nuit noire et la pluie tombe à seaux. Les forces de l'ordre tirent dans la foule. Vivants et morts confondus, des hommes sont jetés dans la Seine qui charriera des cadavres pendant plusieurs jours. Deux cents à trois cents victimes, selon les estimations des historiens [1] ; deux morts et deux blessés selon les chiffres officiels rendus publics le lendemain matin par le préfet de police, Maurice Papon.

Coups de feu dans la nuit... Femmes et enfants frappés à coups de crosse... Blessés que l'on piétine... Fuyards poursuivis et matraqués jusque sur les quais du métro... Images de guerre civile.

Devant le hall de l'Olympia, on installe à la hâte un périmètre de regroupement pour les manifestants appréhendés, dans l'attente de leur évacuation. Car leur nombre imprévu submerge vite la logistique de la police. Onze mille personnes sont arrêtées en quelques heures et emmenées en autobus de la RATP, réquisitionnés d'urgence, dans les hangars du Parc des expositions de la Porte de Versailles.

Ce soir-là, dans le Palais des sports voisin, Ray Charles chante. Les cris et les bruits de l'extérieur parviennent jusqu'à lui. Si forts, dans son obscurité, qu'il finit par en demander les raisons. Informé, le *Genius* explique alors les grandes lignes de la situation au public, et dédie sa prochaine chanson aux manifestants.

A l'intérieur de l'Olympia, aucun bruit n'a filtré et le tour de chant de Jacques Brel s'achève sur « Quand on n'a que l'amour ». Dernières paroles d'un spectacle comme toujours bouleversant :

Alors, sans avoir rien
Que la force d'aimer,
Nous aurons dans nos mains,
Amis, le monde entier,

1. Lire, sur le sujet : *La Bataille de Paris – 17 octobre 1961*, par Jean-Luc Einaudi (Editions du Seuil, 1991).

puis le chanteur disparaît, happé par le grand rideau rouge. Le public explose, se lève, tape dans ses mains, crie « Encore ! ». Ce soir, comme tous les autres soirs, il n'y aura pas de rappel. Ce soir, comme tous les autres soirs, Jacques Brel a vomi avant d'entrer en scène.

Personne ne saurait affirmer, aujourd'hui, qu'il ne l'a pas fait également en sortant.

22

Et tout qui recommence

Enregistrées au cours des spectacles des 27, 28 et 29 octobre, les chansons interprétées par Jacques Brel à l'Olympia feront l'objet d'un sixième 33 tours [1], qui marquera la fin de sa collaboration avec Philips.

Depuis quelques mois, en effet, la maison de disques a pris une tournure différente ; l'arrivée de Johnny Hallyday au sein de la firme provoquant le départ de Jacques Canetti. Après de sérieux démêlés juridiques et une option de principe accordée à Barclay, Hallyday a quitté Vogue pour finir par signer (le 19 juillet 1961) un contrat d'exclusivité chez Philips. Et Canetti, qui déteste le style du jeune rocker, mis devant le fait accompli – il n'a même pas été consulté –, va partir en claquant la porte.

N'étant pas producteur, mais simplement directeur artistique, Canetti est obligé de laisser ses poulains derrière lui. Et Brel, pour qui l'homme a toujours pris le pas sur l'institution, se retrouve soudain à travailler avec des gens qui lui ont longtemps fait sentir leur indifférence ou leur mépris,

---

1. Outre les six titres inédits : « Les bourgeois », « Les paumés du petit matin », « La statue », « Madeleine », « Les biches » et « Zangra », ce disque 25 cm (réf. : B 76 556) comprend les versions enregistrées en studio, avec la chorale « La Joie au village », de « Voir » et de « L'aventure », chansons qui, jusqu'alors, n'étaient parues qu'en 45 tours. L'enregistrement complet de cet *Olympia 1961*, soit quinze titres, fera l'objet un peu plus tard d'un 33 tours 30 cm – le seul de Brel à être jamais sorti chez Philips (réf. : B 77 386) – qui figure désormais sur l'*Intégrale* en 10 CD publiée par Phonogram-Barclay, en 1988 (CD n° 8).

lorsque ses disques se vendaient à peine et que Canetti devait arracher de haute lutte chaque nouvel enregistrement. Des gens qui se gaussaient ouvertement de son accent, de sa dégaine et de ses maladresses, quand il avait besoin, par-dessus tout, d'un peu de confiance. A leur sujet, il disait alors à ses quelques proches : *« Ce ne sont que de vulgaires marchands sordides. »*

Aujourd'hui, bien sûr, il est « Monsieur Brel », l'une des neuf ou dix valeurs les plus sûres du métier... Le ton a bien changé, mais Jacques a la mémoire tenace de ceux que l'on a ouvertement humiliés. Puisque son contrat arrive à expiration le 15 février prochain, il ne le renouvellera pas. A aucun prix, et quoi qu'il puisse lui en coûter. Le disque de l'Olympia sortira comme prévu ; mais il n'y en aura pas d'autres.

D'ailleurs, Jacques a envie de travailler avec Eddie Barclay, qu'il a souvent rencontré, finissant par nouer avec lui des liens de sympathie. Le bonhomme lui plaît. C'est un noctambule, capable comme lui de tenir le coup sans broncher jusqu'au petit matin. Et puis, Barclay a déjà une légende. Edouard Ruault (de son vrai nom) est un homme qui s'est fait tout seul. Musicien, il a appris le piano, à peine adolescent, en reproduisant d'oreille les airs de jazz entendus à la radio ; homme d'affaires, il a commencé en livrant lui-même ses premiers disques, à bicyclette. Fils des patrons d'un bistrot plutôt modeste, dans le quartier de la gare de Lyon, c'est aujourd'hui un businessman accompli. Et comblé. Le symbole aussi d'un certain panache. Et Brel aime le panache, et adore les légendes.

Mais il ne suffit pas de dire à Eddie Barclay : *« J'ai envie de signer chez toi... »*, pour que tout se règle sur-le-champ. Car Philips, bien que son contrat arrive à expiration, conserve un droit de préemption sur Jacques – c'est la « clause de préférence » – auquel il n'est évidemment pas question de renoncer, à présent que les disques de Brel réalisent de gros scores.

Mais tout cela se plaide...

Dans un premier temps, Philips intente un procès à Jacques, qui le perd et se voit condamné au franc symbolique. La situation est d'autant plus critique que, sans attendre la suite des événements, Jacques, impulsif, a déjà signé chez Barclay, le 7 mars 1962. Pas avec lui personnellement, mais avec son avocat, maître Raymond Illouz, qui s'est déplacé jusqu'en Suisse, à Crans-sur-Sierre, où Brel chantait ce soir-là.

Apprenant la nouvelle, Philips attaque cette fois Barclay en justice, et l'affaire est portée devant le tribunal de grande instance de Paris. Coup de théâtre, les juges donnent raison à Eddie Barclay. Philips fait appel, mais la procédure va traîner, qui s'étalera sur près de deux ans... Beaucoup trop pour qu'un artiste reste sans rien produire. Aussi, sans attendre le verdict définitif, Jacques enregistre pour sa nouvelle maison de disques. Au risque de voir les bandes magnétiques saisies ensuite par la justice. En fait, moins de trois semaines après l'expiration effective de son contrat, il est déjà en studio.

Les intéressés ont beau observer le plus grand secret, le subterfuge finit par s'éventer. Et la rumeur d'annoncer une perquisition d'huissier imminente... Barclay réagit alors en corsaire et l'affaire tourne au feuilleton. Le directeur du studio, Jean Queinnec, est chargé de mettre les bandes à l'abri. Chaque soir, pas vraiment rassuré, il emporte chez lui le travail de la journée; il n'en dort plus, s'attendant d'un moment à l'autre à voir débarquer les huissiers ou à trouver le matin l'autorité publique aux portes du studio.

Du côté adverse, Jacques Bouyer, directeur commercial chez Philips, adresse une lettre recommandée de mise en garde à tous les disquaires de France : le fait de vendre un quelconque disque de Jacques Brel sous étiquette Barclay les exposerait aussitôt à des poursuites judiciaires.

L'histoire connaîtra son terme en appel. Eddie Barclay, sortant de sa manche la fameuse option signée par Johnny Hallyday après qu'il eut quitté Vogue, propose un accord à l'amiable : il abandonne toute prétention sur Johnny... si Philips rend sa liberté à Brel. Pour l'heure, Hallyday pèse sans doute plus lourd que Jacques; mais à long terme, l'homme au cigare sait bien qu'il ne sera pas perdant. Sans compter que Brel, quand on a déjà Aznavour et Ferré, ça vous pose un catalogue! Ainsi les deux chanteurs seront-ils troqués comme de vulgaires marchandises...

GRAND JACQUES

Le premier disque de Jacques Brel chez Barclay représentera un véritable coup de pied en vache porté à Philips. Il reprend en effet en version studio – mieux arrangés, donc, et mieux enregistrés – les six inédits créés à l'Olympia en octobre, auxquels s'ajoutent six nouvelles chansons. Douze morceaux et un premier 33 tours 30 cm, format beaucoup plus prestigieux à l'époque que le vieux 25 cm.

Pour accueillir Jacques Brel, Eddie Barclay a mis les petits plats dans les grands.

23

Avec infiniment de brumes à venir

L'enregistrement a lieu au studio Hoche – propriété de la maison Barclay – les 6, 7, 9 et 14 mars 1962, à raison de trois titres par séance. A cette occasion, Jacques fait la connaissance de Gerhardt Lehner, l'ingénieur du son avec lequel il travaillera en toute confiance et amitié jusqu'à son dernier disque.

Directement inspirée du *Désert des Tartares* [1] de Dino Buzzati, « Zangra », la première chanson mise en boîte au cours de ces séances clandestines, est de cette veine où Brel associe ouvertement l'auditeur à ses souvenirs de lecture. Ici, le parallèle est si clair que l'on pourrait presque parler d'œuvres jumelles, malgré leurs vingt ans d'écart. Les noms eux-mêmes que Brel a forgés montrent une parenté évidente avec ceux du livre, dans leur rythme et leur musique interne. Ainsi, Zangra pour Drogo, ou le fort de Belonzio pour Bastiani [2]. Ce roman de l'immobilisme, du temps qui ronge en silence, et de l'échec, ne pouvait que séduire Brel qui retrou-

---

1. *Il deserto dei Tartari*, 1940 (Editions Robert Laffont, 1949, pour la traduction française).
2. Signalons l'étrange cousinage entre le roman de Buzzati et celui de Julien Gracq : *Le Rivage des Syrtes*, publié en 1951 (Editions José Corti, prix Goncourt refusé par l'auteur). Dans ce dernier ouvrage – troublante ressemblance –, le port déserté où se noue l'essentiel de l'action s'appelle Sagra. Si la construction de sa chanson s'apparente plus fidèlement à celle du *Désert des Tartares*, il n'est pas exclu que Brel ait lu les deux livres. D'autant, on le verra plus loin, qu'il était également un lecteur attentif de Julien Gracq.

vait là plusieurs de ses thèmes majeurs. Sur *« ce bout de frontière morte »*, comme l'écrit Buzzati, la vie semble suspendue : chez Brel, cette immobilité est rendue à la perfection par des couplets d'une construction rigoureusement identique, ne variant l'un l'autre que de quelques mots.

Autre figure de militaire, traitée cette fois en farce, « Le caporal Casse-Pompon ». Une parodie énorme et bien baveuse qui n'ajoute rien à l'intérêt d'un disque comportant, à côté d'elle, plusieurs chefs-d'œuvre. Mais montre cependant que Brel est désormais capable d'habiles trouvailles, y compris dans des chansons mineures ; tel ce *« clairon / Qui est une trompette en uniforme »*.

L'habileté ! Jacques s'en méfiera toujours. Dans son esprit, elle est incompatible avec la sincérité et l'innocence. Et c'est elle qu'il évoquera, en 1967, pour justifier ses adieux : *« Je suis parti le jour où je me suis rendu compte que je commençais à avoir un gramme d'habileté. [...] J'ai arrêté le tour de chant pour des raisons d'honnêteté ; pas pour des raisons de fatigue. »*

Elue « chanson du siècle » il y a une dizaine d'années, à la suite d'un vaste sondage d'opinion en Belgique, « Le plat pays » pourrait figurer au nombre des hymnes nationaux, si ces derniers, le plus souvent, n'étaient si bêtement bellicistes, cocardiers et xénophobes. Brel n'y étale aucun orgueil, aucun chauvinisme, aucun nationalisme étriqué. N'étant pas de ces *« imbéciles heureux qui sont nés quelque part »* épinglés par Brassens [1], loin de chercher à parer son pays de vertus idéales, il se borne à en esquisser quelques images, tel un impressionniste, avec suffisamment de flou pour que chacun puisse, avec sa propre sensibilité, recomposer les paysages.

Pour Jacques Brel, la Belgique n'est pas une patrie, mais une terre. Une terre à laquelle il se sent appartenir de toutes ses fibres – quoi qu'en disent certains – parce que toute sa mémoire est là. Cette terre mêlée d'eau immobile et de cieux que l'horizon si bas rend immenses comme nulle part ail-

---

1. « La ballade des gens qui sont nés quelque part », 1972 (paroles et musique de Georges Brassens).

leurs, il l'aime autant pour ses couleurs atténuées que pour ses coups de lumière vive.

A un journaliste, lors du tournage de *Franz*, il dira : « *La Flandre est rouge. Il n'y en a pas beaucoup, mais lorsqu'on le rencontre, il prend une importance fantastique. Et puis, il y a sur les plages un gris comme je n'en ai jamais vu ailleurs.* »

D'un point de vue stylistique, « Le plat pays » est l'une de ses plus grandes réussites. L'une des rares aussi pour lesquelles il acceptait que l'on parlât de poésie. Le vocabulaire et la construction en sont d'une simplicité d'épure, et à côté d'images éblouissantes comme :

Avec des cathédrales pour uniques montagnes,
Et de noirs clochers comme mâts de cocagne,
Où des diables en pierre décrochent les nuages,

l'essentiel du procédé poétique repose sur la répétition. Facture typiquement brélienne que cette accumulation d'instantanés fort voisins, dont chacun ne diffère du précédent, ou du suivant, que par la modification d'un élément minuscule, qui n'en prend que plus de force.

Les détracteurs des « Flamandes » auront l'inconvenance et la bêtise de penser que Brel cherche à se faire absoudre. De le penser et de l'écrire, prouvant ainsi qu'ils ne comprenaient pas plus une chanson que l'autre. Et Jacques sera obligé de faire une mise au point publique : « *Je n'ai pas à me faire pardonner " Les Flamandes " et je n'ai pas écrit " Le plat pays " pour ça.* » Sur ce disque, du reste, l'attachement de Jacques Brel à ses racines se manifeste bien au-delà du « Plat pays » ; deux autres titres de première importance y parlent également de la Belgique : « Bruxelles », cela va de soi, et, d'une manière plus subtile, « Madeleine ».

Maintenant que Brel est une vedette à part entière, nul n'est avare de louanges à son endroit et chacun essaie de l'annexer à sa chapelle. Grand chanteur chrétien pour les uns, qui rappellent ses nombreux spectacles pour les JOC, c'est presque un compagnon de route aux yeux des militants du PC. Mais le chanteur n'est pas dupe : la reconnaissance après coup, les hommages a posteriori, quand il n'y a plus de risques à prendre, tout cela le laisse indifférent. Et « La sta-

tue » est un coup de pied dans la fourmilière des thurifé-
raires. Porté au pinacle ou non, le Grand Jacques sait depuis
trop longtemps qu'il est « *trop facile de faire semblant* » pour se
laisser séduire par de tels hochets. Au contraire, en iconoclaste véritable, il s'acharne à ruiner, dès à présent, les
pauvres efforts de ceux qui seront chargés de prononcer son
inévitable oraison funèbre.

Il existe aujourd'hui une statue de Jacques Brel dans le
quartier du canal, à Evry-Ville nouvelle, dans l'Essonne. On
en a érigé une autre au parc de Forest, dans la banlieue sud-
ouest de Bruxelles. A Anderlecht, la station de métro qui
dessert la cartonnerie porte son nom. Des rues Jacques-Brel
fleurissent un peu partout, de Brest à Cahors, d'Argenteuil à
Rouen. Des bibliothèques et médiathèques lui sont dédiées,
des établissements scolaires aussi, à lui, l'ancien cancre...

Ce n'est pourtant pas faute d'avoir refusé par avance toute
idée de canonisation posthume. Jusqu'à cette dernière
pirouette, empreinte à la fois de dérision et de prémonition :

Mourir couvert d'honneurs
Et ruisselant d'argent,
Asphyxié sous les fleurs :
Mourir en monument [1]...

« Rosa », première chanson majeure de Jacques Brel
consacrée au monde de l'enfance, évoque une éducation
conventionnelle de futurs petits-bourgeois, « *qui recouvrent*
de laine / Leur cœur qui est déjà froid », et dont la part de rêve se
limite à une réussite sociale stéréotypée – reflet, le plus
souvent, des frustrations parentales. Ainsi seront-ils « *phar-*
maciens / Parce que papa ne l'était pas ».

Par opposition le mauvais élève, le tendre, le rêveur dont
le regard s'évade par la fenêtre, occupe le beau rôle : celui
des premières douceurs, des premières caresses. Mais
Jacques ne charge pas son stylo à l'eau de rose. Le paradoxe,
s'il s'en tenait là, serait beaucoup trop simple. Trop immature aussi. Bon pour « l'abbé Brel ». Or Jacques s'est durci. Il
sait aujourd'hui que l'on a délibérément truqué ses illusions
d'enfant, qu'on l'a trompé, qu'il n'est plus possible d'être

1. « Vieillir ».

Vasco de Gama, que le Far West n'était qu'une duperie et *« Qu'il y a des épines aux Rosa »*.

L'une des principales pierres d'achoppement, dès qu'il est question de la misogynie ambiguë de Jacques Brel, reste « Les biches ». Ici, en effet, pas de réaction à chaud, pas de cri de révolte ou de rage à l'encontre d'une femme précise qui l'aurait fait souffrir : le propos est réfléchi. Jacques a pris du recul. Il est passé du particulier au général et parle « des » biches, non pas d'une seule d'entre elles. Il faut donc admettre qu'il pense exactement ce qu'il dit, et en prendre acte. « Les biches » fait d'ailleurs partie des onze chansons qu'il réenregistrera en 1972, signe d'attachement spécifique et durable.

Strophe après strophe, des premiers émois de l'adolescence jusqu'à la vieillesse, les femmes sont présentées comme l'ennemi. Un ennemi qui « triche », qui plus est : pour faire la rime, le mot revient comme un refrain à chaque demi-couplet... Le tableau n'est guère flatteur : les femmes sont hypocrites, vénales, inconstantes, aguicheuses et, pour finir, accapareuses. Deux vers, cependant, permettent plus que les autres d'entrevoir le sentiment diffus qui préside à l'ensemble sans jamais être clairement formulé :

Elles sont notre pire ennemi
Lorsqu'elles savent leur pouvoir...

Sans le vouloir, Jacques lève un coin du masque : ses rapports avec les femmes, en fait, sont faussés par son excessive vulnérabilité. Sa faiblesse, même. Mais est-ce imputable à celles-ci ? Non, puisque le seul tort de la femme, aussi paradoxal que cela paraisse, est d'inspirer l'amour. Dès lors, le héros brélien vit dans un état d'extrême dépendance. Non pas une dépendance voulue, exigée peut-être, par sa compagne, mais une servitude morale qu'il s'impose à lui-même, par peur panique de ne plus être aimé ; un point essentiel de la psychologie de Jacques, qui est son inguérissable sentiment d'abandon.

Jacques Brel en veut aux femmes pour son incapacité à ne pas les aimer, lui qui s'était forgé une imparable théorie sur l'inanité de l'amour fou. Un aspect de sa personnalité dont Georges Brassens a su cerner les limites avec son habituelle finesse : « *Un homme qui parle des femmes avec une telle colère, croyez-moi, c'est qu'il leur appartient totalement.* » Plus que tout autre, Brassens avait le sens du mot juste, du terme exactement approprié. Ce n'est donc pas par hasard qu'il parle ici de « colère » et non de « hargne », de « rancœur » ou de « haine ». Oui, il y a de la colère chez Brel, lorsqu'il parle des femmes. Une colère qui traduit avant tout une manifestation d'impuissance ; une colère dont il ne s'exclut pas, et qui n'exclut pas l'amour.

Vision lucide et sans aménité de cette faune qu'il croise à longueur de nuit, dans les bars et les boîtes où il aime à traîner avec Jojo, Corti et toute sa bande, « Les paumés du petit matin » est le reflet, en filigrane, d'un autre trait fondamental de son caractère : l'exigence. Il fréquente les mêmes lieux que ces « Paumés » et, pour un observateur superficiel, ses plaisirs peuvent sembler voisins ; en réalité, il déteste cette atmosphère artificielle, désœuvrée et sans consistance :

Ils se blanchissent leurs nuits
Au lavoir des mélancolies,
Qui lave sans salir les mains,
Les paumés du petit matin.

Comme quoi il ne suffit pas d'être noctambule pour avoir une chance de sympathiser avec lui, dans un bar de rencontre ; encore faut-il que cela ait un sens. Que l'on y cherche autre chose qu'un simple palliatif à l'ennui et au conformisme.

L'orchestration, une nouvelle fois, lance un clin d'œil musical : pour symboliser cette ambiance factice et clinquante des boîtes de nuit à la mode, François Rauber utilise tel quel le riff de cuivres de « Brigitte Bardot », chanson latino-américaine alors fort en vogue [1].

Jamais encore Jacques Brel ne s'était placé dans la peau d'un tel personnage de *loser* que dans « Madeleine ». Encore

1. « Brigitte Bardot », chanson brésilienne de Miguel Gustavo. Adaptée en français par André Salvet et Lucien Morisse, elle fut reprise par des dizaines d'interprètes, dont le plus célèbre, assurément, reste Dario Moreno.

un héros abandonné. Pire, puisque la fille qu'il attend n'est jamais venue, ne vient pas et ne viendra probablement jamais... Au bout du compte, Brel aura mis l'échec beaucoup plus souvent en scène que le succès. L'échec amoureux, mais aussi celui de l'amitié (« La Fanette »), des ambitions (« Ces gens-là »), du rêve (« Mon enfance »), de la communication (« Regarde bien, petit »), de l'idéal (« Jaurès »), et même de l'aventure :

On m'attend quelque part,
Comme on attend le roi.
Mais on ne m'attend point...
Je sais depuis déjà
Que l'on meurt de hasard
En allongeant le pas [1].

L'image qu'il donne de lui est pourtant celle d'un battant magnifique, d'un gagnant. Presque d'un matamore. Comme s'il s'agissait d'un exutoire, d'une manière d'exorciser sa propre peur de l'échec. Mais il est des *losers* tristes et d'autres qui forcent l'estime et la sympathie. C'est le cas de cet homme au bouquet de lilas, qui attend sous la pluie bruxelloise avec un incurable optimisme. Car il est de l'échec comme de la réussite : encore faut-il y croire. Ainsi le héros de « Madeleine » ne peut-il s'avouer vaincu, puisqu'il ne comprend pas, ne sait pas ou refuse de savoir qu'il est déjà en train de l'être. Ce courage naïf et touchant, que Jacques s'est bien gardé de tourner en dérision, a sans doute beaucoup joué dans l'énorme succès de la chanson.

Sur une musique de Jean Corti, qui brode en accompagnement un tango fort subtil, où l'accordéon prend parfois des allures de bandonéon, « Les bourgeois » est l'une des chansons essentielles de l'univers brélien. Elle évoque magnifiquement cette fatalité du temps qui passe et assassine les rêves de la jeunesse, ou plutôt qui entretient l'illusion de les conserver après les avoirs vidés de leur substance. Ces bourgeois qui, à l'évidence, définissent bien plus une façon d'agir et de penser qu'un état matériel ou social, sont à rapprocher de la définition qu'en donne le poète Léon-Paul Fargue : « *J'appelle bourgeois quiconque renonce à soi-même, au*

---

1. « La ville s'endormait ».

combat et à l'amour, pour sa sécurité / J'appelle bourgeois qui-conque met quelque chose au-dessus du sentiment[1] ».

Avec lucidité, humilité presque, Brel refuse de se situer au-dessus du lot. Sans doute, comme tout le monde, a-t-il trahi une partie de ses rêves... Le moyen de faire autrement ? « *Mais je ne me soumets pas à cette tristesse. Je la constate. Je constate un certain nombre de choses qui m'indignent profondé-ment. Cela m'indigne : je gueule. [...] Mais je ne peux pas m'y soumettre. Je veux bien le constater, je veux bien pleurer ; mais je ne veux pas me résigner*[2]. »

Et sous son air amusant – qu'on ne s'y trompe pas –, mal-gré le côté ouvertement provocateur du refrain, « Les bour-geois » est une chanson d'une tristesse désespérante. Au reste, le fameux refrain :

Les bourgeois, c'est comme les cochons,
Plus ça devient vieux, plus ça devient bête,
Les bourgeois, c'est comme les cochons,
Plus ça devient vieux et plus ça devient...

n'a pas toujours été accompagné de ces points de suspension qui n'abusent personne, d'autant que la rime avec « cochons » est induite. Jacques avait bien écrit le mot « con », et il le chantait. Denis Bourgeois (amusante coïn-cidence !), qui était alors l'un de ses éditeurs (pour le compte des Editions Bagatelle), se souvient même qu'« *il le chantait franchement. Il n'esquivait pas le mot* ».

Mais dans la France de 1962, pas question de tout laisser imprimer ou graver. Pas possible, par exemple, de laisser sortir le mot « con ». Passe encore de le chanter sur scène, à la sauvette ; mais sur disque, le résultat était couru d'avance : la chanson serait immanquablement interdite. Jean Quein-nec, le directeur du studio, et Gerhardt Lehner, l'ingénieur du son, tentèrent donc de gommer, au montage, le vocable scandaleux. Un jeu d'enfant de nos jours, mais une opéra-tion, à l'époque, qui présentait d'invraisemblables difficultés techniques. Pour augmenter le volume de l'orchestre, tout en baissant celui de la voix, on dut avoir recours à deux magnétophones branchés en ligne et synchronisés au prix de

1. « Il y a », extrait de *Sous la lampe* (Editions Gallimard, 1930).
2. Entretiens radiophoniques, déjà cités.

mille difficultés. L'un d'entre eux jouant la partie d'orchestre seule, l'autre le chant et l'accompagnement musical ensemble, il fallait simultanément baisser le volume du second et monter celui du premier, à chaque fin de refrain, tout en copiant le tout sur une troisième machine. Plus facile à dire qu'à faire, mais Gerhardt Lehner, dans sa partie, était un véritable orfèvre.

Conscient de l'effet comique produit par cette fin de couplet aux trois quarts avalée, Jacques ne le modifiera jamais, continuant à laisser le mot « con » en suspens, même lorsqu'il aura conquis, de haute lutte, le droit de tout dire sur disque comme sur scène.

Si « Chanson sans paroles » est plutôt une chanson sans musique, que Jacques ne chante pas – il se contente de réciter son texte (assez plat, de surcroît) sur un fond sonore écrit par François Rauber –, « Bruxelles », en revanche, lui donne l'occasion d'une interprétation inoubliable.

L'accompagnement, essentiellement à base de bruitage, ressemble à une bande-son de cinéma ; le traitement des percussions, magnifique d'intelligence, évoquant tour à tour les grelots des chevaux des fiacres et des autobus hippomobiles, le roulement des sabots sur les pavés et le cliquetis ronronnant d'un vieil appareil de projection. A la fin, le rythme se brise et meurt dans un decrescendo qui s'achève en hoquets, laissant supposer que le film s'est déchiré. Bruxelles s'immobilise ainsi, à jamais figée dans une époque heureuse où chacun tentait de s'étourdir en attendant la guerre. Splendide !

Les séances de ce long disque [1], le plus long que Jacques enregistrera jamais, s'achèvent sur une vision d'espoir : vision d'« Une île » d'où émerge l'idée, sur un thème baude-

---

1. Le 33 tours regroupant les douze titres est sorti sous référence Barclay 80173. Un 25 cm propose simultanément une sélection plus réduite de ces enregistrements : « Les bourgeois », « Les paumés du petit matin », « Le plat pays », « Madeleine », « Bruxelles », « Chanson sans paroles », « Le caporal Casse-Pompon » et « Rosa » (réf. : Barclay 80 175). A l'exception de « Chanson sans paroles », toutes les chansons enregistrées lors de ces séances ont également été publiées en 45 tours (réf. : Barclay 70452, 70453 et 70475).

lairien d'invitation au voyage, que le bonheur reste malgré tout possible, loin de cette société étouffante de conformisme :

Là-bas ne seraient point ces fous
Qui nous disent d'être sages.

Cette île bercée d'« *océane langueur* » (une image que Brel réutilisera dans « Amsterdam ») ne viendra pas comme un cadeau du ciel. Le bonheur est à ce prix, il faut le construire et l'imposer envers et contre tous :

Une île
Qu'il nous reste à bâtir.

Cette vision d'amour éperdu et rédempteur adressée à Sylvie :

Je crois à la dernière chance
Et tu es celle que je veux...

finira par devenir réalité, quelques années plus tard. Mais les deux amants qui rêvent ainsi, en ce printemps 1962, se seront depuis longtemps perdus de vue, et c'est avec une autre femme que Jacques Brel, presque au terme de son chemin, s'en ira en quête de son île.

24

Jean de Bruges, voilà ta bière

Chantal, France et Isabelle ont maintenant onze, neuf et quatre ans. La famille vient de déménager une nouvelle fois, pour s'installer à Schaerbeek, la commune natale de Jacques, au 31 boulevard du Général Wahis. Celui-ci tâche d'être présent lorsque son calendrier surchargé le lui permet; mais il s'agit plus d'apparitions épisodiques que d'une véritable présence paternelle. Il le sent bien. Le contact n'est pas facile entre lui et ses filles qui ne le voient jamais que de passage. Alors, pour se donner bonne conscience, il se fabrique (comme toujours) une théorie : l'instinct paternel n'existe pas, « *c'est une vue de l'esprit, alors que la maternité c'est une chose vraie, une réalité. Dire que la paternité est un sentiment vrai est absolument faux ! C'est une charge, c'est une notion, c'est une chose à laquelle il faut penser, mais ça n'est pas du tout un sentiment naturel. Tandis que la maternité, oui, c'est un sentiment naturel* [1] ».

Une conception sur laquelle il reviendra régulièrement, surtout lorsque ses filles auront grandi et que le fossé des générations se sera creusé d'autant plus qu'ils ne se connaissent qu'en pointillés. Jacques tombera alors dans tous les pièges qu'il dénonce à longueur de chansons, et les rapports qu'il tentera d'institutionnaliser avec ses enfants seront fondés le plus souvent sur les mêmes conventions traditionnelles qu'on lui avait inculquées. Avec son goût des

1. Dialogue entre Jacques Brel et Catherine Sauvage, au micro de Jean Serge (pour Europe N° 1, 28 avril 1968).

assertions à l'emporte-pièce et son incapacité à reconnaître ses torts, il se conduira, lui le chantre de l'enfance, en adulte incurable, ayant décrété une fois pour toutes qu'il était *« presque impossible, pour un père, d'établir un dialogue véritable avec ses enfants »*.

Avec Miche, toutefois, cela se passe beaucoup mieux. Voilà une douzaine d'années qu'ils sont mariés et le grand amour des premiers temps, un peu fou, s'est mué en une profonde tendresse. Une profonde confiance également. En fait, Jacques s'est marié pratiquement puceau, et Miche a été sa *« première gentille »*, comme il le dit si bien dans « Mon enfance ». Après des années à Saint-Louis, plus que frustrantes en la matière, il découvre d'un coup et l'amour et la sensualité. C'est un éblouissement ! La passion magnifique, la certitude que l'on peut se fondre l'un en l'autre pour une tranche d'éternité.

A cet instant, l'amour est à ses yeux un objet de culte. Au même titre que Dieu. Et c'est avec des mots empruntés au vocabulaire religieux qu'il pare la femme de toutes les qualités (voire de tous les attributs d'une sainte) dans ses premières chansons. Clarté, blancheur, sagesse, beauté, lumière, etc. Mais si celle-ci est mythifiée, c'est parce qu'elle est unique. Il n'y a que Miche au monde, et Jacques croit – sans doute très sincèrement – qu'il en sera toujours ainsi. Au travers d'une femme, c'est donc l'amour tout entier qu'il mythifie, les confondant en une même notion abstraite qui relève du merveilleux.

Lorsque la vie, son expérience personnelle et ses premières infidélités auront mis fin à l'enchantement, Jacques éprouvera deux sentiments aussi complémentaires que contradictoires. D'une part il ressentira le remords de ne pas aimer Miche aussi absolument qu'il l'aurait voulu, en la conservant unique dans son abstraction ; de l'autre il effectuera le transfert de sa déception sur l'amour, ce qui lui permettra une totale déculpabilisation. Pourquoi, en effet, continuer à se repentir, puisque tout cela n'était qu'une utopie ? Un rêve, au sens propre du terme :
Ils reviennent d'amour, ils se sont réveillés [1]...

1. « Les désespérés ».

Miche Brel a bien compris l'évolution de la pensée de son mari, et elle a eu la grande intelligence de ne pas chercher à la canaliser, de ne pas tenter de fondre Jacques dans un moule à sa convenance. La phénoménale maturation artistique de ce dernier a été longue et difficile, égoïste même, et rien ne pouvait laisser prévoir qu'elle déboucherait un jour sur un résultat aussi exceptionnel ; or, quels qu'aient pu être parfois ses sentiments et ressentiments, Miche n'a jamais essayé de la brider. Plus que toute déclaration d'intention, voilà une preuve d'amour bien tangible.

Cela n'a sans doute pas été sans meurtrissures, de part et d'autre, mais bon an mal an le contrat a tenu. Et si Jacques a parlé de divorce, une fois ou deux, à Suzanne ou à Sylvie, au fond il ne l'a jamais envisagé sérieusement. Une promesse d'amant fragile, tout au plus, prêt à concéder n'importe quoi, sur l'instant, « pour un peu de tendresse ».

En définitive, et malgré d'autres liaisons encore à venir, Miche reste et restera « Madame Brel ». Non seulement pour l'état civil, mais aussi – ce qui est bien plus important – dans l'esprit de Jacques. Le bastion où il sait pouvoir se retrancher dans les moments d'intense déroute.

En octobre 1962, il propose d'ailleurs à sa femme de créer ensemble leur propre maison d'édition : Arlequin. Ce nom, qui fait double emploi avec celui d'une société déjà existante, sera bientôt abandonné au profit de Pouchenel (Polichinelle, en patois bruxellois). Miche, bien entendu, gère l'affaire.

Les études de François Rauber au Conservatoire de Paris touchant à leur fin, celui-ci s'apprête à passer le concours de composition en juin de cette année 1962. Chaque élève dispose d'un quart d'heure et d'un orchestre entier, pour montrer son savoir-faire. Rauber compose une suite symphonique en trois mouvements et demande à Jacques de lui écrire un argument en autant de tableaux, qu'il fera chanter au baryton Jean-Claude Benoît. Ainsi naissent les histoires de *Jean de Bruges*, que Brel enregistrera lui-même, l'année suivante, sans les chanter, mais en les jouant comme le véritable comédien qu'il est devenu.

Sur fond de voix, de rires et de verres entrechoqués, évoquant le brouhaha d'une de ces tavernes portuaires où les marins hâbleurs se racontent leurs chimères, Jean de Bruges, le plus vantard d'entre tous, explique comment, un jour, il a tué une baleine fabuleuse :

Longue comme un canal de pluie,
Large comme une brasserie,
Avec des yeux comme des soleils...,

et comment le sang de l'animal, en se répandant sur l'eau, a donné naissance à la mer Rouge !

L'adagio du second mouvement est prétexte à conter ses amours avec la petite sirène de Copenhague, par « *un soir de langueur océane* » (une image à laquelle Brel tient décidément beaucoup !). Puis le vent se lève. L'orchestre hausse le ton et l'ouragan se déchaîne :

J'ai cru mourir cette fois-là.
Alors est arrivée, plus haute qu'un nuage,
Plus noire qu'un péché, plus longue qu'un voyage,
Une vague bâtie et de roc et d'acier,
La forge qui avance comme l'animal blessé.

Et cette vague (*la* vague, que tous les marins du monde ont rencontrée au moins une fois dans leur vie, qu'ils aient doublé les Trois Caps bout-au-vent ou seulement tiré des bords entre Oléron et La Couarde, et qu'ils n'oublieront jamais plus, surtout pas dans leurs récits !), cette vague, donc, « *la tête dans le ciel et les pieds dans l'enfer* », ravage tout sur son passage :

Et elle a fait une île
En retombant sur terre,
De ce faubourg de Bruges
Qu'on nomme l'Angleterre.

Encore une image que Brel réutilisera plus tard, en l'affinant, dans « Mon père disait ». Les exemples de ce genre de correspondances entre chansons, distantes quelquefois de plusieurs années, sont assez fréquents dans l'œuvre de Jacques Brel. Ainsi « Madeleine » et la Frida de « Ces gens-là » sont-elles toutes les deux trop belles pour lui. Du moins aux dires des autres : ces empêcheurs de s'aimer en rond, comme aurait dit Brassens. De même, « La ville s'endormait » renvoie-t-elle à « Vieille », écrite pour Juliette Gréco :

On ne m'attend nulle part,
Je n'attends que le hasard...

Le parallèle n'est pas toujours aussi clairement exprimé par les mots ; il ne s'agit parfois que de la même idée de fond ou de l'évocation de deux climats semblables. La guerre, par exemple, marque la fin brutale de l'enfance-innocence, tant dans « La colombe » *(« l'heure que voilà / Où finit notre enfance... »)* que dans « Mon enfance », qui s'achève sur :

Et la guerre arriva,
Et nous voilà, ce soir.

Plus subtile encore, cette évocation d'un bonheur paisible, exprimée par l'assoupissement des villes, dans « Je suis un soir d'été », « Pourquoi faut-il que les hommes s'ennuient ? » ou « La ville s'endormait ». Ou bien cette vision fugitive d'une fille dansant qui, rappelant celle de « Sur la place », donne une bouffée de tendresse et de mélancolie légère à la chute de « La ville s'endormait », texte capital, on le voit. Deux chansons distantes de près d'un quart de siècle : l'une sur le premier disque, l'autre sur le dernier, comme si Brel avait voulu se réconcilier enfin avec une vieille image idyllique de la femme, trop longtemps refoulée dans l'intervalle.

D'autres fois aussi il reprend et développe sur toute une chanson une idée simplement ébauchée dans un texte abandonné en cours de route ou resté inédit. C'est le cas de « Fils de... » qui était en germe, dès 1953, dans « Tous les enfants du roi » :

Tous les enfants du roi
Même s'ils ont les yeux bleus,
Peuvent quand même pleurer [1]...

ou encore de « La cathédrale » *(« Prenez une cathédrale / Et offrez-lui quelques mâts / [...] Une cathédrale à tendre / De clinfoc et de grand-voiles... »),* qui reprend le point de départ de « A deux » :

---

1. « Tous les enfants du roi », chanson inédite, ne figure même pas dans l'*Œuvre intégrale* publiée par les éditions Robert Laffont en 1982. Il en existe pourtant un enregistrement, effectué par la radio flamande BRT, en août 1953, sur lequel Jacques s'accompagne seul à la guitare (archives de la Fondation internationale Jacques Brel).

A deux, nous bâtirons des cathédrales,
Pour y célébrer nos amours ;
Nous y accrocherons les voiles
Qui nous pousseront vers le jour [1].

Ces cousinages, qu'il convient de considérer comme des passerelles et non comme des redites, donnent finalement une grande homogénéité à l'œuvre de Jacques Brel. Ce qu'il chante ne relève ni d'idées en l'air ni de fantasmes passagers, mais d'un monde extrêmement cohérent, malgré tous les paradoxes que l'on peut y trouver.

---

1. Originellement intitulée « Toi et moi », cette chanson inédite (voir note précédente) a cependant été rebaptisée « A deux », lors de son dépôt à la SABAM. « La cathédrale », quant à elle, fait partie des cinq titres inédits enregistrés par Jacques Brel lors des séances de son ultime album, mais jamais exploités discographiquement. On peut néanmoins l'écouter à la Fondation internationale Jacques Brel, à Bruxelles.

25

On ne nous apprend pas
à se méfier de tout

Malgré le nombre invraisemblable de spectacles qu'il donne chaque année (trois cent vingt-sept rien qu'en 1962), et bien qu'il se plaigne de n'avoir pas assez de temps pour écrire, Jacques Brel traverse une période de grande fécondité. Et c'est fort de huit chansons nouvelles qu'il aborde son second Olympia en vedette, en mars 1963. L'américaine est assurée par Isabelle Aubret et le reste de l'affiche se partage entre le duo comique Dupont et Pondu et le chanteur provençal Robert Nyel, qui se taille un assez joli succès avec « Magali » [1].

Parallèlement, l'énergie débordante de Jacques l'amène à multiplier ses activités. Fin 1962, il tourne un court métrage, prétexte à illustrer l'opposition des thèmes développés par « Les paumés du petit matin » et « Le plat pays ». Intitulé *Premier jour,* et mis en scène par un certain Jacques Pierre, ce petit film d'une vingtaine de minutes montre Jacques traînant tout d'abord sa nuit de bar en bar, et de zincs minables en night-clubs snobinards où l'on danse, « *les yeux dans les seins* », sur fond de conversations stériles et de drague molle. Au gré des boîtes où il passe, il croise fugitivement Félix Marten, Roger Hanin, Jean-Luc Godard et Anna Karina, et un jeune débutant nommé Pierre Barouh. Puis, écœuré par

1. Auteur fétiche de Bourvil, Robert Nyel a écrit entre autres « Ma p'tite chanson » et « C'était bien » (Au petit bal perdu), ainsi que « Déshabillez-moi » et « Marions-les », pour Juliette Gréco, sur des musiques de Gaby Verlor.

cet univers factice, il prend sa voiture – une DS 19 – et roule au hasard jusqu'à ce qu'il tombe de sommeil, à l'entrée d'une cité HLM de la lointaine banlieue. A son réveil, une petite fille, visiblement immigrée, le regarde par la vitre de la portière. La conversation s'engage, et Jacques commence à lui parler de la Flandre, tout en lui montrant un album de photos de son « Plat pays », tandis que la chanson passe en fond sonore. Lorsqu'il reprend la route, le chanteur est littéralement régénéré, et la petite fille le regarde s'éloigner en serrant sous son bras l'album qu'il lui a offert...

Le message est clair et simple, pour ne pas dire simpliste : la ville et ses tentations nocturnes sont des antres de perversité, alors que le pays natal, le terroir, reste le lieu de toutes les rédemptions. Pour ceux qui en douteraient encore, Jacques avoue ainsi, explicitement, son amour pour un pays qu'il trouve beau, avec sa grisaille et son maigre soleil.

Dans les mois qui suivent, il semble soudain être devenu la coqueluche d'Europe N° 1, où on lui demande de se prêter à des extravagances, parfois totalement hors de ses cordes. Par goût d'« aller voir », mais aussi par incapacité à dire non, il accepte et se retrouve régulièrement embarqué dans de bien curieux projets.

En avril, on lui confie les commentaires de quelques programmes de musique classique, dans le cadre de l'émission *Rendez-vous, Madame la musique* [1]. Quelques semaines plus tard, il joue le rôle du prince Muichkine, dans une lecture radiophonique de *L'Idiot* de Dostoïevski, aux côtés de Roger Hanin, Catherine Sauvage et Marie Daems.

Tout cela n'est pas bien fameux et n'ajoute pas grand-chose à sa gloire ; mais il s'en fiche, les nouvelles expériences l'intéressent : approcher des techniques différentes, travailler avec des gens qu'il aime bien... Quitte, parfois, à prêter son concours à des entreprises franchement ridicules, comme cette « Ko-médi musikal » intitulée *Les Armes de l'amour,* écrite et réalisée par Gérard Sire (et diffusée sur les ondes d'Europe N° 1 le 30 juillet 1963), dans laquelle il tient le rôle principal au côté de Patachou. L'argument est des plus simples : pour faire un papier choc, une journaliste

---

1. Europe N° 1, avril 1963.

entreprend de séduire un marchand de canons qui, ayant tout abandonné pour elle, finira tenancier d'un stand forain de tir aux pipes. Mais le plus lamentable, dans cette entreprise elle-même navrante, sera l'auto-exécution parodique, pour les besoins de la cause, de certaines de ses chansons. Ainsi « Les bigotes » deviennent-elles « Les grenades » ; « Le moribond », « Adieu la ville » ; et, finesse suprême, « On n'oublie rien » : « On oublie tout ». La pauvre Patachou se chargeant, quant à elle, de régler son compte à « Bal chez Temporel [1] ».

Nettement plus intéressante, en revanche, est la démarche de Jean Serge, qui demande à Jacques d'écrire une chanson originale pour illustrer *La Toison d'or*, trilogie dramatique d'un écrivain autrichien assez mal connu du public français, Franz Grillparzer. Cette pièce doit être donnée dans le cadre du « Festival Corneille », que Serge anime chaque année à Barentin, dans la région rouennaise... et Jacques ne saurait rien refuser à son vieil ami. Sur le thème de la quête, plusieurs années avant *L'Homme de la Mancha*, il écrit donc une demi-douzaine de strophes où se retrouvent, en vrac, ses obsessions de toujours :

Et vous conquistadors, navigateurs anciens,
Hollandais téméraires et corsaires malouins,
Cherchant des Amériques vous ne cherchâtes rien
Que l'aventure de la Toison d'Or [2] !

Au milieu de cette activité frénétique, et entre deux tournées au Portugal ou au Danemark, Jacques trouve quand même le temps de graver les huit titres qu'il vient de créer à l'Olympia. Les séances ont lieu début avril, en trois fois, les 2, 3 et 10, et commencent par « Quand maman reviendra », une neuvième chanson qui ne faisait pas partie de son tour de chant et qui, finalement, ne sera pas retenue non plus pour le 33 tours. A vrai dire, Jacques n'aime pas cette chan-

---

1. « Bal chez Temporel », poème d'André Hardellet, musique de Guy Béart (1957).
2. « La toison d'or », titre resté inédit, ne figure sur aucun album du chanteur, pas même dans son œuvre intégrale en dix CD. Il en existe néanmoins un enregistrement, fait par Jean Serge, pour Europe N° 1, au cours de l'été 1963, et qui peut être écouté à la Fondation internationale Jacques Brel.

son, et s'en expliquera à Jean Clouzet : « *J'ai voulu jouer au prolétaire et je ne le suis pas. J'ai voulu me glisser dans la peau d'un gars de vingt ans et je ne les ai plus. Chaque fois que je triche avec moi-même, je vais droit à l'échec et, au fond, c'est bien fait pour moi. Sur le moment, je crois être sincère. [...] Je vous jure que j'ai vraiment l'impression d'être honnête. Pourtant lorsque tout est terminé, je m'aperçois trop tard que je ne l'étais pas. Voilà comment on rate une chanson* [1]... »

Le reste du 25 cm, en revanche, contient quelques merveilles qui figurent aujourd'hui au nombre des « classiques » de Brel. A commencer par « Les fenêtres », dont l'écriture, extrêmement travaillée et aboutie, est à la hauteur de réussites aussi exemplaires que « Le plat pays » ou « Les Vieux » — même si cela semblait moins évident de prime abord. Pas une faille dans cette série de croquis rapides et précis. Une suite de quatrains concis, dont chacun évoque une tranche de vie, réduite à ses lignes essentielles :

La fenêtre bataille
Quand elle est soupirail
Où le soldat mitraille
Avant de succomber

ou encore :

Les fenêtres surveillent
L'enfant qui s'émerveille
Dans un cercle de vieilles
A faire ses premiers pas.

Comme l'écrivait déjà Baudelaire, dans un poème en prose également intitulé « Les fenêtres » : « *Dans ce trou noir ou lumineux vit la vie, rêve la vie, souffre la vie* [2]. »

« La Parlote » est une de ces chansons de scène dont l'intérêt discographique reste limité ; elle permettait surtout à Brel de jouer de ses mains comme un montreur de marionnettes et de se livrer à un grand numéro d'acteur, en variant le ton presque à l'infini, sur un seul mot. Un exercice de style qu'il poussera plus loin encore, ensuite, avec « Au suivant ».

L'herbe, c'est bien connu, est toujours plus verte dans le champ du voisin, de même que les salauds y sont plus noirs.

1. *Op. cit.*
2. *Le Spleen de Paris*, 1862.

Il est facile, en effet, de s'indigner à ces messes barbares que sont les corridas, en faisant mine d'oublier ce que nous rappelle Jean Ferrat :

Quand le taureau s'avance
Ce n'est pas par plaisir
Que le torero danse [1].

Facile aussi, à l'inverse, de se pâmer d'aise, dans les tribunes élégantes, en citant Garcia Lorca, Montherlant ou Hemingway, pour mieux disserter sur le romantisme sombre du sang, de la lumière et de la boue mêlés. Facile encore de rayer tout cela d'un trait de plume, depuis son cabinet de moraliste. « *Trop facile de faire semblant* », n'est-ce pas, Grand Jacques ?

Alors, parce qu'il n'est plus et ne sera plus jamais un donneur de leçons de morale, Jacques Brel, dans « Les toros », ne propose aucune réponse toute faite. A chacun, en esprit libre, de tirer les conclusions de cette chanson, beaucoup plus nuancée qu'il n'y paraît, et dont le premier vers de chaque strophe (« *Les toros s'ennuient le dimanche* ») est un clin d'œil, ouvertement avoué, à l'adresse de Charles Trenet, qui avait écrit avant-guerre une aimable fantaisie intitulée « Les enfants s'ennuient le dimanche ». Ici, bien sûr, le ton est sensiblement plus grave, mais au lieu de se poser en procureur, le chanteur préfère renvoyer le public à ses fantasmes collectifs :

Voici les picadors, et la foule se venge,
Voici les toreros, la foule est à genoux...,

tout en n'oubliant pas de redonner au sujet sa véritable dimension, en le situant dans un contexte plus large :

Est-ce qu'en tombant à terre
Les toros rêvent d'un enfer
Où brûleraient hommes et toreros défunts,
Ah !
Ou bien, à l'heure du trépas,
Ne nous pardonneraient-ils pas
En pensant à Carthage, Waterloo et Verdun ?

Comme beaucoup d'autres, la question reste en suspens ;

---

1. « Les belles étrangères », paroles de Michelle Senlis, musique de Jean Ferrat (1965).

à chacun, s'il le désire – et s'il le peut – d'y apporter ses propres réponses. Brel, quant à lui, a choisi une fois pour toutes de tabler sur l'intelligence des gens. Un chemin bien aride dans le monde de la variété.

« *Nous étions deux amis, et Fanette m'aimait...* » Un vers, un simple alexandrin et tout est déjà dit, ou presque. C'est là l'un des traits les plus remarquables de l'écriture de Jacques Brel : ses entrées en matière sont souvent si éloquentes qu'elles nous empoignent dès les premiers mots. Même lorsque le propos n'est pas « *congestionnant d'intérêt* », pour reprendre une expression qui lui était familière :

T'as voulu voir Vierzon
Et on a vu Vierzon!
T'as voulu voir Vesoul
Et on a vu Vesoul [1]...

On peut tout ignorer de la situation géographique de Vesoul ou Vierzon, le rapport de forces, lui, est déjà installé. Idem pour « La Fanette » : « *Nous étions deux amis et Fanette m'aimait...* » On comprend aussitôt que l'atmosphère est au drame. Trois personnages sont en place, alors que Brel n'en a nommé qu'un seul, et leurs relations sont implicitement établies. Mieux, il est déjà évident que celles-ci vont se modifier, et que ni l'amitié ni l'amour n'y survivront. Sinon, pourquoi employer l'imparfait?

Avec ses ellipses douloureuses :

Faut dire
Qu'on ne nous apprend pas...
Mais parlons d'autre chose,

« La Fanette » est sans doute l'une des plus belles chansons de Brel. Encore une histoire de *loser*. Encore une histoire d'amoureux abandonné. Et encore une réminiscence de lecture, cette relation triangulaire évoquant de très près la trame du livre de Julien Gracq, *Au château d'Argol* [2], dont elle reprend assez fidèlement la scène de la noyade :

... c'est bien ce jour-là
Qu'ils ont nagé si loin,

1. « Vesoul ».
2. *Au château d'Argol,* par Julien Gracq (Editions José Corti, 1938).

Qu'ils ont nagé si bien
Qu'on ne les revit pas.

Et puis, entre les lignes, Jacques se livre une nouvelle fois, de façon très intime :

Faut dire qu'elle était brune
Tant la dune était blonde,
Et tenant l'autre et l'une,
Moi, je tenais le monde.

Sylvie, bien sûr, est brune, alors que Miche est blonde. Et il ne choisira jamais l'une au détriment de l'autre ; car – ainsi qu'il le laisse entendre on ne peut plus clairement – il a besoin des deux pour avoir ce sentiment de tenir le monde. D'exister, tout simplement.

Cette « Fanette », dont paroles et musique sont une réussite totale, est de surcroît servie par un arrangement exceptionnel. Les ondes Martenot de Sylvette Allart créent un climat, à la fois mystérieux et détaché, qui situe la chanson à mi-chemin entre l'évocation d'un souvenir encore à vif et une réalité échappant complètement au personnage.

A l'inverse, « Les filles et les chiens », affligeante succession de clichés éculés, n'a que l'arrangement qu'elle mérite... Partant de l'idée simple que le chien est le meilleur ami de l'homme et la femme sa *« pire ennemie »*, Brel assène un exercice de style fort lourd, aux limites parfois du calembour, tant il cherche à jouer sur les assonances. Tout cela pour essayer de démontrer que les hommes ont trop souvent oublié ces vérités premières et sont prêts à n'importe quelle bassesse, n'importe quel reniement, pour l'amour des femmes. Pour l'avoir déjà dit, et de manière ô combien plus émouvante, il aurait très bien pu se dispenser de ce rappel incongru.

D'une drôlerie féroce, « Les bigotes » pousse un peu plus loin encore le bouchon lancé par « La dame patronnesse ». Désormais, la religion s'inscrit au tableau de chasse du chanteur qui, de « Grand-mère » à « La... La... La... », ne manquera plus une occasion de le montrer. Rien de tel, pour croquer de la soutane, que d'avoir été élevé – comme Jacques et Jojo – chez les curés ! Leurs discussions homériques finissent toujours peu ou prou, entre les cons et les

« bonnes femmes », par ramener les « radis noirs » sur le tapis. Or, les bigotes font partie de la panoplie obligatoire de tout anticlérical qui se respecte ; d'autant qu'elles n'ont même pas l'excuse du sacerdoce.

Pour donner plus de dérision à sa charge, Jacques Brel utilise ici plusieurs procédés stylistiques qui lui sont chers. Si l'abondance de répétitions amène l'auditeur à se sentir étouffé dans un monde mesquin, étriqué et immobile :

Puis elles meurent à petits pas,
A petit feu, en petits tas,
Les bigotes,
Qui cimetièrent à petits pas,
Au petit jour, d'un petit froid,

le néologisme fait sourire, accentuant encore le ridicule du tableau. Par opposition, pour symboliser le monde qui n'a jamais cessé, pendant ce temps, de déborder de vie, Jacques recourt à une citation d'une chanson de Mayol :

Le samedi soir, après l'turbin,
On voit l'ouvrier parisien...

Cet extrait de « Viens Poupoule [1] » est tellement connu que sa simple évocation est plus éloquente qu'une longue et laborieuse explication. Son effet, à la fois très appuyé et concis à l'extrême, crée un contraste saisissant.

Rythme obsédant de petit métallophone et d'un accordéon à la respiration mécanique : le temps, cette fois, n'est pas immobile, il est prisonnier du tic-tac des pendules ; ce qui, au fond, revient exactement au même... Brel a si souvent traité de la mort qu'on finirait par le croire obsédé par cette idée. Il n'éprouve pourtant ni fascination pour elle ni révolte à son encontre, s'étant résigné à l'accepter pour ce qu'elle est : une fatalité. Pourquoi, en effet, se révolter contre une finalité inéluctable ? Tout juste note-t-il au passage que *« Dieu fait preuve d'une grande impolitesse en ne nous avertissant pas de l'heure de notre mort »*... Il est une idée, en revanche, à laquelle il ne s'habituera jamais, c'est celle de vieillir. Cette longue dégradation qui mène à la perte des

_____

1. « Viens Poupoule », paroles de Christiné et Trébitsch, musique d'Adolf Spahn (1902).

facultés physiques et intellectuelles, ce plongeon dans la solitude qui fait que l'« *on vit tous en province, quand on vit trop longtemps* ». Plus effrayante que la mort, il y a cette existence qui, de deuil en deuil, se transforme en désert et où « *celui des deux qui reste se retrouve en enfer* ».

Oui, décidément, la mort semble douce à côté de cet avenir sans le moindre horizon, où toute la vie se concentre dans un espace de plus en plus réduit : « *Du lit à la fenêtre, puis du lit au fauteuil, et puis du lit au lit.* »

A cette perspective d'immobilité, Brel préférera toujours l'idée de devancer l'appel, pour sortir du jeu « *par arrêt de l'arbitre* » :

Mourir, cela n'est rien,
Mourir, la belle affaire !
Mais vieillir... Ô vieillir [1]...

Il n'en reste pas moins, au-delà de toutes les terreurs secrètes qu'elle recèle entre les lignes, que « Les Vieux » – avec ses interminables vers de dix-huit pieds, son mouvement d'horloge et ses images d'une infinie tendresse – est l'une des plus belles chansons d'amour qui soient. Au sens le plus large.

Au regard d'un tel chef-d'œuvre, « J'aimais », qui clôt cette sélection [2], paraît assez faible. L'écriture et la construction en sont si ouvertement travaillées que l'on sent rapidement où nous mène cette progression de verbes sur laquelle s'appuie la trame de l'ensemble. Rêver, guetter, savoir (qui, chez Brel, signifie toujours « connaître »), aimer, brûler, pleurer et oublier. La boucle est bouclée, sans surprise. En outre, quelques images trop forcées, comme « *les tours de cœur de garde* » ou « *les laides de nuit* », relèvent d'une technique artificielle qui ressemble déjà à une « habileté » fort agaçante.

1. « Vieillir ».
2. « Les bigotes », « Les vieux », « Les fenêtres », « Les toros », « La Fanette », « Les filles et les chiens », « J'aimais » et « La Parlote » ont été publiées sur le 33 tours 25 cm portant la référence Barclay 80186. « Les bigotes », « Quand maman reviendra », « Les filles et les chiens » et « La Parlote », d'une part ; « Les toros », « Les vieux », « La Fanette » et « Les fenêtres », d'autre part, ont fait l'objet de deux super-45 tours (réf. : Barclay 70491 et 70556).

26

Parlez-moi de générosité

Dans la foulée de son nouveau 33 tours, Jacques Brel enregistre *Jean de Bruges*, plus une chanson inédite : « Il neige sur Liège », qu'il interprète seul à la guitare ; dérive mélancolique à travers une ville suspendue dans l'espace par les flocons, dont on ne sait plus s'ils tombent *« Ou si c'est Liège qui neige vers le ciel »*. Cela ressemble plus à un coup de cafard qu'à une chanson construite et achevée, malgré la force de certaines images :

Il est brisé le cri
Des heures et des oiseaux,
Des enfants à cerceaux
Et du noir et du gris...

Ces bandes ne sont pas destinées à une exploitation commerciale, car François Rauber considère que son travail n'est pas assez abouti, tandis que Jacques affirme que *« cette œuvre [étant] prétexte à musicalité, le texte n'a guère d'intérêt »*.

Jean de Bruges sera pourtant gravé et pressé, quelques mois plus tard. A l'occasion du XVIᵉ congrès des bourg-mestres belges de l'Union internationale des autorités locales, à Bruxelles, la ville décidera en effet – pour offrir un cadeau original à ses invités – de faire tirer quelques centaines d'exemplaires d'un disque comprenant la saga du marin brugeois, sur une face, et sur l'autre trois chansons de Brel évoquant la Belgique : « Bruxelles », « Le plat pays » et « Il neige sur Liège » (qui restera inédite, du vivant de Jacques, dans sa discographie officielle). Ce 25 cm hors commerce, intitulé *Jacques Brel chante la Belgique*, fera rapidement les beaux jours des collectionneurs et reste l'une des pièces les plus recherchées parmi les raretés bréliennes [1].

En écrivant ces trois poèmes, il n'a jamais été question de toute façon, dans l'esprit de Jacques, que de rendre service à un ami. Que le petit quart d'heure d'examen de François Rauber ait demandé plusieurs semaines de travail ne change rien à l'affaire : lorsqu'il est question de fidélité envers ses amis, ou de générosité, Jacques Brel ne compte ni son temps ni sa peine.

Ainsi multiplie-t-il les galas gratuits. Parce que la seule mention de son nom sur une affiche va permettre à telle ou telle association locale de faire un peu parler d'elle, d'élargir le cercle de ses sympathisants ou, plus prosaïquement, de régénérer ses finances. Car Jacques aime les gens qui se remuent dans leur coin (leur façon à eux d'« *aller voir* ») et, maintenant qu'il en a les moyens, il ne leur refuse jamais son aide. En août 1962, il participe au Festival mondial des jeunes pour la paix, à Helsinki, où il chante « La colombe » devant des dizaines de milliers de spectateurs venus des cinq continents. Mais la plupart du temps, son action est plus discrète. Jouant le soir au théâtre municipal d'une ville quelconque de province, il lui arrive souvent, dans l'après-midi, d'entraîner toute son équipe pour interpréter une dizaine de chansons dans un centre pour enfants handicapés, dans une maison de retraite ou une amicale d'étudiants. Fait remarquable, ses musiciens le suivent qui n'en restent pas aux déclarations de principe, mais adhèrent totalement et solidairement à la démarche de Jacques...

Au-delà des bringues entre copains, des pauses pétanque sur le bord de la route, pendant les longues étapes, et des centaines de milliers de kilomètres partagés, la bande à Brel

---

1. *Jacques Brel chante la Belgique,* 33 tours 25 cm (réf. : Barclay 33B-1-B). Si depuis cette date *Jean de Bruges* n'a jamais été repris en disque et reste une vraie curiosité, « Il neige sur Liège » a été incluse en 1979 (après la mort de Brel, donc), ainsi que « Bruxelles » et « Mijn vlakke land » (Le plat pays, en flamand), dans le 33 tours 30 cm *La Belgique vue du ciel*, bande originale du film documentaire portant ce titre (réf. : Barclay 910026). Par ailleurs, cette chanson figure sur le CD n° 3 de l'*Intégrale Jacques Brel* publiée par Phonogram-Barclay.

est soudée par quelque chose de beaucoup plus fort qui ressemble à un certain idéal de vie. Loin du scoutisme immature de « l'abbé Brel » et des phrases redondantes sur l'amour du prochain, Jacques a enfin trouvé le ton juste. Celui de la dignité.

N'étant pas du genre hâbleur, il ne s'expliquera jamais beaucoup sur cet aspect de son personnage, et jamais on ne le verra poser pour des magazines en train de remettre un chèque à une quelconque association caritative. D'ailleurs, il exécrait la charité et ne se privait pas de le dire... non sans exaspération : « *Parlez-moi de générosité. Pas de charité. Je déteste la charité. Je passe mon temps à la faire, simplement parce que je suis trop faible pour imposer la justice.* »

En fait, aux antipodes des systèmes de bienfaisance organisée, Brel s'est toujours confronté individuellement à ce qui le révoltait. Il ne fait pas de philanthropie ; il essaie simplement de contribuer, dans la mesure de ses possibilités, à rétablir la balance de situations qu'il considère injustes. On en aura un exemple éloquent avec Isabelle Aubret.

En mai 1963, la chanteuse – qui vient de se produire à l'Olympia avec lui et interprète, par ailleurs, certaines de ses chansons – est victime d'un terrible accident de la route qui la laisse brisée, entre la vie et la mort, et va l'obliger à interrompre sa carrière plusieurs années durant, le temps d'une rééducation longue et coûteuse. Désireuse de chanter « La Fanette » – où le narrateur est un homme –, elle avait demandé à Jacques de lui écrire un prologue pour expliquer cet emprunt d'identité. Il avait accepté, mais n'en avait pas encore trouvé le temps... L'accident, bien sûr, change tout : nul ne sait quand Isabelle chantera à nouveau, ni même si elle pourra un jour remonter sur les planches. Alors, plutôt qu'un prologue, devenu peut-être inutile, Jacques lui donne la chanson. Toute la chanson. C'est-à-dire qu'il lui abandonne intégralement les droits d'auteur et d'édition...

Quand on connaît le succès rencontré par « La Fanette », le moins que l'on puisse dire est que Monsieur Brel savait être princier dans ses cadeaux. Un aspect de sa personnalité dont il ne s'est jamais vanté auprès de quiconque, et que bien peu de gens soupçonnent.

Quelques années plus tard, tout aussi confidentiellement, il offrira les droits de « L'enfance » à son ami Lino Ventura, pour sa fondation Perce-Neige. De même, à l'apogée de son succès et remplissant à craquer les plus grandes salles du monde, reviendra-t-il jouer plusieurs fois à L'Echelle de Jacob, en souvenir de l'époque où Suzy Lebrun était l'une des seules à croire en lui... et d'une guitare volée qu'il lui avait bien fallu racheter. Considérant, alors, ces spectacles-pèlerinages comme le remboursement d'une dette personnelle, Jacques réglera lui-même les cachets de ses musiciens, permettant ainsi à sa vieille amie de renflouer les caisses d'une salle au bord de l'asphyxie. En janvier 1965, juste après avoir créé « Amsterdam » à l'Olympia, Jacques Brel payait de sa poche pour se produire, pendant deux semaines, dans un cabaret à peine plus grand que sa loge du Carnegie Hall...

« *J'aime beaucoup plus les hommes qui donnent que les hommes qui expliquent* », affirmera-t-il à Jacques Chancel au moment, ou presque, de tirer le rideau sur sa vie d'homme public et de partir à la recherche de cette

... *île au large de l'espoir*
Où les hommes n'auraient pas peur [1]...

Ne pas expliquer : une idée qui revient régulièrement dans ses interviews. A la télévision belge, par exemple, au cours du tournage de *Franz* : « *Je tiens beaucoup plus à vivre qu'à expliquer vainement la vie.* » Il est vrai que Jacques Brel ne sera jamais un penseur méthodique, ni un théoricien. Pas plus dans son œuvre que dans ses prises de parole publiques, dont il reste de multiples traces. Généralement, il ne tente pas d'analyser ce qu'il pense, il se borne à l'affirmer avec un aplomb phénoménal ; si possible aussi à coup d'images choc, voire paradoxales. A peine prend-il, parfois, un minimum de précautions oratoires, à l'aide d'une pirouette : « *J'ai la faiblesse de croire que...* » La manière de dire, dans ces moments-là, importe au moins autant que la teneur véritable des mots. Si bien qu'il arrivera à Jacques de tenir des propos contradictoires, avec la même assurance : à défaut de

1. « Une île ».

beaucoup de rigueur dans sa logique, il porte en effet en lui un sens très aigu de la logique de l'instant. Et rien ne dit, a priori, qu'il donnera deux fois la même réponse à la même question, posée de la même manière, s'il s'agit de contextes différents.

D'autre part, il ne faudrait pas occulter le fait (ce n'est pas lui faire injure que de le rappeler) que ce phénoménal homme de scène restait en représentation permanente lorsqu'il s'exprimait publiquement. D'où ce besoin d'images spectaculaires, d'assertions fortes et définitives, qui présentaient en outre l'avantage de décontenancer l'éventuel contradicteur. Il existe une part de mise en scène dans tout personnage public, quelle que soit la profondeur de sa sincérité. Cela ne minimise en aucun cas celle de Brel, qui était immense, que de reconnaître qu'il a parfaitement su la théâtraliser. L'essentiel étant, au bout du compte, que lui-même n'en soit pas dupe.

27

Non, Jef, t'es pas tout seul

Octobre 1963. Edith Piaf vient de mourir, à Plascassier, près de Grasse. Quelques mois plus tôt, Brel lui avait écrit une chanson : « Je m'en remets à toi », sur une musique de Charles Dumont, le compositeur attitré des dernières années de la Môme. Mais elle arrivait trop tard, puisque Edith déjà ne chantait plus.

Pour ce qui est de vivre
Ou de ne vivre pas,
Pour ce qui est de rire
Ou de ne rire plus,
Je m'en remets à toi.

Pendant ce temps, Jacques est en vacances à Roquebrune, avec Sylvie. Depuis qu'ils se sont installés dans cette maison de bord de mer, il s'est découvert la passion de la voile et, justement, vient d'acheter son premier bateau. Ce jour-là, il fait une fausse manœuvre sur le pont, tombe et se fracture le pied. Verdict : plâtre et trois semaines d'immobilité. Il est obligé d'annuler tous ses contrats, et notamment son passage à L'Ancienne Belgique, dont la première devait avoir lieu le 18. Profitant de cette inaction forcée, il prend enfin le temps de se soûler d'écriture et, en l'espace d'un mois, termine les huit chansons de son prochain disque.

A peine remis, il s'envole pour la Turquie, Israël, puis l'URSS où, fait rarissime pour un artiste étranger, il chante en direct à la télévision. De retour en France, alors qu'il devait passer Noël à Morzine, en compagnie de Miche et des filles, Jacques annule tout et se produit pour les fêtes de fin d'année à L'Ancienne Belgique, pour compenser son dédit involontaire d'octobre. Toujours le geste, quand il le faut...

Après la dernière et quelques jours de détente boulevard Wahis pour jouer les *pater familias*, il retourne au studio de l'avenue Hoche afin d'enregistrer son nouveau disque, prévu pour sortir au printemps.

Le 7 janvier 1964, il attaque la séance sur l'un des plus féroces portraits de la bêtise qu'il ait jamais tracés : « Les bonbons ». Sous son air de puceau timide et maladroit, le personnage mis en scène est d'une telle veulerie que, dans un premier temps, il réussit à inspirer un vague sentiment de pitié. Puis, derrière les phrases toutes faites de celui que l'on prenait pour un simple nigaud, se dessinent toute l'hypocrisie, toute la lâcheté, l'envie, la médisance et la médiocrité du monde. Ce triste sire, qui aurait pu n'être que dérisoire, glisse peu à peu vers l'abjection. Le chanteur, d'ailleurs, le chargera plus encore en scène, grâce à un jeu de mimiques appuyées qui feront toujours des « Bonbons » un des temps forts de ses récitals.

« Il n'y a pas de gens méchants. Il y a des gens bêtes, et ça n'est pas de leur faute, et des gens qui ont peur, et ça c'est de leur faute. [...] La bêtise, c'est de la paresse. Une espèce de graisse autour du cœur et du cerveau », dira Brel au journaliste Henry Lemaire, quelques années plus tard [1]. Il est certain que le héros des « Bonbons » se retrouve largement dans cette définition. D'une certaine manière, il est empreint de cette hantise d'être abandonné, ignoré, presque nié, que l'on retrouve tout au long de l'œuvre de Jacques Brel ; mais alors que la plupart des personnages mis en scène par le chanteur se sentent exclus du monde, faute de pouvoir y trouver toute la tendresse qu'ils en attendent, celui-ci s'en est retranché de lui-même, par son égoïsme forcené qui confine à la bêtise.

Jacques Brel ne saurait, à l'évidence, éprouver la moindre

1. Le 23 juillet 1963, Jacques Brel chante au casino de Knokke-le-Zoute. Le document filmé de ce concert donnera lieu à un CD, *Brel Knokke*, publié en octobre 1993 à l'occasion du quinzième anniversaire de la mort du chanteur (réf. : 521 237-2). Ce CD est complété par l'interview *Brel parle*, réalisée par Henry Lemaire, pour la RTB, le 8 juin 1971.

sympathie pour le drôle ; mais sa chanson, c'est l'une de ses grandes forces, n'exprime jamais clairement sa répugnance. Dépouillé à jamais de sa défroque de redresseur de torts, il laisse l'auditeur seul maître du choix entre le pitoyable et l'ignoble.

Sans être une œuvre de premier plan, « Les bergers » reste une très jolie chanson, menée d'un train soutenu sur fond de guitare et de flûte. L'un des rares exemples d'inspiration naturaliste dans l'œuvre du chanteur. Le soleil y est en permanence à fleur de mots...

L'été précédent, il est vrai, Jean Giono l'avait contacté pour lui demander d'écrire une ballade afin d'illustrer le film qui allait être adapté de son roman *Un roi sans divertissement*. L'homme de Manosque et celui du « Plat pays » s'étaient alors rencontrés, et Jacques, toujours soucieux de connaître les choses de l'intérieur, s'était plongé dans la lecture des livres essentiels du romancier. Découverte d'un univers de pierres craquantes, d'arbres noueux et de lumière tranchante comme une lame, aux antipodes des lourdes couleurs nuageuses de l'Escaut. Rien à voir, non plus, avec l'insouciance estivale de Roquebrune. Ici, l'eau se mesure et se respecte, et dans le Luberon traînent encore

... des histoires à nous faire telles peurs
Que pour trois nuits au moins, nous rêvons des frayeurs
Des bergers.

Pour le film, Brel composa « Pourquoi faut-il que les hommes s'ennuient ? », un titre qui sonne comme une réponse à l'assertion de Nizan, dans *Aden-Arabie* [1] : « *Je vous dis que tous les hommes s'ennuient.* » Réminiscence, plus ou moins consciente, plus ou moins affichée, d'un ouvrage dont Jacques – nous l'avons vu – s'était déjà inspiré l'année précédente en écrivant « Vieille » pour Juliette Gréco, et qui fera partie, aux Marquises, de la petite centaine de livres de son ultime bibliothèque. Sans paraphraser l'histoire du film, la belle et sobre complainte de Jacques Brel en restitue néanmoins les lignes de force :

Et tous ces loups qu'il faut tuer,
Tous ces printemps qu'il reste à boire,

1. *Op. cit.*

Désespérance ou désespoir,
Il nous reste à être étonné.

Enregistrée sur un simple accompagnement de guitare de Barthélemy Rosso, elle fut, comme prévu, intégrée à la bande-son et resta inédite en disque [1].

Mais les bergers des romans de Giono, par leur dimension quasi mythologique, avaient à ce point impressionné Jacques qu'il s'en fit une chanson :

Ils montent du printemps quand s'allongent les jours,
Ou brûlés par l'été descendent vers les bourgs...

Le passage de ces transhumants dans un village assoupi dans sa routine prend brusquement la forme d'une invitation au voyage. Un parcours que l'on devine initiatique, car si les plus jeunes d'entre eux ont des regards « *à vous brûler la peau / A vous défiancer, à vous clouer le cœur* », les anciens, à force de silence, sont devenus des sages. Et quand, les bêtes ayant bu, les bergers reprennent leur errance, ne laissant derrière eux qu'un peu de poussière en suspension, prête à retomber, chacun se sent soudain un peu plus seul encore, se demandant si tout cela n'était pas qu'illusion :

Mais tous ils nous bousculent, qu'on soit filles ou garçons,
Les garçons dans leurs rêves, les filles dans leurs frissons...

Pour ce nouveau disque, le plan de travail prévoit deux titres par séance, et le lendemain on doit mettre en boîte « Le dernier repas » et « Jef ». Etrange ambiance que celle qui règne alors dans l'entourage du chanteur, car on attend d'un jour à l'autre – les intimes le savent – la mort de Romain Brel. Le temps et la réussite arrondissant bien des angles, Jacques avait fini par se réconcilier tout à fait avec son père, et bien que n'appréciant guère ces « *ronds de famille* [2] », il avait même participé avec plaisir au banquet donné le 13 février précédent pour célébrer le quatre-vingtième anni-

1. Exceptionnellement, l'enregistrement ne fut pas effectué par Gerhardt Lehner, mais par Jacques Lubin, auteur de la discographie exhaustive de Jacques Brel, que l'on trouvera en annexes. Jamais sortie sur disque du vivant de Jacques, « Pourquoi faut-il que les hommes s'ennuient ? » figure désormais sur le CD n° 3 de l'*Intégrale* Phonogram-Barclay.
2. « Mon enfance ».

versaire de ce dernier. Son *dernier repas*, en quelque sorte ; en tout cas sa dernière fête.

Retrouvant le même rythme de sardane que celui du « Moribond », Brel nous livre dans cette chanson une nouvelle variation sur le thème des dernières volontés. Sans être un seul et même personnage, ses deux héros sont visiblement cousins. Même athéisme affiché, mêmes doutes à l'heure de franchir le cap, même paillardise viscérale et même volonté de considérer que s'il ne faut pas traiter la mort à la légère, du moins ne doit-elle pas empoisonner l'existence des vivants.

La nuance fondamentale entre les deux personnages réside dans la profondeur de leurs liens avec le monde. Alors que « Le moribond » ne prend guère congé que d'un cercle d'intimes, se mettant une dernière fois en paix avec eux, le héros du « Dernier repas » doit dénouer un écheveau d'attaches beaucoup plus serré. Cet homme vit en osmose avec tout un environnement humain, animal et même végétal. Et sa disparition traduit avant tout son retrait personnel d'un ensemble complexe où tout n'a sans doute pas la même importance, mais dans lequel il s'inscrivait de manière harmonieuse, et que l'on peut, faute de mieux, nommer « la nature » :

A mon dernier repas
Je veux voir mes frères,
Et mes chiens, et mes chats,
Et le bord de la mer.
[...]
Puis je veux qu'on m'emmène
En haut de ma colline
Voir les arbres dormir
En refermant leurs bras...

Le décès du « Moribond » ne brisera que quelques relations purement émotionnelles, tandis que celui du patriarche du « Dernier repas » marquera la rupture d'un faisceau de liens quasi cosmiques. En ce sens, le second personnage est beaucoup plus profond que le premier : Brel lui a donné une psychologie plus fouillée... qui nous parle de lui-même, entre les lignes, avec beaucoup plus d'acuité que dans bien d'autres chansons :

Dans ma pipe je brûlerai
Mes souvenirs d'enfance,
Mes rêves inachevés,
Mes restes d'espérance...
[...]
Et dans l'odeur des fleurs
Qui bientôt s'éteindra,
Je sais que j'aurai peur
Une dernière fois.

Quand on interrogeait Jacques Brel sur l'amitié, thème récurrent de son œuvre, il répondait : « *La fidélité de certains hommes vis-à-vis d'autres hommes, ça m'émeut aux larmes. Je trouve ça très supérieur à tous les autres sentiments.* » De « Fernand » à « Jojo », en passant par « Voir un ami pleurer », les exemples abondent dans sa discographie, et il a souvent montré, dans sa vie privée, que ce n'était pas seulement un bon sujet de chansons mais l'une des composantes fondamentales de son caractère.

« Jef » est certes la première chanson intégralement consacrée à l'amitié, mais ce serait l'appauvrir de manière considérable que de la réduire à ce seul thème. Car on y trouve un concentré de tous les grands sujets bréliens. Tout d'abord le sentiment d'abandon, c'est évident. Par une de ces introductions choc dont il est coutumier, Brel nous expose la situation dès le premier vers : « *Non, Jef, t'es pas tout seul !* » Conséquence obligatoire de l'abandon : la rancœur à l'encontre de la femme qui a bafoué l'amour qu'on lui portait. Pas *toutes* les femmes, une seule ; mais elle est ici particulièrement soignée ! « *Demi-vieille* », « *fausse blonde* », « *trois quarts putain* »... Le côté restrictif de ce « *trois quarts* » est d'ailleurs intéressant, au regard de la proposition d'aller « *voir les filles / Chez la Madame Andrée* ». En fait, loin de minimiser l'insulte, il la charge d'un mépris que ne contient pas l'idée d'*aller aux putes,* comme le faisaient Stendhal, Flaubert ou... Jacques, en toute sérénité ; sacrifiant sans états d'âme à une conception éminemment bourgeoise de l'hygiène sexuelle. En revanche, la « *trois quarts putain* » est une garce, qui masque son jeu en vous prenant au piège d'un sentiment qu'elle n'hésitera pas à fouler aux pieds. Une

conception sur laquelle Brel s'était déjà expliqué, dans
« L'air de la Bêtise » :

... les putains, les vraies,
Sont celles qui font payer
Pas avant, mais après.

Ici, les « *filles* » de « *La Madame Andrée* » sont associées au
vin de Moselle, aux moules et aux frites, dans une idée de
fête sabbatique, seule réponse possible au désespoir de Jef.

Autre thème sous-jacent : la nostalgie de l'enfance, qui
sourd à nouveau comme une sorte de paradis perdu. Un état
de grâce, d'innocence et de bonheur, que la vie s'est depuis
longtemps chargée de balayer :

On rechantera comme avant,
On sera bien tous les deux,
Comme quand on était jeunes...
[...]
Et on sera Espagnols,
Comme quand on était mômes ;
Même que j'aimais pas ça,
T'imiteras le rossignol.

Corollaire de l'enfance, le Far West (ici l'Amérique) est ce
lieu mythique vers lequel tendent tous les rêves, et où tout ne
peut que s'arranger. Après avoir vainement proposé à Jef des
plaisirs bien réels et à leur portée, et d'aller noyer leur
détresse dans l'ivresse des bars et des bordels, Brel n'a plus
que le rêve à lui offrir en partage. Et c'est finalement ce
moteur-là qui parviendra à secouer sa torpeur, juste avant
que la chanson ne s'achève dans un tourbillon musical évoquant les manèges des fêtes foraines. Pathétique de bout en
bout, cette histoire se referme ainsi sur une illusion de
bonheur.

Le soir même, la nouvelle tombait : M. Romain Brel était
mort dans la journée. Mais le studio et tout l'orchestre
étaient déjà réservés pour le lendemain. Jacques y serait.

28

Celui des deux qui reste

« Mathilde », enregistrée ce 9 janvier, illustre de manière exemplaire la parfaite mauvaise foi du héros brélien, lorsqu'il accable de sa hargne la femme qui le quitte. Ses insultes ne sont qu'une façade factice, la manifestation vengeresse de son impuissance à être aimé et, au fond, de forts maladroits appels au secours. « *L'amour est mort, vive la haine !* », chantait déjà Jacques Brel sur son tout premier disque.

Des années plus tard, lorsqu'on lui posait la question, il répondait que « Mathilde » était, de toutes ses chansons (mais il n'avait pas encore écrit « La chanson des vieux amants »...), celle qui à ses yeux symbolisait le mieux la chanson d'amour. Brel, c'est le plus étonnant dans cette chanson, s'y livre presque à une expérience de laboratoire, sur le thème : que se passerait-il vraiment, qu'adviendrait-il de toute cette rancœur, si l'infidèle rentrait soudain au bercail ? Sans tricher, il nous laisse assister à une volte-face complète. Les « *Maudite Mathilde !* » et autres « *C'est un chien qui nous revient de la ville* » sont balayés en un tournemain, pour faire place à « *Ma belle Mathilde, puisque te voilà, te voilà !* »...

Des propos on ne peut plus surprenants dans la bouche de Jacques (qui n'essaie pas d'esquiver puisqu'il se désigne lui-même par son propre prénom) : il en arrive à abandonner ses amis ! Les amateurs de lecture au second degré y ont vu l'indice d'une indignité encore plus grande de la perfide ; donc une volonté du chanteur de la noircir jusqu'au bout par des moyens détournés. Interprétation évidemment fantaisiste, car Brel a l'habitude d'appeler un chat un chat, et n'a nul besoin d'user de pareils stratagèmes pour traduire ses sentiments. Restons-en donc, plutôt, à l'idée d'un bonheur perdu puis retrouvé :

Bougnat! apporte-nous du vin,
Celui des noces et des festins,
Mathilde m'est revenue!

Chanson de scène idéale permettant à Jacques de jouer sur une très vaste gamme de mimiques, de gestes et d'attitudes, « Au suivant » tente également d'expliquer la faillite de cet amour magnifié – dont l'adolescent qu'il était a si longtemps rêvé – autrement que par le rejet, simpliste et épidermique de toute la responsabilité sur les femmes. En réalité, l'amour est une denrée comme une autre, dont les hommes font depuis toujours commerce, et c'est sur cette découverte, « *Au bordel ambulant d'une armée en campagne* », que l'espoir de tendresse, de douceur et d'affection de Jacques s'est fracassé un jour. Ce n'est pas la première fois qu'il en parle, puisque « Les singes » avaient déjà inventé :

... l'amour qui est un péché,
L'amour qui est une affaire, le marché aux pucelles,
Le droit de courte-cuisse et les mères maquerelles.

Mais aujourd'hui, abandonnant ce ton pourfendeur d'alors, Brel avoue qu'il ne s'en est jamais remis ; ce qui a définitivement faussé ses relations avec l'autre sexe :

Et depuis chaque femme, à l'heure de succomber
Entre mes bras trop maigres, semble me murmurer :
Au suivant! Au suivant!

Les séances d'enregistrement s'interrompent sur cette chanson, sans que le disque soit achevé. Le lendemain Jacques est à Bruxelles où il assiste à la mise en bière et aux funérailles de son père. Le soir même, il chante à Lille.

Malade depuis longtemps, affaiblie par de multiples opérations, Lisette Brel ne survivra guère à son époux :

... ils ont peur de se perdre et se perdent pourtant.
Et l'autre reste là, le meilleur ou le pire, le doux ou le sévère ;
Cela n'importe pas, celui des deux qui reste se retrouve en enfer [1].

1. « Les vieux ».

Deux mois plus tard, en mars, elle s'en va à son tour, tandis que Jacques retourne avenue Hoche achever un album enregistré sous de bien funèbres auspices.

Avec « Titine », pourtant, le travail reprend sur une amusante évocation d'un univers chaplinesque ; reflet de l'admiration que Jacques a toujours montrée envers Charlot, déjà évoqué dans « Rosa ». Ici, il ne se contente plus de citations musicales ou de réminiscences de lectures, il écrit une véritable suite à une chanson fort en vogue pendant la Première Guerre mondiale : « Je cherche après Titine » [1]. Cette rengaine, créée par Gaby Montbreuse, fut un peu « La Madelon » des troupes américaines qui l'emmenèrent avec elles outre-Atlantique, au lendemain de l'armistice. Et son succès, là-bas, fut tel que Charlie Chaplin en fit la musique de son film *Les Temps modernes*.

Brel s'amuse donc à croquer une époque où le charleston était roi – sensiblement la même époque que celle de « Bruxelles » –, évoquant pêle-mêle les belles Hispano, les anciennes colonies (Tonkin, Gabon), la « Valentine » de Maurice Chevalier, Charlot, et même *« le ciné de l'Olympia »*, qui en était effectivement un avant que Bruno Coquatrix ne le rachète pour y installer son music-hall. Chanson sans autre prétention que celle de faire sourire, mais menée tambour battant sur un accompagnement très Nouvelle-Orléans :

> *J'ai retrouvé Titine,*
> *Titine, oh ma Titine !*
> *J'ai retrouvé Titine*
> *Que je ne trouvais pas* [2].

1. « Je cherche après Titine », 1917 (paroles de M. Bertal, B. Maubon et H. Lemonnier, musique de Léo Daniderff).
2. Jacques Brel, qui n'était pas un grand connaisseur de l'histoire de la chanson – comme pouvait l'être un Brassens, par exemple – ignorait sans doute qu'en 1926 Léo Daniderff, voulant prolonger le succès de « Je cherche après Titine », avait demandé à Bertal, Maubon et Ronn, de lui écrire une suite, dont le titre fut précisément « J'ai retrouvé Titine ». Signalons au passage que la musique de la « Titine » de Brel est cosignée par Jean Corti et Gérard Jouannest. Les héritiers de Daniderff, trouvant que la citation musicale était abusive, parlèrent de porter l'affaire devant la justice. Un arrangement fut trouvé par l'intermédiaire de Jean-Louis Tournier, de la SACEM, et les deux accompagnateurs de Jacques cédèrent l'intégralité de leurs droits sur une année entière d'exploitation du titre (source Jean Corti).

Second titre du disque à traiter principalement de la mort, « Le tango funèbre » est en fait le prétexte évident à une satire sociale des plus acerbes. Une galerie de portraits de ces rapaces qui, sans attendre l'ouverture du testament, ni même parfois que le décès soit vraiment constaté, s'empressent de veiller à la sauvegarde de leurs intérêts :

Est-ce qu'il est encore chaud ?
Est-ce qu'il est déjà froid ?
Ils ouvrent mes armoires,
Ils tâtent mes faïences,
Ils fouillent mes tiroirs...

A plus de dix-sept années de distance, c'est exactement la même histoire que celle de *Frédéric* : cette nouvelle que Jacques avait signée Raoul de Signac, dans *Le Grand Feu*. Mais le regard s'est acéré, l'encre s'est mêlée d'acide, et au passage Brel en profite pour donner quelques coups de patte précis qui, s'ils échappent à la compréhension du grand public, n'en manquent pas leur but pour autant. Ainsi l'hypocrisie de la veuve se traduit-elle par des *« larmes lyonnaises »*... et Sylvie est originaire de Lyon. Déjà les premières lézardes apparaissent dans ce qui serait, néanmoins, la plus longue liaison de Jacques, et durerait encore plusieurs années.

Trop de choses séparent les deux amants. Sylvie n'aime pas le bateau. Plus tard, elle n'aimera pas non plus l'avion, elle qui, avant d'être attachée de presse chez Philips, avait été hôtesse de l'air. Or, Jacques, qui met toute sa fougue dans ses passions, ne parle presque plus que de celles-ci. Cela ne prêterait sans doute pas trop à conséquence s'il n'était de ceux qui veulent à toute force partager ce qu'ils aiment avec leurs proches ; mais ne pas épouser ses coups de cœur revient, plus ou moins consciemment dans son esprit, à se placer en retrait de lui. C'est-à-dire en retrait de l'amour qu'il offre... Jacques est ainsi fait qu'il est presque plus important, à ses yeux, de savoir recevoir et accepter l'affection et la tendresse qu'il donne, que de lui en offrir autant qu'il en désirerait lui-même.

A ce sujet, Alice Pasquier, la femme de Jojo, évoque la soirée de Noël 1960 : *« Nous étions invités à fêter le réveillon chez*

Sylvie. Il devait y avoir Jacques, Jojo et moi. En arrivant, nous rencontrons Jacques dans l'escalier. Il avait un cadeau sous le bras, et il était content comme un collégien. C'était un magnifique manteau en astrakan pour Sylvie ; mais pas n'importe quel astrakan : une vraie merveille. Doux et soyeux, on aurait dit du velours. Quelque chose de vraiment très beau et qu'il avait dû payer une petite fortune. Quand Sylvie a ouvert le paquet, elle a à peine regardé le manteau et elle a dit : " L'astrakan, quelle horreur ! Ça fait bobonne. " Elle a posé la boîte dans un coin et n'y a plus touché de la soirée. Elle n'a jamais mis le manteau ; pas une seule fois. Jacques en a été blessé. Vraiment blessé [1]. »

Premiers heurts avec Sylvie, et « *larmes lyonnaises* »...

Une fois « Le tango funèbre » [2] mis en boîte, Jacques profite du peu de temps libre qu'il lui reste au studio pour enregistrer une chanson bâtarde : « Les amants de cœur », adaptation d'un titre de l'Américain Rod McKuen, « The Lovers ». Ce dernier a déjà traduit en anglais plusieurs chansons de Brel, dont il a même publié un album entier ; et Jacques, qui l'avait rencontré à cette occasion, tente vainement de lui renvoyer l'ascenseur. Mais alors que « Seasons in the Sun », la version américaine du « Moribond » – traduite (de manière fantaisiste et exécrable) par McKuen et chantée par le crooner Andy Williams –, deviendra un véritable *hit* aux Etats-Unis et en Angleterre, « Les amants de cœur » – insipide brouet que Jacques n'arrive pas à pimenter – sera finalement abandonnée à son triste sort et restera longtemps inédite [3].

---

1. Propos recueillis par l'auteur. Voir interview d'Alice Pasquier, en annexes.
2. « Mathilde », « Le tango funèbre », « Les bergers », « Titine », « Jef », « Les bonbons », « Le dernier repas » et « Au suivant » sortiront sous forme d'un disque 33 tours 25 cm (réf. : Barclay 80 222). Les quatre premiers titres feront l'objet d'un 45 tours (réf. : Barclay 70 635), de même que les quatre suivants (réf. : Barclay 70 636).
3. « Les amants de cœur » sera finalement incluse dans les différentes intégrales publiées par Phonogram-Barclay à partir de 1982. Elle figure sur le CD n° 3 de l'*Intégrale Jacques Brel* de 1988.

29

Les rêves qui les hantent

Nous sommes en 1964. A Danièle Heymann, journaliste à *L'Express*, Jacques Brel confie : « *Plus tard, je veux m'arrêter de chanter.* » En fait, il en parle par allusions depuis déjà deux ou trois ans. A d'autres, il évoque la possibilité d'écrire un roman. Moins sérieusement, il songe à entreprendre un guide des bars de France ouverts la nuit. On peut lui faire confiance, il ne manque pas d'expérience en la matière.

Mais à court terme, ce qu'il prépare au cours de cet été 1964 c'est son prochain Olympia, prévu pour octobre et pour lequel il lui faut de nouvelles chansons. Le dernier disque vient à peine de sortir, et il marche plutôt bien : « Mathilde », « Jef » et « Les bonbons » passent déjà pas mal en radio. Avant octobre, tout le monde les connaîtra par cœur, et Jacques pense qu'il aura l'air de n'avoir rien préparé de neuf. Or, on n'affronte pas le public de l'Olympia les mains vides. Il faut au moins lui offrir un petit cadeau. Disons deux chansons nouvelles, peut-être trois. Mais le temps manque pour écrire. Plus que jamais les tournées dévorent les jours, les nuits, les semaines, les années...

Jacques a aujourd'hui trente-cinq ans. « *Quand j'avais vingt ans, dit-il, je ne me sentais pas du tout le représentant des hommes de vingt ans. Alors que maintenant, j'ai trente-cinq ans, et je me sens beaucoup plus le représentant des hommes de trente-cinq ans. Pour une raison très simple, c'est qu'il y a beaucoup moins de gens qui chantent encore à trente-cinq ans, sur quelque plan que ce soit. A vingt ans, tout le monde chante, tout le monde est encore extrêmement disponible, tout le monde est encore fou. Tandis qu'à trente-cinq ans, le nombre de fous se limite. Alors, je suis le représentant des fous de trente-cinq ans.* »

Au tout début du printemps, alors que la neige n'a pas encore fondu dans les rues et sur les branches des arbres, il donne un mois de représentations à Montréal, à la Comédie canadienne. Toutes les nuits se prolongent Chez Clairette où elles ne s'achèvent jamais avant six heures du matin. Même rythme de retour en France, d'une ville à l'autre... Jojo conduit, et sur la banquette arrière de la voiture, Jacques somnole, jette quelques notes sur ses cahiers d'écolier, rature, souligne une idée, déplace deux vers d'une strophe à l'autre. On verra au filage ce que Jouannest et Corti pourront trouver là-dessus...

Août. Quelques jours à Knokke-le-Zoute, avec Miche. Seuls. Presque des vacances, malgré son tour de chant, le 22, dans ce même casino où Jacques avait connu un échec cuisant en juillet 1953. Onze ans plus tôt, quasiment jour pour jour. Mais aujourd'hui, Théo Lefèvre, le Premier ministre belge, s'est déplacé en personne pour l'applaudir et le congratuler à la fin d'une soirée de gala où se presse tout le gratin de la côte. Le destin a parfois de ces revanches...

Cette même année, la Belgique a d'ailleurs beaucoup honoré son chanteur : Grand prix de la Sabam (l'équivalent belge de la Sacem), Médaille d'or de la ville de Bruxelles, etc. Jacques Brel est en passe de devenir une institution. Mais l'apothéose aura lieu à Paris, quelques semaines plus tard.

Après avoir rodé son spectacle, en avant-première, au cinéma Le Cyrano, à Versailles, Jacques s'installe à l'Olympia. La présentation est assurée par Jacques Martin. A l'affiche : Ugo Garrido (un jongleur d'une adresse diabolique), Jean-Marie Proslier, Geoffrey Holder et les Delta Rhythm Boys, groupe vocal américain dans la lignée du Golden Gate Quartet.

Le 16 octobre, lorsque s'ouvre le grand rideau rouge, l'orchestre de François Rauber ponctue, pas à pas, l'entrée en scène du chanteur. Au milieu des bravos, une guitare commence à marquer le balancement de la sardane, et Brel attaque sur « Le dernier repas ». En troisième position, il a prévu une chanson qui n'est réellement terminée que depuis quelques jours : « Amsterdam ». La mise au point en a été difficile, car ni Rauber ni Jouannest ni lui-même n'avaient les mêmes idées d'arrangement. Au moment de l'inclure à son répertoire, il décide de la placer en ouverture : *« Comme ça, je serai tranquille. On n'en parlera plus, de celle-là. »*

Il est pour le moins étonnant de démarrer un tour de chant sur un titre inédit. D'ordinaire on utilise plutôt une valeur sûre, une chanson qui a fait ses preuves, histoire de mettre tout le monde à l'aise, le public comme les musiciens. Une simple prise de contact, en quelque sorte, avant l'entrée en matière véritable. Presque une façon de dire bonjour. A Versailles, pourtant, l'accueil d'« Amsterdam » a été tel que Jacques décide d'opter pour la troisième position.

Dans le port d'Amsterdam,
Y a des marins qui chantent
Les rêves qui les hantent
Au large d'Amsterdam...

Dès la fin du premier couplet, le public est figé, comme sonné. Puis, la chanson achevée, au terme d'un des plus forts crescendos bréliens, il y a quelques secondes de flottement... et c'est l'explosion. *« Ce jour-là, j'ai vu une salle entière qui venait de recevoir un uppercut en pleine figure,* se souvient Jean-Michel Boris. *Il y a eu un moment de véritable stupéfaction. Le silence, pendant un court instant, et ensuite l'explosion. Un public pris de folie : les gens étaient debout, hurlant, piétinant, réclamant un bis. C'était fabuleux ! Si Jacques avait dû bisser une chanson, ne serait-ce qu'une fois dans sa vie, c'est bien ce soir-là qu'il aurait pu le faire. Mais il a enchaîné... Comme d'habitude* [1] *! »*

Comme d'habitude, oui ; mais avec plus de difficultés, sans doute, qu'à l'ordinaire. Car le public n'arrive ni à se rasseoir ni à se calmer. Jean Corti a beau faire tourner la petite mélodie un peu mécanique qui introduit « Les vieux », rien n'y fait : la salle en réclame encore... Ce sera l'une des premières les plus mémorables de l'histoire de l'Olympia.

---

1. Propos recueillis par l'auteur.

Plus loin dans le programme, Jacques glisse deux autres nouveautés : « Les timides » et « Les jardins du casino ». A plusieurs niveaux, « Les timides » est un pur joyau. D'écriture, d'abord, quasi cinématographique : Brel ne décrit pas ses personnages, il en donne des images, suggérant à notre mémoire rétinienne les contours d'une silhouette un peu gauche et comme empêtrée de valises. On assiste, comme dans un film, à une série de plans différents : plan général, moyen, américain, gros plan et même travelling de fin. La versification, très riche, renforce aussi cet aspect visuel : partagé en deux blocs de rimes identiques (l'un de cinq, l'autre de six), chaque couplet – par la répétition de sonorités voisines (et molles : -ille, -isse, -ace, -esse, etc.) – accentue encore cet embarras naturel des timides, et leur indécision.

Parfaitement maître de son style et de sa construction, Brel s'offre même – petit exercice de virtuosité – un brin d'explication de texte. Pour le plaisir :

Et quand ils glissent
Dans les abysses,
Je veux dire : quand ils meurent...

Coquetterie – et luxe – de grand technicien, qu'il replacera avec autant de réussite dans « Orly » et « La ville s'endormait ». La musique, elle, se fait tout aussi évocatrice. Le piano de Gérard Jouannest détache ses notes soigneusement, avec précaution, comme s'il progressait sur la pointe des pieds au milieu du climat irréel entretenu par les ondes Martenot de Sylvette Allart.

L'adéquation entre le sujet et son écriture, entre la mélodie, son accompagnement et son interprétation, est totale. Une réussite proche de la perfection, où Brel, presque apaisé, se laisse aller sans aucune arrière-pensée à toute la tendresse qu'il porte en lui. Et si l'on veut bien accorder quelque crédit à cette opinion d'Oscar Wilde : « *Tout portrait peint avec âme est un portrait non du modèle, mais de l'artiste* [1] », on comprend soudain beaucoup mieux quelques-unes des pudeurs du Grand Jacques.

« Les jardins du casino », quoique abordant elle aussi plu-

---

1. *Le Portrait de Dorian Gray*, par Oscar Wilde, 1891 (Editions Stock, pour la traduction française).

sieurs des grands thèmes chers à son auteur, fait partie des chansons de détente : de cette veine qui, tout en laissant souffler le public, permet d'aérer un récital qui, sans cela, serait peut-être trop dense, trop lourd de sens. Les chansons les plus fortes gagnant encore en intensité lorsqu'elles succèdent à des œuvres moins chargées de signification.

Pour autant, « Les jardins du casino » n'est pas une œuvre négligeable. Voilà au contraire, sur un ton empreint de détachement, une solide peinture de cette bourgeoisie des villes d'eau, à jamais figée dans les fastes d'un début de siècle depuis longtemps révolu. Une autre façon de vivre dans l'immobilisme :

Quelques couples protubérants
Dansent comme des escalopes
Avec des langueurs d'héliotropes,
Devant les faiseuses de cancans.
Un colonel encivilé
Présente à de fausses duchesses
Compliments et civilités,
Et baisemains et ronds de fesses...

A quelques détails près, on se croirait dans la sous-préfecture de « Je suis un soir d'été ». Brel s'amuse visiblement à accentuer les contrastes de sa pochade, opposant l'innocence d'une espèce de Pierrot lunaire (tout aussi en marge du temps, d'ailleurs) à l'hypocrisie d'un système social où l'amour, une nouvelle fois, n'est qu'un prétexte à troc :

Les jeunes filles rentrent aux tanières,
Sans ce jeune homme ou sans ce veuf
Qui devait leur offrir la litière
Où elles auraient pondu leur œuf.

La sonorité des rimes et des mots concluant chaque vers a, ici, une grande importance et participe du ton un peu guindé qui, par mimétisme, règne sur toute la chanson, sauf lorsqu'elle évoque le Pierrot. En scène, Jacques s'amuse : il gesticule, grimace, sautille et en rajoute des tonnes, transformant son histoire en un véritable numéro de mime qui devient l'un des sommets de dérision du spectacle. Au même titre que « Les bonbons » ou « Les bigotes ».

Quand au bout de quinze chansons, le rideau retombe sur « Madeleine » et que, pour accompagner les applaudissements, l'orchestre joue en boucle les premières notes de « Quand on n'a que l'amour », la salle est debout comme un seul homme, du parterre au balcon. C'est un triomphe total, sans réserve ni mesure. L'ovation finale dure près de dix minutes ! Dix minutes au cours desquelles deux mille voix crient leur enthousiasme et deux mille paires de mains frappent en cadence : « *En-core ! En-core ! En-core !...* »

Puis les lumières reviennent et, peu à peu, la foule s'écoule, se délaie et abandonne à regret les travées de peluche rouge. Pas de rappel ! Pas plus ce soir de générale, devant le Tout-Paris, que dans un petit théâtre de province ou la salle de réfectoire d'un hôpital... Pas plus ici, à l'Olympia, qu'à Istanbul, Montréal ou Plougastel.

30

Et son chant plane sur la ville

Le lendemain, la presse est dithyrambique. C'est à qui renchérira sur ses confrères. Pour qualifier l'événement, les superlatifs semblent parfois faire défaut. Ainsi, Paul Kyria, dans *Combat* : « *Une force. Une force de poésie qui hurle, se déchaîne avant de se briser, soudain, en quelque chose qui ressemblerait à une plainte si une grande pudeur n'était pas là en garde-fou... Ni juge, ni prophète,* (Brel) *prend aussi en charge ce qu'il dénonce ; et ce qu'il dénonce, surtout, c'est la mort.* »

Maurice Biraud, sur Europe N° 1 : « *C'est la plus grande générale de l'Olympia* ». Claude Sarraute, dans *Le Monde* : « *Ce fut le délire. Le fracas des applaudissements couvrait les premières paroles des refrains, emportait les dernières dans un tumulte sans cesse renaissant. [...] Portraits pleins de tendresse ou de férocité arrachaient à ce parterre blasé, et qu'on dit averti, des cris d'enthousiasme, des étonnements tardifs.* »

Jacques Chancel, également, dans *Paris-Jour*, sur un ton plus discutable : « *La noble chanson a fait s'évanouir l'hystérie des yé-yés. Les guitares électriques, la désespérante sono, la fureur imbécile de quelques excités en crise ont été tuées par des refrains tels qu'on les aime en France.* » Et si Anne Andreu, de *Paris-Presse*, semble en être restée à « l'abbé Brel » qui, selon elle, « *ne veut plus changer le monde* », c'est encore Henri Quiquéré, dans *Libération*, qui analyse le phénomène avec le plus de pertinence : « *Jacques Brel est l'un des rares qui ait su concilier l'inconciliable : plaire aux fans du yé-yé et garder l'admiration des amateurs de vraies chansons.* »

Rapidement un disque sort, regroupant huit des meilleurs moments du spectacle [1]. Album d'une extraordinaire puissance et d'une cohérence totale, il restitue parfaitement cette fièvre avec laquelle Jacques Brel enchaînait une chanson après l'autre, sans jamais laisser au public le temps de reprendre son souffle. Baptisé simplement *Olympia 64*, il recevra, quelques mois plus tard, le prix Francis-Carco de l'Académie du disque français.

Le 17 novembre, une journée « Spécial Jacques Brel » est organisée sur Radio-Luxembourg. Les auditeurs peuvent dialoguer avec lui, grâce à une liaison duplex établie entre Paris et Bruxelles. Max Favalelli, Michel Audiard et Marie-France Rivière l'interviewent une bonne partie de l'après-midi, tandis que l'on passe ses chansons à intervalles réguliers. Le soir (moment unique, puisqu'il faudra patienter plus de quinze ans pour que France-Inter en fasse autant), on diffuse pour la première fois *Jean de Bruges* à la radio, avant de finir en apothéose avec le grand pianiste Samson François jouant en direct plusieurs œuvres de Jacques.

Cinq jours après, le 22, Charles Trenet (dont Jacques a toujours dit : « *Quand Trenet chante, j'écoute et je me tais ; c'est notre maître à tous.* ») déclare à Jacques Limage, du journal *Le Peuple* : « *J'admire Brassens et Brel ; mais Brassens moins depuis l'apparition de Brel. A mon avis c'est Brel qui a pris le plus d'importance* ». Un parallèle impossible à établir, bien sûr, entre deux hommes à l'écriture et à la sensibilité si différentes ; mais qui avaient au moins en commun – leur amitié mise à part – le fait de tabler, quoi qu'il advienne, sur l'intelligence de leur public.

Dans les semaines qui suivent, Jacques reçoit de multiples propositions de professionnels du cinéma. Il est devenu l'une de ces valeurs sûres qui débordent largement du cadre de leur discipline et la simple mention de son nom sur une affiche ferait recette. De fait, ce n'est pas lui que l'on cherche

---

1. Ce 33 tours 25 cm contient « Amsterdam », « Les vieux », « Le tango funèbre », « Le plat pays », « Les timides », « Les jardins du casino », « Le dernier repas » et « Les toros » (réf. : Barclay 80243). Aucune des trois chansons inédites, créées à l'Olympia en 1964, ne sera reprise en studio.

réellement à engager; on veut seulement pouvoir écrire *Jacques Brel* aux frontons des salles obscures. Pas dupe, il refuse.

Plus que jamais, les demandes de spectacles affluent au bureau de Charley Marouani. Tout le monde veut Brel! Fidèle au souhait de Jacques, l'imprésario essaie de ne rien refuser. Ce qui ne va pas sans créer des situations difficiles, lorsque l'équipe, par exemple, découvre sur place qu'il s'agit d'un gala organisé à la diable, dans une salle à peine digne de ce nom. Il arrive qu'elle ne soit qu'un vieux cinéma, en passe d'être désaffecté. La loge n'est alors qu'une réserve à matériel ou bien une cave, sans eau, ni chauffage, ni miroir. Mais rien ne rebute Jacques. Plus que l'état des lieux, c'est la tête du directeur qui lui importe. Et lorsque celle-ci ne lui revient pas, inutile d'escompter le revoir un jour... Quel que soit le cachet proposé.

Les cachets qu'il demande sont d'ailleurs très fluctuants, adaptés aux moyens des organisateurs : Jacques refuse en effet l'idée que des gens qui aimeraient l'engager puissent butter sur la question financière. Marouani a donc également la consigne de se montrer compréhensif sur les tarifs. Comparé à d'autres chanteurs, moins populaires que lui, Jacques demande les cachets les plus bas et, chaque fois qu'il est lui-même coproducteur du spectacle, impose un plafond pour les prix des billets. Alice Pasquier assure que François Rauber, Gérard Jouannest, Jean Corti ou Philippe Combelle (le batteur qui complète la formation réduite avec laquelle Jacques effectue ses tournées, en province ou à l'étranger) auraient pu gagner beaucoup plus d'argent s'ils avaient accompagné quelqu'un d'autre, même de moindre renommée. *« Ils étaient tous solidaires de Jacques, et aucun d'entre eux ne faisait ça pour l'argent. C'était plutôt pour le plaisir de jouer. Ils ne pouvaient pas demander de gros salaires, vu que Jacques lui-même ne prenait pas beaucoup. Ils se seraient sentis gênés de réclamer plus. Alors ils partageaient ce qu'il y avait. Et puis, ils donnaient énormément de concerts gratuits* [1]... »

En règle générale, pour parer à toute éventualité et avoir le temps de répéter, Brel et ses musiciens arrivent sur le lieu du

---

1. Propos recueillis par l'auteur.

gala en début d'après-midi. Après le déjeuner. Pas question de sacrifier celui-ci car Jacques, en bon Belge, aime la bonne chère. Il s'est trop longtemps contenté d'une demi-baguette et d'un camembert par jour, pour ne pas avoir de revanche à prendre sur ce plan-là. Désormais, il sélectionne avec soin les restaurants où sa bande fait étape. Avec Jojo, ils étudient même les itinéraires en fonction des recommandations du *Guide Michelin*, et il leur arrive de faire un large détour, pour essayer une maison réputée ou goûter à une spécialité locale.

Jacques est lui-même un excellent cuisinier. Plus tard, aux Marquises, il passera souvent des journées entières à préparer des plats pour ses invités de passage. Sa table, au dire de ces derniers, sera connue comme l'une des meilleures de la Polynésie. Toujours ce désir chez lui, dans toutes ses entreprises, de s'approcher le plus possible de la perfection.

Une fois sur les lieux du spectacle, Jojo commence par inspecter la salle et vérifier les éclairages et la sono fournis par l'organisateur, Gérard Jouannest essaie le piano et en contrôle la justesse, au cas où il faudrait appeler un accordeur, tandis que Philippe Combelle monte sa batterie. Hormis dans les grands music-halls ou les grands théâtres, généralement bien équipés en personnel comme en matériel, Jojo doit souvent remplir les fonctions de sonorisateur et d'éclairagiste. Jusqu'au bout, Jacques conservera ce côté artisan, préférant travailler en confiance avec sa petite bande, plutôt que de s'entourer d'une équipe plus étoffée – et sans doute plus spécialisée – mais forcément moins soudée. Une dimension humaine que les aléas de la technique ne parviendront jamais à balayer...

En cette année 1964, pourtant, Jacques Brel vient d'accéder au sommet de la pyramide, à cette première place qui restera sienne jusqu'à ce qu'il décide, de son propre gré, de la rendre vacante. Mais Jacques n'a ni le sens ni le goût de ces hiérarchies factices, aussi est-ce sans calcul qu'il accepte de participer à une initiative commune, imaginée par Michèle Arnaud. Chanteuse devenue productrice de télévision [1], celle-ci propose en effet de créer un spectacle itinérant calqué sur le principe, consacré au théâtre, des *Tréteaux de France*. Ce sera *Le Music-hall de France*, dont l'ambition est de diffuser le meilleur de la chanson dans des banlieues pauvres en salles et en équipement. Encore faut-il motiver un public qui, faute de sollicitations, n'a guère l'habitude de sortir : le projet ne peut se monter sans le concours de valeurs sûres, servant de locomotives à l'ensemble. Il reposera donc pour l'essentiel, dans un premier temps, sur les épaules et la renommée de Georges Brassens et de Jacques Brel.

1. Michèle Arnaud (dont Serge Gainsbourg sera, à ses débuts, le pianiste accompagnateur) produira entre autres *Les Raisins verts*, la fameuse émission iconoclaste de Jean-Christophe Averty.

31

J'aurais voulu lever le monde

A ce point de sa carrière, on peut se demander ce que le métier de chanteur est encore capable d'apporter à Jacques Brel, perpétuellement avide de découvertes et de nouvelles expériences. Plus grand-chose, c'est certain ; surtout que sa nouvelle passion, l'avion, l'absorbe de plus en plus. Mais il est impossible de rester sur un triomphe quand on possède l'honnêteté foncière de Jacques. Trop de doutes subsisteraient dans l'esprit du public et des critiques, dans le sien aussi d'ailleurs... Alors, avant d'annoncer qu'il compte abandonner définitivement la scène (éventualité souvent évoquée devant ses proches, qui, croyant à une lubie, n'y prêtent guère attention), Jacques Brel enregistre un dernier disque.

Pas une seule chanson pour déparer l'ensemble. Pas une, non plus, qui ne soit empreinte du plus noir désespoir :

... Je sais leur chemin pour l'avoir cheminé
Déjà plus de cent fois, cent fois plus qu'à moitié.
Les désespérés [1]*...*

Auparavant, Jacques a tenté une nouvelle fois l'expérience de chanter en flamand et Barclay a produit, en février 1965, un 45 tours comprenant quatre autres adaptations signées Ernst Van Altena (sur des orchestrations nouvelles de François Rauber assez différentes des ver-

---

1. « Les désespérés ».

sions françaises) [1]. Une fois encore, l'accueil réservé à cet enregistrement n'a pas été à la mesure de ses espérances. Ces Flamands ont, décidément, la rancune bien tenace... Mais d'autres formes de reconnaissance vont lui venir d'ailleurs.

Alors qu'il est en tournée en Belgique, au début du printemps, Jacques Brel reçoit les « Bravos du music-hall », l'équivalent en quelque sorte des actuelles « Victoires de la musique ». A cette différence près, mais elle est de taille, qu'il ne s'agit pas d'une récompense attribuée par les *professionnels de la profession* », mais d'un véritable plébiscite populaire, puisque ce sont les lecteurs de l'hedomadaire *Music-Hall* (fondé et dirigé par Pierre Barlatier) et les auditeurs d'Europe N° 1 qui votent pour établir le palmarès.

Jacques succède ainsi à Charles Aznavour qui s'était imposé, l'année précédente, comme le plus gros vendeur de disques en France, et de loin, avec plus d'un million deux cent mille exemplaires de « La Mamma ». Personne, en revanche, ne prendra la relève de Brel, car *Music-Hall* disparaîtra quelques mois plus tard, après une dizaine d'années d'existence.

Simultanément ou presque, deux livres sont publiés sur lui : l'un en Belgique, écrit par Jacques Paulus ; l'autre en France, par Jean Clouzet (dans la fameuse collection « Poètes d'aujourd'hui » de Seghers), si intelligemment conçu qu'il en est devenu *le Clouzet*. Brel rejoint ainsi Ferré et Brassens dans ce panthéon où ils voisinent avec quelques-unes des plus grandes plumes du siècle. Mais si d'autres en auraient été flattés, Jacques insiste vivement auprès de

---

1. « Mijn vlakke land » (« Le plat pays »), « Rosa », « De burgerij » (« Les bourgeois ») et « De nuttelozen van de nacht » (« Les paumés du petit matin »). Ces quatre titres avaient déjà été enregistrés par Jacques Brel, en mars 1962, dans la foulée de leurs versions françaises, et sur les mêmes bandes-orchestre. Un 45 tours, pressé en Belgique, était alors sorti (réf. : EP 70907), à usage exclusif du marché néerlandophone, et n'avait jamais été distribué en France. Ces nouvelles versions, mises en boîte le 12 février 1965, feront l'objet d'un nouveau 45 tours (réf. : Barclay EP 71112). En 1976, elles seront regroupées sur une compilation intitulée *Jacques Brel zingt...* Depuis 1988, elles figurent sur le CD n° 6 de l'*Intégrale* Phonogram-Barclay.

Clouzet pour que le titre de « poète » ne soit pas accolé à son nom. Il se défendra d'ailleurs toujours, et avec énergie, de faire autre chose que de la chanson... qui n'est, selon lui, *« ni un art majeur, ni un art mineur. Ce n'est pas un art. C'est un domaine très pauvre, parce que bridé par toute une série de disciplines ».*

Quoi qu'il puisse en penser, ces deux ouvrages formeront pourtant les bases préliminaires d'une « classicisation » de son œuvre qui, assez vite désormais, la conduira dans les manuels scolaires, et jusqu'aux sujets de bac puis de thèses universitaires.

Le 28 mars 1965, geste assez exceptionnel chez Jacques qui n'a pas l'habitude – tout en ne faisant pas mystère de ses sympathies pour la gauche (il a même chanté à la Fête de l'Huma) – de s'impliquer directement et personnellement dans le combat politique, il participe à une grande manifestation antiatomique sur la place Rogier, à Bruxelles, à trois cents mètres de l'Institut Saint-Louis. Paraphrasant ironiquement le célèbre mot de Paul Reynaud, il déclare alors : *« Nous vaincrons, non parce que nous sommes les plus forts, mais parce que nous sommes les plus jeunes. »* Puis il entonne « Les bourgeois », dont le refrain est immédiatement repris en chœur par la foule.

A deux mois d'intervalle, en octobre et en décembre, Jacques Brel réussit ensuite le tour de force de chanter successivement en URSS et aux Etats-Unis. Dans les deux cas, l'accueil sera triomphal.

Débutée à Erevan le 4 octobre, dans des circonstances assez difficiles, face à un public qui, manifestement, ne comprend pas le contenu de ses chansons, et qu'il doit séduire à l'arraché par la seule force de son interprétation, la tournée russe s'achève à Moscou, le 26, au théâtre de l'Estrade. Entre-temps, on a distribué au public des traductions de ses textes et le contact en a aussitôt été facilité. L'enthousiasme est tel que Brel sera même obligé de bisser « Amsterdam », lors de sa première à Moscou, devant un public sans doute plus obstiné que le public parisien [1]. Et

---

1. Voir interview de Jean Corti, en annexe.

tandis que le journal des *Izvestia* affirme que l'art de Jacques Brel est « *spirituellement social* », un autre critique trouve que « *toute l'impétuosité, tout le caractère chaotique, la nervosité du XXe siècle circulent en lui, comme les impulsions d'un moteur* ». L'image ne pouvait, bien sûr, que faire plaisir au Grand Jacques.

Aux Etats-Unis, tout est plus simple dès le premier jour, car la majorité des quatre mille places du Carnegie Hall ont été louées par des ressortissants français ou belges vivant à New York, qui assurent une sacrée claque. Jacques y obtient néanmoins un triomphe sans restriction, devenant ainsi le premier chanteur francophone à s'imposer aux Etats-Unis depuis Edith Piaf. Aznavour le suivra de très près en ce domaine. Et aujourd'hui encore, si la chanson française existe aux yeux du public américain, c'est bien à travers ces trois-là.

Les fanfaronnades d'artistes qui remplissent le Carnegie Hall lorsqu'ils font le déplacement n'y peuvent rien changer. Rien qu'à New York on compte en effet suffisamment de Français exilés, ayant la nostalgie de leur langue maternelle, pour remplir le célèbre music-hall pendant trois mois complets s'il le faut... ce qui n'a jamais signifié toucher le public américain. Seuls Edith Piaf, Jacques Brel et Charles Aznavour – dans le sillage de Maurice Chevalier, mais sur un tout autre plan – peuvent réellement y prétendre, au point de déborder des cercles intellectuels pour atteindre le grand public. Mais contrairement à Piaf et Aznavour, qui ont chanté un peu partout à travers les Etats-Unis, se produisant parfois – et faisant le plein – dans de toutes petites villes, Brel (qui n'a chanté qu'au Carnegie Hall) doit surtout sa popularité aux reprises de ses chansons par des stars du cru ou anglo-saxonnes : Frank Sinatra, Nina Simone, Joan Baez, Juddy Collins, Ray Charles, Brenda Lee, Andy Williams, Tom Jones, Sandy Shaw, Johnny Mathis, Dione Warwick, Shirley Bassey, George Chakiris, etc. Rien qu'aux Etats-Unis, on dénombrera plus de deux cent soixante-dix reprises de « If You Go Away » (« Ne me quitte pas »), et une cinquantaine de versions de « Seasons In The Sun » (« Le moribond »). Sans oublier la fantastique version d'« Amsterdam » par David Bowie, ni l'incroyable succès remporté par la comédie musicale écrite par Mort Shuman et Eric Blau : *Jacques Brel Is Alive And Well And Living In Paris*. Celle-ci tiendra l'affiche pendant plus de cinq ans rien qu'à New York, et sera jouée, à un moment donné, par une quinzaine de troupes sillonnant tout le pays.

Le système retenu pour cette série de spectacles au Carnegie Hall est celui du *one man show*, dont le principe ne satisfait guère Jacques (il estime que l'absence de première partie retire aux débutants toutes chances de se faire entendre d'un véritable public). Pour l'occasion, François Rauber dirige un orchestre de trente musiciens, auxquels s'ajoutent encore les habituels accompagnateurs du chanteur. La première a lieu le 4 décembre et la presse américaine, peu suspecte de pratiquer l'encensement de circonstance, salue en Brel « *un événement qui marque non seulement l'ouverture d'une ère nouvelle dans la chanson moderne, mais aussi l'avènement d'une technique inédite* ». Et ce critique du *New York Times* de conclure : « *C'est une joie de savoir que le vrai talent existe.* » Le *Washington Post* n'est pas en reste : « *Ce jeune homme a laissé son auditoire pantois et plein de respect. Il a crevé la scène avec la violence d'un orage magnétique.* » Mais c'est peut-être Robert Alden, critique aussi redouté que respecté, qui lui porte le plus beau compliment, le plus juste également : « *Même les gens qui ne comprennent pas sont subjugués par sa présence. Il a transformé une salle sophistiquée en une salle explosive et enthousiaste.* »

Jacques Brel n'a désormais plus rien à prouver dans le domaine de la chanson et du spectacle. Plus rien et à personne. Mais il est déjà à la recherche, pour lui-même, d'autres formes de preuves.

32

Chez ces gens-là

C'est au retour d'URSS, et juste avant de s'envoler pour le Canada et les Etats-Unis, que Jacques Brel met en boîte son ultime 25 cm, qui constitue l'un des temps les plus forts de toute sa discographie.

Quand s'ouvrent les séances, le 2 novembre 1965, il sait déjà que pour Jean Corti ce sera le dernier disque. Quelque chose s'est brisé à son insu, au sein de l'équipe, et c'est à Moscou que l'accordéoniste lui a fait part de sa décision d'arrêter de tourner avec lui[1]. Si soudée qu'elle puisse encore paraître, « la bande à Brel » touche au bout de son aventure. Corti s'en ira le premier, après une tournée dans l'océan Indien, à Djibouti, Madagascar, l'île Maurice et la Réunion, en avril-mai 1966 ; et à peine deux mois plus tard, Jacques lui-même annoncera qu'il abandonne la scène.

Alors, tout sera dit.

En fait, l'ambiance a évolué et les musiciens, qui faisaient jusqu'alors partie intégrante de la vie de Brel, se sentent depuis quelque temps un peu tenus à l'écart. Une sorte de cour s'est développée autour du chanteur et, progressivement, Corti, Jouannest, le batteur Philippe Combelle et le bassiste Pierre Sim s'en trouvent exclus. Pour François Rauber c'est différent, puisqu'il ne participe plus aux tournées depuis longtemps.

Trop occupé, trop entouré, trop accaparé, Jacques Brel ne se rend pas vraiment compte qu'il néglige ses compagnons

1. Voir témoignage de Jean Corti, en annexe.

de route. Déjà, il n'a plus le temps, en sortant de scène, de faire le point avec eux sur le spectacle du soir. Bientôt, ayant toujours quelque invité de marque, Jacques ne mangera plus à la même table qu'eux au restaurant, et ils finiront par être obligés de frapper à la porte de sa loge avant d'entrer. Les présences de Sylvie, Jojo, Charley Marouani, Eddie Barclay ou Bruno Coquatrix forment un écran de plus en plus opaque, chaque fois plus difficile à franchir. Même pour les musiciens.

Contre son gré, peut-être, mais sans avoir fait grand-chose pour enrayer le processus, Brel laisse son entourage l'enfermer dans un statut de star inaccessible. Sans doute n'est-il pas conscient de cette évolution et de cet isolement progressif, car il continue de multiplier les galas gratuits, qui lui sont autant d'occasions de rencontrer des gens extérieurs au milieu du show business; autant de fenêtres ouvertes sur le monde et ses réalités...

Pourtant le sentiment de solitude se creuse, et toutes les chansons du nouveau disque, sans exception, abordent le problème à un moment ou à un autre. Explicitement comme dans « Les désespérés », ou de façon plus allusive comme la chute pitoyable de « Ces gens-là » :

Mais il est tard, Monsieur,
Il faut que je rentre chez moi...

Après la violente diatribe, qui occupe la première partie de la chanson, et ce rêve ensoleillé que représente l'apparition de Frida, soulignée fort à propos par l'explosion de la mélodie et de l'arrangement, une telle conclusion traduit le comble du renoncement. Pire que le désespoir : la négation même de l'espoir. La quintessence d'une certaine lâcheté devant la vie. L'illustration parfaite aussi, dans un contexte radicalement différent, de ces deux vers de « Jaurès » :

Lorsque l'on part aussi vaincu,
C'est dur de sortir de l'enclave.

Car la révolte du héros est là, entière, tout au long de la chanson. Il sait l'exprimer avec lucidité, voire férocité; mais au fond de lui-même, il est prisonnier du même conformisme, des mêmes habitudes étriquées que ceux qu'il fustige. Ainsi, en une courte phrase qui en dit plus long sur lui que tout le reste de la chanson – l'une des plus violentes que Brel ait jamais écrites –, sa pensée se réduit soudain. De dénonciation rageuse, elle se fait simple médisance ; et le personnage n'apparaît plus, alors, que comme un triste faiseur de ragots, illustrant mieux que jamais la formule de Léon-Paul Fargue sur le renoncement au combat et à l'amour, au nom de la sécurité [1].

Fidèle à ses principes habituels, Jacques Brel se garde bien de jouer les redresseurs de torts. Devant tant de mesquinerie, il ne cherche ni à biaiser, ni à s'exclure. Refusant la facilité du pronom impersonnel, c'est à la première personne qu'il s'exprime, laissant se désagréger son image initiale d'observateur caustique. Progressivement d'abord, avec cette molle défense devant l'accusation d'être « *tout juste bon à égorger les chats* » :

J'ai jamais tué de chats,
Ou alors y a longtemps,
Ou bien j'ai oublié,
Ou ils sentaient pas bon...,

puis de manière abrupte, via une chute qui, rompant avec le ton acide employé jusqu'ici, nous laisse sur un sentiment de malaise, en présence d'un individu lamentable et nu devant sa propre impuissance. Comme si le chanteur, in extremis, nous glissait un miroir devant les yeux, pour nous rappeler encore et toujours combien il est « *trop facile de faire semblant* », trop facile de se poser en juge.

Maître du crescendo, Brel l'est aussi de l'écroulement en cascade – il l'a montré à plusieurs reprises, notamment dans « Les timides » –, et à ce titre « Ces gens-là » est l'une des chansons qui éclairent le mieux son univers. C'est donc un contresens absolu de l'amputer de sa seconde partie, comme ont pu le faire les musiciens du groupe Ange [2] ; l'illustration d'une compréhension très superficielle d'une œuvre qui, loin de se réduire à une simple révolte somme toute assez

---

1. *Op. cit.*
2. Album *Le Cimetière des arlequins*, 30 cm Philips (réf. : 6325037). Les notes de pochette tentent d'expliquer cette amputation, sans grande conviction ni crédibilité : « *Désolés, Jacques, mais on n'a pas pu te voler Frida.* »

courante, contre la trinité bourgeoisie-religion-armée, prend le plus souvent, par rapport à son propos, un recul qui lui permet d'accéder à une véritable dimension philosophique.

Le premier morceau mis en boîte, pour cet ultime 25 cm, est « L'âge idiot » qui semble être, a priori, une espèce de prolongement logique de « Au suivant ». Les deux chansons débouchent, de fait, sur la même idée de solitude et d'infériorité de l'individu face à l'énorme machine militaire ; mais il y a cette fois une acceptation résignée du sentiment de sécurité que procure celle-ci. Résignation encore accentuée par la manière dont Brel découpe le temps en tranches successives, comme dans « Zangra » : d'un couplet à l'autre, l'échec relationnel se creuse au fur et à mesure que la vie se consume. Au terme d'une litanie de faillites, semblable à celle de « Seul », la caserne pourtant honnie apparaît comme un endroit à l'abri des revers de l'existence, et la mort elle-même semble protectrice. Loin d'être une déchirure, elle met un point final à cette spirale d'échecs, par un retour quasi œdipien au ventre nourricier :

On redevient petit enfant
Dedans le ventre de la terre.

On trouve là l'ébauche d'un sentiment que Roland Barthes analysera dans *Mythologies* [1] et qu'il nommera « *julesvernisation* » : le besoin – que l'auteur du *Degré zéro de l'écriture* rattache autant à Jules Verne qu'à l'enfance – de chercher refuge dans un « espace » soigneusement clos, délimité et sécurisant, comme un sous-marin (Le Nautilus), une cabine de bateau, le poste de pilotage d'un avion, une île difficile d'accès, voire le ventre maternel ou un petit noyau de copains vivant en autarcie sentimentale. Ce besoin peut certes sembler incompatible avec l'envie d'« *aller voir* » et de découvrir le monde. Mais ce serait oublier que les héros de Jules Verne sont avant tout des défricheurs de planète, des découvreurs d'univers : des explorateurs chez qui l'on

---

1. *Mythologies*, de Roland Barthes, chapitre « Nautilus et Bateau ivre » (Editions du Seuil, 1957). Le thème du retour à la terre mère et nourricière, pour s'y régénérer et y puiser de nouvelles forces, apparaît dans *Kim* de Rudyard Kipling, et dans le chapitre « Gênes » de *Bourlinguer*, de Blaise Cendrars.

retrouve, selon les mots de Barthes « *la passion enfantine des cabanes et des tentes. [...] L'archétype de ce rêve est ce roman presque parfait,* L'Ile mystérieuse, *où l'homme enfant réinvente le monde, l'emplit, l'enclôt, s'y enferme...* ». Brel aux Marquises, en quelque sorte.

Dès lors, la contradiction n'est plus qu'apparente, ces deux aspirations représentant les côtés pile et face d'une même exigence de vie. Il ne s'agit pas de se retrancher physiquement du monde pour mieux s'en abstraire mentalement, mais de se ressourcer, de se retrouver en tête à tête avec soi-même : non pour fuir ou se protéger mais pour être sûr de ne pas se laisser abuser par les mirages de l'agitation ambiante. Pour qui aspire à l'action, c'est là un gage d'authenticité et d'honnêteté.

Cette quête du refuge, en filigrane dans de nombreuses chansons de Jacques Brel et corollaire indispensable de cette obsession de l'abandon qui sous-tend toute son œuvre, est particulièrement mise en évidence dans ce 25 cm où elle affleure plus ou moins dans chacun des six titres. Ainsi le héros de « Fernand » vient-il boire du silence dans le cimetière où repose l'ami qu'il vient de perdre, et où ne peuvent l'atteindre ni l'infidélité des femmes ni la démence guerrière des adultes ; tandis que le mari de « Grand-mère » s'isole dans un coin secret de nature pour :

Caresser les roseaux,
Effeuiller les étangs
Et pleurer du Rimbaud,

en tâchant d'oublier l'affairisme forcené d'une épouse dont la soif de pouvoir et d'honneurs passe avant la tendresse.

La mort est bien sûr le refuge suprême. Aboutissement logique, dans « L'âge idiot », d'une lente dégradation mêlant l'enlisement du cœur et la poussée du ventre à l'abandon des idéaux de l'enfance, elle apparaît comme une alternative séduisante dans « Les désespérés » :

Et en dessous du pont l'eau est douce et profonde,
Voici la bonne hôtesse, voici la fin du monde...

De même, le narrateur de « Ces gens-là » rêve-t-il d'une maison idéale, pour abriter son impossible bonheur au côté de Frida :

Même qu'on se dit souvent
Qu'on aura une maison
Avec des tas de fenêtres,
Avec presque pas de murs,
Et qu'on vivra dedans
Et qu'il fera bon y être.

Fragile rempart contre la jalousie de tous ceux – *« les autres »* – qui s'opposent à leur amour, c'est-à-dire encore une fois le monde extérieur :

Parce que les autres veulent pas.
Les autres, ils disent comme ça
Qu'elle est trop belle pour moi...

La même idée, exactement, que dans « Madeleine » :

Sûr qu'elle est trop bien pour moi,
Comme dit son cousin Gaspard !

Ah, cette beauté ! Ou plutôt cette (prétendue) laideur... Brel la traînera toute sa vie tel un boulet. Un véritable complexe dont il fera un usage à double tranchant ; tantôt se laissant aller à la résignation, comme dans « La Fanette » :

Faut dire qu'elle était belle
Et je ne suis pas beau...

et tantôt réagissant avec vigueur, par une attaque cinglante qui finira par s'imposer dans le langage courant : *« beau et con à la fois »*. Une notion dont il ne faut pourtant pas mésestimer, chez Jacques, la part de coquetterie : si l'adolescent avait un physique ingrat, le temps a fait son œuvre, en effet, qui en a largement gommé, depuis, les imperfections. Mais à l'époque des premiers flirts, quand le cœur est si tendre qu'un simple éclat de rire y laisse des griffures définitives, cette apparence – avec ses dents chevalines, ses lèvres trop charnues, son nez aux ailes accentuées, ses oreilles un peu grandes, sa coiffure raide et sans grâce et ses membres grêles – ne devait certes pas faciliter les relations avec ces jeunes filles qu'il peignait alors comme des êtres pratiquement hors d'atteinte. Professionnellement aussi, il eut à essuyer des rebuffades, quand les critiques, imbéciles et blessants, ne s'attachaient qu'à son physique, à sa tenue et à sa dégaine, négligeant la sincérité de son propos et le contenu de ses chansons. Jusqu'à sa compagne du moment,

Suzanne Gabriello, qui affirmait, à qui voulait l'entendre, qu'elle le trouvait bien « laid » !

Mais avec les années, l'assurance et le succès, le personnage s'est étoffé. Quelques rides autour des yeux et de la bouche, et en travers du front, sont venues adoucir le portrait. Le regard surtout a pris de l'intensité, et c'est à lui désormais que l'on s'attache en priorité. Il joue à présent de sa dentition avec autodérision, son rictus devenant une composante à part entière de sa technique vocale, comme s'il crachait les mots, même les plus tendres.

D'ailleurs, à ce stade de notoriété chez un artiste, seule compte « la gueule ». Or, en ce milieu des années 60, après plus de douze ans de carrière, Jacques Brel – qui vient de fêter son trente-sixième anniversaire – a vraiment une sacrée gueule ! Il a beau affirmer *« qu'à trente fleurs / Commence le compte à rebours* [1] », il n'a jamais semblé en aussi totale possession de ses moyens, faisant d'un handicap un atout, d'un corps qui l'a longtemps embarrassé un argument scénique majeur. Au prix, bien sûr, de longues nuits sans sommeil, d'échecs relationnels répétés, de rêves encore inassouvis et d'illusions perdues ; d'un vieux fond d'indulgence aussi, malgré l'acuité de son regard et le mordant de son verbe. *« Un type laid ou une femme laide,* explique-t-il, *s'use infiniment plus qu'un type beau ou qu'une femme imbécile qui bouge son cul. Il faut qu'il fasse un travail monstrueux pour compenser. »* Et à Jacques Chancel, lui demandant si sa carrière aurait pris une autre tournure s'il avait été plus beau au départ, il répond simplement : *« Oh ! je crois que je n'aurais pas eu de carrière* [2] *... »*

Tout en faisant la part de la pirouette verbale – à ne jamais sous-estimer dans les interviews de Brel –, peut-être faut-il quand même chercher, dans un désir de revanche sur le destin, l'explication de sa formidable ténacité aux temps des débuts difficiles, et jusque dans les entreprises aventureuses de la dernière partie de sa vie.

Cette dualité *« beau et con à la fois »* n'est pourtant pas une simple commodité de style, et il y a bien longtemps que le

1. « L'âge idiot ».
2. *Radioscopie* (déjà citée).

chanteur en a cerné les limites précises, refusant de s'enfermer dans un paradoxe par trop conventionnel. Il serait facile en effet – et ô combien tentant ! – de soutenir que la laideur apparente est synonyme de beauté intérieure et d'intelligence. Jacques en est conscient depuis la fin de son adolescence quand, au sein de la Franche Cordée, il évoquait déjà dans ses premières chansons restées inédites :

... ceux qui se disent beaux, parce qu'ils sont idiots,
Et ceux qui se disent malins, parce qu'ils ne sont que laids [1].

Dès lors, le vœu exprimé par « Jacky » – le second titre enregistré ce 2 novembre 1965 – ne traduit aucun règlement de comptes, ni l'expression d'une jalousie amère face aux facilités qu'offre la beauté, mais la volonté de marquer une pause dans son interminable bras de fer contre les moulins à vent de toutes sortes. Le simple besoin de reprendre son souffle, *« une heure seulement... une heure quelquefois... rien qu'une heure durant »*.

---

1. « Les gens » (1953, chanson inédite, texte reproduit dans l'*Œuvre intégrale*, Editions Robert Laffont).

33

On m'appelle « Tata Jacqueline »

Le lendemain, le 3 novembre, Jacques Brel n'enregistrera qu'une seule chanson : « Grand-mère ». Une pochade à l'acide caustique. Cette femme qui mène ses affaires tambour battant et fraie, avec un égal bonheur, avec le sabre et le goupillon, incarne le pire aspect de cette bourgeoisie industrielle que Jacques détestait par-dessus tout et à laquelle il n'échappa que de justesse.

Si le chanteur s'est glissé, avec tendresse, derrière l'image de ce Grand-père qui aime :

... les bistrots bavards
Où claquent les billards
Et les chopes de bière,

court les aventures extra-conjugales et manifeste son amour pour Rimbaud – le poète que Jacques cite le plus souvent comme référence, avec Baudelaire, dans sa conversation –, il faut donc admettre que « Grand-mère » n'est pas dépourvue d'arrière-pensée et que, selon une habitude qui lui est chère, Brel fait passer au vu mais à l'insu de tous un message discret à quelqu'un... qui est seul à pouvoir le comprendre.

Il est permis alors de se demander qui est la femme ainsi visée; encore qu'il n'y ait pas beaucoup de femmes d'affaires, et pour tout dire de femmes de tête, dans l'environnement immédiat du chanteur. Jacques le sait si bien que, pour brouiller les pistes, il charge son personnage à outrance et pousse la caricature jusqu'à l'extravagance; jusqu'à lui donner un air farce qui, paradoxalement, désamorcera la violence de son mouvement d'humeur initial. Mais il y reviendra à plusieurs reprises dans l'avenir (« Le cheval », « Les remparts de Varsovie »...), laissant en déduire qu'il ne tient pas la question pour réglée. Même si chaque fois, procédé assez inhabituel chez lui, il préfère la traiter sur le mode humoristique.

Trois jours plus tard, Jacques termine le disque en une seule séance, au cours de laquelle il enregistre, coup sur coup, trois des titres les plus sombres de toute son œuvre : « Fernand », « Les désespérés » et « Ces gens-là ». La mort, la détresse qui conduit au suicide, et la veulerie sociale : trois angles d'attaque différents, mais au bout du compte la même solitude, la même absence d'espoir, et ce même « mal aux autres » qu'il évoquera de plus en plus souvent dans ses interviews.

Il y eut réellement un Fernand, dans la vie de Jacques Brel ; et même deux : un machiniste du théâtre de la Monnaie, avec lequel il s'était lié de sympathie, et un restaurateur de Roquebrune, dont l'établissement se trouvait à un jet de pierre du cabanon où il vivait avec Sylvie, où le couple avait ses habitudes et tenait table ouverte pour les amis de passage. Mais le prénom, s'il n'est pas imaginaire, n'est retenu ici que pour sa sonorité, fermement articulée ; la chanson elle-même étant une variation sur les thèmes conjugués de la fidélité et de l'amitié face à la mort, plutôt que la description d'une situation réelle. C'est une réflexion par anticipation, une spéculation sur ce qui se passerait si, par malheur, Jojo venait à disparaître avant Jacques... Spéculation d'autant plus gratuite qu'ils ont seulement quarante et un et trente-six ans respectivement et se sentent tous deux au mieux de leur forme. Mais Brel – comme Brassens l'affirmera lui-même – se sert souvent « de la mort pour donner de l'importance à la vie ».

C'est encore le cas ici. Car cette chanson, quoique occupée en quasi-totalité par la description du deuil et du chagrin de « celui des deux qui reste [1] », est avant tout une formidable déclaration d'amour d'un homme à un autre homme. Sans aucune espèce d'équivoque, d'ailleurs : il

1. « Les vieux ».

convient de le préciser – à l'usage de tous ceux qui, sans doute victimes de leurs propres phobies, ne peuvent déceler une trace de tendresse ou d'affection entre individus du même sexe sans y chercher aussitôt la marque d'une homo-sexualité refoulée –, des bruits en ce sens ayant circulé à une certaine époque, avec obstination. Comme preuve formelle, dans ces milieux que l'on prétend bien informés, on avançait le fait que Jojo aurait lui-même fréquenté assidûment les boîtes d'homosexuels, lors de ses séjours à Paris. De là à en déduire que Brel et lui entretenaient des relations « parti-culières », il n'y avait qu'un pas, que d'aucuns se firent un plaisir de franchir sans y regarder de plus près. Alors que le chanteur, ayant quitté le devant de la scène pour prendre la mer, il lui était impossible – l'eût-il souhaité, ce dont on peut vivement douter – d'apporter les moindres précisions ou démentis à ce sujet.

Renseignements pris, ces rumeurs reposent sur une confusion de personnages... ce qui montre bien la fragilité des informations sur lesquelles s'échafaudent les ragots par-fois les plus tenaces. En effet, avant que Jojo ne devienne son secrétaire-régisseur, Jacques Brel avait d'abord confié le poste à Georges Rovère, un homosexuel notoire, dont il se sépara d'ailleurs très rapidement, incapable qu'il était d'en supporter longtemps les attitudes et le comportement. Mal-gré tout le chemin parcouru depuis son éducation bour-geoise, au conformisme étriqué et aux multiples tabous, malgré les obstacles idéologiques franchis puis tournés en dérision, pour accéder à une totale liberté de pensée et d'expression, il y a au moins un préjugé dont Brel ne réussira jamais à se débarrasser tout à fait : le rejet du « pédé ». Un mot qui, prononcé à sa façon, toujours crachante, prendra le plus souvent la force d'une insulte, ou tout au moins d'une raillerie ; que ce soit en chanson :

De vrais pédés, de fausses vierges [1]...

ou, plus sérieusement, dans la vie de tous les jours. Ainsi, lorsque David Bowie manifestera l'intention d'enregistrer

---

1. « Jacky ».

« Amsterdam »[1], Brel aura un réflexe odieux : *« Je ne donne pas mes chansons aux pédés*[2] *! »*

Cette défiance, relevant essentiellement de vieilles préventions inhérentes à la morale judéo-chrétienne, sert régulièrement d'argument probant aux traqueurs assidus d'homosexualité latente. Mais s'il n'est pas question de nier l'importance du subconscient, il faut aussi savoir faire la part des choses et tâcher de ne pas se complaire dans des clichés qui, en l'occurrence, ont valeur de sophismes. Quoi qu'il en soit, l'homonymie des prénoms aidant, Georges Pasquier sera, pour les besoins de la démonstration, assimilé à Georges Rovère, et les faiseurs de cancans pourront broder à leur aise sur le sujet. *« Va, calomnie hardiment, il en reste toujours quelque chose »*, disait déjà Francis Bacon, un bon siècle avant Beaumarchais[3]. La rumeur finira en tout cas par arriver jusqu'à Brel qui, à défaut de mépris, la traitera par la dérision :

Madame raconte partout que l'on m'appelle
« Tata Jacqueline »,
Je trouve Madame mauvaise copine[4]...

D'un point de vue strictement formel, « Fernand » est l'une des plus grandes réussites du chanteur. La musique – signée Brel et Jouannest –, magnifiée par l'arrangement de François Rauber, lui apporte un équilibre presque parfait. Un piano obsédant de simplicité, comme le pas d'un cheval de corbillard sur le pavé d'une ville désertée. Et une tension qui n'en finit pas de monter, jusqu'à l'explosion finale, quand le héros lâche enfin la bonde à son chagrin et que ses sanglots se transforment en violentes explosions de cuivres, finissant par se dissoudre en tourbillons de violons, tel un envol de feuilles mortes.

L'écriture, également, est exemplaire. Sacrifiant une fois encore à son penchant pour les répétitions, Brel souligne ainsi, d'autant mieux, son impuissance face à l'absurdité du

1. « Amsterdam », par David Bowie, figure initialement sur la face B du 45 tours *Sorrow*, daté de 1973. Ensuite, ce titre a été inclus dans le 33 tours de compilation intitulé *Rare* (1982, RCA PL 45406).
2. Cité par David Bowie dans *Rock & Folk*.
3. *De la dignité et de l'accroissement des sciences*, par Francis Bacon (1605).
4. « Les remparts de Varsovie ».

destin; comme s'il se trouvait soudain à court de mots devant la mort et la douleur de lui survivre :

Dire que Fernand est mort,
Dire qu'il est mort Fernand...

L'apparente platitude de cette redite, et de certaines images comme :

Dire qu'il n'y a même pas de vent
Pour agiter mes fleurs...,

ou encore :

Dire que maintenant il pleut,
Dire que Fernand est mort...,

montrent en fait, de façon bouleversante, l'étendue du désarroi d'un homme dont le sentiment d'abandon semble désormais sans limites.

Marque d'une écriture bâclée chez les uns, cette accumulation de répétitions nous éclaire en revanche, chez Brel, sur cette technique qui consistait à noter en permanence, dans ces cahiers qu'il traînait partout, des fragments de vers, des impressions ou des portraits qui serviraient parfois des années après, d'autres fois jamais. Ainsi resurgissent des réminiscences de lectures, ou reviennent à la surface des images fortes, déjà utilisées dans des chansons jugées mineures, abandonnées en cours de route ou laissées inachevées.

Lors d'une rencontre avec Gilbert Bécaud par exemple, qu'il appréciait pour sa formidable énergie en scène, Brel décide de lui écrire un texte. Les premiers mots viennent d'un coup : « *A l'enterrement de notre amour / Paris sera Berlin...* », puis Jacques passe à d'autres projets – il en a tant ! – et la chanson en reste là. Mais l'idée n'est pas perdue... et c'est dans « Fernand » qu'on la retrouvera quelques années plus tard :

Dire qu'on traverse Paris
Dans le tout petit matin ;
Dire qu'on traverse Paris
Et qu'on dirait Berlin...

Quelle meilleure allégorie de la désolation, en effet, que celle – mille fois montrée par les actualités cinématographiques et les photos des magazines – de cette ville en ruines, tendant au ciel ses pans d'immeubles éventrés, et livrée aux troupes d'occupation de ses vainqueurs avant d'être, finalement, coupée en deux par un mur ?

Images floues, superposées, diront les historiens, car en 1965 – lorsque Brel écrit « Fernand » – les ruines appartiennent au passé et Berlin est déjà largement reconstruite. Sans doute, mais le symbole est toujours aussi fort et le mur n'a guère que quatre ans. De plus, les mots de John Kennedy, assassiné cinq mois presque jour pour jour après sa visite historique à Check Point Charly, sont encore dans toutes les mémoires, comme une sourde promesse d'espoir : « *Ich bin ein Berliner* [1] ». Un espoir que la lucidité brélienne ramène, en deux vers – sans avoir l'air d'y toucher, car là n'est pas le fond de son propos –, à sa véritable mesure : le deuil.

Dans le trop-plein de chagrin, certains, pour ne pas sombrer, se raccrochent à leur foi. D'autres, au contraire, la perdent d'un coup. Pour l'incroyant, le problème se pose différemment : c'est l'argument avancé par Voltaire, dans son poème sur le grand tremblement de terre qui ravagea Lisbonne en 1755, détruisant intégralement la ville basse et occasionnant la mort de centaines de milliers de personnes [2]. Si Dieu existe, dit-il en substance – ce Dieu que l'on qualifie d'amour et de bonté –, comment peut-Il laisser se produire de pareilles tragédies ? Comment peut-Il accepter, Lui qui a le pouvoir sur tout, de voir périr tant d'innocents ? Ainsi, sans pouvoir en déduire la preuve formelle de la non-existence de Dieu, le philosophe émet-il un doute sérieux sur sa bienveillance : si jamais Il existe, Il n'est certainement pas bon. Dès lors, pourquoi Le vénérer ? Jacques Brel, bien sûr, a lu Voltaire attentivement, en dépit des interdictions et anathèmes lancés par ses anciens professeurs de Saint-Louis. Il le cite même dans « Les bourgeois » et « La... La... La... » (« *Il était chouette Voltaire !* »). Rien d'étonnant, donc, que sa conclusion rejoigne ici celle du philosophe :

1. « *Je suis un Berlinois* », discours prononcé par J. F. Kennedy le 26 juin 1963.
2. *Poème sur le désastre de Lisbonne*, par Voltaire (1756).

... si j'étais le Bon Dieu,
Je crois que je s'rais pas fier...,
une idée que Georges Brassens reprendra plus tard à son
compte :
Dieu, s'il existe,
Il exagère [1].

Dans un entretien avec Jean Clouzet, pour la monographie que ce dernier allait publier chez Seghers, quelques
semaines après l'Olympia d'« Amsterdam », Jacques Brel
déclarait : *« Mes premières chansons étaient plus entières que
maintenant. »* Loin d'être une coquetterie d'artiste, ces
propos sont confirmés par Alice Pasquier qui affirme,
aujourd'hui, que Jacques et Jojo préféraient tous les deux les
chansons de la première époque *« qui sont certainement moins
bonnes, mais qui exprimaient plus sa pensée du moment* [2] *».*

Comment douter, cependant, que Jacques Brel ne
s'implique tout entier dans « Les désespérés », qu'il enregistre ce même 6 novembre 1965, juste après « Fernand » ?
Au point que sa peinture à la troisième personne glisse un
moment vers le « je », comme si l'expression lui échappait
soudain :
Et je sais leur chemin pour l'avoir cheminé
Déjà plus de cent fois, cent fois plus qu'à moitié...
Mais fidèle à son habitude de ne jamais se poser en
exemple, fût-ce celui de la désespérance, il se ressaisit dans
l'instant et s'efface derrière la détresse de ceux qui, *« Moins
vieux ou plus meurtris »* et *« Tellement naufragés que la mort
paraît blanche »*, iront jusqu'au bout de cette descente aux
enfers où l'on s'aperçoit, enfin, que le désespoir n'est rien
d'autre que le degré ultime de l'espoir : le point de non-
retour pour *« ceux qui ont espéré »*.

Sur un arrangement qui place très en avant le piano de
Gérard Jouannest et n'est pas sans rappeler le *Concerto en sol*
de Maurice Ravel, que Jacques aimait tout particulièrement,

---

1. « Dieu, s'il existe » (paroles et musique de Georges Brassens), enregistrée par Jean Bertola, sur l'album *Georges Brassens – les dernières chansons
inédites* (1982, Philips 6622 040).
2. Propos recueillis par l'auteur.

« Les désespérés » est à la fois l'une des œuvres les plus émouvantes et intimistes de tout le répertoire brélien. Comment imaginer, dans ces conditions, que le chanteur ait eu l'impression de payer moins de sa personne que dans des œuvres aussi peu abouties que « Il nous faut regarder », « Qu'avons-nous fait, bonnes gens ? » ou « La Bastille » ?

La même question se pose d'ailleurs pour l'ensemble du disque [1] ; de « Jacky » à « Fernand ». Et jusqu'à « Ces gens-là », sur l'enregistrement de laquelle s'achève la séance et qui, aux yeux de son public, restera l'un des repères essentiels de la discographie du Grand Jacques : le pendant noir et sans appel des « Bourgeois ». Il est étrange, en effet, que Brel n'ait jamais réellement rendu justice aux œuvres de sa pleine maturité. Au contraire, il va se mettre à parler de l'habileté qu'il a acquise et dont il affirme se défier comme de la peste. Sous ses propos perce alors une lassitude certaine, bien qu'il soit impossible encore d'y entrevoir le coup de tonnerre que sera, dans moins d'un an, l'annonce de ses adieux définitifs à la scène.

---

1. « Ces gens-là », « Jacky », « L'âge idiot », « Fernand », « Grand-mère » et « Les désespérés » seront publiées, dans cet ordre, sur le 33 tours 25 cm portant la référence Barclay 80284. Ces six titres feront également l'objet de deux 45 tours (Barclay 70900 et 70901), groupant les chansons trois par trois, dans l'ordre exact des faces du 25 cm.

34

Même si lassé d'être chanteur...

A bien y regarder, a posteriori, les indications ne firent nullement défaut. Car si la décision de Brel fut longue à mûrir, ses allusions publiques à une possible retraite anticipée remontent au moins [1] au début de 1964, dix ans à peine après ses débuts professionnels.

C'est à Jean Clouzet qu'il s'en ouvre, vraiment, pour la première fois : « *Je vous jure que j'arrêterai le jour où je l'aurai décidé. Et il faudra alors que je crève de faim pour remonter sur scène. Car je ne veux plus jamais avoir faim. Plus de journées au camembert. Terminé. Et s'il me faut chanter alors un mois au Lido de Paris pour vivre toute une année, eh bien je le ferai sans hésitation, croyez-moi. Sinon, je suis persuadé que l'acte de chanter ne me manquera absolument pas.* » Et d'ajouter : « *Ce que je risque de regretter, par contre, c'est le mouvement que cela apporte dans ma vie* [2]*... »*

Plus tard, en octobre 1965 à Moscou, lorsque Jean Corti lui annoncera son départ du groupe, le chanteur aura cette réponse que l'accordéoniste ne prendra guère au sérieux,

---

1. Dès février 1963, à l'occasion d'un gala à Ostende où il a accompagné Isabelle Aubret qui se produit ce soir-là dans le même programme que Jacques Brel, Eddy Marouani – alors imprésario de nombreuses vedettes – note sur une fiche que celui-ci « *nous a signalé qu'il a l'intention de ne plus se produire sur scène pour se consacrer complètement à la composition* ». In *Pêcheur d'étoiles*, mémoires d'Eddy Marouani (Ed. Robert Laffont, 1989).
2. *Op. cit.*.

croyant, sur le coup, à une formule de dépit passager : *« Moi aussi, de toute façon, j'arrêterai un jour* [1]*... »*

La même incrédulité devant l'inimaginable empêchera un journaliste de *Ouest-France*, Pierre Berruer – que Jacques, après plusieurs rencontres, avait pris en sympathie –, de réaliser un « scoop ». Brel a beau lui faire part, dans un triste bistrot de Poitiers, de son intention d'abandonner la chanson, Berruer n'exploitera pas l'information, songeant lui aussi à un moment de déprime sans conséquence. *« Tu ne me crois pas, hein ?* insistera pourtant le chanteur ; *tu te figures que c'est normal de s'exhiber tous les soirs devant des centaines de gens ? Tu verras* [2] *! »*

Au hasard de rencontres, de conversations informelles et de confidences d'après spectacle, Jacques Brel distille ainsi la nouvelle à quelques journalistes, sans qu'aucun d'eux ne puisse cerner, avec précision, quelle est pour l'instant la part de jeu, de coquetterie ou de provocation. On y voit plutôt une nouvelle pirouette verbale d'un homme connu pour son goût du paradoxe.

La rumeur filtre bien un peu, parvenant jusqu'aux oreilles de ses musiciens qui n'y prêtent d'ailleurs aucune attention, pas davantage du moins qu'à tous ces bruits de coulisses qui, baudruches sans consistance, se dégonflent aussi vite qu'ils se sont enflés. Au vrai, personne n'y croit, et Brel lui-même n'a probablement pas arrêté de décision définitive. Pas encore...

Pour l'heure, il est patent que plusieurs sentiments contradictoires l'animent. A des degrés sans doute plus ou moins aigus, voire de façon quasi inconsciente pour certains d'entre eux. Ainsi ce mélange d'orgueil et d'angoisse qui, après lui avoir fait dire au sortir de scène, lors de sa première triomphale à l'Olympia, en octobre 1964 : *« Je me demande bien ce que je vais pouvoir faire maintenant... »*, se manifeste aujourd'hui par une inquiétude beaucoup plus profonde, car plus raisonnée : *« Je ne veux pas baisser. Je ne veux pas ! »*

1. Voir témoignage de Jean Corti, en annexe.
2. Propos rapportés par Pierre Berruer dans son livre *Jacques Brel va bien. Il dort aux Marquises* (Ed. Presses de la Cité, 1983).

Conscient d'avoir atteint des sommets, Jacques Brel – comme tout artiste capable de se remettre en cause – est effrayé par l'idée qu'ils puissent aussi constituer des limites. Une anxiété assez semblable à cette hantise de vieillir presque omniprésente dans ses dernières chansons. La même peur de la dégradation lente et irréversible, qu'elle soit physique ou se traduise, plus sournoisement, par l'érosion de l'inspiration. Alors, plutôt que de décliner en attendant la mort *« par arrêt de l'arbitre* [1] *»*, ou *« Cracher sa dernière dent / En chantant "Amsterdam"* [2] *»...*, autant prendre soi-même la décision de partir. Au moins cela ne manque pas de panache. Et Dieu sait si Jacques est sensible au panache! Toujours ce côté Cyrano...

Il confirmera du reste cette appréhension d'un possible déclin, en répondant à une énième question, au lendemain de son ultime récital, sur les raisons de son départ : *« Si je n'avais pas eu de succès, je chanterais encore. »* Jacques, c'est évident, n'est pas de ceux qui renoncent à mi-parcours : tant qu'il s'agit de se battre pour gagner ou doubler un cap houleux, c'est un infatigable lutteur, toujours de quart-en-haut, sur le pont; mais qu'on ne lui demande pas de gérer la victoire ou, le coup de tabac étalé, de tirer des bords dans des eaux abritées... Sa vieille phobie de l'immobilité. Comme s'il se savait incapable, une fois le but atteint, de conserver intacte et d'entretenir sa motivation première. Or, en cette fin d'année 1965, il n'y a plus pour lui d'étape à franchir, professionnellement parlant, plus de marche à escalader. C'est donc hors de son métier qu'il lui faudra désormais rechercher de nouveaux objectifs et trouver de nouveaux défis : *« Le temps de la découverte et de l'aventure physique est terminé,* constate-t-il. *Alors je crois que l'aventure, maintenant, est dans la modification du style de vie. »*

A cet instant précis, Jacques Brel ignore encore qu'il fera bientôt du cinéma et réalisera lui-même deux longs métrages. Il se doute encore moins qu'il s'en ira voguer sur les mers, pour finir par jouer à l'avion-taxi aux îles Marquises, ou qu'il incarnera un jour Don Quichotte chantant sa

1. « Vieillir ».
2. *Ibidem.*

« Quête » ; mais il brûle déjà de cette *« possible fièvre »* qui fait *« porter le chagrin des départs »*, pour tenter *« d'atteindre l'inaccessible étoile »*. Et tous les éléments de *« l'impossible rêve* [1] *»* sont déjà en train de le consumer.

Si la sincérité de Jacques Brel n'est pas en cause lorsqu'il affirme que la fatigue n'est absolument pour rien dans sa décision d'arrêter le tour de chant, le refus – certes réel – de l'habileté n'explique cependant pas tout. D'une vitalité physique exceptionnelle, Jacques semble effectivement insensible à la fatigue et au manque de sommeil. L'excitation de l'action et le mouvement de la vie rechargent ses batteries – à l'instar d'une automobile dont le moteur tourne – et il puise sans compter dans ses réserves d'énergie, comme ces sportifs de très haut niveau dont on s'aperçoit soudain qu'ils ont des organismes brûlés et des articulations de vieillards. Or Brel fait tout à fond. Presque avec avidité. Parfois jusqu'à saturation. Telles ces tournées qui, au rythme de trois cents et quelques spectacles par an, finissent par l'installer dans une certaine routine. Car il existe aussi une routine de l'exceptionnel. Une lassitude insidieuse qui émousse les émotions les plus fortes et rogne le plaisir ; une lassitude que l'on devine chaque fois plus présente derrière les propos de Jacques : *« Il faudrait changer de métier à partir du moment où l'on se croit au bout de ses espérances* [2]*... »*

Lorsqu'il se défend d'être fatigué, Brel évoque seulement l'épuisement du corps ; mais comment ne pas songer plutôt à celui, bien plus aigu, du cœur et de l'enthousiasme ?

Quel chemin parcouru, en effet, depuis ces premières chansons où, éternel adolescent nourri de scoutisme et de bons sentiments, il enfilait la défroque de « l'abbé Brel » en croyant sincèrement arriver à transformer le monde, à la seule force de quelques refrains portés par une inépuisable générosité... Un chemin au milieu duquel, mortifié que l'on se gaussât de sa candeur, de son idéal de fraternité et de la main qu'en toute innocence il tendait au monde entier, il a

1. « La Quête » (paroles originales de Joe Darion et musique de Mitch Leigh, adaptation française de Jacques Brel).
2. Propos rapportés par Pierre Berruer, *op. cit.*.

soudainement durci le ton. La colère a gonflé son chant, ses mots ont appris à mordre, et ses longs crescendos pleins de véhémence ont emporté irrésistiblement le public en le laissant parfois K.O. debout, comme lors de la création d'« Amsterdam ». *« Brel, disait alors Nougaro, c'est un boxeur! Il boxe le cœur. »* Puis est arrivé le Brel flamboyant ; celui de la maturité. Le Brel tonnant et baroque, animé par cette part d'Espagne qu'il revendiquera jusqu'au bout. Ce Brel toujours persuadé que l'on peut changer le monde... quitte, il est vrai, à remplacer la main tendue par le coup de poing au cœur ou le coup de pied au cul !

Insensiblement les illusions s'effritent, tandis que Jacques se replie sur lui-même. Quelque chose s'est figé en lui, comme pris dans la glace, et l'amertume paraît le gagner. Ses chansons se font plus douloureuses, plus désespérées ; plus intenses aussi, car chacune délimite désormais le chemin qui, d'étape en étape, le conduit au silence. Pour éviter le risque de s'aigrir à jamais – sentiment intolérable pour une nature dont la générosité reste le pivot essentiel –, quitter le jeu devient une question de survie intérieure...

Ce silence, qui semble inexorable, loin d'être ressenti comme un drame ou la marque affichée d'une inspiration ternie, est au contraire un symbole de délivrance : une composante à part entière du bonheur. Le mot lui-même, qui revient à plusieurs reprises dans les chansons de cette troisième période, traduit souvent une forme heureuse de sérénité ; depuis « Un enfant » :

Un enfant,
Avec un peu de chance
Ça entend le silence,

ou « Je suis un soir d'été » :

Ils rient de toute une dent
Pour croquer le silence
Autour des filles qui dansent,

jusqu'à ce quasi-testament phonographique constitué par « Les Marquises » :

Du soir montent des feux et des points de silence
Qui vont s'élargissant...,

en passant par cet étonnant aveu, dans « Le cheval » :

... toutes les nuits
Quand je chante « Ne me quitte pas »,
Je regrette mon écurie
Et mes silences d'autrefois.

Quant à cette fameuse « habileté » régulièrement évoquée pour justifier ses adieux, il convient de nouveau de faire la part des choses. Brel, c'est certain, a perdu beaucoup de son innocence originelle, au fur et à mesure que s'accentuait la fracture entre ses aspirations fraternelles, pleines d'idéalisme, et le pessimisme grandissant du regard qu'il porte sur le monde. *« L'œil du berger, mais le cœur de l'agneau* [1] *»*, équilibre fragile et douloureux entre le besoin d'absolu et cette impitoyable lucidité dont René Char disait qu'elle était *« la blessure la plus rapprochée du soleil* [2] *».*

Mais la perte de l'innocence ne signifie pas celle de la sincérité. Ce n'est donc ni dans les thèmes qu'il aborde maintenant, ni dans la façon de les traiter qu'il faut traquer les manifestations de cette habileté si détestable aux yeux de Brel. L'écriture n'est pas en cause et Jacques, d'ailleurs, ne prétend aucunement cesser d'écrire des chansons ; il se limite à informer son public qu'on ne le verra plus les interpréter sur scène : *« C'est le tour de chant que j'arrête. Voyez-vous, écrire une chanson, c'est un travail d'homme. Chanter une chanson est un travail d'animal. Et depuis un certain nombre d'années je suis un petit peu trop un animal et plus assez un homme. Or, moi, toute la journée je vis avec un homme et pas avec un animal. Voilà* [3] *! »*

C'est dans la performance scénique qu'il faut par conséquent dénicher l'habileté incriminée. De fait, le chanteur a tellement théâtralisé son interprétation que chaque récital le voit refaire les mêmes gestes mille fois répétés et reprendre des mimiques ou des postures à l'efficacité éprouvée, qui déclenchent peu ou prou les mêmes réactions, aux mêmes moments, quels que puissent être les publics. Bien

1. « Mon enfance ».
2. *Feuillets d'Hypnos*, par René Char (Ed. Gallimard, 1946).
3. Interview pour Europe N° 1, réalisée à chaud à l'issue du tout dernier récital de Jacques Brel, à Roubaix, le 16 mai 1967.

que cette gestuelle lui semble indispensable – « *Mes chansons,* affirme-t-il, *sont insuffisamment écrites et ont besoin de mon corps* » – et qu'il ait toujours au moment d'entrer en scène le ventre noué par une forte appréhension, Jacques sent bien que sa part de surprise et de risque est devenue quasiment inexistante.

Cette absence d'imprévu le conduit parfois à en rajouter. Alors il force le geste, appuie la grimace, exagère la pantomime. Lucide, il se rend compte de ses excès et les corrige dès le lendemain... sans se débarrasser pour autant de ce sentiment de routine qui lui donne l'impression de se parodier. Pour lui, désormais, la chanson n'est plus une aventure.

35

Que ce soit les autres qui chantent

C'est à Laon, dans l'Aisne, au début de l'été 1966, que se produit l'incident qui emportera la décision définitive de Jacques. Il est en train d'interpréter « Les vieux », le cinquième titre du programme, quand il réalise soudain qu'il a déjà chanté le couplet qu'il débite machinalement. Aussitôt sa résolution est prise ; lorsqu'il quitte le plateau au milieu des bravos de rappel, il lâche un seul mot à l'adresse de Jojo (qui lui tend, comme toujours, la serviette avec laquelle il s'essuie le visage et l'inévitable cigarette d'après l'effort) : « *J'arrête.* » Pas besoin d'en dire plus, l'ami de toujours a compris car ils ont souvent parlé, ensemble, de cette probabilité.

Jojo, bien entendu, gardera le silence jusqu'à ce que Brel officialise lui-même la nouvelle. Auprès de ses musiciens d'abord, quelques jours plus tard au casino de Vittel, à l'issue d'un concert semblable à tant d'autres. François Rauber, en vacances dans la région, est là, par hasard ; Charley Marouani aussi, ainsi que France, la seconde fille de Jacques. L'occasion est donc propice et, comme pour ajouter encore au pathétique de l'instant, un orage épouvantable se déchaîne sur la ville, faisant sauter à intervalles réguliers les plombs fatigués du Grand Hôtel et déchirant la nuit d'éclairs furieux. Jamais Jacques n'aurait imaginé pareil décor pour annoncer ses adieux : « *C'est fini ! Je quitte la scène...* »

Une question naît immédiatement sur toutes les lèvres : pourquoi ?

– Je n'ai plus rien à dire...

Charley Marouani tente bien d'insister un peu : « *Non Jacques, vous n'avez pas le droit !* » ; mais son amitié pour le chanteur est trop vive, et il le connaît trop bien, pour n'avoir pas compris qu'il n'y a, déjà, plus rien à faire. Il sait que la décision de Jacques est d'autant plus irrévocable qu'il vient de se mettre au pied du mur en la rendant publique.

Pour l'imprésario, à présent, il s'agit donc d'organiser les conditions de la retraite. Car Brel a pris des engagements qui courent sur toute l'année à venir et il n'est pas question, précise-t-il, de revenir sur ces promesses. Il est même prévu qu'il enregistre dans quelques mois un nouveau disque, dont les chansons sont déjà prêtes.

L'Express, sous la plume de Danièle Heymann, sera le premier à publier l'information... qui fait évidemment l'effet d'une bombe. Même si, sur l'instant, beaucoup croiront à une fausse sortie. Maurice Chevalier, Josephine Baker et tant d'autres ont tellement habitué le public à ces adieux interminables, dont on repousse régulièrement l'échéance, que plus personne n'est dupe de ce cabotinage. Brel en fera même une boutade : « *On ne peut pas toujours faire son avant-dernière première !* » Avec lui, pourtant, c'est différent. Sa sincérité est au-dessus de tout soupçon et, d'ailleurs, n'est-il pas ce « Grand Jacques » qui a toujours chanté qu'il était « *trop facile de faire semblant* » ?

Alors, cette fois encore, il n'y aura pas de rappel. Quand l'acte sera joué, le rideau ne se relèvera plus. Car Jacques Brel n'est pas de ceux qui thésaurisent. Pas de ceux qui capitalisent leur succès. Pas de ceux, non plus, qui regardent en arrière et s'apitoient sur leurs souvenirs. Il appartient à cette race d'hommes qui vont vers l'avant, cherchant toujours à prendre la vie de vitesse.

Lorsqu'il décide de quitter le devant de la scène, il n'y a personne pour lui contester sa place au zénith de la profession ; personne, à l'exception peut-être de son vieux copain

Brassens qui, en septembre de cette même année 1966, s'installe pour cinq semaines au Palais de Chaillot, introduisant pour la première fois la chanson dans le légendaire TNP de Jean Vilar et Gérard Philipe [1].

Pour le reste, un rapide coup d'œil sur les hit-parades de l'époque apporte une vision édifiante de l'état des lieux. Fort malmenée par la vague rock, la chanson dite à texte n'a pas toujours su résister à cette prééminence nouvelle du rythme sur les paroles. Le cabaret est moribond et l'expression « rive gauche » a pris une connotation péjorative. Dans la médiocrité ambiante, des brouets bien clairets font soudain figure d'œuvres poétiques ; c'est le triomphe de l'ère Adamo, qui aligne en quelques mois une impressionnante série de tubes, de « Vous permettez, Monsieur » à « Tombe la neige », en passant par « Les filles du bord de mer » et autres « Inch' Allah ».

Bien que Claude François, Sheila, Sylvie Vartan ou Stone soient encore régulièrement classés aux premières places, le « yé-yé » – inodore, incolore mais pas indolore – commence à donner de sérieux signes d'essoufflement, après cinq ou six années de lobotomie collective. Jacques porte d'ailleurs un regard plein de lucidité sur cette authentique entreprise de récupération qui a su si bien canaliser et vider de leur contenu l'énergie et la rébellion induites dans le rock'n'roll : « *Je pense qu'ils* (les yé-yés) *sont désespérément sages et obéissants. Il leur manque le ferment de la révolte qui est le véritable atout de la jeunesse* [2]. »

Johnny Hallyday lui-même ne sait plus très bien où il en est. Après avoir sagement effectué son service militaire puis s'être marié, le voilà père de famille. Dépouillé de sa défroque de rocker pur et dur, il saute de style en style, à la recherche hypothétique d'une personnalité de rechange. Tandis que 1966 l'entend réclamer « Du respect », chanter « Les coups » et brocarder assez sommairement les

---

1. Récital de Georges Brassens au TNP, du 16 septembre au 22 octobre 1966 (disponible en disque seulement depuis 1996, réf. : CD Philips 534149-2). Prix des places 6, 8, 10 et 12 F! La première partie du spectacle était assurée par Juliette Gréco.
2. Propos recueillis par Denise Glaser, en mars 1966, au cours de son émission *Discorama*.

« Cheveux longs et idées courtes » de cet iconoclaste d'Antoine qui prétend le mettre *« en cage à Médrano [1] »*, l'année suivante le voit, sans le moindre sentiment de ridicule, se déguiser en hippie à clochettes et, chevelu, barbu, fleuri, célébrer « San Francisco » et « Jésus-Christ ». Entre-temps, il y aura eu « Noir c'est noir » et une tentative de suicide.

Curieusement, Jacques Brel fera toujours preuve (tout comme Brassens) d'une certaine tendresse pour Johnny, pour lequel souvent il se déclarera prêt à écrire, et qu'il retrouvera avec un plaisir non dissimulé sur le tournage du film de Lelouch, *L'Aventure c'est l'aventure*. De son côté, Johnny, l'un des rares chanteurs capables, sur scène, de libérer une énergie comparable à celle de Brel, sera toujours fasciné par l'incroyable résistance physique de ce dernier : *« L'amitié que j'avais avec Brel était une amitié de nuit et de bordel. En tournée, Brel passait son temps dans les bordels. Il ne touchait pas aux filles, il était copain avec elles. Il arrivait et buvait des bières toute la nuit. [...] C'est le seul mec que j'ai rencontré, dans ma vie, qui se couchait à six heures et se levait à neuf pour aller déjeuner à deux cents kilomètres. Moi, j'avais besoin de dormir, mais il me levait et je le suivais. Il avait une santé d'acier [2] ! »*

Tandis que le yé-yé brûle ses derniers feux follets, Léo Ferré, en quête de ce second souffle qu'il trouvera au lendemain de mai 68, n'arrive guère à sortir du ghetto militant pour élargir son public. De même, Gainsbourg (qui a connu la réussite avec « Poupée de cire, poupée de son » : plus d'un million d'exemplaires vendus par France Gall rien qu'au Japon) n'est-il toujours pas reconnu à sa juste valeur, malgré quelques titres phares appelés à devenir des classiques comme « Le poinçonneur des Lilas » dès 1958, « La chanson de Prévert » en 1961, et « La javanaise » l'année suivante. Claude Nougaro, en revanche, après un passage à vide succédant à des débuts remarquables (« Le cinéma », « Le jazz et la java », « Une petite fille », etc.),

1. « Les élucubrations », 1965 (paroles et musique d'Antoine).
2. Propos recueillis pour *Paroles et Musique*, par J.-D. Brierre (dossier « Spécial Johnny Hallyday », n° 71, juillet-août 1987).

vient d'écrire « Toulouse ». Dans le même temps, Charles Aznavour triomphe avec « La bohème »[1], tandis que Gilbert Bécaud persuade son monde que « L'important, c'est la rose », que Pierre Perret fait un sort réjouissant aux « Jolies colonies de vacances », que Jean Ferrat célèbre les mutins du « Potemkine », et que Pierre Barouh et Nicole Croisille lancent des *« sha-ba-da-ba-da »* sur l'air d'« Un homme et une femme ».

Tout ne va donc pas si mal dans le petit Landerneau de la chanson française, d'autant qu'une nouvelle génération de chanteurs – à l'heure où le pays entier croit avoir découvert une nouvelle Piaf en la personne de Mireille Mathieu... – prend la parole, bousculant toutes les conventions du genre et ce que les esprits frileux nomment « le bon goût ». Antoine en sera le précurseur, dès 1965, avec sa dégaine, ses cheveux outrageusement longs pour l'époque, ses chemises à fleurs, ses fausses notes et ses « Elucubrations » qui provoqueront une véritable vague d'indignation nationale. Par les thèmes qu'elles abordent : l'avortement, la contraception, l'antimilitarisme, etc., ses chansons constituent de véritables coups de boutoir contre l'ordre établi et la morale, si bien-pensante, de cette république gaullienne repue et somnolente.. qui va bientôt se réveiller en sursaut avec des barricades dans ses rues.

Dans la brèche ainsi ouverte par Antoine s'engouffrent immédiatement un beatnick habitué des escaliers du Sacré-Cœur et un provocateur-né, à l'humour ravageur, sous des apparences de jeune-homme-de-bonne-famille goguenard. Michel Polnareff et Jacques Dutronc. L'un chante des horreurs impossibles à diffuser sur les ondes, comme *« Je veux faire l'amour avec toi*[2] », l'autre tourne en dérision tout ce qu'il touche, y compris des affaires d'Etat aussi épineuses

1. Chanson créée par Georges Guétary, extraite de la comédie musicale *Monsieur Carnaval*, sur un livret de Frédéric Dard (lire à son sujet le témoignage de celui-ci dans la revue *Chorus – Les Cahiers de la chanson*, n° 23, printemps 1998).
2. « L'amour avec toi », 1966 (paroles et musique de Michel Polnareff).

que celle de la disparition, sur le territoire français, de l'opposant marocain Ben Barka :
L'affaire Trucmuche, l'affaire Machin
Dont on ne retrouve pas l'assassin [1]...

C'est donc dans ce contexte que Jacques Brel fera ses adieux au music-hall. Un contexte qui, au reste, le laisse passablement indifférent car, au contraire d'un Brassens, Brel ne s'est jamais beaucoup intéressé à la chanson, ni aux chanteurs. *« Un chanteur, je ne sais pas ce que c'est. Un chanteur, pour moi, c'est tout à fait une autre race. C'est Boris Christophe. Chaliapine était un chanteur. Nous, on chantonne... »*, répond-il à Juliette Gréco qui l'interroge à ce sujet au micro de RTL, lors d'une série d'émissions le confrontant à un certain nombre de femmes célèbres [2].

Malgré ce peu d'intérêt affiché pour ses confrères, Jacques Brel laisse parfois échapper un semblant d'appréciation. Un commentaire, une boutade, ou un conseil. Toujours bref, parfois incisif, jamais gratuit ni complaisant.

A Gainsbourg, dont le physique alors ingrat n'a rien des canons d'un chanteur de charme : *« Tant que tu ne comprendras pas que tu es un crooner, tu ne chanteras pas. »* Et le beau Serge de reconnaître, longtemps après : *« Brel avait raison, tous mes succès ont été des trucs de crooner : "L'eau à la bouche", "Lola Rastaquouère", "Je t'aime, moi non plus", etc. »*

A Henri Tachan, débutant rencontré à Montréal, chez Clairette Oddéra : *« Tu mènes une vie de con, ici. [...] Tu fais des choses intéressantes, rentre à Paris. Remue-toi le cul ! Bats-toi ! »*

De Brassens, à qui on essaiera toujours de le comparer, non parce qu'ils se ressemblent mais parce qu'il n'y a qu'eux deux, alors, à se partager le sommet de la pyramide : *« C'est*

1. « On nous cache tout », 1966 (paroles de Jacques Lanzmann, musique de Jacques Dutronc).
2. Huit émissions hebdomadaires, diffusées entre le 5 mai et le 23 juin 1966, au cours desquelles Jacques Brel dialoguera successivement avec Marcelle Auclair, Louise de Vilmorin, Juliette Gréco, Irissa Pélissier, Mapie de Toulouse-Lautrec, Madeleine Robinson, Simone Signoret et Geneviève de Vilmorin.

un arbre de Noël, Brassens. Il ne croit pas qu'il est là pour faire de l'ombre, il croit simplement qu'il est là pour amener un sourire à des enfants qui regardent ça une nuit de Noël ; et les enfants étant nous, il pose tout de même au bout de ses branches non pas simplement des boules scintillantes ou des guirlandes, mais il pose certains points d'interrogation qui ne scintillent pas, mais qui vibrent au fond de notre cœur. [...] J'insiste sur le sourire de Brassens qui est le plus beau sourire d'homme que je connaisse... »

De Nougaro, enfin, dont il comprend tout le potentiel explosif, vingt-cinq ans avant « Nougayork » : *« Nougaro pourrait habiter sur la Cinquième Avenue. Pas Brassens, ni moi... »*

Parfois aussi, il peut être blessant, même involontairement, comme lorsque Antoine le surprend en train de chantonner « Les élucubrations », avec ses musiciens, avant l'enregistrement d'une émission de télévision dans un studio des Buttes-Chaumont. Ignorant que le principal intéressé est là, dans un coin des coulisses, à portée de voix, Jacques se retourne soudain vers son groupe et lâche : *« Bientôt, vous verrez, ils feront des chansons pour les chiens* [1] *! »*

---

1. Propos rapportés à l'auteur par le chanteur lui-même, qui possède suffisamment d'humour pour ne pas se montrer rancunier.

36

Au ciné de l'Olympia

Les adieux de Jacques Brel se consommeront longuement, ses engagements le menant une dernière fois au Maroc, aux Etats-Unis, en Angleterre et au Canada. Auparavant, pour être agréable à Bruno Coquatrix, et bien que s'ajoutant au programme déjà arrêté, Jacques fera un ultime Olympia. Le plus pathétique de tous. L'acmé de l'émotion : le sentiment partagé par deux mille spectateurs, une trentaine de musiciens, une équipe de machinistes et un chanteur, seul dans son rond de lumière, de vivre ensemble un de ces moments hors du temps où, au-delà des mots, plus rien n'existe hormis le fait d'être ensemble, de recevoir et de dispenser de l'amour.

Soir après soir, quand les lumières reviennent, deux mille individus aux mines d'orphelins se retrouvent, gorges nouées et les yeux piquants, sur le trottoir du boulevard des Capucines, avec un goût de cendres dans la bouche, et au ventre une chaleur à nulle autre pareille.

Sitôt connue la décision du chanteur d'arrêter la scène, Bruno Coquatrix s'est rendu chez Marouani. Pour tâcher tout d'abord de le faire revenir sur sa décision ; pour tenter ensuite, comprenant l'inanité de sa démarche, de le convaincre au moins de faire ses adieux officiels à l'Olympia. Mais Jacques refuse : il ne veut pas d'adieux officiels, pas plus que de disque en public de ses derniers récitals. Pas de funérailles en grande pompe. Il ira simplement jusqu'au terme de ses contrats et s'arrêtera là, sans manières, comme on fait relâche au milieu d'une tournée ordinaire.

Coquatrix s'accroche. Il fait preuve du même pouvoir de persuasion que Jean-Michel Boris, lorsque celui-ci s'était battu bec et ongles, au côté de Canetti, pour lui faire accepter enfin cet « abbé Brel » que le patron de l'Olympia trouvait aussi ridicule qu'insupportable, et dont il ne voulait plus entendre parler. Mais le temps a passé, les deux hommes sont depuis longtemps devenus amis, et Jacques sait bien tout ce qu'il doit à l'Olympia. C'est là qu'il a franchi toutes les étapes importantes de sa carrière. Là aussi qu'il a connu quelques-unes de ses plus grandes joies de chanteur. 1958, 1961, 1964... autant de jalons décisifs, autant de phares sur sa route, autant de souvenirs...

Il finit donc par donner son accord. Plus par honnêteté et fidélité, d'ailleurs, que par gratitude ; ce sentiment ne figurant pas au nombre de ses vertus cardinales... ainsi que Jacques Canetti va l'apprendre à ses dépens. La scène se passe à Prades, dans les Pyrénées-Orientales, à l'issue du dernier concert organisé par Canetti, pour Brel, quelques jours seulement avant l'ultime récital du chanteur. Au cours du souper d'après spectacle, la discussion tombe par hasard sur la notion de reconnaissance, et Jacques saisit la balle au vol :

« Vous croyez sans doute que j'ai de la gratitude à votre égard, ou que je devrais en avoir ?

— Je n'ai aucune illusion, répond Canetti. Je n'attends rien, mais un signe fait toujours plaisir...

— La seule bonne surprise que vous pourriez avoir, c'est de n'en avoir pas une mauvaise. Je vous ai donné Jacques Brel à découvrir, n'est-ce pas ? Que voulez-vous de plus ? Que je porte votre nom gravé sur mon costume de scène ? J'ai fait cinquante enregistrements pour vous. Tant pis si vous les avez sortis sous l'étiquette de Philips !

— En somme, c'est moi qui dois vous dire merci...

— Dans l'absolu, oui ![1] »

1. Ces propos et les suivants sont rapportés par Jacques Canetti, dans son livre de souvenirs *On demande jeune homme aimant la musique* (Ed. Calmann-Lévy, 1978).

Jojo, qui sent Jacques proche de l'esclandre, essaie, conciliant, de calmer les passions et de ménager la susceptibilité de leur ancien directeur artistique :

« Il nous a quand même fait bosser, toi et moi. Et les autres aussi. A part lui, il n'y en a pas beaucoup qui l'auraient fait. Cela nous arrangeait bien, les premiers temps...

— Mais, bougre de con, c'était sa manière à lui de s'amuser. Bien sûr que j'étais content d'être aux Baudets et de faire toutes ces tournées chiantes. Mais qu'est-ce que j'ai dégusté, chez Philips : les conseils, les humiliations... [...] Après ça, il faudrait encore dire merci ! »

Puis, se tournant de nouveau vers Canetti :

« Je vous en ai longtemps voulu d'avoir été votre obligé. Oui, vous avez eu le mérite de me sortir de mon trou ; mais, en somme, vous m'avez dit ce qui était probablement évident. [...] Et ça a marché, comme on dit. Très bien ! et vous voulez que je vous dise merci ! Mais voyons, c'est vous qui devez me le dire ! J'ai fait honneur à votre réputation de découvreur, et ceux qui marchent très bien, il n'y en a pas des tas. Ils sont faciles à compter... »

Là-dessus, Brel dresse un portrait au vitriol des responsables de son ancienne maison de disques : *« De vrais esclaves qui doivent faire leur chiffre d'affaires pour Philips ! »*, et formule de manière plus précise le fond de ses griefs à l'endroit de son ex-producteur : *« Il n'avait qu'à laisser tomber tout de suite. Il savait bien qu'on l'aurait tous suivi ! »* Puis, sa colère retombée, il achève sa diatribe sur une note de regret où ne pointe aucune rancœur : *« Vous m'auriez fait un petit signe, on commençait une nouvelle vie ensemble... »* Juste un peu d'amertume, comme dans toutes ces histoires d'espérance déçue qui jalonnent son œuvre ; et le sentiment, encore et toujours, d'avoir été abandonné.

La première à l'Olympia est fixée au 6 octobre 1966. Le plateau – un vrai plateau de music-hall, avec vedettes anglaises et américaines, de la danse, des acrobates et des jongleurs – est présenté par le fantaisiste Edouard Caillau. C'est Jacques lui-même qui a voulu que son vieux copain, du temps des vaches maigres et des premiers cabarets bruxellois, soit à la fête le jour où il tire sa révérence sur toute cette histoire. Plus fidèle en amitié qu'en amour, il engagera également Caillau pour ses films *Franz* et *Le Far West*.

Pour l'occasion, Bruno Coquatrix a demandé à Georges Brassens de rédiger le texte de présentation du programme. Peu loquace de nature, « le Gros » n'en a sans doute jamais autant dit d'un coup sur « le Grand Jacques » : « *En définitive, je crois que, malgré ce qu'il raconte, Jacques Brel aime tout le monde. Je suis même persuadé qu'il aime tout particulièrement ceux qu'il engueule le plus. Il est plein de générosité, mais il fait tout pour le cacher. C'est un Belge, mais il est plus que méridional. Il a besoin de taper sur la table quand il est en colère, et quand il dit qu'il embrasse, lui, il a besoin d'ouvrir ses bras* [1]. »

La vedette anglaise est Pierre Provence, un jeune fantaisiste plein de malice, spécialiste des refrains truffés de double sens, telle cette histoire de « Six roses » [2] qui est sa chanson fétiche. Quant à l'américaine, c'est Michel Delpech, révélé l'année précédente par un tube tranquille et nostalgique : « Chez Laurette » [3]. Puis, Brel entre en scène avec une fougue de fauve, et balance d'emblée deux chansons inédites : « Le cheval » et « Fils de... ». Il y en aura cinq en tout, ce soir-là, sur un total de quinze titres (les trois autres étant « Le gaz », « Mon enfance » et « Les bonbons 67 »), soit la moitié de son prochain album. Pour le reste, il souffle le chaud et le froid, alternant pantomimes gesticulantes, caricatures grinçantes et moments de pur déchirement.

Le dernier soir, quand le rideau tombe, après « Madeleine », la salle explose en une fracassante ovation debout, longue de plus de vingt minutes. Contrairement à ses habitudes, Jacques Brel reviendra saluer sept fois. La foule hurle et tape des pieds autant que des mains, réclamant de ses cris un rappel qui, une fois encore, lui sera refusé. Puis les lumières se rallument, mais personne ne songe à quitter sa

1. Programme de l'Olympia, par Georges Brassens (octobre 1966). Voir texte intégral en annexes.
2. « Six roses », 1964 (paroles de Georges Coulonges, musique de Michel Auzepi). Egalement interprétée par Annie Cordy.
3. « Chez Laurette », 1965 (paroles de Michel Delpech, musique de Roland Vincent).

place, et les bravos redoublent d'intensité. Jacques est déjà dans sa loge. Il s'est dépouillé de son costume de scène et de sa chemise, trempés à tordre, pour enfiler un peignoir en éponge à grosses rayures. C'est dans cette tenue, jambes nues et en chaussettes, qu'il réapparaîtra pour un ultime salut, ponctué de cette simple phrase, hachée par l'émotion et les cris du public : *« Je vous remercie, parce que ça justifie... parce que ça justifie quinze années d'amour. Je vous remercie* [1]*... »*

Trois semaines durant, du 6 octobre au 1er novembre, ce sera chaque soir le même enthousiasme. Certains spectateurs ont même loué leur place pour plusieurs jours, comme s'ils voulaient une dernière fois se gorger de Brel, comme on se sature d'eau avant d'entreprendre une traversée du désert.

Un soir, dans sa loge, Jacques reçoit un coup de téléphone de Jean Corti. En quittant le groupe [2], celui-ci a ouvert un dancing aux Mureaux, dans la lointaine banlieue. La clientèle est plutôt maigre et la boîte a du mal à tourner. *« Viens me voir »*, lui dit Brel. L'accordéoniste saute dans sa voiture et fonce vers le boulevard des Capucines :

« Ecoute, Jacques, je n'arrive pas à démarrer, il faut que tu me donnes un coup de main...

– Je t'avais bien dit que tu faisais une connerie ! »

Puis, se tournant vers Marouani :

« Qu'est-ce qui se passe après l'Olympia ?

– Tout est complet.

– Alors, ça sera pendant l'Olympia. Il n'y a pas trente-six

1. S'il n'existe pas d'enregistrement phonographique du dernier passage de Brel à l'Olympia, le spectacle a cependant été filmé, à la demande de Miche Brel, par une équipe venue spécialement de Belgique. Les deux soirées mises en boîte sont celles des 28 et 29 octobre. Ce film est aujourd'hui disponible (en noir et blanc) sous forme d'une cassette vidéo : *Brel, quinze ans d'amour – Les adieux de Brel à l'Olympia 1966* (Polygram Music Video 041 725-2).
2. Pour la dernière tournée de Jacques Brel, et donc les fameux adieux à l'Olympia, l'accordéoniste sera André Dauchy. Contrairement à une croyance tenace, Marcel Azzola n'a jamais accompagné Brel sur scène. Et il n'apparaît, sur disque, qu'avec l'album de « Vesoul », enregistré en mai et septembre 1968, puis sur les réenregistrements de 1972 et l'album des « Marquises ».

solutions. Dans quinze jours, autrement je ne peux plus. Je ne te demande que deux choses : deux pianos et une poursuite. Et une sono, bien sûr. [1] »

Au jour dit, après son tour de chant chez Coquatrix, Jacques Brel débarque aux Mureaux avec François Rauber et Gérard Jouannest qui se mettent aux pianos, André Dauchy, le successeur de Corti, Philippe Combelle et sa batterie, Max Jourdain le bassiste, et même Sylvette Allart avec ses ondes Martenot.

Comptant sur une clientèle locale, Jean Corti n'a mis qu'une douzaine d'affiches dans les villages des alentours, mais la salle est pleine à craquer car la nouvelle a circulé de bouche à oreille. Faute d'avoir pu obtenir des places pour l'Olympia, des tas de gens sont venus de Paris ! Généreux, Brel ne se donne pas à moitié – même lorsqu'il chante gratuitement – et la soirée se terminera autour d'une table vers six heures du matin.

Après l'Olympia, Jacques Brel ira faire ses adieux à la Belgique, où il donne son dernier gala au Palais des Beaux-Arts de Bruxelles ; puis il se rend pour la première fois en Angleterre et se produit à l'Albert Hall de Londres. Devant l'enthousiasme du public, les bobbies doivent intervenir pour dégager les couloirs et les abords du théâtre envahis par plus de cinq mille personnes... Exactement comme pour les Beatles !

Après avoir passé Noël en famille, avec Miche et ses enfants, Jacques entre en studio le 30 décembre. Dès la première séance, il met en boîte quatre titres : « Le cheval », « Le gaz », « La... la... la... » et « Les bonbons 67 » ; quatre titres traités sur le mode humoristique, guère habituel chez Brel. Surtout dans ses dernières productions qui, d'un disque à l'autre, devenaient de plus en plus sombres, chaque fois plus pessimistes.

Le réveillon passé, il retourne avenue Hoche, dès le 2 janvier. Des trois chansons qu'il enregistre ce jour-là, deux sont consacrées au monde de l'enfance : « Fils de... » et « Mon enfance », tandis que la dernière, « A jeun », approfondit

1. Voir témoignage de Jean Corti, en annexe.

encore un peu cette veine comique qu'il est en train de creuser. Changement de registre, le lendemain, avec « La chanson des vieux amants » et « Mon père disait », ballades nostalgiques aquarellées de grisaille. Deux purs chefs-d'œuvre, même si l'on constate avec le recul que le second est passé quelque peu inaperçu à côté de cette bouleversante déclaration d'amour qui reste, à travers le monde, l'une des chansons de Brel les plus souvent traduites.

L'album, le douzième du chanteur, est pour ainsi dire achevé. Mais Brel reprendra le chemin du studio, quinze jours plus tard, pour y ajouter « Les cœurs tendres », une œuvre plutôt mineure destinée à illustrer un film d'une extrême médiocrité : *Un idiot à Paris,* avec Jean Lefèbvre dans le rôle titre...

Pressé et distribué à une allure record, le disque sera en vente dès le 23 janvier ; cinq jours seulement après les dernières prises [1] ! Barclay bat le fer tant qu'il est chaud, et entend profiter de l'engouement médiatique créé autour des adieux de Brel et de son ultime Olympia.

Au verso de la pochette, une photo montre Jacques assis sur l'aile d'un petit avion. Le grand public l'ignore encore, mais c'est là, désormais, sa nouvelle passion. Non pas un hobby pratiqué en dilettante, mais une aventure dans laquelle il s'est engagé avec une énergie et une obstination identiques à celles qu'il avait mises pour réussir dans la chanson. Une nouvelle direction imprimée à sa vie.

---

1. Cet album 33 tours, intitulé *Jacques Brel 67,* contient les dix titres cités, dans l'ordre suivant : « Mon enfance », « Le cheval », « Mon père disait », « La... la... la... », « Les cœurs tendres », « Fils de... », « Les bonbons 67 », « La chanson des vieux amants », « A jeun » et « Le gaz » (réf. : Barclay 80334). Un 45 tours reprenant « La chanson des vieux amants » et « Les bonbons 67 » en sera extrait (réf. : Barclay 61845).

37

Vingt ans d'amour, c'est l'amour fol

Rarement chanson de Jacques Brel aura été aussi clairement autobiographique que « Mon enfance », sur laquelle
s'ouvre la première face de ce 30 cm, intitulé *Jacques Brel 67*,
comme s'il s'agissait, en fixant ainsi une date, de baliser le
temps une fois pour toutes.

Comme dans « La Fanette », « Jef » ou « Fernand », il entre
dans le vif du sujet dès les premiers mots, avec une étonnante économie de moyens :

Mon enfance passa
De grisailles en silences...

Pas d'atermoiement ni de mauvais prétextes pour amener
le sujet : ce sentiment d'abandon dont les adultes – à leur
corps défendant, sans doute – imprègnent le cœur de leurs
enfants, matière fragile dans laquelle la moindre égratignure
laisse d'indélébiles cicatrices :

Les hommes au fromage
S'enveloppaient de tabac,
Flamands, taiseux et sages
Et ne me savaient pas.

Comme lors de ces séances de psychanalyse où l'on
remonte le fil de ses souvenirs les plus anciens, pour tenter
de comprendre le personnage qui en est résulté, Brel se livre
entièrement dans ces quatre strophes, derrière lesquelles se
dessinent la plupart des thèmes essentiels de son œuvre : la
solitude, l'incommunicabilité, le Far West, le rêve d'impro-
bables départs, l'immobilité de la vie (liée à la monotonie des

LE CHANTEUR

paysages flamands), l'émerveillement devant l'amour, et le drame de la guerre, marquant à jamais la fin de l'innocence et de l'espérance.

Sur la plainte lancinante d'un violoncelle, le piano de Gérard Jouannest commence par dérouler des triolets assez semblables à ceux du si mélancolique *Notturno en mi bémol majeur* de Schubert, l'un des musiciens préférés de Jacques. Puis le ton se tend, le piano prend des accents de concerto et tout l'orchestre se glisse insidieusement derrière les ondes Martenot de Sylvette Allart, pour exploser soudain aux premiers émois sexuels de l'adolescent, jusqu'à la brisure finale, seulement marquée par de cinglantes claques de cuivres :

Puis la guerre arriva...
Et nous voilà, ce soir...

Arrangement parfait de François Rauber... une fois de plus !

Jouant de son physique et de ses mauvaises dents, qui l'ont tant complexé à l'époque de ses premiers flirts, avant de le faire souffrir plus cruellement quand le sandwich au camembert constituait l'essentiel de son alimentation, Brel, dans « Le cheval », pratique l'autodérision pour donner plus de force à son propos : certains hommes sont tellement désarmés, entre les mains des femmes, qu'ils finissent par en perdre jusqu'à leur identité.

...Tu as voulu que j'apprenne les bonnes manières,
Tu as voulu que je marche sur les pattes de derrière ;
Je n'étais qu'un cheval, oui, mais tu m'as couillonné.

S'ensuivent quelques spécimens juteux de ces néologismes dont Jacques a toujours été friand. Procédant par association d'images implicites, ils graduent la déchéance du personnage sans que le tragique de la situation le dispute à la farce. Après avoir perdu sa compagne, ce triste héros apprend à faire le beau, comme au cirque, pour finir dans la peau d'un chanteur pitoyable auquel Brel prête même « Ne me quitte pas », dont il a toujours dit que c'était « *une chanson d'amour lâche* » :

Par amour pour toi, je me suis déjumenté...

puis « *derrièrisé* », et enfin « *variété* ». Au bout du compte, le pauvre hère n'a plus la moindre personnalité, au point de se voir « *refuser l'amour / Par les femmes et par les juments* ». On pourrait n'y voir, de prime abord, qu'une chanson typiquement misogyne, si l'on ne sentait, au ton de Brel, que c'est au cheval – c'est-à-dire à l'homme – qu'il impute toute la responsabilité de sa veulerie et de ses renonciations. Au reste, tout cela n'est sans doute pas complètement innocent, et il serait tentant de chercher à mettre un nom (voire plusieurs?) sur cette femme abusive qui ressemble à s'y méprendre à « Grand-mère » ou à celle qui *« promène son cul sur les remparts de Varsovie* [1] ».

Contrairement à « Mon enfance », « Mon père disait » n'a rien d'une chanson autobiographique. Rien, en effet, ne ressemble moins à Romain Brel, « taiseux » et sans fantaisie, que ce père imaginaire, mélange de philosophe et de poète, qui prend son fils par la main pour l'entraîner à la découverte des beautés secrètes et des mystères du « Plat pays ». Un père complice et disponible que Jacques lui-même ne sera jamais. La seule chose certaine, en la circonstance, est cet amour profond du chanteur pour sa terre natale, que l'on sent battre à chaque vers, et le plaisir évident qu'il prend à répéter, comme on savoure une friandise, les noms de Scheveningen, Bruges et Zeebrugge.

Comptant parmi les œuvres un peu méconnues de leur auteur, « Mon père disait » – qui reprend, en la développant, une idée déjà exploitée dans *Jean de Bruges* :

Londres n'est plus
Que le faubourg de Bruges
Perdu en mer... [2] –

est une sorte d'initiation au rêve, comme le sera « Regarde bien, petit » sur l'album suivant. Une très belle évocation des nostalgies de l'enfance : en quelque sorte le revers positif et ensoleillé de cette grisaille désespérante dépeinte dans la chanson qui ouvre le disque.

A ce véritable hymne d'amour à la Flandre, succède « La... la... la... », chanson mineure et volontairement gro-

1. « Les remparts de Varsovie ».
2. *« Et elle a fait une île / En retombant sur terre / De ce faubourg de Bruges / Qu'on nomme l'Angleterre.* » Troisième chant (intitulé « L'ouragan ») du poème symphonique *Jean de Bruges* (1963).

tesque, mais néanmoins décapante. Brel, il est vrai, charge son eau-forte comme un étudiant un soir de monôme. Tout y passe : les femmes traitées de « morues », la Belgique vouée à la République, la bonne société repue, les chansons de corps de garde, l'anticléricalisme viscéral, et même Voltaire, déjà cité dans « Les bourgeois ». Car Jacques n'a pas oublié qu'en début d'année scolaire, à Saint-Louis, on faisait arracher aux élèves les pages des manuels de littérature consacrées au patriarche de Ferney et à deux ou trois autres du même soufre.

Interprétée d'une voix avinée, sur un arrangement qui pèse des tonnes, « La... la... la... », avec ses quelques vérités toujours bonnes à rappeler et sa chute en forme de pied de nez :

> ... *si y en a des qu'ont une plume au chapeau,*
> *Y en a des qui ont une plume dans le derrière...,*

est une provocation délibérée. Histoire de ne pas oublier que si « Monsieur Brel » est maintenant un artiste reconnu, célébré comme tel, et sur le départ duquel tout le monde s'est montré désolé, il n'en reste pas moins un observateur sans complaisance et un chroniqueur dérangeant d'une société qui ronronne dans l'opulence et l'autosatisfaction. Pas question, donc, de le statufier vivant – il l'a chanté suffisamment fort ! – ni d'en faire un modèle ; car « Monsieur » Jacques Brel, qui *« persiste et signe* [1] *»*, a encore des dents pour mordre et des tripes pour gueuler. Qu'on se le dise !

La réaction ne se fait pas attendre, provoquant en Belgique une véritable affaire d'Etat. Brel est interdit de spectacle sur tout le littoral flamand – ce qui n'a d'autre effet que de priver beaucoup de gens de sa tournée d'adieux – et les nombreuses associations nationalistes « flamingantes » réclament la censure pure et simple de la chanson. Des députés s'insultent à la Chambre, et le sénateur Guillaume Jorissen interpelle le gouvernement à propos de ce qu'il estime être un acte *« antiflamingant et républicain »*. Le vice-Premier ministre, Willy de Clercq, est obligé de lui répondre, de manière officielle et publique : *« On peut aimer ou ne pas aimer ce chanteur, mais personne ne peut nier qu'il dispose d'un*

1. « Les F... ».

talent extraordinaire, ce qui est d'ailleurs admis par de nombreux journaux et critiques flamands. Qu'il lui arrive, de temps à autre, d'utiliser une phrase ou une expression qui sont peut-être blessantes doit, dès lors, être accepté comme allant de soi. »

Bien entendu, Jacques jubile. Et lorsqu'on lui pose la question, en conférence de presse, il en rajoute encore : « *Croyez-moi, ce genre de conneries fait rire à l'étranger...* »

« Les cœurs tendres », le titre suivant sur l'album, est une œuvre de circonstance ; une chanson de commande, pour la bande-son du film *Un idiot à Paris*, réalisé par Serge Korber, d'après un roman de René Fallet. Des paroles émaillées de platitudes :

Y en a qui ont le cœur si tendre
Qu'y reposent des mésanges ;
Y en a qui ont le cœur trop tendre :
Moitié homme et moitié ange,

bien que la mélodie soit accrocheuse, sur un arrangement qui rappelle certaines belles trouvailles de Claude Bolling. Une chanson mineure, donc, qui ne mériterait guère qu'on s'y attarde, si l'on n'y sentait, par instants, une certaine tendresse de Brel pour le personnage, au point de lui prêter beaucoup de cette innocence qui était la sienne lorsqu'il débarqua à Paris, en 1953, avec sa guitare sous le bras pour tout avenir :

Que maudits soient les arbres morts
Qui ne pourraient point l'entendre...

Autre chanson sur l'enfance – la troisième si l'on compte « Mon père disait... » –, « Fils de... » n'est vraiment pas à la hauteur des deux précédentes, qui sent trop la figure imposée. Brel y aligne les lieux communs (« *Tous les enfants sont des poètes* ») et les images creuses :

Ils sont bergers, ils sont rois mages,
Ils ont des nuages pour mieux voler...

Car le fond de son propos s'est dégradé ; d'une chanson à l'autre il a évolué de la réalité vers l'artifice. Alors que « Mon enfance » peignait une situation sinon réelle du moins réaliste, « Mon père disait » y substitue délibérément le rêve, et « Fils de... » sombre dans le mythe et le poncif. Tout apparaît soudain convenu et, sans s'en rendre compte, Brel mélange à présent enfance et enfants. La nostalgie de l'une, de son innocence et de ses mystères, ne justifiant en rien le fait de bêtifier devant les autres, jusqu'à en perdre tout sens critique :

Tous les enfants ont un royaume [...]
Tous les enfants ont un empire [...]
Tous les enfants sont des sorciers.

Triste litanie. C'est oublier un peu vite que la plupart des enfants passent – tous les psychologues le savent – par un état d'effroyable cruauté qui ne disparaîtra, ou ne se dissimulera, que derrière le vernis d'éducation et de civilisation qu'ils acquerront en vieillissant. Mais à trop vouloir prouver, Jacques Brel, pour une fois, s'est laissé prendre au piège du cliché. Et l'on peut noter, à ce sujet, combien ses titres sont révélateurs : si « Mon enfance » et « L'enfance » constituent des merveilles de justesse de ton, « Fils de... » et « Un enfant », à force de complaisance, ressemblent plutôt à des chansons ratées.

Question poncifs, « Les bonbons 67 » relève du véritable catalogue. Il n'y a que l'embarras du choix, car tout y passe : le conflit des générations, les cheveux longs, la guerre au Viêt-nam, la politisation de la jeunesse, sa prétendue oisiveté aussi, le jargon psychiatrique, l'homosexualité et, pour faire bonne mesure, les flamingants. De sournois et ridicule qu'il était, le personnage des « Bonbons », version 64, est devenu franchement odieux.

Prétexte à un numéro de bouffon, sur scène, « Les bonbons 67 » laisse entrevoir, alors qu'apparaissent les prémices de mai 68, un Brel plein de préjugés qui, comme n'importe quel petit bourgeois borné, refuse toute idée de différence et crie haro sur ce qu'il ne comprend ou ne partage pas : en l'occurrence la jeunesse, sa liberté d'apparence (ah ! ces cheveux qui commencent à pousser...), ses aspirations généreuses et ses inévitables maladresses ou erreurs d'appréciation.

Louis Jouvet assurait qu'il n'y a pas de grand homme pour son valet de chambre. De fait, l'intimité des « héros » est souvent décevante. Trop éloignée de l'image que l'on a pu se forger d'eux. Et Jacques Brel, au dire de ses filles, était un

père difficile, autocrate, peu enclin à la tolérance... Bien que
cela contredise radicalement son image de pourfendeur de
tous les conformismes, à l'écoute des « Bonbons 67 » on n'a
vraiment aucun mal à le croire.

Suit, en revanche, un pur trésor. Peut-être la plus lumineuse chanson d'amour que Jacques ait jamais écrite. Avec
des mots d'une simplicité limpide :

... chaque meuble se souvient,
Dans cette chambre sans berceau,
Des éclats des vieilles tempêtes...,

ou encore :

Mon doux, mon tendre, mon merveilleux amour,
De l'aube claire jusqu'à la fin du jour,
Je t'aime encore, tu sais, je t'aime...

Toute méfiance enfin abolie, Jacques peut se livrer désormais à un amour apaisé. Plus de passion déchirante, plus de
meurtrissures ni de malentendus, mais une infinie tendresse
qui ressemble à la paix :

Mais n'est-ce pas le pire piège
Que d'être en paix, pour des amants ?

La réponse est dans l'acceptation totale du partenaire,
sachant que la vie qui vous a tant de fois éloignés, divisés,
dressés l'un contre l'autre, n'a jamais pu, au bout du
compte, vous séparer. Une partie de cette « Chanson des
vieux amants » s'adresse évidemment à Miche; l'autre, de
façon plus discrète, à Sylvie. Il y a en effet un peu plus de
vingt ans, maintenant, que Jacques a rencontré celle qui
n'allait pas tarder à devenir sa femme : « *Vingt ans d'amour,*
c'est l'amour fol... » Bien que le sujet, à un moment, soit venu
sur le tapis, les deux époux n'ont jamais divorcé, et ne divorceront jamais. Jusqu'au bout, et même au-delà de la mort,
Miche restera Madame Brel. Cela fait presque dix ans, pourtant, qu'elle vit à Bruxelles avec leurs enfants, tandis que
Jacques parcourt le monde avec frénésie, ne prenant que de
loin en loin le temps de se poser – pour quelques jours ou
quelques heures seulement – dans le cocon familial. Une
situation qui implique d'inévitables arrangements, marqués
par une tolérance mutuelle :

Tu m'as gardé de piège en piège,
Je t'ai perdue de temps en temps...

Et si la passion idéalisée chantée par Jacques, aux premiers temps de leur union, s'est modifiée, l'amour n'en a pas disparu pour autant. Il s'est simplement canalisé, comme ces fleuves au débit imprévisible, qui deviennent navigables au prix de certains aménagements, de leurs berges ou de leur cours. Mélange de complicité et de tendresse, cet équilibre, enfin atteint, constitue un ciment autrement plus fort que les éclats d'un coup de foudre ; ce que Brel formule ici avec beaucoup de finesse :

On laisse moins faire le hasard.

Sylvie, de son côté, est la compagne quotidienne du chanteur. Ils n'ont pas d'enfants ensemble, d'où « *cette chambre sans berceau* » ; mais c'est elle qui le suit dans la plupart de ses tournées, elle qu'il présente comme sa « *deuxième femme* », sans chercher le moins du monde à dissimuler leur liaison :

Nous protégeons moins nos mystères...

Une histoire qui dure depuis le début de la décennie et ne prendra fin – dans les larmes et le drame – qu'en 1971, alors que Brel, non content d'avoir abandonné la scène, aura provisoirement cessé d'écrire et de chanter.

« *Je bois pour oublier les amis de ma femme* », chantait Boris Vian, quelques années plus tôt [1]. Le héros de « A jeun », lui, « *feu cocu mais joyeux* », se saoule à l'enterrement de la sienne, pour oublier les frasques et l'infidélité de la défunte. Une chanson un peu mineure, là encore, qui présente de flagrants stigmates de cette habileté dont Jacques se fait soudain le reproche, avec des images parfois « téléphonées » :

Z'étaient tous en noir,
Les voisins, les amis,
Il n'y avait que moi qui étais gris
Dans cette foire.
Y avait beau maman, belle papa...

On assiste alors à une farce épaisse, qui se veut loufoque mais dont la mayonnaise ne prend guère. Seule trouvaille véritablement amusante, le clin d'œil en direction de Nino

---

1. « Je bois », 1955 (paroles de Boris Vian, musique d'Alain Goraguer).

Ferrer et de son humour basé sur l'absurde, cité ici textuellement : « *Z'avez pas vu Mirza*[1] ? »

Le procédé n'est pas nouveau, Brel l'a déjà utilisé au moins à deux reprises[2], dans « Titine » et « Les bigotes »; mais cette fois la surprise est plus forte, donc plus efficace, car Jacques puise dans l'actualité musicale la plus récente au lieu de citer des classiques depuis longtemps passés dans la mémoire collective. « Mirza », en effet, a été l'un des principaux tubes de la saison précédente, la France entière s'amusant à reprendre à tout bout de champ l'angoissante question posée par Nino Ferrer. Un comique de situation, dangereusement éphémère toutefois, qui conserve son sel seulement dans les limites de longévité de ses références. Mais en l'occurrence le choix de Jacques se révéla assez judicieux puisque, plus de trente ans après sa naissance, Mirza, la petite chienne espiègle et fugueuse, trottine encore dans le souvenir populaire.

Ce disque, très inégal, s'achève sur une chanson haute en couleur : « Le gaz », où Jacques Brel renoue avec le meilleur de sa truculence. Mais elle retient surtout l'attention pour son écriture délibérément cinématographique. Cela ressemble à ces longs mouvements de caméra, portée sur l'épaule, qu'affectionne particulièrement Claude Lelouch. La séquence démarre sur un plan fixe de la maison vue de l'extérieur; puis un travelling entraîne le spectateur dans l'escalier, jusqu'à une pièce sur le décor de laquelle l'opérateur effectue quelques coups de zoom, afin de s'imprégner de son atmosphère. Gros plan, ensuite, sur les seins (somptueux!) de l'héroïne, pour mieux insister sur la nature de cette « maison »... pas tout à fait comme les autres. Puis plans américains sur quelques seconds rôles (qui sont plus que de simples figurants), histoire de donner du corps et de la vraisemblance à l'ensemble. Enfin, ouverture maximum permettant d'embrasser toute la scène d'un seul regard. Pas une seule rupture dans l'enchaînement ! La prise est parfaite

1. « Mirza », 1965 (paroles et musique de Nino Ferrer).
2. Et il l'utilisera encore dans « Vesoul » (évocation de Jacques Dutronc et citation empruntée aux Charlots), « Orly » (référence à Gilbert Bécaud) et « La ville s'endormait » (allusion à Jean Ferrat).

et, le film achevé, le metteur en scène peut même s'offrir le luxe d'une bande annonce :

Allez-y donc tous, rue de la Madone,
Et dites bien que c'est pour le gaz !

Un régal de précision et de justesse. L'une des grandes réussites de l'album, mais un titre qui sera quelque peu occulté par ces chefs-d'œuvre que sont « Mon enfance » et « La chanson des vieux amants ». Par la suite, Brel montrera d'ailleurs une tendresse amusée à l'égard de cette chanson, dont il disait qu'elle lui rappelait les Marx Brothers (sans doute la fameuse scène d'*Une nuit à l'Opéra*, où l'on voit s'entasser quantité de personnages dans la cabine exiguë d'un bateau)... Evocation qui renforce, implicitement, l'allusion au septième art.

38

Et mes silences d'autrefois

Mars 1967 ; la France vote. Il s'agit de renouveler la Chambre des députés. Au premier tour – le plus révélateur du paysage politique, les petits partis ne s'étant pas encore désistés en faveur des deux ou trois grosses formations qui accaparent le jeu –, les résultats sont mitigés : la majorité sortante (gaullistes) obtient 38 % des voix, le Parti communiste 22 %, la FGDS (socialistes) 19 %, le Centre démocrate 13 %, le PSU et l'extrême gauche 2 %, et l'extrême droite un peu moins de 1 %.

Une dizaine de jours plus tôt, le 23 février, un jeudi, Jacques Brel a participé officiellement – pour la première et unique fois de sa carrière – à un meeting de soutien à un homme politique. Un engagement exceptionnel, pour le chanteur, en faveur d'un homme politique pas comme les autres, Pierre Mendès France. Il y a des années, il est vrai, que Jojo, l'alter ego de Jacques, est un fervent admirateur de l'ancien président du Conseil ; des années qu'il lui en parle avec chaleur, chaque fois que leur discussion roule sur le terrain politique. Jojo, dont l'influence aura été déterminante dans l'évolution idéologique de Jacques, s'affirme volontiers sympathisant du PSU. Un petit parti fondé en avril 1960 par quelques représentants de la « gauche protestataire », *« luttant pour la paix en Algérie et s'opposant aux trahisons de la social-démocratie* [1] », dissidents de la SFIO ou du PCF, tels

1. Extrait du manifeste *Le PSU et l'avenir socialiste de la France,* par Michel Rocard (Ed. du Seuil, 1969).

que Daniel Mayer, Edouard Depreux, Robert Verdier, Michel Rocard ou Gilles Martinet. Or, dès 1961, rompant avec un radicalisme à bout de souffle, Mendès France et ses fidèles (Charles Hernu, Robert Charny, etc.) ont rejoint le Parti socialiste unifié.

C'est donc sous l'étiquette de ce groupuscule ultra-minoritaire que Pierre Mendès France se présente aux élections législatives de 1967, à Grenoble, une ville où il fait figure de « parachuté ». La campagne s'annonce difficile, et quelques artistes acceptent de venir prêter leur concours à un meeting de toute première importance, qui réunira quatre à cinq mille électeurs dans le cadre du Vieux Manège. L'affiche est fournie : outre Jacques Brel [1], on y trouve Serge Reggiani, la comédienne Marie Dubois et Jacques Martin qui fait, alors, un numéro de fantaisiste acide. Leur participation n'a rien de symbolique car c'est un spectacle fort copieux qu'ils offrent au public grenoblois, Jacques présentant pour sa part l'intégralité de son récital, soit quinze chansons... dont une inédite, « Les moutons » :

Menés par quelques chiens
Et par quelques bâtons,
Désolé, bergère,
J'aime pas les moutons [2]...

Une œuvre tellement de circonstance, en apparence, que d'aucuns affirmeront qu'elle fut écrite pour l'occasion. En réalité – même si Jacques ne l'a jamais chantée en scène que ce soir-là –, il l'avait déjà enregistrée un mois plus tôt, juste après « Les cœurs tendres », à l'issue des séances de son dernier album. Seule l'évidente médiocrité du résultat – texte plat, mélodie de style pompier et arrangement archi-convenu – l'avait alors dissuadé de la faire figurer sur le disque.

Quoi qu'il en soit, quand on l'interrogera sur ce soutien pour le moins inhabituel, émanant d'un ressortissant belge qui, en outre, avait toujours affirmé ne pas vouloir se mêler

---

1. Voir la lettre de remerciements que Pierre Mendès France adressera à Jacques Brel, en annexe.
2. Chanson demeurée inédite, jusqu'à ce qu'elle soit incluse, en 1988, sur le CD n° 3 de l'*Intégrale Jacques Brel* (Phonogram-Barclay).

des affaires intérieures de son pays d'adoption, Brel sera sans équivoque : « *J'ai fait la campagne de Mendès France. Ce n'est pas un acte politique, mais un acte en fonction d'une politique. Je trouve désolant qu'un pays comme la France n'ait pas, à la Chambre des députés, un homme de la valeur de Mendès France. Il y a des hommes dont on n'a pas le droit de se priver. J'ai un très grand respect pour un certain nombre de notions politiques de Mendès France.* »

Sans aller jusqu'à s'engager aussi ouvertement en faveur d'autres candidats de gauche, Jacques acceptera néanmoins de poser, à la même époque, en compagnie de François Mitterrand ou de Gaston Defferre. Sa photo avec le maire de Marseille fera la une du *Provençal*, deux jours avant le premier tour, suivie d'une légende tout aussi explicite : « *Oui, je suis aux côtés des hommes de progrès. Car lutter pour l'amélioration de la condition humaine, préserver la dignité de l'individu, ce sont là des idées qui ont été soutenues plutôt par Jaurès que par Napoléon III, n'est-ce pas ?* [1] »

Jaurès, déjà... Dès 1967.

En aparté, pourtant, Jacques n'est pas très confiant quant aux résultats des élections : « *Tout le monde est de gauche... sauf quand on vote. Mais, dans la vie, il y a des années que je n'ai pas rencontré un homme de droite.* » Il se trompe, bien sûr, d'autant plus qu'il en nourrit un dans son sein – on le verra –, mais pour l'instant, il ignore encore à quel point on le dupe, et de la plus exécrable manière.

A l'issue du second tour des élections, finalement, Pierre Mendès France sera élu député, et de Gaulle ne disposera plus, à la Chambre, que d'une courte majorité de deux sièges. Dans le même temps, l'actualité internationale donne dramatiquement raison à Brel. En l'espace de trois mois, on assiste à la fondation, en Autriche, du Parti national démocrate, se réclamant ouvertement du néo-nazisme, à l'arrivée au pouvoir de Somoza, au Nicaragua, aux premiers bombardements américains de défoliants sur le Viêt-nam, à un coup d'Etat militaire en Sierra Leone, au durcissement de la révolution culturelle chinoise et au putsch des colonels, à Athènes. Accessoirement, aussi, à la première marée noire,

---

1. *Le Provençal*, 3 mars 1967.

consécutive au naufrage du *Torrey Canyon* au large des côtes bretonnes.

Poursuivant sa tournée d'adieux, Jacques s'envole pour les Etats-Unis. Lorsque la nouvelle se répand à New York qu'il revient chanter au Carnegie Hall, tous les billets s'arrachent en quelques heures. Cette fois, la critique lui déroule le tapis rouge avant qu'il n'arrive, tant son passage précédent a laissé forte impression. Celui qui s'emportait avec fureur contre les dirigeants de Philips qui le traitaient avec condescendance, à l'époque où ses premiers disques ne se vendaient qu'au compte-gouttes – « *On me refuse mes chansons parce qu'elles ne se dansent pas et ne pourront jamais se vendre en Amérique ! Ce ne sont que de vulgaires marchands sordides !* » –, est en passe de devenir, outre-Atlantique, une véritable légende vivante... Le seul chanteur francophone dont l'œuvre ait jamais servi d'argument central à l'un de ces *musicals* dont le public de Broadway est si friand.

L'histoire remonte à décembre 1965, lors de son premier récital dans ce même Carnegie Hall, hors duquel il n'y a pas de consécration américaine. Dans la salle : Mort Shuman, un jeune compositeur qui a eu, quelques années auparavant, la bonne fortune d'écrire une poignée de tubes pour Elvis Presley, dont « Surrender ». Dire qu'il reçoit la vague Brel de plein fouet serait une pauvre métaphore, un euphémisme ridicule : ce n'est pas une vague, c'est une déferlante, un ouragan de force douze ! Bien avant la fin du récital, sa décision est prise : il adaptera Brel en américain ; mieux, il en fera un spectacle complet. Un show à part entière.

Reste à écrire les adaptations, négocier les droits, trouver un producteur, retenir un théâtre... Mais baste ! ce ne sont là que détails. L'énergie de Brel est si communicative que Mort Shuman sent que c'est à son tour « d'aller voir ». Toutes affaires cessantes il se met au travail et, une à une, aplanit les difficultés. Un travail énorme ; pas moins de vingt-cinq titres traduits, avec la collaboration du poète Eric Blau : « Alone (« Seul »), « Amsterdam », « Bachelor's Song » (« La bourrée du célibataire »), « Brussel », « The Bulls » (« Les toros »), « Carousel » (« La valse à mille temps »),

« Desperate Ones » (« Les désespérés »), « Fanette », « Funeral Tango » (« Le tango funèbre »), « I Loved » (« J'aimais »), « If We Only Have Love » (« Quand on n'a que l'amour »), « Jackie », « Madeleine », « Marathon » (« Les Flamandes »), « Marieke », « Mathilde », « My Death » (« La mort »), « Next ! » (« Au suivant ! »), « Old Folks » (« Les vieux »), « Sons Of... » (« Fils de »), « Timid Frieda » (« Les timides »), « You're Not Alone » (« Jef »), « Girls And Dogs » (« Les filles et les chiens »), « The Statue » (« La statue ») et « The Middle Class » (« Les bourgeois »).

Un titre pour le moins singulier : *Jacques Brel Is Alive And Well And Living In Paris* (Jacques Brel est vivant, il va bien et vit à Paris). Allusion en forme de pied de nez, sinon de clin d'œil, à la rumeur que certains nostalgiques du IIIᵉ Reich firent courir au sujet d'Hitler, peu après la dernière guerre mondiale. Le Führer aurait réussi à s'échapper des ruines de son bunker berlinois, pour se réfugier à Buenos Aires, où il coulerait désormais des jours paisibles. D'où la formule que Shuman et Blau (évidemment peu suspects de sympathies nazies) détourneront avec cet humour si particulier des juifs new-yorkais, que l'on retrouve tout au long des films de Mel Brooks.

Le spectacle est créé, non à Broadway mais au Village Gate, à Greenwich Village, au printemps 1967. Cela n'est pas une comédie musicale à proprement parler, puisqu'il n'y a ni intrigue ni textes de liaison. Simplement quelques éléments de décor, très colorés mais réduits au strict minimum, beaucoup de rythme, et quatre chanteurs qui y croient dur comme fer : deux femmes (Alice Whitfield et Elly Stone) et deux hommes (Shawn Elliot et Mort Shuman lui-même).

Dans un premier temps, les réactions sont catastrophiques, et la pièce, assassinée par la critique, est sur le point d'être retirée de l'affiche ; chaque représentation, faute de public, étant un gouffre à dollars. Peu à peu, pourtant, le bouche à oreille fait son office, les curieux se déplacent et repartent enthousiasmés. Insensiblement, l'échec initial se mue en succès. Puis en triomphe. Le spectacle tiendra l'affiche plus de cinq ans à New York et sera présenté, dans tout le pays, par une quinzaine de troupes différentes. Il finira même par s'exporter. En Grande-Bretagne et au Canada, pour commencer, en Afrique du Sud ensuite, en Suède, etc. Jusqu'en France, à l'automne 1970, à la Taverne de l'Olympia, où le public parisien, malgré une assez bonne presse, boudera ce « Brel sans Brel », version anglophone. Mais au bout du compte, dira Mort Schuman, l'entreprise rapportera plus de trois millions de dollars à ses producteurs.

En dépit d'indéniables qualités, ce *musical*, cependant, ne brille pas par sa fidélité à l'univers de Jacques Brel. Excepté une ou deux réussites quasi miraculeuses, comme « Amsterdam » (dont David Bowie enregistrera, en septembre 1973, une version d'une extraordinaire intensité, accompagnée par la seule guitare de Mick Ronson), la plupart des adaptations sont plus qu'approximatives, voire carrément distinctes des chansons originales. « Jef » devient ainsi l'histoire d'une femme qui se laisse lentement dévorer par le temps qui passe, tandis qu'un homme essaie vainement de lui remémorer leur amour d'antan :

Remember making love, it really wasn't bad
When that was all we had,
The paradise in bed, remember that instead
Instead of all these sorrows...
(Souviens-toi quand nous faisions l'amour, c'était vraiment pas mal du tout / Quand c'était tout ce que nous avions / Le paradis au lit, souviens-t'en plutôt / Plutôt que de tous ces chagrins...)

Loin de toutes références à la peinture bruegelienne et aux querelles de préséance culturelle, « Les Flamandes » se transforme en un curieux « Marathon » où l'on croise l'un après l'autre les fantômes de Sacco et Vanzetti, Charles Lindberg, Hitler, Staline, Robert Oppenheimer et les boxeurs Jack Dempsey et Gene Tunney :

Join us now, we're on a marathon,
We're always dancing when the music plays,
Join us now, we're on a marathon,
Dancing, dancing through the nights and days...
(Rejoignez-nous, maintenant, nous sommes en plein marathon / Nous dansons toujours lorsque la musique joue / Rejoignez-nous, maintenant, nous sommes en plein marathon / Dansant, dansant au long des nuits et des jours...)

Dans le cas présent, le détournement du thème initial s'explique par une tentative d'adaptation à un contexte typiquement américain; celui de ces interminables concours d'endurance, au cours desquels des couples de danseurs, pour la plupart chômeurs, tournaient jusqu'à l'épuisement pour une prime de quelques dollars, tandis que des parieurs misaient sur leur résistance ou leur écroulement prochain. Le sujet ne manque certes pas d'intérêt [1], mais n'a évidemment rien à voir avec l'univers brélien.

« Timid Frieda », quant à elle, n'a pas grand-chose en commun, non plus, avec « Les timides ». Seule y demeure l'image de la valise :

There she goes
With her valises
Hold so tightly in her hands.

(La voilà qui s'en va / Avec ses valises / Où ses mains se cramponnent.)

Malgré ce décalage, l'impact de Brel sera immense aux États-Unis, où les plus grandes vedettes inscriront ses œuvres à leur répertoire. De Nina Simone, la toute première, qui chantera « Ne me quitte pas » (en français et avant même que Jacques ne soit connu outre-Atlantique), à Frank Sinatra, en passant notamment par Juddy Collins, Joan Baez, Andy Williams ou Neil Diamond. Mais, plus que les reprises, l'important réside surtout dans l'influence que le Grand Jacques exercera sur toute une génération d'auteurs-compositeurs. Sur ce point, le grand *folksinger* Tom Paxton n'aura pas l'ombre d'une hésitation, lorsque le journaliste Jacques Vassal [2] lui posera la question, en juillet 1968, dans un cabaret de Greenwich Village :

« Quels sont, à votre avis, les auteurs de chanson les plus importants, à l'heure actuelle ?

1. Lire à ce sujet le roman d'Horace Mac Coy : *On achève bien les chevaux* (Ed. Gallimard, 1946).
2. Entre autres ouvrages consacrés à la chanson, Jacques Vassal (qui a longtemps collaboré à *Rock & Folk* et *Paroles et Musique* notamment) est l'auteur d'un *Jacques Brel – De l'Olympia aux « Marquises »*, qui est en quelque sorte le prolongement du livre de Jean Clouzet (déjà cité) rebaptisé pour l'occasion : *Jacques Brel – De Bruxelles à « Amsterdam »* (Seghers/ Le Club des Stars, 1988).

– Dylan, bien sûr ; mais d'abord et avant tout, pour ces dernières années, Jacques Brel. »

« Je pars aux fleurs, la paix dans l'âme », chantait « Le moribond », et c'est effectivement au printemps, en toute sérénité, que Jacques Brel consommera définitivement ses adieux à la scène. Afin d'éviter le côté « veillée funèbre » inhérent à ce genre d'événement, il ne sortira pas de la mire des projecteurs sur un feu d'artifice, mais tout simplement après un concert comme les autres (ou presque), dans un cinéma de Roubaix : Le Colisée. Un de ces vastes temples du septième art, comme on en construisait dans les années 30, où, après avoir bourré à craquer les théâtres et les music-halls les plus prestigieux de la planète, il effectue son dernier tour de piste le 16 mai 1967, revient saluer encore une fois, et disparaît, avalé à jamais par le vieux rideau de peluche rouge.

Un reporter d'Europe N° 1 lui tend aussitôt un micro :
« Maintenant que c'est fini, que ressentez-vous ?

– Mais... je suis fatigué ! Je suis un peu embêté parce que, pour mon dernier tour de chant, j'étais à moitié aphone. J'aurais bien voulu être très en forme... mais je n'étais pas très en forme. Mais en fait, c'est tout ce que je ressens.

– Pas un peu de nostalgie ?

– Oh, j'aurai sans doute, un jour, de la nostalgie ; mais pas maintenant. Si j'avais de la nostalgie, maintenant, c'est que je me serais vraiment trompé tout à fait. [...]

– Mais vous n'avez pas l'impression que ces bravos que vous avez entendus ce soir, ça va vous manquer ?

– Dans un an, je pourrai vous répondre sérieusement. D'ici là, je ne pourrais dire que des âneries.

[...]

– Il y a une espèce de tristesse dans vos propos, quand même.

– Pas du tout ! Mais je n'aime pas la joie qui fait "Youpiie ! " en se tapant sur les cuisses. Et puis, quand je suis aphone... quand vous dites un mot gai avec une voix cassée, ce mot est toujours triste, vous avez remarqué ? Je dis "soleil " avec ma voix cassée, et ce soleil a l'air d'être noyé dans les nuages. »

Au sein de l'équipe, en tout cas, personne n'a envie de se taper sur les cuisses. L'aventure commune est terminée, et chacun sent bien – avec cette page qui se tourne – que c'est tout un chapitre de sa jeunesse qui s'achève. Car Gérard Jouannest et François Rauber ont seulement trente-quatre ans, et Jacques à peine trente-huit. Seul Jojo a légèrement dépassé la quarantaine. Dorénavant, chacun devra organiser son existence par lui-même, apprendre à vivre sans les autres... Afin de bien enfoncer le clou, d'ailleurs, tout au long de cet ultime récital partagé, Jacques s'est tourné vers ses musiciens, après chaque chanson, pour leur glisser avec ce sens de la théâtralité dont il aime tant jouer : « *Celle-là, on ne la fera plus...* »

Dans les semaines, les mois, les années à venir, François Rauber se consacrera plus particulièrement à la composition, tout en continuant à réaliser des arrangements pour d'autres artistes triés sur le volet : on ne peut pas travailler pour le tout-venant quand on a été l'orchestrateur de Jacques Brel... Gérard Jouannest, lui, jouera quelque temps pour Régine, puis deviendra l'accompagnateur attitré de Juliette Gréco.

Le cas de Jojo étant plus complexe, Jacques demandera à sa vieille amie Suzy Lebrun de l'engager comme directeur artistique de L'Echelle de Jacob. Un travail qui lui laissera suffisamment de temps libre pour être disponible chaque fois que Brel, se lançant dans un nouveau projet, aura besoin de lui.

Afin de ne pas livrer à l'œil voyeur des journalistes le spectacle de grandes effusions et d'attendrissements embarrassants, le « dernier repas » a eu lieu la veille, à Caen ; et l'équipe, ce soir-là, se disperse comme si de rien n'était. Sans même un pot d'adieu, chacun s'apprête à regagner Paris de son côté. Puis la rumeur des spectateurs et des passants s'estompe. Quelques portières de voitures claquent. Des bruits de moteurs décroissent. Et c'est le silence...

Un peu plus tard dans la nuit, on verra un homme seul, précédé par son ombre, mains dans les poches de son costume gris clair, s'enfoncer dans l'obscurité d'une ruelle roubaisienne aux pavés inégaux qu'une légère bruine fait briller. Sur un mur proche, une affiche commence à se décoller. Un simple portrait en noir et blanc surmontant deux mots : Jacques Brel. Sa dernière affiche en tant que chanteur ; désormais il n'en aura plus jamais besoin.

III

L'AVENTURIER

> « *Je m'accroche de façon anormalement violente à mes rêves. Je n'aime pas m'arrêter au bord du rêve.* »
>
> Jacques BREL

> « *L'action seule libère.* »
>
> Blaise CENDRARS

1

Ça devient un cinéma

Dans l'esprit de Jacques Brel, arrêter la scène et les tournées marathons n'a jamais été synonyme de retraite ni même de vacances ; il aspire simplement à disposer d'un peu plus de temps pour voyager, lire, écrire ou rencontrer des amis. Peut-être aussi pour s'attaquer enfin à la rédaction de ce fameux roman dont il parle depuis quelques années, et dont il n'a toujours pas esquissé le premier chapitre. Pour prendre, en tout cas, un certain recul par rapport à sa vie et ses chansons ; et surtout pour satisfaire plus à fond ces deux passions dévorantes que sont devenus pour lui le bateau et l'avion... Toutes sortes de projets qu'il devra, en fait, remettre à plus tard, puisque cinq jours à peine après son ultime spectacle du 16 mai 1967 à Roubaix, il commence le tournage du film d'André Cayatte *Les Risques du métier*.

Jusqu'ici et malgré plusieurs sollicitations, sa contribution au septième art s'est limitée, en tout et pour tout, à deux chansons intégrées dans des bandes-son (« Pourquoi faut-il que les hommes s'ennuient ? » et « Les cœurs tendres ») et à deux courts métrages plus ou moins amateurs : *La Grande Peur de Monsieur Clément*, tourné en 1956, et *Petit jour*, en 1962. Au reste, le cinéma ne l'intéresse guère. Non seulement il n'y connaît pas grand-chose mais il n'y attache, qui plus est, qu'une importance toute relative ; même si les films de Chaplin ont profondément marqué son enfance : « Le Cuirassé Potemkine *n'aurait pas été tourné, qu'est-ce que cela aurait changé ? Rien ! et pourtant c'est un beau film... »*

Aussi répondait-il, sans l'ombre d'une hésitation ni d'une coquetterie, chaque fois que l'on se risquait à lui poser la question : « *Le cinéma ? Non merci. Jamais !* » C'est d'ailleurs, à peu près, ce qu'il rétorque à André Cayatte, lorsque celui-ci lui rend visite dans sa loge, à l'occasion de son dernier spectacle à Marseille.

Le metteur en scène, n'étant pas lui-même absolument convaincu que Jacques est fait pour le rôle auquel il pense, la discussion ne se prolonge pas davantage ; et ce n'est que par pure courtoisie – tant de vedettes du music-hall s'étant essayées au cinéma, avec des résultats le plus souvent navrants – qu'il laisse un script au chanteur. Juste pour qu'il voie de quoi il retourne.

En fait, le problème de Cayatte est à la fois simple et compliqué : pour jouer le personnage de Jean Doucet, cet instituteur de village injustement accusé d'attouchements et de tentative de viol par plusieurs de ses élèves, puis pris dans l'engrenage de la machine judiciaire, il ne veut pas d'un acteur connu. Ce qu'il lui faut, c'est un anti-héros : un visage neuf qui rendra son histoire plus crédible. Mais il sait aussi, pour espérer toucher le grand public, qu'il a besoin d'un « nom » à son générique...

Or, après lecture du scénario, contre toute attente, Jacques se déclare enthousiasmé : « *Pour défendre une cause juste, je serai toujours là !* » Seules restrictions qu'il impose à la production : être libre d'adapter ses répliques à son propre style oral [1] et de s'évader du plateau chaque fois que sa présence n'est pas indispensable, afin de voler tout son soûl avec son nouvel avion.

Le tournage peut donc débuter. Les premières prises de vue ont lieu à Ecquevilly, dans les Yvelines, et de prime abord Jacques se montre un peu déçu, car acteurs et techniciens, proximité de Paris aidant, rentrent chaque soir chez eux. Il rêvait d'une vie d'équipe, semblable à celle des tournées, et se trouve confronté à « *des habitudes de fonctionnaires* ». En outre, l'absence de public le trouble. Comment

1. Les dialogues du film sont signés Armand Jammot. Voir fiche technique, en annexe.

juger de la qualité de son jeu, sans la sanction immédiate des bravos ? Et puis, les premiers rushes lui semblent exécrables... Toujours complexé par son physique, il déteste se voir en gros plan sur l'écran, trouvant aussi que sa diction sonne faux. Mais tout cela, il le comprend bien, relève de la compétence du metteur en scène. Or, Cayatte a plutôt l'air satisfait, n'intervenant que rarement pour corriger le novice : « *Il me laisse faire n'importe quoi... Il paraît que c'est bon signe...* »

Peu à peu, Jacques se laisse prendre par l'ambiance du tournage. Il comprend que le cinéma est une écriture différente, moins souple que la chanson ; un travail fragmenté, beaucoup plus complexe à gérer qu'un tour de chant. Le savoir-faire des cameramen et des éclairagistes le fascine, avec sa précision si mystérieuse pour le profane. Il se rend compte qu'il a beaucoup à apprendre et, comme toujours lorsqu'il est confronté à une technique qu'il ne maîtrise pas, sa curiosité naturelle prend le dessus. Il pose des questions, sollicite des explications et, avec autant d'humilité que de détermination, s'attache à assimiler tout ce qu'il découvre ainsi.

Le film sort en salles en décembre 1967, quelques jours avant les fêtes de Noël, et connaît d'emblée un assez joli succès. Plus de trois cent cinquante mille entrées pour la seule région parisienne, pendant la période d'exclusivité. Succès de curiosité surtout, dû à la présence de Brel. Car si la critique, comme à son habitude, boude Cayatte, en qui elle voit un cinéaste didactique et laborieux, elle souligne en revanche la bonne surprise causée par le chanteur devenu acteur. « *Jacques Brel, dans ce premier rôle au cinéma, fait preuve d'une personnalité et d'une sûreté de jeu étonnantes. Quiconque l'a vu sur scène, dans ses tours de chant, pouvait craindre de sa part un manque de simplicité, d'intériorité. Il a trouvé le ton juste* », écrit A. Cornand, dans *Images et Son* ; tandis que Louis Chauvet, du *Figaro*, ajoute : « *Il a l'air non de jouer mais de prendre à son compte les affres du héros.* » Ce qui permet à Robert Monange, sans crainte d'être contredit, d'affirmer dans *L'Aurore* : « *C'est, sans conteste, la révélation cinématographique de l'année.* »

Dès lors, les propositions de films se multiplient, les scénarios affluent et Jacques, très à l'aise dans sa nouvelle peau, annonce qu'il est prêt à renouveler l'expérience : « *J'en tournerai peut-être un autre. Pourquoi pas ? Cela me permettra d'acheter un plus gros avion, pour partir encore plus loin...* » Mais, précise-t-il, qu'on ne compte pas sur lui pour tourner n'importe quoi. Il faut que le sujet lui semble en valoir la peine ; pas question, par exemple, de jouer des rôles de gangster...

C'est pourtant l'un des fameux « bandits en auto », de *La Bande à Bonnot,* qui sera son prochain personnage – et sans doute l'une de ses meilleures compositions à l'écran. Mais Raymond Callemin, dit « Raymond la Science », théoricien de cette fraction du mouvement anarchiste prônant la « reprise individuelle », n'est pas un vulgaire malfrat. C'est un intellectuel, une figure complexe et charismatique, partagé entre les idées non violentes de son ami Kibaltchine (le futur Victor Serge, compagnon de Lénine, lors de la révolution d'Octobre) et l'action immédiate contre les encaisseurs de banque et autres symboles exemplaires du capitalisme.

Avant de prêter ses traits à Raymond la Science, Brel a beaucoup potassé le sujet, comme en témoigne l'interview qu'il accorde à Jean Serge, en compagnie de Félix Leclerc, le 26 mai 1968, quelques mois avant la sortie du film [1]. Sans pour autant s'identifier pleinement à son personnage, au point d'en partager toute la démarche, il éprouve néanmoins pour lui plus qu'une sympathie superficielle : à ses yeux, Callemin est *« un idéaliste »*. Quant aux motivations profondes de la bande : *« Ce n'était pas,* estime-t-il, *du banditisme pour de l'argent. Ils s'en foutaient. C'était pour attirer l'attention sur le phénomène social. [...] La presse de cette époque en a fait des bandits. Ça dérangeait. C'est pour cela que la bande à Bonnot a gardé cette espèce d'auréole de crapules... »* Souvenir encore vivace, plus d'un demi-siècle après l'anéantissement de Bonnot et de ses compagnons, en 1912 – au terme d'un siège mémorable où il sera fait appel à la troupe qui, pour la

1. Le texte intégral de cette interview a été publié dans les numéros 33, 34 et 35 du bulletin de la Fondation internationale Jacques Brel.

première fois, utilisera des mitrailleuses –, puisque l'autorisation de filmer dans la rue et dans les lieux publics sera refusée au réalisateur Philippe Fourastié, par plusieurs arrondissements de Paris.

C'est donc à Bruxelles que seront tournés la plupart des extérieurs, au cours de l'hiver 1968. Pour Jacques, ce nouveau tournage est très différent de ce qu'il a vécu, quelques mois plus tôt, avec André Cayatte : « *Dans* Les Risques du métier, *je n'avais pas besoin de me composer un personnage. Cayatte me voulait tel que je suis. Dans* La Bande à Bonnot, *j'ai vraiment un rôle à tenir ; j'incarne un gangster, un type qui a existé il y a cinquante ans et qui a tué. Je croyais qu'un rôle de composition serait plus difficile pour le débutant que je suis. En fait, c'est plus facile. De toute façon, je ne fais pas ça en comédien professionnel. Je m'amuse. D'ailleurs, le cinéma n'est pas autre chose qu'un jeu... Un jeu pour grandes personnes.* »

Outre le plaisir qu'il prend à incarner Raymond la Science, et à voir évoluer ses partenaires chevronnés que sont Annie Girardot et Bruno Crémer [1], Jacques fait la connaissance du chef opérateur Alain Levent et de la monteuse Jacqueline Thiédot, avec lesquels il se lie aussitôt d'amitié. Toutes proportions gardées, ces deux rencontres seront pour lui, dans le monde du cinéma, aussi importantes qu'ont pu l'être celles de François Rauber et Gérard Jouannest, lorsqu'il n'était encore qu'un chanteur méconnu.

Curieusement, malgré la présence à l'affiche de Girardot et de Crémer, en plus de Brel, le film n'obtiendra qu'un demi-succès commercial, ne dépassant guère les cent cinquante mille entrées, sur Paris et sa périphérie, lors de sa sortie en octobre 1968. Le sujet est pourtant porteur et ne manque pas d'à-propos à une époque où la jeunesse mondiale vient juste de redécouvrir l'enthousiasme et la générosité des grandes utopies libertaires. Même si la vie a rapidement repris son cours normal, les élections législatives du 30 juin, en France, ayant donné une majorité écrasante au pouvoir gaulliste [2], les germes idéologiques semés en mai

1. Voir fiche technique complète, en annexe.
2. 358 sièges sur 485, pour la nouvelle majorité gaulliste. A Grenoble, Pierre Mendès France est battu ; et le PSU, perdant ses trois députés, disparaît de l'Assemblée.

n'ont pas fini d'éclore lorsque le film commence à être distribué.

Le contexte semble donc, a priori, on ne peut plus favorable pour cette fresque anarcho-romantique, un peu manichéenne, certes, mais pleine de couleur et d'action. D'autant plus favorable, d'ailleurs, que Jacques Brel est revenu depuis quelques semaines, comme chanteur, au premier plan de l'actualité. Il vient en effet de sortir un nouvel album, dont un titre : « Vesoul », est sur toutes les lèvres, et grimpe allègrement vers les sommets des hit-parades.

L'enfance,
Qui peut nous dire
quand ça finit...

En 1932, avec ses parents et son frère aîné.
En 1934, dans la petite voiture,
à côté de sa mère et de son frère Pierre.
En 1940, dans sa tenue de scout.
En 1942, à l'âge de 13 ans.
(Photos collection Fondation Jacques Brel)

**C'est Paris
qui commence...
Et c'est Paris
la chance**

Premier passage parisien,
au théâtre des Trois-Baudets,
en septembre 1953.
(Archives Canetti/DR)

●

**Tous les enfants
sont comme le tien
[...]
Le même sourire,
les mêmes larmes**

La famille Brel
au grand complet,
en 1959, à Bruxelles.
(Ph. Fournier/Sygma)

Et Paris qui bat la mesure...

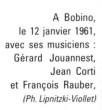

A Bobino,
le 12 janvier 1961,
avec ses musiciens :
Gérard Jouannest,
Jean Corti
et François Rauber,
(Ph. Lipnitzki-Viollet)

A l'Olympia,
lors des adieux de 1966
(Ph. Fournier/Sygma)

Mon ami est un doux poète...

En 1963, avec Bruno Coquatrix, à l'Olympia.
(Ph. Collection Viollet)

En 1964, avec Georges Brassens,
et avec Jacques Canetti, chez ce dernier.
(Photos Roger Picard/Archives Canetti)

Mais la fin du voyage, la fin de la chanson...

Dans une rue de Roubaix, après son ultime tour de chant, le 17 mai 1967. *(Ph. Lefebvre/Paris Match)*
Avec Pierre Mendès France, qu'il est allé soutenir en campagne électorale, le 23 février 67 à Grenoble. *(Keystone)*

Jojo, voici donc quelques rires, quelques vins...

Avec « Jojo », en juillet 1966 *(Ph. Coll. Fondation J. Brel)*

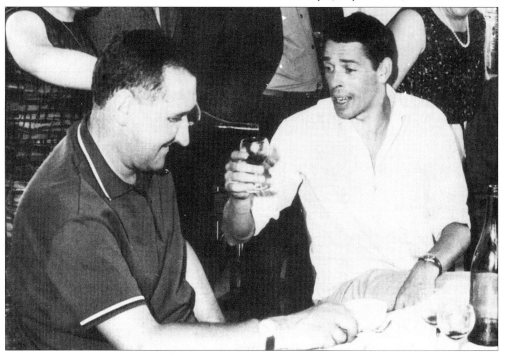

Oui c'est moi, Don Quichotte, seigneur de la Mancha...

Au théâtre des Champs-Elysées, en décembre 1968 *(Ph. Lipnitzki/Viollet)*

Ça devient un cinéma...

En 1969, pendant le tournage de *Mon oncle Benjamin,* d'Edouard Molinaro.
Et en 1971, dirigeant Barbara dans *Franz. (Photos Sygma)*

Je voudrais un joli bateau
pour m'amuser...
[...]
Je voudrais un joli avion
Pour voir le Bon Dieu
Un bel avion souple et léger
Qui m'emmènerait haut
dans les cieux...

En 1967, avec son avion.
Et en 1974, à la barre de l'*Askoy*.
(Photos Fondation Jacques Brel)

2

L'été a ses grand-messes

Sorti aux derniers jours de septembre 1968, sans même la
mention du nom du chanteur sur le recto de la pochette, ce
30 cm dépourvu de titre sera le dernier disque original de
Jacques Brel [1], avant un long mutisme de près de dix ans,
que ses admirateurs finiront par croire définitif. Il fera donc,
pendant longtemps, figure de testament phonographique ;
impression d'autant plus forte qu'il contient une majorité
d'œuvres de première grandeur, qui installent d'emblée
cette troisième période brélienne sous le signe de la gravité,
du silence et du repli sur soi-même.

Les chansons de cet album sont les premières que Brel
n'aura pas polies, jour après jour, comme des galets, au fil
des tournées et des répétitions d'avant-spectacle. Les
cadences, les ambiances musicales et les couleurs à donner
ont été définies, en quelques après-midi de travail, avec
Gérard Jouannest et François Rauber, avant que ce dernier
ne se mette à écrire les arrangements, que Jacques découvrira seulement au moment d'entrer en studio.

Les séances ont été arrêtées, avenue Hoche, pour la
seconde quinzaine du mois de mai 1968, et c'est avec un
plaisir évident que Jacques réunit à nouveau, à cette occasion, les principaux piliers de son ancienne équipe. Gerhardt

1. Dans l'intervalle, entre l'album de « Vesoul » et celui des « Marquises »,
Jacques Brel enregistrera un 33 tours consacré à *L'Homme de la Mancha*, et
un disque de reprises de quelques-uns de ses succès, sur de nouveaux
arrangements.

Lehner est à la console, comme toujours, mais avec un matériel entièrement renouvelé qui lui permet dorénavant d'enregistrer en stéréophonie. Jouannest est au Steinway, Rauber à la baguette de chef, et Jojo, bien entendu, se charge du reste... Autre habitué des séances de Brel, qui l'appréciait autant pour sa discrétion dans le travail que pour son efficacité et son talent, le photographe Jean-Pierre Leloir rôde silencieusement dans le studio et fixe, en quelques instantanés, l'atmosphère souriante et détendue qui préside à ces retrouvailles.

« Je suis un soir d'été », le premier titre enregistré en ce mercredi 15 mai, est certainement l'une des plus belles chansons jamais écrites par Jacques Brel – un sentiment qu'il partagera lui-même par la suite. Là encore, l'influence cinématographique est évidente. Il s'agit d'un long travelling dans une ville de province imprécise, étouffée de chaleur et de médiocrité :

C'est l'heure où les bretelles
Soutiennent le présent
Des passants répandus
Et des alcoolisants...

Ici, tout, jusqu'à l'air, semble immobile. Et la chanson elle-même finit par le devenir, avec son refrain leitmotiv qui prend soudain des allures de ponctuation ; presque de points de suspension :

Je suis un soir d'été...

Au cours de cette promenade nocturne, par les fenêtres que la chaleur force à maintenir ouvertes, on pénètre comme par effraction, derrière le masque des façades, dans de suffocantes intimités. Il y a du Simenon, là-dedans. Du Rimbaud, aussi : la cadence même de la chanson, outre son thème, ne rappelle-t-elle pas la description de la place de la gare de Charleville, dans le poème intitulé « A la musique »[1]?

Brel ne commente rien. Pas de voix off sur les images qu'il se contente de projeter, comme un opérateur de lanterne magique. A peine, parfois, un plan éphémère plus appuyé

---

1. « A la musique », *Poésies* d'Arthur Rimbaud (Ed. Genonceaux, 1891).

que les autres, isolé un instant dans le mouvement continu de son viseur :

Les nappes tombent en miettes
Par-dessus les balcons...

Jusqu'à la chute, qui n'en dit guère plus et ne propose ni solution ni même illusion :

La ville aux quatre vents
Clignote le remords
Inutile et passant
De n'être pas un port.

Bien sûr, un port c'est le mouvement, c'est l'espoir et la possibilité de faire autre chose, de changer d'horizon et de vie, d'« aller voir » ailleurs ; mais Jacques sait trop bien qu'il ne peut pas y avoir que des ports et que même dans ceux-ci, de toute façon, une majorité d'existences sont à jamais pétrifiées. Ainsi, sans ostentation aucune, avec son ton paisible, ses images léchées et son apparente absence d'éclats, « Je suis un soir d'été » marque l'un des sommets de la désespérance brélienne.

Le même jour, Jacques enregistre deux autres titres. L'un dont la référence seule subsiste aujourd'hui dans les archives du studio Barclay [1] (nul n'étant capable d'en dire plus, soit que la bande ait été égarée soit qu'on l'ait effacée) ; l'autre étant une version de « La bière » qui, alors, ne satisfait personne et sera entièrement revue par la suite.

Pendant ce temps, de l'autre côté des murs insonorisés des studios, l'émeute fait rage. « Révolution » pour les uns, « chienlit » pour les autres, simples « événements » pour la presse, c'est Mai 68 ! Fidèles au vers d'Aragon : *« Paris qui n'est Paris qu'arrachant ses pavés »*, les rues du Quartier latin sont hérissées de barricades ; et à l'heure même où Jacques enregistre « Je suis un soir d'été », plus de deux mille étu-

---

1. Fiche d'enregistrement n° 21505. Il est possible que cette chanson fantôme ait été « Le pendu », œuvre de peu d'intérêt que Brel interpréta quelques fois en public, notamment au cours de sa tournée canadienne de mars et avril 1967, mais qui ne figure sur aucun enregistrement officiel. A ce titre, c'est donc accompagné de la mention « inédit » que le texte du « Pendu » figure dans l'*Œuvre intégrale* de Brel, publiée en 1982, par les éditions Robert Laffont.

diants envahissent l'Odéon, dont le directeur, Jean-Louis Barrault, se déclare publiquement solidaire de leur mouvement. Deux jours plus tôt, le 13, Jacques et Jojo ont participé à la grande manifestation regroupant quelque huit cent mille marcheurs, de la place de la République à Denfert-Rochereau, parmi lesquels Pierre Mendès France, François Mitterrand, Guy Mollet, Waldeck Rochet... Le lendemain, la Sorbonne était décrétée « Commune libre » : les « événements » ne faisaient que commencer.

Comme nombre de personnages publics, à l'époque, les médias solliciteront souvent Jacques Brel, désireux de connaître son opinion sur ce qui se passe dans les rues, les facultés et les usines. Ses réponses sembleront parfois contradictoires, mais il aura l'honnêteté et le courage, dès le début, de ne pas jouer à l'artiste engagé délivreur de message. Un mot qui lui fait horreur – « *Ce sont les facteurs qui portent les messages !* » – et sur lequel il reviendra à de multiples reprises : « *Ah ! c'est trop con, " message " ! Quelle mauvaise éducation... Faut-il être sot et prétentieux pour croire que l'on a un message !* » Pour le reste, quand on veut absolument le faire parler de la jeunesse contestataire, il rétorque : « *Etre jeune, c'est une activité de toute sa vie.* »

Après le 15 mai, tout se précipite. Dès le 16, la SNCF, la régie Renault et la RATP cessent le travail. Quarante-huit heures après, il y aura plus de deux millions de grévistes en France. Le 20, ils seront quatre millions, et encore le double le lendemain. Les musiciens aussi sont en grève, le studio Hoche est fermé et les séances du disque sont remises à une date ultérieure.

La Belgique, au même moment, est en pleine crise gouvernementale, à propos – une fois de plus – de la question linguistique. L'affaire remonte au mois de février, quand les députés sociaux-chrétiens flamands ont réclamé l'exclusion des francophones de l'université de Louvain. Les ministres flamands ayant démissionné, afin d'appuyer leur revendication, il faudra attendre jusqu'au 17 juin pour que Gaston Eyskens réussisse enfin à former un nouveau cabinet.

Jacques Brel ne suivra ces querelles intestines que de fort loin ; pour l'heure, il est tout entier absorbé par un projet énorme, qui lui tient particulièrement à cœur : l'adaptation en français de *Man Of La Mancha*, une comédie musicale qu'il a vue à New York... et l'a enthousiasmé au point de lui donner envie de la monter à Bruxelles et à Paris. Les séances d'enregistrement du disque ne reprendront donc pas avant septembre. Bien après que la situation eut été normalisée, en France comme en Belgique.

Pour ce retour aux studios, Jacques choisit d'aller au plus simple. Un seul titre pour la première journée (« L'éclusier »), accompagné par un seul musicien. Mais quel musicien ! Marcel Azzola : peut-être le plus remarquable accordéoniste de sa génération. L'un de ceux, en tout cas, qui ont réussi à débarrasser définitivement l'instrument du fatras clinquant sous lequel le musette « variétisé » commençait à l'étouffer, depuis la retraite des grands anciens comme Victor Marceau ou Gus Viseur.

Virtuose s'il en est, Azzola n'a plus rien à prouver à quiconque et c'est avec toute sa sensibilité – et beaucoup d'humilité – qu'il se met au service de la chanson de Brel ; jouant a minima pour dresser un décor simplifié à l'extrême, mais rendu plus pathétique encore par cette simplicité même. *« On est là pour essayer de donner un petit ton sous la voix. Pour qu'il y ait une émotion qui se dégage,* commentera-t-il plus tard, avec modestie. *Vous avez déjà l'émotion de la voix et des paroles, il ne faut donc ajouter qu'une petite touche, une espèce d'angoisse musicale. On le trouve ou on ne le trouve pas. Ça dépend des jours* [1]. »

Enregistrée le 7 septembre, « L'éclusier » est une chanson plus immobile encore, si possible, que « Je suis un soir d'été » : on n'y trouve même pas ce mouvement panoramique sur les rues de la ville. Cette fois, le héros, sa vie, ses rêves et ses habitudes sont rigoureusement figés dans l'espace. Dans le temps, aussi, puisque le déroulement des saisons n'a aucune prise sur eux :

On joue au jeu des imbéciles
Où l'immobile est le plus vieux...

---

1. Propos recueillis par l'auteur pour *Paroles et Musique*, « spécial Brel » (déjà cité).

Avec tout ce qu'il contient de douleur non dite et d'élans avortés, le refrain – « *Ce n'est pas rien d'être éclusier...* » – sonne alors, non comme un regret, mais comme une lourde fatalité, renvoyant immanquablement l'auditeur à ces deux images clefs du « Plat pays », d'un ciel « *si bas qu'il fait l'humilité* », mais auquel il faut se résoudre à « *pardonner* », sous peine de ne plus pouvoir supporter la vie. Or c'est justement cette résignation qui, par comparaison rétrospective, rend plus insupportable encore le retour des premières taches de bleu entre les nuages, et le premier soleil :

Dans mon métier, c'est au printemps
Qu'on prend le temps de se noyer...

Cinq jours plus tard, le 12 septembre, Jacques Brel change radicalement de ton et c'est avec une verve toute rabelaisienne qu'il enregistre « Comment tuer l'amant de sa femme quand on a été comme moi élevé dans la tradition ? » et une version entièrement réécrite de « La bière ». Si, sur l'album précédent, ses trois ou quatre tentatives pour introduire une dimension comique dans ses chansons se réduisaient à de lourdes satires, il n'en va pas de même avec « Comment tuer l'amant de sa femme... » qui, sur un rythme de charleston échevelé, renoue avec le burlesque trépidant des vieux films du cinéma muet. La cadence sautillante de la danse, accompagnée comme il se doit par un orchestre Nouvelle-Orléans, correspond parfaitement à l'activité frénétique du héros :

La nuit, je veille de nuit,
Le jour, je veille de jour,
Le dimanche, je fais des extras...

Pour le reste, il serait vain de chercher à lire entre les lignes de cette histoire de cocu magnifique, que Jacques raconte simplement pour le plaisir évident qu'il y a de partager une bonne blague avec quelques amis. En prenant soin – c'est tout l'art du conteur – de donner quelque rondeur au récit, en l'émaillant de trouvailles propres à réjouir l'auditoire. Par exemple : « *Je bats les chiens et les tapis* », ou cet éloquent néologisme : « *C'est à cause de moi / Qu'il est pénicilliné...* »

De même qu'il y a une culture du vin, que l'on prend très au sérieux et sur laquelle se penchent de savants spécialistes, il existe une culture de la bière. Plus qu'une culture, une civilisation; presque une mystique. Commune à tous les peuples du nord de l'Europe, celle-ci échappe souvent à la compréhension des autres pays, dont le goût en la matière a été corrompu par d'insipides breuvages industriels, de fermentation basse et ultra-filtrés, tirés à la va-vite. Déjà connue dans l'antique Sumer, quatre mille ans avant notre ère, la bière est célébrée comme un véritable don des dieux dans les traditions orales et les littératures les plus anciennes. Dans les chants du *Kalevala*, notamment, que les Finnois considèrent comme leur épopée nationale :

Bonne boisson pour les gens braves,
Mettant les femmes en gaîté,
Les hommes de brillante humeur,
Réjouissant les gens pieux
Et faisant gambader les fous [1]...

C'est dans ce contexte général, évidemment, qu'il faut situer la chanson de Brel, que d'aucuns prirent à sa sortie pour une vulgaire chanson à boire, presque une goualante d'ivrogne. En bon Belge, Jacques a été nourri de cette tradition bruegelienne, peut-être plus flamande que wallonne, qui voit les banquets finir plus ou moins en kermesses, au cours desquelles la bière coule à flots... et se craquelle le vernis de puritanisme des éducations les plus strictes. Lui-même – il n'en faisait pas mystère – était un véritable amateur de bière; et de longue date, puisqu'il fait déjà allusion à la Kriek Lambic et à la Gueuse, dans la version inédite de « Bruxelles », datée de 1953.

Mais s'il se sent tout à fait prêt à participer à la liesse générale, son éternel regard de berger l'empêche d'être dupe. Cette euphorie, pour débridée qu'elle soit *(« C'est plein de mains d'hommes / Aux croupes des femmes... »)* n'est qu'un défoulement collectif, une soupape de sécurité. Bientôt le conformisme social reprendra ses droits, et tout rentrera dans l'ordre établi :

1. *Kalevala,* chant XX (Ed. La Renaissance du Livre, 1927).

GRAND JACQUES

C'est plein de jours morts
Et d'amours gelées :
Chez nous y a que l'été
Que les filles aient un corps...
Alors, il ne restera plus aux rêveurs qu'à chercher dans
l'ivresse leurs paradis artificiels :
... l'alcool est blond,
Le diable est à nous ;
Les gens sans Espagne
Ont besoin des deux :
On fait des montagnes
Avec ce qu'on peut.

3

Brûle d'amour,
le cœur en cendres...

Au début de cette année 1968, Jacques Brel avait présenté ses vœux à la France entière, sur les ondes d'Europe N° 1 : *« Je vous souhaite des rêves à n'en plus finir et l'envie furieuse d'en réaliser quelques-uns. Je vous souhaite d'aimer ce qu'il faut aimer, et d'oublier ce qu'il faut oublier. Je vous souhaite des passions. Je vous souhaite des silences. Je vous souhaite des chants d'oiseaux au réveil et des rires d'enfants. Je vous souhaite de résister à l'enlisement, à l'indifférence, aux vertus négatives de notre époque. Je vous souhaite surtout d'être vous. »*

Cette part de rêve, qu'il offre ainsi à tous, est désormais la notion qui, à ses yeux, supplante toutes les autres. Sa révolte viscérale et tonitruante, loin de s'être éteinte, s'est simplement transformée, après s'être trop souvent fracassée contre la réalité. A l'inverse de Don Quichotte, auquel on l'assimilera de plus en plus souvent – « Homme de la Mancha » oblige –, il est conscient que les moulins à vent ne se jettent pas à bas si aisément, avec son indignation, sa fougue et sa générosité pour seules armes. Peut-être ne cherche-t-il plus à changer le monde ; mais, ayant senti venir l'habileté, voire l'aigreur, il veille à ce que le monde, au moins, ne le change pas, lui.

Ainsi l'idée de rêve est-elle présente dans la quasi-totalité des chansons de ce nouvel album. Mieux, l'une d'entre elles (« Regarde bien, petit ») n'est rien d'autre qu'une fantasmagorie partagée entre un adulte et un enfant, formant *« des mirages / Pour nous passer le temps »*.

Depuis « Zangra », on savait combien Jacques avait été marqué par *Le Désert des Tartares,* de Buzzati. Ici, l'idée de départ est fort voisine ; deux individus semblent veiller, presque en sentinelles, aux confins d'un paysage mort où chaque apparition d'un voyageur, d'un cheval ou d'une ombre, réveille de vieilles angoisses (ou un vieil espoir ?) mêlées d'incrédulité, de curiosité et d'hostilité. Mais alors que dans « Zangra » les années se comptabilisent avec une rigueur de sablier, l'action de « Regarde bien, petit » semble flotter dans un temps suspendu. Et le grand talent de Brel, dans cette si étrange chanson, est de maintenir à la fois son sujet et ses auditeurs dans le flou. L'homme et l'enfant sont en proie à une sorte de rêverie éveillée (la chanson parle de « mirages »), mais faute de détails précis, nous restons nous-mêmes aux limites de ce songe ; notre imagination devant remplir les blancs laissés volontairement par l'auteur : qui sont ces guetteurs ? pourquoi ? où ? quand ? comment ?

C'est là l'extraordinaire pouvoir de suggestion de cette histoire d'apparence irréelle : focalisant exclusivement sur l'identité du cavalier inconnu, qui passe (ou non !) dans le lointain, elle laisse la porte ouverte à toutes sortes d'inter-rogations sur les personnalités et motivations de ces sen-tinelles insolites, dont on découvre, à la fin, qu'elles sont armées. Rien ne permet de savoir, en effet, si cet homme et ce jeune garçon sont totalement étrangers l'un à l'autre, s'il s'agit d'un père et de son fils, d'un maître et de son dis-ciple... voire d'un seul et même personnage, dans l'attente, toujours déçue, du retour de son frère :

Est-ce mon frère qui vient
Me dire qu'il est temps
D'un peu moins nous haïr ?

Mais qu'importe, au fond, les liens réels qui unissent ici l'homme et l'enfant, tant ils paraissent être la projection inversée des personnages de « Mon père disait ».

Rarement chanteur aura tablé, à ce point, sur le potentiel d'intelligence et d'imagination de son public, auquel il laisse achever à sa guise une histoire qui ressemblerait à une esquisse... si elle n'était d'une écriture remarquablement aboutie. En fait, nouvelle réminiscence des lectures de

Jacques Brel, et allusion à cette part de lui-même qu'il disait germanique, « Regarde bien, petit » est à l'évidence inspirée du *Roi des aulnes* de Goethe [1]. Tout au moins la ballade de Goethe lui sert-elle de point de départ, un peu comme *Le Désert des Tartares* de Buzzati avait servi de base à « Zangra ». A la différence près que, chez le poète allemand, le couple homme-enfant ne monte pas la garde aux murailles d'une ville ou d'une place forte, mais passe à cheval au milieu des fantasmagories de l'horizon :

« Qui chevauche si tard par la pluie et le vent ? C'est le père avec son enfant. Il le tient serré dans ses bras, il le presse et le garde au chaud.

— Mon fils, pourquoi te cacher le visage ?

— Père, ne vois-tu pas le roi des aulnes avec sa couronne et son manteau ?

— Mon fils, c'est une traînée de brouillard... »

Chose étonnante pour l'époque, « Regarde bien, petit » – probablement l'une des chansons les plus bréliennes qui soient – fera l'objet d'une sorte de clip avant la lettre. Un petit film réalisé par Alain Dhénaut, pour une émission de télévision de Claude Santelli, montrant Brel face à la mer du Nord, drapé dans une lourde pelisse, et chantant, cheveux longs et gueule de Viking, au milieu des dunes et des herbes folles tourmentées par le vent du large.

Homme d'éclats, de sentiments tranchés et de mots sonores, Jacques Brel – il l'a déjà prouvé avec « Isabelle » et, plus récemment, avec « Fils de... » – n'est pas à l'aise dans l'attendrissement, dont il retient surtout la mièvrerie béate, perdant l'essentiel de son sens critique, voire de son sens esthétique. Que de complaisances dans « Un enfant » ! Des images indignes de l'auteur d'« Amsterdam », que l'on croirait sorties de ces sucreries à rubans roses qui expriment l'idéal du bonheur familial chez les feuilletonistes hollywoodiens :

Un enfant,
Ça écoute le merle

1. *Erl König : le Roi des aulnes*, Goethe, 1782.

Qui dépose ses perles
Sur la portée du vent...

Indignes surtout d'un auteur qui, par ailleurs, décrira l'enfance avec une justesse de ton et une sensibilité admirables :

L'enfance,
Qui peut nous dire quand ça finit,
Qui peut nous dire quand ça commence,
C'est rien, avec de l'imprudence,
C'est tout ce qui n'est pas écrit [1]...

Troisième et dernier titre enregistré ce 14 septembre 1968, « J'arrive » fait figure de pièce maîtresse dans un album remarquable pour sa diversité. Une chanson où il met en scène sa propre mort, ce qui fera dire – bien évidemment à tort – que Brel était déjà malade au moment de l'écrire. Le serait-il, d'ailleurs, il est certain qu'il l'ignorerait encore. Des apostrophes à la sinistre faucheuse, telles que :

C'est même pas toi qui es en avance,
C'est déjà moi qui suis en retard...

n'évoquent donc aucun fait précis, aucun *« mal mystérieux dont on cache le nom* [2] *»*, comme dirait Brassens ; mais un sentiment plus général, qui le hante depuis ses chansons les plus anciennes :

La mort m'attend comme une vieille fille
Au rendez-vous de la faucille [3]...

Car si la notion de rendez-vous manqués émaille son œuvre, au point d'en sous-tendre tous les thèmes récurrents, comme l'incommunicabilité, la perte des illusions, l'impossibilité de l'amour ou le sentiment d'abandon, Jacques est pleinement conscient, depuis toujours, qu'il est au moins une assignation qui ne souffre aucune échappatoire : la dernière. Mieux vaut, par conséquent, tâcher de s'en accommoder, plutôt que d'épuiser ses forces, son enthousiasme et ses espoirs en un bras de fer dont l'issue n'est que trop certaine.

---

1. « L'enfance », chanson du film *Le Far West,* inédite en album mais figurant sur le CD n° 3 de l'*Intégrale* Phonogram-Barclay de 1988.
2. « Le bulletin de santé », 1966 (paroles et musique de Georges Brassens).
3. « La Mort » (1960).

Dans un premier temps, il en parlera donc – l'échéance paraissant si lointaine –, avec humour et désinvolture ; ce sera, en 1961, « Le moribond » et son refrain gaillard :

Je veux qu'on rie,
Je veux qu'on danse,
Je veux qu'on s'amuse comme des fous.
Je veux qu'on rie,
Je veux qu'on danse
Quand c'est qu'on me mettra dans le trou.

Trois ans plus tard [1], « Le tango funèbre » se veut tout aussi détaché dans le ton, mais la gaieté du mourant laisse place, déjà, aux ricanements, tandis que la première angoisse filtre dans « Le dernier repas » :

Et dans l'odeur des fleurs
Qui bientôt s'éteindra,
Je sais que j'aurai peur
Une dernière fois.

Avec « Fernand », dès l'année suivante, la mort deviendra palpable. Frappant désormais les amis proches, elle se fait plus présente, plus précise. C'est d'ailleurs sur cette idée que s'ouvre « J'arrive » :

De chrysanthèmes en chrysanthèmes
Nos amitiés sont en partance...

Chaque nom rayé de la liste des êtres chers rend l'approche finale d'autant plus inéluctable :

De chrysanthèmes en chrysanthèmes,
A chaque fois plus solitaire.
De chrysanthèmes en chrysanthèmes,
A chaque fois surnuméraire...

Partant, la notion de temps prend le pas sur la question de la mort. Ce fameux temps qui passe, égrené par « *la pendule d'argent* » des « Vieux ». Celui de « L'âge idiot », qui se décompte à mesure que pousse le ventre, transformant en « Bourgeois » les plus fiers insolents, flétrissant « Les biches »

---

1. Le laps de temps peut sembler court, mais il ne faut pas oublier que la carrière active de Brel fut relativement brève. Quatorze années à peine entre ses débuts chez Canetti et l'album de « J'arrive ». Qui plus est, il accède au vedettariat seulement en 1961, à l'occasion de son Olympia, pour faire ses adieux à la scène dès 1967. Il n'a alors que trente-huit ans, et il ne lui en reste que onze à vivre.

et vouant « Le prochain amour » à l'échec ; ce temps qui, pulvérisant « L'enfance », restera à jamais la hantise première du chanteur :

Mourir, cela n'est rien.
Mourir, la belle affaire !
Mais vieillir... ô vieillir [1] *!*

Ce temps qu'il va tenter à présent de grappiller, quitte à le marchander de façon dérisoire :

Jusqu'au soleil, jusqu'à l'été,
Jusqu'au printemps, jusqu'à demain...

Un combat perdu d'avance, mais dont Jacques aura brièvement l'illusion de sortir vainqueur quand, enfin apaisé, il trouvera la sérénité – et sans doute le bonheur – aux Marquises... là où *« le temps s'immobilise* [2] *».*

En attendant, la seule alternative à l'inévitable, le seul miracle possible, lui semble être l'amour. Miroir aux alouettes, sans doute – il a tant assuré qu'il n'était qu'une duperie ! – mais, de même que certains athées se convertissent à l'heure de l'extrême-onction, Brel, lui, se cramponne à l'espoir d'une passion rédemptrice :

... qu'est-ce que j'aurais bien aimé
Encore une fois prendre un amour
Comme on prend le train, pour plus être seul,
Pour être ailleurs, pour être bien...

Il l'ignore encore, bien sûr, mais c'est exactement ce qu'il va vivre, dans une poignée d'années, avant que l'heure ne sonne, pour lui, *« par arrêt de l'arbitre* [3] *».*

Parallèlement à l'enregistrement de son disque, Jacques Brel travaille aux répétitions de *L'Homme de la Mancha,* dont la première doit avoir lieu le 4 octobre, à Bruxelles. Cela lui prend une bonne part de son temps et de son énergie, et l'oblige à espacer les séances de studio plus qu'à l'accoutumée. Le 23 septembre, enfin, il revient devant les micros de Gerhardt Lehner pour achever un album qui, à

1. « Vieillir ».
2. « Les Marquises ».
3. « Vieillir ».

présent qu'il ne se produit plus sur scène, semble ramené au rang de ses préoccupations secondaires.

Restent deux titres – « L'Ostendaise » et « Vesoul » – pour que l'affaire soit bouclée.

Pendant parfait de « L'éclusier », dont elle est une variante au féminin, « L'Ostendaise » est encore une chanson sur l'immobilité et le rêve :

Il y a deux sortes de temps,
Y a le temps qui attend
Et le temps qui espère...

Une de plus sur un 30 cm littéralement hanté par ces deux thèmes qui finissent presque par fusionner. Mais alors que le veilleur d'écluse, à force d'avoir trop *« voyagé les yeux fermés »*, spectateur sédentaire du passage des autres, n'attend plus rien de la vie, au point de considérer le suicide comme seul moyen de départ, l'Ostendaise, comprenant que son marin ne lui reviendra plus, réagit dans le sens de la survie en prenant un nouvel amant. Un pharmacien. C'est-à-dire un homme qui ne partira pas : un compagnon qui la confortera dans son besoin de sécurité. C'est la seule différence, majeure il est vrai, entre « L'éclusier » et « L'Ostendaise », issus tous deux de ce « Plat pays » où l'horizon disparaît à force d'être bas : l'un souffre de son immobilisme jusqu'à en mourir, l'autre au contraire y trouve un refuge.

« Les femmes ont des amants, les hommes des voyages », disait André Malraux, pour tâcher d'expliquer sa jeunesse brouillonne. Pour sujettes à caution qu'elles puissent être, Jacques – qui conservait *L'Espoir* dans sa bibliothèque dernière – avait parfaitement compris que chacune de ces deux assertions était à la fois la cause et la conséquence de l'autre. Raison pour laquelle son éternelle envie d'« aller voir » ailleurs, de courir la mer sur le nouveau voilier qu'il vient d'acheter ou de dribbler les nuages avec son avion, se nuance d'inquiétude :

Pourquoi ma douce,
Moi, le faux mousse
Que le temps pousse,
T'écrire de loin ?
C'est que je t'aime,

Et tant je t'aime
Qu'ai peur, ma reine,
D'un pharmacien.

Et c'est précisément sur ce sentiment d'impuissance de l'absent qu'insiste le refrain, aux allures de maxime :

Il y a deux sortes de gens :
Il y a les vivants
Et ceux qui sont en mer.

Réminiscence littéraire flagrante, Jacques Brel reprenant ici, presque mot pour mot, le célèbre aphorisme de Platon : « *Il y a trois sortes d'hommes : les vivants, les morts, et ceux qui vont sur la mer.* »

Mise en boîte en deux prises, « Vesoul » sera le gros succès radiophonique de l'album. Tout y concourt : une mélodie accrocheuse, derrière laquelle Marcel Azzola se livre sur son accordéon à des exercices de haute voltige ; des paroles pleines de fantaisie, émaillées de multiples clins d'œil (allusions à Jacques Dutronc, aux *Fleurs du Mal,* etc.) et d'oppositions inattendues (Byzance-Pigalle) ; et surtout une éblouissante performance vocale rappelant celle de « La valse à mille temps », avec des prouesses identiques de diction et de respiration. Sans parler de ce *gimmick* qui fera le tour de l'Hexagone, jusqu'à passer dans le langage populaire : « *Chauffe, Marcel !* »

Venue dans le feu de l'action alors que Brel, tout en chantant, faisait monter la sauce musicale et galvanisait l'orchestre à l'aide de sa guitare, cette apostrophe à l'accordéoniste était directement empruntée à une chanson des Charlots [1]. Mais avec le temps, ce tube d'une saison disparaîtra de la mémoire collective qui retiendra uniquement l'interpellation brélienne, attribuant à Jacques la paternité de la trouvaille.

Malgré un ton délibérément comique, flirtant avec le *non sense* à la *Hellzapoppin,* « Vesoul » n'en reste pas moins une chanson très représentative de l'univers de son auteur. Tout comme « Le cheval » ou « Comment tuer l'amant de sa

1. « Je dis n'importe quoi », 1966 (paroles de Gérard Rinaldi et musique d'Antoine).

femme... », elle met en scène un personnage falot, incapable de se prendre en main et d'assumer ses propres désirs. Entièrement sous la coupe de sa femme, il se borne à la suivre, comme s'il trottinait derrière elle, au hasard de ses toquades et de ses caprices, sans jamais avoir voix au chapitre. A peine fait-il mine parfois, comme tous les faibles, de se regimber en prétendant fixer des limites à l'intolérable :

... je te préviens :
J'irai pas à Paris ;
D'ailleurs j'ai horreur
De tous les flonflons
De la valse musette
Et de l'accordéon !

Comble du ridicule, c'est justement sur une cavalcade d'accordéon effrénée qu'il lance cet ultimatum dérisoire [1] ! Un personnage, installé en bonne place dans sa galerie de portraits de *losers*, pour lequel Brel éprouve toutefois une tendresse certaine. Ne lui offre-t-il pas une vision fugitive des *Fleurs du Mal* (Baudelaire étant, rappelons-le, l'un des poètes que Jacques admire le plus), en le promenant dans cette gare Saint-Lazare où « Les timides » essaient de se bercer d'illusions ?

---

1. Marcel Azzola, dont l'avis en la matière ne peut que faire autorité, souligne que Jacques Brel jouait assez bien de l'accordéon-piano : *« Pas sur scène, bien sûr, mais enfin il aimait bien ça. »* (Propos recueillis par l'auteur, pour *Paroles et Musique*, dossier « spécial Brel », déjà cité.)

4

Je ne sais
si je serai ce héros...

Pour Jacques Brel, bien qu'il ne l'ait compris lui-même qu'en cours de route, la chanson n'est pas un but en soi. Seulement un moyen. Le moyen de dire ce qu'il a sur le cœur, et surtout de le faire partager immédiatement ; car la chanson est peut-être l'art qui réduit le plus les barrières séparant le créateur de son public. Des mois passent en effet entre l'écriture – ô combien solitaire ! – d'un roman et sa rencontre avec les lecteurs ; entre le tournage d'un film et sa première projection. Le peintre n'est pas présent, physiquement, chaque fois que l'on admire son tableau, non plus que le compositeur, au moment où sa musique est jouée. Mais le chanteur, lui, peut lire instantanément l'impact de ses mots dans les yeux, les silences et les bravos des spectateurs.

Or Brel avait à « dire » beaucoup plus qu'à chanter ; si bien qu'un jour, la chanson ne lui suffisant plus, il se tournera vers d'autres formes d'expression, comme le cinéma ou la comédie musicale. Il évoquera même, à plusieurs reprises, un projet de roman puis de nouvelles ; mais faute de temps, ces efforts-là, de trop longue haleine, n'aboutiront jamais. Sans doute aurait-il pu faire sienne cette réflexion de Blaise Cendrars : « *Ecrire n'est pas mon ambition, mais vivre...* » Ce à quoi l'infatigable bourlingueur ajoutait, l'œil goguenard, en prenant le temps de rallumer son éternel mégot, pour mieux laisser son interlocuteur pendu à ses lèvres : « *J'ai vécu... Maintenant, j'écris !* »

Malgré toutes ces années d'activité frénétique, Brel, en ce

qui le concerne, n'a pas encore vécu suffisamment pour prendre le temps de se poser. Et lorsque celui-ci viendra, il ne lui en restera plus assez pour se lancer dans des projets de cette envergure...

Si le cinéma s'est glissé dans sa vie, presque à son corps défendant, la comédie musicale, en revanche, relève d'un désir plus profond et plus ancien. Le désir d'en écrire – plus que d'en jouer –, pour bénéficier enfin d'une place, d'une liberté d'expression plus grande que la chanson ne peut lui accorder avec son cadre étroit de trois ou quatre minutes.

Tout en conservant ce que Jacques appelait « *ce ton émotionnel que l'on n'obtient pas sans la musique* », un *musical* pose cependant des problèmes de construction bien plus compliqués que ceux d'un tour de chant. Il faut aussi travailler davantage les personnages, approfondir leur psychologie, nuancer leurs rapports, puis assembler les morceaux de l'intrigue avec la solidité d'un échafaudage et la précision d'un mouvement d'horlogerie. Toutes sortes de contraintes qui s'apparentent à la rigueur de la discipline romanesque, dans les méandres desquels il serait aussi hasardeux que présomptueux de s'engager sans avoir tenté, auparavant, d'en disséquer les rouages. Or Jacques Brel est quelqu'un qui croit à la notion d'apprentissage. Pas question, pour lui, de jouer au dilettante et de faire les choses à moitié. D'ailleurs il déteste l'amateurisme, dont il propose, avec son goût habituel du paradoxe, une amusante alternative : « *Il faut tout faire avec un esprit d'amateur, mais comme un professionnel.* »

Le sérieux avec lequel il abordera l'avion et le bateau est, à ce sujet, tout à fait révélateur. Il suivra en effet des stages de formation professionnelle, jusqu'à l'obtention de son brevet de copilote de jet (le degré le plus élevé si l'on ne travaille pas dans une compagnie aérienne) et le diplôme de l'Ecole Royale de la Marine, à Ostende. Une démarche qui sera exactement la même quand il s'attaquera à la comédie musicale. Au journaliste qui l'interroge alors sur les raisons qui l'ont poussé à monter *L'Homme de la Mancha*, ses premiers mots – avant de s'étendre sur le personnage de Don Quichotte – sont explicites : « *Ce qui m'intéresserait, c'est d'en écrire une. Et comme je crois qu'il faut aller à l'école...* »

Si Brel affiche ainsi, sans aucune hypocrisie, son intention de décortiquer la pièce par l'intérieur, pour mieux en comprendre les mécanismes, cela ne retire absolument rien à l'enthousiasme qu'il a éprouvé en la découvrant, à New York, en février 1967. Au contraire. Hormis le sujet, qui le passionne, c'est un hommage véritable qu'il rend là au savoir-faire des auteurs. Au demeurant, il retournera voir le spectacle, lors de son séjour new-yorkais, pas moins de cinq fois de suite !

L'idée de départ de Dale Wasserman [1], l'auteur du livret, est très astucieuse. Le roman de Cervantes, avec son millier de pages, ne pouvant se ramener aux dimensions d'un script normal – sauf à procéder à d'importantes coupes dont on ne manquerait pas de lui faire grief –, il prend le parti d'impliquer le romancier lui-même dans son action. L'histoire qu'il raconte n'est donc plus celle de Don Quichotte et de Sancho Pança, mais celle de Cervantes exposant les grandes lignes et les moments les plus forts de son œuvre, pour tâcher d'en sauver le manuscrit en grand danger d'être brûlé. Plaidoyer simplifié à l'extrême, vu l'urgence de la situation, mais aussi parce que le public à convaincre est majoritairement composé d'illettrés... Dès lors, toutes les réductions sont possibles.

Un tel artifice de construction ne pouvait que séduire Brel qui, se moquant bien lui-même de la fidélité littérale au vieil hidalgo extravagant, tel que son géniteur l'avait conçu, en faisait depuis longtemps une lecture toute personnelle. Du héros de Cervantes, dont il disait – bien avant d'envisager de le jouer un jour sur scène – qu'il ressemblait à certains personnages de Saint-Exupéry, il n'a conservé que la tendresse, la générosité et l'aspect tragique ; gommant délibérément le côté dérisoire du « Chevalier à la triste figure », pourtant essentiel aux yeux du romancier. Mais cela n'est pas nouveau. Don Quichotte est un de ces cas – forts rares – de la littérature mondiale où le personnage, débordant le cadre de l'ouvrage qui l'a vu naître, finit par échapper à son auteur pour acquérir une vie autonome dans l'inconscient collectif.

---

1. Dale Wasserman est aussi l'auteur de l'adaptation théâtrale de *Vol au-dessus d'un nid de coucous,* de Ken Kesey, également porté à l'écran.

Devenant un mythe à part entière. Extrêmement épuré par le temps et les interprétations successives, réduit en l'occurrence aux grandes lignes de son combat contre les moulins à vent et de son amour pour Dulcinée, il incarne un prototype absolu d'humanité – au même titre qu'Harpagon, Tartuffe, Iago, Roméo et Juliette, et autres Jean Valjean –, beaucoup moins complexe, finalement, que ne l'avait peint son créateur. Dès lors, le roman devient une espèce d'auberge espagnole où chacun se nourrit de ce qu'il a lui-même apporté. Quant à son aspect parodique des récits de chevalerie, ouvertement affirmé par un Cervantes désabusé, qui avait connu la guerre, les blessures et la captivité, Brel en retiendra uniquement la tragédie d'un homme dont les rêves se fracassent contre la réalité du monde qui l'entoure.

Sa vision du personnage est à ce point subjective qu'il le réinvente complètement, jusqu'à lui faire épouser ses angoisses intimes et ses propres élans :

Rêver un impossible rêve,
Porter le chagrin des départs,
Brûler d'une possible fièvre,
Partir où personne ne part [1]...

Du Brel tout craché ! Bien au-delà de la simple adaptation d'un texte – par ailleurs beaucoup moins fort dans sa version originale –, ce sont là ses mots à lui, son intensité vitale, sa respiration (si particulière qu'on l'entend jusque dans la phrase écrite), et ses obsessions les plus profondes : perpétuel mélange d'espérance et de doute. Du Brel si personnel, si transparent, si évident qu'aujourd'hui encore, pour ses fidèles de toujours, « La Quête » figure en bonne place au panthéon brélien – comme si elle avait été une création originale du Grand Jacques.

Si forte, en l'occurrence, était son implication que l'entreprise prenait toute sa dimension sur scène, quel que soit le jugement que l'on pouvait porter sur la pièce elle-même.

---

1. « La Quête » (adaptation française de Jacques Brel ; paroles originales de Joe Darion, musique de Mitch Leigh).

Presque vingt ans après [1], le fait de la revoir sans Brel a d'ailleurs permis de se faire une meilleure idée de ses qualités et de ses défauts intrinsèques. Et à vrai dire, si elle n'est pas si médiocre que certains l'ont prétendu alors, seul un chanteur à la présence scénique aussi exceptionnelle que celle de Brel pouvait la transcender à ce point. Soir après soir, en effet, ce dernier nouait une relation ahurissante avec les spectateurs. S'offrant sans réserve à un public complice, avec une sorte d'exhibitionnisme et d'impudeur poussés au paroxysme, il ne jouait pas Don Quichotte, mais – la nuance était énorme – « *Jacques Brel jouant Don Quichotte* ». Ce charisme stupéfiant de Brel – qui fera de l'adaptation française de *Man Of La Mancha* une version incomparablement supérieure à l'originale – amènera même les producteurs américains à lui proposer de reprendre le rôle à Broadway !

Tout n'avait pourtant pas démarré sous les meilleurs auspices... Lorsque Brel demande aux auteurs l'autorisation de traduire leur pièce, pour la monter de ce côté-ci de l'Atlantique, ces derniers – ils sont trois : Dale Wasserman pour le livret, c'est-à-dire la trame de l'intrigue et les dialogues, Mitch Leigh pour la musique et Joe Darion pour les paroles des chansons – se montrent plus que réservés. Leurs questions fusent, comme autant de menaces de refus : qui ? quand ? où ? comment ? pourquoi ?

Et d'abord, ce « Jacques Brail », d'où sort-il ?

A l'époque, Jacques n'est pas encore le héros d'une comédie musicale à succès qui porte son nom [2] ; mais, tout de même, il s'est déjà produit au Carnegie Hall et la presse new-yorkaise lui a, alors, consacré des critiques extrêmement élogieuses. Manque de curiosité, sans doute, mais les trois hommes l'ignorent. D'ailleurs, un *musical* n'est pas la même chose qu'un récital, n'est-ce pas ? Cette fois, c'est Jacques qui semble ne pas bien le saisir... On lui demande donc de faire ses preuves. Qu'il commence par montrer

1. En décembre 1986 à l'Espace 44, à Nantes ; puis au premier trimestre 1987 au Théâtre Marigny, à Paris. Mise en scène de Jean-Luc Tardieu, avec Jean Piat dans le rôle-titre.
2. Le spectacle de Mort Shuman et Eric Blau sera créé au cours du printemps 1967, alors que Jacques Brel s'intéresse à *L'Homme de la Mancha* depuis le mois de février.

quelques bouts d'adaptation, deux-trois chansons, et l'on verra s'il y a lieu de s'engager plus avant dans les négociations. Et puis, par la même occasion, qu'il trouve aussi un producteur en qui l'on puisse avoir confiance...

Si ça n'est pas vraiment une fin de non-recevoir, cela y ressemble bien. Mais Brel tient beaucoup trop au projet pour y renoncer dès les premières difficultés ; surtout pour une simple question d'amour propre. Sitôt rentré à Paris, il s'attelle aux traductions... et réalise soudain que ses connaissances en anglais, qui lui permettent tant bien que mal de suivre une conversation, sont nettement insuffisantes pour une telle affaire. Heureusement, Sylvie possède une maîtrise parfaite de la langue. Elle établit donc un mot à mot, le plus précis possible, sur lequel Jacques pourra broder, plier les phrases aux cadences de la musique, les colorier de son style propre ainsi que d'images souvent plus fortes que les originales. Ainsi, durant les longs mois de préparation de *L'Homme de La Mancha,* Sylvie sera-t-elle une collaboratrice efficace, attentive et précieuse. Sans elle, il n'est pas exagéré de l'affirmer, Brel ne serait sans doute pas venu à bout de son vaste projet.

S'agissant de la production, il faudra faire appel à deux commanditaires différents. La pièce devant être jouée à Bruxelles puis à Paris, Maurice Huysmans, directeur du théâtre de la Monnaie, prend en charge le décor et les costumes ; tandis que Jean-Jacques Vital, l'héritier des meubles Lévitan, garantit le montage financier pour la partie française.

Fort de cette double assurance, Jacques Brel retourne aux Etats-Unis avec ses premières adaptations. Entre-temps, il a chanté de nouveau au Carnegie Hall, avec le succès que l'on sait, et le spectacle de Shuman et Blau commence à bien marcher. Wasserman, Leigh et Darion – qui savent maintenant d'où il sort... – lui proposent de tenir lui-même le rôle de Cervantes-Don Quichotte. Par la suite, Jacques soutiendra mordicus qu'il n'avait jamais songé qu'à l'écriture et aucunement à la possibilité de jouer la pièce. Toujours est-il qu'il ne se fait guère prier. La comédie musicale, il est vrai, est un genre fort peu prisé par le public français, et Jacques, comme ses producteurs, sait bien qu'aucun acteur, si bon soit-il, n'attirera autant de monde que lui, sur son seul nom. Pour que l'entreprise ait une réelle chance de réussir, il faut donc qu'il remonte sur les planches. Et puis, à présent qu'il semble s'orienter vers le cinéma, cela ne peut que servir à sa formation de comédien...

Malgré tout, leur confiance n'excluant pas toute méfiance, les Américains ont encore un doute. Le choix de Jacques, pour le rôle-titre, a beau être de leur seul fait, ils lui demandent comme test ultime de passer une audition. Une audition ! Comme à ses débuts ! Non pour savoir comment il chante – il y a des disques pour cela – mais pour se rendre compte par eux-mêmes de la manière dont il défend leurs chansons. Avec patience et humilité, comme toujours lorsqu'il s'agit pour lui « *d'aller à l'école* », Brel se soumet à ce dernier caprice.

Dale Wasserman habitant la Californie, c'est à Los Angeles que l'audition doit avoir lieu, en présence entre autres du compositeur Mitch Leigh et du metteur en scène Albert Marre, qui a monté le spectacle à Broadway. Pour la circonstance, ils ont loué un grand auditorium de plus de trois mille places, le Music Center, où Jacques va chanter « La Quête », accompagné par un pianiste local : devant l'immense parterre vide, on ne distingue, dans la pénombre, que la demi-douzaine de silhouettes venues pour le juger... Seul commentaire de sa part : « *Ça me rappelle l'époque de chez Canetti !* »

Son examen réussi, Brel a le plaisir d'apprendre que c'est « oui ». Les Américains donnent leur accord... ne posant que deux nouvelles conditions. Deux petites exigences. Sine qua non, bien entendu. Primo, Albert Marre assurera la mise en scène, comme à New York ; et secundo, il n'est pas question de changer une seule note aux arrangements de l'orchestre. Que François Rauber se le tienne pour dit !

5

L'inaccessible étoile

L'accord lâché, comme à contrecœur, par les ayants droit américains est loin d'être un chèque en blanc. Jacques devra continuer à soumettre ses traductions, sans brûler d'étape. Et pareil à un écolier suivant des cours par correspondance, on lui renverra sa copie corrigée. Corrigée par qui ? l'histoire ne le précise pas : le plumitif yankee jugé capable d'améliorer l'écriture brélienne ne semble pas avoir laissé de traces indélébiles dans la littérature... Mais comme les hommes de véritable orgueil, Jacques Brel ignore la vanité. Toutes ces tracasseries un peu humiliantes n'ont aucune prise sur l'ardeur qui l'anime face à cette entreprise dont il découvre, progressivement, l'ampleur et les difficultés.

Inlassablement, avec l'aide constante de Sylvie, il se replonge dans un texte original ampoulé et saturé d'archaïsmes [1]. Vision typique de ce que la majorité des Américains croient être la recette des chefs-d'œuvre de la vieille Europe : quelques tournures désuètes, quelques mots obsolètes, et nous voilà Shakespeare ; quelques clochetons sur une bâtisse de staff et de stuc, et Disneyland se prend pour le château de Ludwig de Bavière...

Impossibles à berner sur ce genre de contrefaçons, les Anglais, nourris de théâtre élisabéthain, ne verront dans *Man Of La Mancha* qu'un « à la manière de » grandiloquent. La critique massacrera la pièce qui sera retirée de l'affiche

---

1. Le livret américain de *Man Of La Mancha* peut être consulté à la Fondation internationale Jacques Brel, à Bruxelles.

bien avant la date annoncée. Seules la générosité et la sincérité de Brel donneront quelque crédit à une adaptation française dépouillée de l'essentiel de ce fatras pseudo-médiéval.

La longue phase de traduction enfin terminée, il s'agit à présent de réunir une troupe ; le plus difficile étant de trouver de bons comédiens, crédibles en même temps comme chanteurs. Jacques propose quelques noms. Dario Moreno d'abord, qu'il a connu au temps des tournées Canetti, en Afrique du Nord, et qui, avec sa rondeur joviale, possède le physique d'un Sancho Pança idéal. Atout non négligeable, Moreno a l'expérience de l'opérette, puisqu'il a été longtemps « le Brésilien » de *La Vie parisienne* d'Offenbach. En outre, quelques bons succès radiophoniques (« Si tu vas à Rio », « La Bamba », etc.) ainsi que plusieurs seconds rôles mémorables au cinéma (dans *Le Salaire de la peur*, notamment), en ont fait une vedette populaire, une personnalité très appréciée du grand public.

Se souvenant également de sympathies nouées sur les tournages de ses deux premiers films, Brel fait engager ensuite Armand Mestral et Jean Mauvais. Pour les autres rôles, on procédera à près d'un millier d'auditions, qui permettront de sélectionner vingt-quatre acteurs et actrices capables de chanter et même, pour la plupart d'entre eux, de danser.

En fait, le personnage qui posera le plus de problèmes sera celui de Dulcinée. Autant un Dario Moreno s'imposait, de toute évidence, pour être Sancho, autant il est difficile de se faire une idée précise de cette femme chimérique, tantôt putain et tantôt princesse ; tantôt tranchante comme une lame et rugissante comme un couguar, tantôt douce comme une caresse et fragile comme un cristal. Après nombre de tâtonnements, Jacques arrête son choix sur Françoise Giret, qui commence aussitôt à travailler le rôle.

Albert Marre retenu à Londres par les répétitions de la version anglaise, le travail initial sur le texte et la mise en place des personnages s'effectue, plusieurs semaines durant, sous la direction de Paul-Emile Deiber. Jacques Brel réalise alors à quel point il est ignorant des arcanes du théâtre : *« Je n'avais jamais parlé sur une scène. Je n'avais jamais dit bonjour.*

Il a fallu que j'apprenne. A marcher aussi. Comédien, je ne savais pas ce que c'était. Paul-Emile Deiber a commencé par m'apprendre à parler à quelqu'un. C'est vrai. Je ne m'adressais qu'au trou noir de la salle. Je n'avais pas l'habitude de regarder les autres. J'ai aussi appris à me maquiller. Ça n'a l'air de rien, mais il faut savoir [1]... »

Lorsque le metteur en scène américain arrive enfin à Paris, sa toute première décision est de remercier Françoise Giret pour confier son rôle à Joan Diener qui, à la ville, se trouve être Madame Marre... Créatrice à Broadway du personnage de Dulcinea, Joan devait l'incarner également à Londres où, la pièce ayant connu le four immédiat que l'on sait, elle s'est retrouvée disponible beaucoup plus tôt que prévu. Sa voix est magnifique, bien sûr, et elle connaît parfaitement son rôle ; mais son accent français est épouvantable et ses caprices de diva pèsent lourd sur la bonne harmonie de la troupe. L'atmosphère se tend. D'autant que Marre est un directeur d'acteurs de la dernière exigence, formé à l'école américaine, qui ne s'embarrasse guère de sentiments, encore moins de diplomatie. Grand professionnel – selon l'expression consacrée –, les susceptibilités individuelles et les états d'âme l'indiffèrent ; certains comédiens se froissent, d'autres sont remplacés sans préavis en pleines répétitions. Jacques, quant à lui, se réfugie dans une politesse à la fois humble et glacée : « *Monsieur Marre connaît son métier sur le bout des doigts. J'ai l'impression de tout découvrir...* », ou carrément dans l'humour : « *Il y a deux choses très difficiles à faire sur terre : garder intact un troupeau d'éléphants au sommet de l'Himalaya et monter une comédie musicale.* »

La majeure partie des répétitions aura lieu à Paris, au théâtre des Champs-Elysées, pendant l'été 1968 ; puis les derniers raccords, avec le décor et les costumes, se déroulent à Bruxelles où la première est prévue pour le 4 octobre.

L'accueil public et critique sera à la mesure des difficultés rencontrées : triomphal ! La presse belge ne ménage pas ses louanges à un Brel-Don Quichotte, couvert de lauriers comme s'il était seul sur scène. On ne voit que lui, il est

1. Propos recueillis par Jacqueline Cartier, pour *France-Soir* (1er novembre 1968).

vrai, sur ces planches qu'il ne quitte à aucun moment, deux heures et demie durant; les rôles de Sancho et Dulcinea semblant réduits, par contrecoup, au rang de simples faire-valoir. Dans ce concert d'éloges, c'est peut-être Jacques Stehman, du journal *Le Soir*, qui résume le mieux le sentiment général en analysant à la perfection la performance de Jacques : « *Brel tient pratiquement tout le spectacle sur ses épaules. Si sa dépense physique est considérable, [...] son jeu est marqué par la flamme, la passion, l'humanité, la ferveur. Il personnifie, avec une douloureuse ardeur, le pauvre idéaliste égaré qui s'obstine à donner à la vie et aux êtres l'aspect du beau rêve qui l'exalte et l'aide à vivre. Il est convaincant, bouleversant, pitoyable. Il exprime le donquichottisme avec sa superbe, sa grandeur et sa foi. [...] Il joue vrai, avec une profonde sincérité, finalement; et par la force des choses, tout s'organise autour de lui, de sa présence scénique, de son autorité.* »

Toutes les représentations bruxelloises se joueront à guichets fermés, donnant lieu à un intense marché noir sur les billets. Pour tous, *L'Homme de la Mancha* est l'événement majeur de la saison théâtrale.

Puis la troupe se sépare, pour une quinzaine de jours. Le temps de souffler un peu avant de s'attaquer à Paris, où il ne s'agit plus de jouer un mois, mais quatre ou cinq si tout va bien. Davantage peut-être, sait-on jamais? Et pour que chacun retrouve tranquillement ses marques et ses automatismes, la première parisienne étant fixée au 10 décembre, Albert Marre donne rendez-vous dès le lundi 2 à tout son monde.

Entre-temps, cependant, les principaux interprètes vont devoir enregistrer les meilleurs extraits du spectacle, car pressé par la demande quotidienne du public, Barclay a décidé d'en faire un album mis en vente, bien entendu, dès le début des représentations. Cette fois, les dirigeants de Philips, qui avaient difficilement accepté le départ de Jacques Brel, en mars 1962, au moment même où il commençait à devenir commercialement intéressant, tiennent leur revanche. Pas question de laisser Dario Moreno, sous contrat d'exclusivité avec Philips, enregistrer chez Barclay en compagnie du « déserteur »! François Rauber, qui n'est lié personnellement à aucune des deux compagnies mais assure la direction musicale de la pièce, tente bien de jouer les médiateurs, c'est peine perdue. Le veto est sans appel : que Monsieur Brel se débrouille ! Vengeance dérisoire... surtout au regard de l'avenir, les deux compagnies fusionnant une dizaine d'années plus tard pour créer le groupe Polygram (où Barclay, Philips et Polydor [1] constitueront dès lors de simples labels).

Ce sera donc Jean-Claude Calon, la doublure prévue pour remplacer Dario Moreno en cas d'incident ou de maladie, qui prêtera sa voix à Sancho Pança lors des séances d'enregistrement, au studio habituel de l'avenue Hoche, du 23 au 27 novembre. Sans montrer la chaleur de celui de Dario Moreno, son timbre de voix est tout à fait agréable et ne dépare en rien un disque, au demeurant assez ordinaire, dont on ne retient guère que « La Quête » – admirablement habitée par un Brel au mieux de sa forme, dont c'est hélas le seul morceau en solo. Car s'il demeure un souvenir émouvant pour ceux qui ont vu le spectacle, cet album révèle surtout les limites de la pièce. Dans l'ensemble, les chansons sont plutôt médiocres, pourvues la plupart du temps de rythmes similaires et d'harmonies sans grande recherche, leur intérêt se bornant à quelques trouvailles de style typiquement bréliennes :

Frappez-moi jusqu'au feu, jusqu'au sang, jusqu'à terre...
ou encore :
... quand les chiens parlent d'amour,
Ils ne crient pas mais ils aboient...

Sur scène, tout se déroule à merveille dans le feu de l'action, grâce à l'astuce du dédoublement à vue de Cervantes et Don Quichotte, grâce au jeu des comédiens, à la qualité de la mise en scène et la beauté du décor ; mais sur vinyle, l'interprétation de Brel mise à part, la magie disparaît.

1. Cette marque, rachetée à la Deutsche Grammophon par Philips, fut réactivée tout exprès par Jacques Canetti, en 1952, pour commercialiser les chansons de Georges Brassens dont les dirigeants de Philips ne voulaient pas entendre parler, effrayés à l'idée *« d'associer le nom respectable de leur firme à de pareilles obscénités »* (voir le dossier « spécial Georges Brassens », réalisé partiellement par l'auteur, de la revue *Chorus – Les Cahiers de la chanson* ; n° 17, automne 1996).

Libre de son temps – et pour cause ! – pendant l'enregistrement de l'album, Dario Moreno est parti en Turquie, son pays natal, passer quelques jours de vacances en famille. Le 29 novembre, alors qu'il s'apprête à reprendre l'avion pour regagner Paris, il s'écroule en plein aéroport d'Istanbul, frappé d'hémorragie cérébrale. L'attaque est foudroyante et il meurt, quelques instants plus tard, en atteignant l'hôpital.

Dire que Fernand est mort,
Dire qu'il est mort, Fernand [1]...

Jacques, aujourd'hui, se retrouve dans la peau du personnage de sa chanson. Il éprouve le même sentiment de fatalité, la même impuissance, la même absence de mots... Pour les producteurs aussi, le coup est rude : s'ils annulent le spectacle, l'affaire se soldera par une débâcle financière dont ils ne se relèveront pas. Mais la générale de presse est prévue dans dix jours... et il n'y a plus de Sancho !

Il est peu envisageable, en effet, de confier le rôle à Jean-Claude Calon qui, bien que bon comédien et bon chanteur, n'a absolument pas le physique de l'emploi. Les quelques fois où il a dû remplir son office de doublure, il a fallu l'affubler d'un faux ventre et d'une barbe, pour essayer et de le vieillir et de l'arrondir, de corps autant que de visage. Une barbe à Sancho ! Voilà qui ne cadre guère avec l'idée qu'on s'est fait du bonhomme à travers les gravures de Daumier ou de Gustave Doré, ou les dessins de Dali et de Picasso.

Reste à trouver un acteur, dans les vingt-quatre heures, et à le faire travailler nuit et jour, pour avoir une chance de sauver le spectacle. Jean-Jacques Vital, qui fut en son temps le découvreur de Bourvil, propose de faire appel à ce dernier. Suggestion repoussée : c'est un chanteur de formation, certes, et il a maintes fois prouvé au cinéma, notamment au côté de Jean Marais, qu'il excellait dans les personnages de valets-écuyers ; mais lui non plus n'a pas le physique d'un Sancho rondouillard. En désespoir de cause, Paul-Emile Deiber avance le nom de Robert Manuel. Sociétaire de la

---

1. « Fernand ».

Comédie française, l'ancien « Homme du xxᵉ siècle » [1] sait également chanter, puisqu'il a joué *Phi-Phi*, l'opérette d'Albert Willemetz et Henri Christiné...

Vital, qui connaît bien Robert Manuel, lui téléphone aussitôt. Après une courte entrevue et un bout d'audition, Albert Marre donne son accord. Et l'acteur, qui a eu l'occasion de voir la pièce à New York, relève ce qui est alors, aux yeux de tous, une impossible gageure : apprendre dialogues et chansons, entrer dans la peau de son personnage et s'intégrer à la troupe en moins d'une semaine. Exactement le genre de défis qui ont toujours séduit Jacques !

Le théâtre des Champs-Elysées étant occupé tous les jours par un spectacle en cours, qui ne s'achèvera qu'à l'avant-veille de la générale, on doit répéter de nuit. A partir de deux heures du matin – le temps, chaque soir, de monter le décor – et jusqu'au petit jour. Par une curieuse coïncidence, Jacques Brel et Robert Manuel habitent l'un en face de l'autre, rue Edouard-Nortier, à Neuilly. Ils vont donc, ces jours-là, rentrer souvent ensemble et se retrouver dans l'après-midi pour travailler : le comédien débutant donnera la réplique au professionnel accompli, formé à l'école de Molière, pour l'aider à mémoriser son texte. Robert épate Jacques... qui adore être épaté. Une amitié se noue.

A l'issue de la première représentation, quand le pari insensé sera définitivement gagné, l'émotion les submergera tous les deux. Au milieu des bravos et des saluts, Jacques, au bord des larmes, prend Sancho dans ses bras, et ce dernier, lâchant enfin la bonde à la tension et la fatigue accumulées, éclate en sanglots.

Le lendemain, la critique, dans son ensemble, parle de « *très grand et très beau spectacle, exemplaire comme les mystères du Moyen Age et fait, comme eux, pour toucher le plus large public* [2] ». D'autres, légèrement plus nuancés, comme le redoutable et redouté critique dramatique du *Figaro*, Jean-Jacques Gautier, déplorent les limites de la pièce tout en

1. *L'Homme du XXᵉ siècle* fut le titre d'une émission-jeu de Pierre Sabbagh, diffusée à la télévision au début des années 60. Robert Manuel en fut l'un des plus brillants lauréats, l'un des plus populaires aussi.
2. *Les Nouvelles littéraires.*

saluant l'exceptionnelle prestation de Jacques Brel : « *Nous sentions que ce qu'il était, ce qu'il faisait, se situait en dehors de toutes les règles ; en dehors et au-delà. Les critères habituels ne jouaient plus. [...] A force de foi, de pureté, d'innocence, il devenait impressionnant. [...] Sur lui s'étendait une sorte de lumière due à sa confiance pathétique dans l'idéal, à son refus, à celui de Don Quichotte et de Cervantes, de voir les choses et les gens comme ils sont ; à leur entêtement commun (auteur, personnage, acteur) à refuser d'admettre, de consentir, de se rendre. Et je dis que, là, il s'est passé quelque chose qui surmontait l'anecdote, les péripéties, le livret, les " lyrics ", la musique (facile, agréable, pas très originale ni mémorable). Il y a eu de l'âme... »*

Seul le journaliste-écrivain Jean Dutourd – qui, à force de porter ses lunettes dans les cheveux plutôt que devant les yeux, finit par avoir une étrange vision des choses... – évitera soigneusement de faire son « *compliment à Monsieur Brel, qui a adapté le livret. Tout semble affadi, poussé vers la niaiserie, avec des formules du genre : " rêver un impossible rêve ". Monsieur Brel ne sait visiblement pas l'anglais, mais il ne sait pas non plus le français* [1] ».

Confondant comédie musicale et cirque, Dutourd déplorera surtout l'absence d'un vrai cheval sur scène, dans le rôle – ô combien essentiel ! – de Rossinante...

Rancunier comme un buffle de savanes, Brel n'oubliera pas le pitoyable cuistre – devenu entre-temps académicien [2] – et à l'heure de « *cracher sa dernière dent* [3] », c'est au vitriol qu'il évoquera l'œuvre du maître, dans « Knokke-le-Zoute tango » :

Je la veux folle comme un travelo,
Découverte de vieux rideaux
Mais cependant évanescente.
Elle m'attendrait depuis toujours,
Cerclée de serpents et de plantes,
Parmi les livres de Dutourd.

1. *France-Soir.*
2. Rappelons que Balzac, Dumas, Baudelaire, Verlaine, entre autres, ne furent pas jugés dignes d'appartenir à l'Académie française ; le record des échecs revenant à Zola, dont la candidature fut repoussée vingt-quatre fois...
3. « Vieillir ».

Quoi qu'il en soit, *L'Homme de la Mancha* remportera un succès sans précédent, en France, dans l'histoire de la comédie musicale. Le spectacle tiendra l'affiche cinq mois durant, devant une salle chaque soir archi-comble, jusqu'à ce que Jacques Brel, épuisé, annonce qu'il abandonnera après la cent cinquantième représentation. Déjà, en février, il avait dû s'interrompre une dizaine de jours, à la suite d'une intoxication alimentaire provoquée par des huîtres peu fraîches. Sur le coup, les rumeurs les plus extravagantes s'étaient répandues : « *Brel malade !* » Les gazettes à scandale parlèrent de leucémie, publiant des photos du chanteur très amaigri, les traits tirés. Plus besoin de forcer le maquillage pour ressembler au « *Chevalier à la triste figure* »...

Plus tard, certains voudront y voir la marque des premières atteintes du cancer. Spéculations purement fantaisistes. Les examens approfondis subis alors par Jacques auraient forcément décelé la présence d'une tumeur maligne... si elle avait existé. Pour diplomatique qu'elle soit, sa mise au point du moment reste bien plus crédible que toutes les supputations rétrospectives : « *Si j'ai maigri, c'est que je n'ai pas peur de mouiller ma chemise !* » Effectivement, le voilà de nouveau en scène, dès le 13 février, après quelques jours de repos.

Partout on réclame *La Mancha*. En Suisse, en Italie, au Canada... Une tournée est même arrêtée, qui devra conduire toute la troupe à Québec, Montréal et Ottawa. Jusqu'aux Américains qui proposent à Brel de reprendre le rôle à Broadway ! Les rapports de force ont bien changé...

Mais Jacques est à bout. Physiquement il n'en peut plus et, pire que la fatigue physique, le côté répétitif de la chose commence à le lasser. La folle aventure du départ a cédé le pas, peu à peu, à la routine : une nouvelle fois, Brel est assailli par le sentiment d'habileté... Les producteurs ayant équilibré leurs comptes, il estime ne plus rien devoir à personne et décide donc d'arrêter. Qui veut le rôle le reprenne !

Tous les acteurs pressentis alors pour lui succéder s'esquiveront prudemment. Tous auront, peu ou prou, les mêmes mots : « *Après Brel, c'est impossible...* » Hommage suprême rendu au débutant par les valeurs les plus sûres d'un métier qui ne s'improvise pas.

6

Y a un homme qui part...

Lorsque, le 17 mai 1969, s'achève l'ultime représentation de *L'Homme de la Mancha* (deux ans, presque jour pour jour, après son dernier tour de chant, le 16 mai 1967 à Roubaix), Jacques Brel a déjà d'autres projets en tête. Un nouveau film, notamment, qu'il doit tourner sous la direction d'Edouard Molinaro. Mais il n'en a pas encore fini avec toutes les complications occasionnées par la pièce. Son départ, en effet, pose de sérieux problèmes contractuels. Pas tellement à Paris, où les objectifs fixés ont été atteints ; mais au Canada, où la tournée prévue – des contrats sont signés en bonne et due forme pour septembre, et des options prises sur octobre – est purement et simplement annulée. Or, rien ne stipulant que l'avenir du spectacle était lié à la participation formelle de Jacques Brel, les comédiens – qui ont réservé leurs dates, refusant parfois d'autres engagements – intentent un procès au producteur canadien. Lequel, fort de son bon droit, refuse de payer les dédommagements que les comédiens lui réclament.

Avant d'en arriver au tribunal, le juge réunit Jacques Brel, Robert Manuel, Armand Mestral et le promoteur québécois pour tenter une conciliation. « *Nous étions là,* raconte Robert Manuel [1], *devant ce type que nous ne connaissions pas, mais qui avait signé les contrats. Manifestement la faute incombait à Brel qui, dans son coin, ne disait*

1. Propos recueillis par l'auteur.

rien. Nous, nous étions sordides : " Monsieur, vous nous devez tant de millions ", etc. Et le gars essayait de se défendre comme il le pouvait. Brusquement, Brel a interrompu toutes les conversations, et il a dit : " Maintenant, ça suffit, j'en ai marre ! Je paie tout ! " Et il a tout payé, comme ça, avec une élégance prodigieuse... C'était un seigneur. Quelqu'un qui, lorsqu'il vous parlait de bateau ou d'avion, vous entraînait dans d'autres mondes... »

Cette fois, tout est consommé et la page définitivement tournée. Personne ne verra jamais plus Jacques Brel sur une scène ; fût-ce l'espace d'une comédie ou, plutôt, d'une *« tragédie musicale »* comme il aimait à définir la pièce de Wasserman, avec ce goût (un peu pompier) de la formule qui épiçait ses interviews d'une saveur toute particulière.

En ce printemps maussade, le Grand Jacques est bel et bien vivant, ainsi que l'assure le titre du spectacle de Mort Shuman ; solide comme un roc, il va bien et déborde d'activités. Outre l'escrime et l'équitation, dont il fait l'apprentissage pour le film de Molinaro, il s'apprête à suivre un long stage de perfectionnement aéronautique – car il veut s'acheter un nouvel avion – qui lui donnera le niveau de qualification d'un pilote professionnel. Mais, pour la chanson, c'est à l'imparfait qu'il faut maintenant se résoudre à parler de lui. Jamais plus, en effet, il ne viendra postillonner ses indignations, sa fureur et sa tendresse, dans le rond de lumière crue d'un projecteur de poursuite. Jamais plus il ne déploiera ces grands gestes de sémaphore dressé dans la tempête, pour mieux bousculer la bêtise, l'hypocrisie, les préjugés de tout poil et la médiocrité de cœur. Jamais plus ce rictus qui lui donnait l'air de cracher chaque mot, jamais plus cette lueur souriante au fond des yeux noyés de sueur. Jamais plus ce regard de berger, regard impitoyable et pourtant fraternel, planté droit dans celui du public. Jamais plus, surtout, cette générosité exubérante et chaleureuse. *« Orphelin jusqu'aux lèvres* [1] *»*, le public devra désormais se contenter de souvenirs et, selon

1. « Jojo ».

les propres mots de Brel, apprendre « *à ne plus (s)'habiller /
Que d'une moitié d'amour* [1] »...

Pour l'heure, cependant, l'arrêt de *L'Homme de la Mancha*, moins spectaculaire que les adieux de 1966-67, passe
un peu inaperçu dans une France qui se passionne pour les
frasques d'un ex-bagnard, Henri Charrière, reconverti dans
la littérature à succès. Son *Papillon* se vend à la cadence
inouïe de cent vingt mille exemplaires par mois, pour approcher bientôt les deux millions dans le seul Hexagone [2] !

De tels tirages ne pouvant que susciter de féroces jalou-
sies, certains s'attachent à « épingler » le Papillon en question [3], comme s'il s'agissait d'une affaire nationale de la plus
haute importance... à l'heure même où le pays, en majorité,
vient de dire « non » à de Gaulle, lors d'un référendum
fourre-tout sur la réforme du Sénat et la régionalisation.
Accusé de tentative de plébiscite par son vieil ennemi Gaston Monnerville – ancien président du Sénat, justement – et
lâché par certains de ses barons, dont Valéry Giscard
d'Estaing (qui appellera à ne pas voter « oui »...), Charles de
Gaulle prend cet échec pour un désaveu personnel, presque
comme un affront. Et bien que rien, dans la Constitution, ne
l'y oblige, il annonce dès le lendemain du scrutin sa décision
de quitter la présidence de la République. L'après-gaullisme
vient de commencer.

La veille de la dernière représentation de *L'Homme de la
Mancha*, le *Journal Officiel* publie la liste des candidats à la
succession [4]. Au regard des multiples espérances du printemps précédent, l'année 1969 semble un peu décousue,
avec son cortège de violences et d'accalmies, de révoltes et
de répressions, de progrès et d'obscurantisme. De rêve,
aussi. Ce rêve d'un monde meilleur et enfin réconcilié,
autour duquel se réuniront entre trois et quatre cent mille

1. « La colombe ».
2. Toutes éditions et traductions confondues, *Papillon* (Ed. Robert Laffont, 1969) dépassera les onze millions d'exemplaires vendus ; davantage
qu'*Autant en emporte le vent*...
3. *Papillon épinglé*, de Gérard de Villiers (Ed. Plon, 1970).
4. Les candidats à cette élection présidentielle sont au nombre de sept :
Georges Pompidou (qui sera élu le 16 juin suivant), Alain Poher, Jacques
Duclos, Gaston Deferre, Michel Rocard, Alain Krivine et Louis Ducatel.

jeunes gens aux cheveux piqués de fleurs, pour « *trois jours de musique et de paix* ». Woodstock ! L'un des principaux événements musicaux et médiatiques du siècle. Un rêve, oui, que cette colombe posée sur un manche de guitare, qu'une génération entière, née au lendemain de la guerre la plus meurtrière de tous les temps, adoptera comme signe de reconnaissance.

Un rêve qui, sans qu'on le sache encore, touche à sa fin. Jack Kerouac, le héros mythique de cette contre-culture, meurt deux mois après le festival ; seul, aigri, alcoolique et farouchement réactionnaire. Des films comme *Alices's Restaurant*, d'Arthur Penn, ou *Easy Rider*, de Dennis Hopper, ont beau entretenir l'illusion, la mort est en chemin. Comme le chantera si joliment Brassens, « *Les vrais enterrements viennent de commencer* [1] ». Après Brian Jones, des Rolling Stones, ce sera bientôt le tour de Jimi Hendrix, dont la guitare hurlant de douleur aux longs accents du *Star-Spangled Banner* [2], reste le symbole le plus poignant de ces trois jours pourtant fertiles en surprises et en émotions. Suivront Janis Joplin, Jim Morrison...

Quand ce n'est pas la guerre qui frappe, comme au Viêtnam, au Proche-Orient ou sur la frontière sino-soviétique, la mort trouve toutes sortes de subterfuges pour accomplir sa sinistre moisson. Ainsi ce match de football opposant le Salvador et le Honduras, le 24 juin, qui dégénère en véritable bataille rangée, puis en émeute, pour finir en conflit armé avec mobilisation des troupes frontalières... et plus de mille victimes. Ainsi ces manifestations estudiantines qui feront près de cent morts au Zaïre et des milliers de blessés plus ou moins graves en Argentine, au Pérou, en Espagne, en Equateur, en Californie, etc. Ainsi ces guerres civiles à prétextes religieux qui ensanglantent l'Irlande du Nord, l'Inde et le Liban. Ainsi ces meurtres rituels, comme celui de Sharon Tate, enceinte de huit mois, et ces attentats aveugles dans les gares de Rome et de Milan. Ainsi – et ce n'est pas le moins consternant –, le suicide, aux premiers jours de sep-

---

1. « Les quat'z'arts ».
2. Hymne national américain (paroles de F. Scott Key, musique de J. Stafford Smith).

tembre, de Gabrielle Russier, jeune enseignante condamnée à un an de prison pour une histoire d'amour avec l'un de ses élèves encore mineur [1]. Sans oublier la Tchécoslovaquie qui résiste de toutes ses forces à cette botte soviétique qui entend la faire plier, et dont les étudiants seront « normalisés » avec la dernière violence.

La barbarie! La barbarie partout où l'on pose le regard, pour peu que l'on feuillette la presse. Et pourtant, c'est cette même année que les hommes peuvent enfin affirmer, avec Tintin, le capitaine Haddock et les Dupond-Dupont : *On a marché sur la lune!* Le vieux rêve de Jules Verne est devenu réalité, quelques mois à peine après les lancements, presque simultanés, de deux avions révolutionnaires : le Boeing 747, si gros qu'on le surnommera *Jumbo jet,* et « Concorde », fin, racé et rapide comme un oiseau de proie ; mais un oiseau de proie capable de voler à plus de deux fois la vitesse du son... Deux semaines après son vol inaugural, les chantiers de Cherbourg sortent *Le Redoutable,* le premier sous-marin nucléaire français. Un submersible à l'autonomie prodigieuse : autre anticipation un peu folle de l'auteur de *Vingt mille lieues sous les mers.*

Les tenants du progrès triomphant peuvent pavoiser et se féliciter de la technologie *made in France* et de ses réussites spectaculaires ; ils ont raison. Comme ont raison aussi les quelques rares défenseurs de l'environnement qui s'inquiètent des retombées écologiques de telles entreprises ; ou ceux, bien plus nombreux, qui s'interrogent sur l'importance et l'opportunité des investissements entrepris, quand le SMIG horaire vient de se transformer en SMIC pour atteindre 3,27 francs, sans que cette augmentation suffise à compenser la récente dévaluation de 12,5 %.

Année charnière entre ces *sixties* flamboyantes, où tout semblait soudain possible, et une décennie difficile qui sera marquée par une crise économique aussi dévastatrice que celle de 1929 (et qui, trente ans plus tard, n'est toujours pas

1. Rappelons qu'en 1969, l'âge de la majorité légale, en France, était encore de vingt et un ans. Il passera à dix-huit ans le 5 juillet 1974. Deux chansons viendront rappeler cette triste affaire : « Des fleurs pour Gabrielle » d'Anne Sylvestre et « Mourir d'aimer » de Charles Aznavour.

résorbée), 1969 laisse en bouche un goût bien étrange. Et au cœur de l'amateur de chanson, l'irrémédiable absence de Brel... dont on peut se demander, après son dernier disque, ce qu'il pourrait bien avoir à dire de plus ; des titres comme « Je suis un soir d'été » ou « Regarde bien, petit » étant déjà, plus que des chansons, les premières esquisses d'une forme d'expression nouvelle intégrant paroles, musique, orchestration et dramaturgie dans un dessein à la fois plus vaste et moins rigide. Un dessein qui trouverait – mais nul ne peut encore le pressentir – la plénitude de son souffle, quelque dix ans plus tard, dans des œuvres aussi étonnantes que « La ville s'endormait », « Orly » ou « Knokke-le-Zoute tango ».

Brel ne sera pas le seul à tenter d'assouplir le cadre de cette chanson dont on disait, jusqu'alors, qu'il fallait qu'elle soit « carrée » pour être bonne. Mais il s'est toujours déclaré à l'étroit dans ce carcan qu'il estimait contraignant et réducteur : *« C'est un domaine très pauvre parce que bridé par toute une série de disciplines. Je vous mets au défi d'exprimer clairement la moindre idée en trois couplets et trois refrains. J'écris actuellement une chanson qui s'appellera sans doute "un enfant ". Donnez-moi dix pages et je vous expliquerai comment je vois l'enfance. Mais la chanson ne durant que trois minutes, les dix pages vont se réduire à un vers. [...] Ainsi, toutes les idées susceptibles d'être retenues viennent buter sur des questions de technique* [1]. *»*

Contrairement à d'autres – comme Léo Ferré (dès 1970), Serge Gainsbourg ou le trinôme Higelin-Areski-Fontaine – qui chercheront systématiquement, chacun dans son genre, des solutions à cette sensation d'étouffement, il n'est même pas certain que Brel se soit attelé au problème de façon délibérée. Sa démarche procède plutôt d'une évolution, d'une longue maturation, et non d'une rupture comme chez Higelin, Areski et Fontaine, qui s'évertueront littéralement à mettre en pièces toutes formes de structures, tant verbales que mélodiques, non plus que chez Ferré qui optera bientôt pour de longs récitatifs traversés de lumineuses fulgurances, ou chez Gainsbourg qui passera finalement toute sa production au laminoir du *talk over*.

1. Propos recueillis par Jean Clouzet *(op. cit.)*.

Brel ne réalisera jamais d'album conceptuel autour d'un thème ou d'une histoire unique, comme Gainsbourg avec *Melody Nelson*. Contrairement à un Ferré dont certains titres (« Et... basta ! » par exemple) couvriront des faces entières de 33 tours, il ne dépassera jamais (bien qu'allongeant sensiblement la durée de ses dernières chansons) la limite « radiophoniquement acceptable » des cinq minutes [1]. Jamais, enfin, il ne renoncera, comme les iconoclastes de la bande à Higelin, à des orchestrations et une prosodie traditionnelles.

Il n'y aura donc pas, dans le traitement formel de l'œuvre brélienne, de révolution spectaculaire ; mais une approche différente, élargie, d'une respiration plus libre – et sans doute plus universelle, puisqu'elle influencera des auteurs-compositeurs du monde entier, dont l'écriture en sera modifiée à jamais, ainsi que le confiera Tom Paxton au journaliste Claude Fléouter : « *Je commençais à me sentir bloqué en écrivant des chansons dans le style de l'Oklahoma, où j'ai été élevé. Je voulais écrire d'une façon plus théâtrale, plus dramatique, plus exaltante. J'ai entendu les chansons de Brel et j'ai compris comment il fallait faire pour écrire de manière honnête et théâtrale* [2]... »

1. De « Regarde bien, petit » à « La ville s'endormait », en passant par « La chanson des vieux amants », « L'Ostendaise » ou « J'arrive », ses chansons de la dernière époque oscillent souvent entre 4'10 et 4'40. Seule exception : « Knokke-le-Zoute tango », qui dure 5'10.
2. Propos rapportés par Claude Fléouter, alors journaliste au *Monde*, dans *Un siècle de chansons* (Presses Universitaires de France, 1988).

7

Avec ou sans Bécaud

Curieusement, c'est au moment le plus difficile pour un chanteur « à textes », aux créations de facture plutôt classique, que Jacques Brel aura réussi à imposer son génie et à bâtir les fondations de sa légende. De son premier Olympia en vedette, en octobre 1961 – juste après le triomphe mouvementé de Johnny Hallyday –, à ses adieux irrévocables, l'apogée de sa trajectoire de chanteur coïncide en effet, exactement, avec la vague yé-yé... Le yé-yé ! L'un des pires avatars qu'ait jamais connus la chanson française. Un sacrifice collectif, tragique, sur l'autel du veau d'or... et sur fond de musiques et d'arrangements à la fois criards et sirupeux (un comble !), et de paroles navrantes de platitude.

Rien à voir avec le rock'n'roll, dont il n'est qu'une piètre parodie. Un vulgaire ersatz. L'âge d'or de l'histoire du rock'n'roll est d'ailleurs révolu lorsque les jeunes Français découvrent le twist, le madison et autres mashed-potatoes. Elvis Presley est en caserne, Eddie Cochran et Buddy Holly au cimetière, et Jerry Lee Lewis devant le juge, pour avoir épousé sa cousine de quatorze ans... Non, le yé-yé n'a rien à voir avec le rock'n'roll, dont il détourne la superbe et la révolte en vague désobéissance de potaches aux flirts laborieux ; et nos rockers hexagonaux, malgré quelques dérapages affligeants, ne se laisseront pas abuser trop longtemps. D'où la permanence d'Eddy Mitchell et Johnny Hallyday à travers les modes, alors que les chanteurs yé-yé sont passés aux poubelles de l'Histoire depuis des lustres... A Eddy Mitchell, le premier, revenant le mérite de s'être désolidarisé de ce troupeau de moutons bêlant : *« Je ne suis pas un yé-yé. Je déteste le yé-yé. Ce que je chante s'appelle du rock'n'roll* [1] *! »*

En attendant, la vague prend des allures de lame de fond et il sera vain – et pour tout dire suicidaire, pendant plusieurs années – de tenter de l'affronter de face. Les valeurs les plus sûres du métier devront faire le gros dos, le temps que la déferlante s'écroule d'elle-même et que reviennent des jours plus propices. La plupart se verront contraints, en une longue traversée du désert, de réduire considérablement leur production discographique. D'autres, sans doute plus souples, choisiront de surfer sur la vague, avec un sens aigu de l'opportunisme ; ainsi verra-t-on Charles Aznavour écrire pour Sylvie Vartan [2], et Serge Gainsbourg avoir la bonne fortune de transformer France Gall en « Poupée de cire, poupée de son », avant de lui mettre en bouche, à son insu, des mots d'un érotisme sulfureux [3]...

Dans un tel contexte, Jacques Brel – que ses multiples tournées à l'étranger et ses absences prolongées mettent sans doute à l'abri de la morosité et de l'inanité ambiantes – sera l'un des seuls à tracer imperturbablement son sillon au milieu de la bourrasque. Peut-être même le seul à consolider son succès et à élargir son public, quand tant d'autres, réduits à laisser passer l'orage, tâcheront avant tout de limiter les dégâts... Toute la « vieille garde », bien sûr, n'a pas capitulé devant le phénomène yé-yé. Surtout pas Brassens qui ne fera pas moins de quatre fois l'Olympia et sept fois Bobino, en vedette, dans la décennie, sans compter son passage mémorable au TNP, en 1966, et un gala exceptionnel à l'ABC, le 12 octobre 1965, où il partage l'affiche avec Trenet. Mais, comme le dira Brel, *« Brassens, c'est Brassens ! »* : un véritable monument national, dont l'œuvre a déjà été élevée par tous, depuis longtemps, au rang des grands classiques. Une œuvre d'orfèvre qui lui vaudra bientôt le Prix de

---

1. Propos rapportés par François Jouffa et Jacques Barsamian, dans leur ouvrage : *L'Âge d'or du yé-yé* (Ed. Ramsay, 1987).
2. « La plus belle pour aller danser », 1964 (paroles de Charles Aznavour et musique de Georges Garvarentz).
3. « Les sucettes », 1966 (paroles et musique de Serge Gainsbourg).

poésie de l'Académie française et de figurer – aux côtés d'auteurs tels que Pascal, Marivaux et Zola – aux épreuves du concours d'entrée de l'Ecole normale [1].

Charles Trenet, en revanche, aura quelque peine – malgré quelques rentrées spectaculaires saluées par la critique – à se frayer un chemin au milieu des yé-yés. Ivre de sa liberté nouvelle et de sonorités inédites, la jeunesse ne se reconnaît plus en ce « fou chantant », cinquantenaire, qui roule des yeux ronds sous un petit chapeau ridicule... Jusqu'à Bécaud qui va souffrir de l'époque ! Lui le précurseur, pour lequel – huit ans avant Johnny – on cassera les fauteuils de cet Olympia flambant neuf que Bruno Coquatrix vient de rendre à sa vocation première de music-hall. Trait d'union essentiel entre les « chanteurs à textes », auxquels le rattache l'écriture assez classique de ses paroliers, et les « bêtes de scène » comme Hallyday et consorts, « Monsieur 100 000 volts », le bien nommé, se heurtera – bien avant ceux-ci – à l'incompréhension haineuse des grincheux. D'Eugène Ionesco, par exemple, qui écrit en 1957 : « *La banalité, l'imbécillité des paroles et de la musique sont aggravées chez Gilbert Bécaud par sa voix. Une voix qui ne vient ni de la tête, ni de la poitrine, mais de très bas, du ventre ou du gros intestin...* »

Précurseur, sans l'ombre d'un doute, Bécaud sera aussi le premier, dès la fin des années 50, à faire la fortune du mot « copain [2] », que les yé-yés s'approprieront comme cri de ralliement. Pourtant, malgré tous ces gages donnés à la génération montante, le créateur de « Salut les copains » ne fera pas partie des « idoles » des jeunes, et c'est à un public plus adulte qu'il devra – après s'être lui-même assagi – ses principaux succès : « Le rideau rouge », « Et maintenant », « Nathalie »... Quitte à se laisser gagner, parfois, par un populisme un peu naïf, comme dans « L'important c'est la rose » ou « Dimanche à Orly ».

1. Georges Brassens recevra le Prix de poésie de l'Académie française en 1967. Ses textes seront au programme du concours d'entrée à l'Ecole normale en 1969.
2. Avec des titres comme « C'était mon copain », « Heureusement, il y a les copains », « Nous, les copains », et surtout « Salut les copains », qui donnera son nom à l'émission (puis au magazine) de Daniel Filipacchi et Frank Ténot.

Brel, pas démagogue pour un sou, qui n'apprécie guère que l'on caresse la bête dans le sens du poil, se souviendra d'ailleurs de cette fameuse rengaine [1], jusque dans ses lointaines Marquises, où il aura le coup de patte caustique :

... nom de Dieu ! c'est triste Orly,
Le dimanche,
Avec ou sans Bécaud [2].

Reste Ferré. Léo Ferré qui, lui aussi, attend son heure. Avec des hauts et des bas, comme tout un chacun ; mais chez lui, les uns sont si exceptionnels parfois que les autres, par comparaison, procurent le vertige. Après avoir entamé la décennie en quittant Odéon pour Barclay avec un album comportant une poignée de chefs-d'œuvre (« Comme à Ostende », « Les poètes », « Merde à Vauban », « Jolie môme », « Paname »...), il devra subir pendant des années – lui, ce musicien dans l'âme – la dictature d'arrangeurs maison, incapables de le comprendre, qui l'étoufferont tour à tour sous des jazzeries incongrues [3] ou des violonades dégoulinantes. Il lui faudra attendre 1967-1968 pour voir la machine repartir à plein régime, avec deux disques magnifiques : *Salut Beatnick* et *L'Eté 68* ; avec « C'est extra », surtout, qui constituera son plus grand tube. Cette fois la jeunesse accroche. Mieux, elle reconnaît rétrospectivement la véritable dimension du vieux lion. D'autant qu'il enchaîne sans tarder avec un extraordinaire double album : *Amour-Anarchie* – en lequel on verra plus tard, de manière indiscutable, l'œuvre chantée la plus importante qui soit née des bouleversements du printemps 68.

Mais la découverte de Léo Ferré par cette génération des barricades, qui s'est enivrée d'un air de liberté jusqu'alors inconnu dans l'austère république gaullienne, n'est pas la seule résultante d'une conjoncture politique favorable à l'éternel anar. Elle s'inscrit en réalité dans l'air du temps, qui voit la vague yé-yé donner des signes d'essoufflement avec

1. « Dimanche à Orly », 1963 (paroles de Pierre Delanoë et musique de Gilbert Bécaud).
2. « Orly ».
3. Rien d'étonnant quand on connaît la passion d'Eddie Barclay pour le jazz ; mais bien inadéquat en revanche chez Ferré qui affirmait volontiers : *« Les fans de jazz ont une mentalité de boy-scouts. »*

l'apparition de chanteurs « différents », annonciateurs d'un réel retour au texte. Quitte à passer, d'abord, par une phase de dérision, dont Antoine ou Jacques Dutronc, pour ne citer qu'eux, seront les fers de lance.

Bientôt, la tendance finit par s'inverser. Le grand brassage d'idées qui a précédé, accompagné et suivi Mai 68 a redonné à tous le goût du verbe, de la phrase porteuse de sens et du dialogue. Quelques hommes neufs (et quelques femmes !) marquent, alors, cette reprise de la parole par une chanson française en pleine renaissance ; même si les premières manifestations de cette relève sont le fait d'artistes aux univers radicalement différents : Julien Clerc, Serge Reggiani, Georges Moustaki, François Béranger, Jacques Higelin, Gérard Manset, Catherine Ribeiro, Michel Sardou, Brigitte Fontaine, Maxime Le Forestier, Yves Simon, etc. Mais tout cela est encore en gestation lorsque Jacques Brel se dépouille pour la dernière fois, en mai 1969, de la cuirasse de Don Quichotte. Au moment même où un jeune hurluberlu québécois, du nom de Robert Charlebois, fait à l'Olympia – dans le spectacle d'Antoine – des débuts tonitruants en France...

C'est sans calcul médiatique que Brel se retire d'un jeu qui a fini par le lasser. Et contrairement à Georges Brassens qui s'est toujours passionné pour la chanson, le devenir de celle-ci – tout en étant conscient de ce qu'il représente, historiquement, dans la chanson française – le laisse passablement indifférent. Pas de fausse sortie, avec l'arrière-pensée d'un retour réclamé à grands cris. Pas de vaine coquetterie. Jacques Brel choisit, en toute dignité, la voie rimbaldienne du silence. Car d'autres aventures le fascinent, qui exigent du temps et de la disponibilité. Des territoires à découvrir ou à mieux explorer.

Pour l'heure, sa décision – bien que spectaculaire et mille fois commentée – n'ajoute rien à sa gloire. Ce n'est que plus tard, bien plus tard, au lendemain de sa mort, que l'on s'apercevra – comme pour Rimbaud – que le grand-œuvre de Brel se trouve être sa vie. Une vie qui va bien au-delà de sa production artistique ; ou, plutôt, qui en est l'application exacte et cohérente.

Cela, bien sûr, François-René Cristiani, jeune journaliste indépendant, ne peut le pressentir lorsqu'il parvient à réunir, autour de son micro, ceux qu'il considère comme *« les trois plus grands auteurs-compositeurs-interprètes de la chanson française depuis des années »* : Georges Brassens, Jacques Brel et Léo Ferré. Trois monuments, mais aussi trois revenants. Brassens, dont le dernier disque remonte à juillet 1966, est absent des scènes depuis près de deux ans, à cause de problèmes rénaux qui ont nécessité une double opération (mais il prépare, pour l'automne, une rentrée mémorable à Bobino : trois mois à guichets fermés). Ferré, auquel le printemps de 1968 vient d'apporter une nouvelle jeunesse, s'est expatrié en Italie pour y refaire sa vie. Quant à Brel, malgré *L'Homme de la Mancha*, on n'oublie pas que l'Olympia l'a vu faire ses adieux définitifs au tour de chant deux ans auparavant.

La rencontre a lieu aux premiers jours de 1969, le 6 janvier – un lundi, jour de relâche pour *L'Homme de la Mancha* qui se joue au théâtre des Champs-Elysées depuis le 10 décembre –, dans un appartement privé de la rive gauche, rue Saint-Placide. Atmosphère fraternelle et décontractée : une table ronde (avec le magnétophone de Cristiani posé sur un guéridon), quelques bières, la pipe de Georges, les Celtiques de Léo et les Gitanes de Jacques. Plusieurs paquets. Témoin de cette interview d'anthologie, le photographe Jean-Pierre Leloir opère en silence et fixe pour la postérité l'image des trois monstres sacrés que d'aucuns ont si souvent voulu opposer et que, soudain, l'on découvre compères, presque complices. Trois tempéraments pourtant fort dissemblables, qui se révèlent dans la manière d'aborder les réponses : Ferré argumente, Brel se contente généralement de formules lapidaires, et Brassens ne résiste jamais au plaisir d'un mot plein de malice. Ainsi, ce *« Tu es toujours seul, partout, tout le temps. Et tu n'es pas le seul, d'ailleurs... »* qu'il lance à Brel ! Trois attitudes face à la vie, que chacun résume à sa façon lorsque Jacques pose la question de savoir ce que l'on fait devant l'obstacle, devant un mur : est-ce qu'on passe à côté, est-ce qu'on saute par-dessus, ou est-ce qu'on le défonce ?

— Brassens : Moi, je réfléchis !
— Brel : Moi, je le défonce ! Enfin, j'ai envie de prendre une pioche...
— Ferré : Moi, je le contourne [1] !

Et puis, comme « *il n'y a pas trente-six sujets* », constate l'auteur du « Gorille », ils en viennent à parler de la mort. Tout naturellement, « *comme (on) parle d'un fruit* », ainsi que le chantera Brel dans sa toute dernière chanson [2]. Et c'est encore Brassens, malicieusement, qui met l'accent sur leurs différences d'âge, en désignant Jacques du bout du tuyau de sa pipe : « *L'autre, là, il est plus jeune que nous* [3]... » Manière de dire que Brel, en toute logique, devrait être le dernier des trois à faire le grand saut... Pouvait-il savoir, le bon Georges, que moins de dix ans après, c'est à lui que l'hebdomadaire *VSD* demanderait d'écrire la nécrologie du Grand Jacques ?

---

1. Cette longue interview, parue en février 1969 dans le mensuel *Rock & Folk* et diffusée aussitôt, mais partiellement, sur les ondes de RTL, a été récemment et intégralement republiée – pour la première fois dans la presse depuis lors –, complétée de certains extraits non utilisés à l'origine et enrichie de photos inédites (avec une introduction remettant la rencontre dans son contexte, à travers les propos de Cristiani et Leloir), par la revue *Chorus – Les Cahiers de la chanson* (« Brassens, Brel, Ferré : la rencontre historique » : n° 20, été 1997).
2. « Les Marquises ».
3. En janvier 1969, Léo Ferré, Georges Brassens et Jacques Brel ont respectivement cinquante-deux, quarante-sept et trente-neuf ans (Brel aura quarante ans le 8 avril).

8

Des rêves plein les poches

« *Celui qui n'a pas lu* Mon oncle Benjamin, *de Claude Tillier, ne saurait être de mes amis* », aimait à répéter Brassens – toujours lui – lorsqu'il parlait de littérature avec son entourage. Mise en garde bonhomme qui frappa tellement Edouard Molinaro, le cinéaste, après l'une de ces conversations, qu'il se procura bientôt l'ouvrage devenu rare [1], le lut et, enthousiasmé, en ébaucha rapidement une adaptation cinématographique.

Jacques aussi connaît le livre – sans doute pour les mêmes raisons. Le personnage lui plaît : grande gueule et poète, rêveur et séducteur, bon vivant mais doué de commisération, cultivant l'amitié autant que l'imprudence, le panache comme le goût de la liberté. Volontiers provocateur, c'est un mélange pétillant de Till Eulenspiegel et de Cyrano de Bergerac. La générosité du sujet, ajoutée à la verve rabelaisienne et à l'humour de son auteur, font de ce roman enlevé, impertinent et bon enfant, un ouvrage qui mérite, il est vrai, une place de choix dans les bibliothèques, entre Diderot ou les *Contes* de Voltaire et les grands feuilletons d'Alexandre Dumas.

Publiée au début du XIXᵉ siècle, en plein romantisme, l'histoire de ce Benjamin Rathery, présenté par Claude Tillier comme étant le grand-oncle de sa mère, traduit exactement la personnalité de son auteur. C'est l'œuvre d'un instituteur de province se tenant à l'écart des cercles litté-

---

1. *Mon oncle Benjamin*, de Claude Tillier (W. Coquebert Editeur, 1843).

raires de la capitale et naviguant, avec la même irrévérence enjouée que son héros, à contre-courant de tous les conformismes, y compris ceux régentant les canons esthétiques du moment. Dès sa parution, d'ailleurs, la critique verra en *Mon oncle Benjamin* un ouvrage démodé et vieillot ; alors que son humour, son libertinage léger et sa gaillardise frondeuse lui valent aujourd'hui de rester un roman moderne – a contrario de nombre de « classiques » romantiques dont la nature s'est depuis longtemps révélée indigeste. Pour preuve de cette pérennité, Edouard Molinaro ne sera ni le premier ni le dernier metteur en scène à s'intéresser au livre de Tillier. Dès 1923, en effet, René Leprince en a réalisé une version muette, avec Léon Mathot dans le rôle principal ; tandis que le cinéaste soviétique Gueorgui Daniel en donnera sa propre vision, en 1970, presque simultanément à celle du réalisateur de *La Cage aux folles* [1].

Lorsqu'il propose à Jacques de jouer Benjamin, Molinaro lui offre également de participer à l'adaptation ; ce qui vaudra au film des scènes tout droit sorties de certaines chansons de Brel. Celle, par exemple – digne des « Bourgeois » –, où le héros montre ses fesses à la cour du marquis de Cambyse qui l'a publiquement humilié ; celle où il évoque les Flamandes avec un accent de circonstance plus belge que nature ; celle, encore, de la mort de son ami Minxit – qui relève à la fois du « Dernier repas » et du « Moribond » –, quand le vieil épicurien (joué par Paul Frankeur) retient les larmes de ses proches en déclarant : *« Je ne veux pas que ma mort soit pleurée... »*

Le tournage se déroule pendant l'été 1969, sur les lieux mêmes où Claude Tillier, natif de Clamecy, a situé son action : près de Vézelay, en Bourgogne. Le temps est magnifique et l'ambiance si détendue que les comédiens ont presque l'impression de se trouver en vacances. Ce

1. Outre les films mentionnés, le roman de Claude Tillier fera l'objet d'une comédie musicale (livret d'Ivan Biétrix, musique de C. Lévadé, créée à Nice en 1930), d'un opéra (livret de Jean Drouillet, musique de Mme J. Drouillet, joué sur les lieux de l'action, dans le Nivernais, en janvier 1938) et d'un opéra-comique (livret de M. Ricou, musique de François Bousquet, donné pour la première fois à Roubaix, en 1939, et repris à l'Opéra-Comique de Paris, en 1941).

qui n'empêche pas le professionnalisme : ainsi Jacques, après avoir travaillé plusieurs semaines avec le maître d'armes, Claude Carliez, à l'apprentissage de l'escrime et de l'équitation, continue-t-il à s'entraîner quotidiennement pour acquérir une aisance naturelle, au trot enlevé ou dans le maniement de la rapière. Comme toujours, lorsqu'il s'agit pour lui d'assimiler de nouvelles techniques, il fait preuve d'un sérieux et d'une opiniâtreté qui étonnent et forcent l'admiration de ses instructeurs. Et Claude Carliez, à l'issue du tournage, ne s'en cachera pas : *« J'ai trouvé là un émule de Jean Marais, Belmondo ou Delon. Et j'ai été d'autant plus surpris que Jacques Brel n'avait pas la carrure que l'on prête habituellement à ce genre de sportifs. Mais il en a la combativité. Aucune peur chez lui, pourtant nous travaillions avec de vrais fleurets, juste mouchetés. [...] Sa vivacité d'esprit et de mouvements lui ont permis de monter et de se battre comme s'il avait eu de ces exercices une grande pratique* [1]*... »*

C'est visible : Jacques s'amuse ! Il retrouve dans son personnage et certaines scènes un esprit bruegelien assez proche du climat de *La Kermesse héroïque*, ce film de Jacques Feyder qu'il a beaucoup aimé et qu'il lui arrive de citer. Un esprit, à vrai dire, assez flamand. Quant à Benjamin, c'est lui ! Bien plus, en tout cas, que les héros de ses films précédents. Il s'en défend néanmoins, mais seulement pour la forme, avec son goût habituel des paradoxes : *« Je suis le contraire de Benjamin ; mais aussi son frère. J'aime son côté vengeur, sa soif de liberté ; mais je ne partage pas, à la ville, sa passion pour la débauche. Je suis un calme. Un solitaire. Un ennemi juré du scandale. »* Soit ! Il n'empêche que ce Benjamin, qui s'écrie : *« Je ne veux pas finir ma vie dans la peau d'un médecin de campagne, et le monde est grand ! »*, ressemble singulièrement à certain chanteur, s'ouvrant, dans les nuages et sur les vagues, de nouveaux territoires pour l'aventure et le rêve, et refusant par avance de :

Cracher sa dernière dent
En chantant « Amsterdam » [2] !

1. Propos reproduits dans *L'Information du Spectacle* (décembre 1969).
2. « Vieillir ».

En marge du travail, Jacques noue des amitiés. En particulier avec Alain Levent, le chef opérateur, qui travaillait déjà sur le tournage de *La Bande à Bonnot*. Sa méthode n'a pas changé depuis l'époque de la rue de Tournon avec Jojo : toujours d'interminables discussions qui se prolongent tard dans la nuit, autour d'une litanie de demis. C'est souvent ainsi que viennent les meilleures idées – Cavanna l'affirmait un jour : « *On ne réfléchit vraiment qu'à haute voix ; tout seul, on rêvasse...* » ; les meilleures et parfois les plus folles : comme faire un film, par exemple. Un film qui serait bien à eux : un film *de* Jacques. Levent s'enthousiasme : il en est ! Et il en sera... Car Brel, tels ces gamins qui se mettent au pied du mur, d'un « chiche ! » lancé à la cantonade, adore ces paris déraisonnables où tout se décide sur un coup de cœur. Et puis, ne faut-il pas toujours « *aller voir* » ?

Quand la discussion s'achève enfin, parfois au point du jour, et que chacun regagne sa chambre pour un repos des plus brefs, Jacques travaille encore – avant de s'écrouler sur son lit [1] – à quelques projets. Aux premières ébauches des chansons qu'il a promises à son ami Maurice Huysmans, directeur du théâtre de la Monnaie, pour *Le Voyage dans la Lune*, une comédie musicale, destinée au jeune public, que celui-ci compte monter en janvier prochain ; aux idées, en vrac, qui vont s'agencer finalement pour donner *Franz* ; à l'esquisse, aussi, d'un synopsis dont il ignore encore s'il veut en faire une nouvelle tragédie chantée, une pièce de théâtre ou un film – mais qui restera lettre morte, bien qu'il en ait choisi le titre : *Les Vieux, ou le Droit au mensonge*, et qu'il songe déjà à Barbara et à Serge Reggiani pour les rôles principaux.

L'argument repose sur un « *vieux [qui] ment comme un fou. Il réinvente sa jeunesse. Enfin, il se réinvente des choses. Il ne se ment pas, il réinvente : il arrange...* » Sur un cahier d'écolier à spirale, Brel jette ces quelques lignes qui précisent le sujet, le situent et annoncent les personnages : « *Dans un asile, une*

---

1. A Dominique Arban qui l'interroge pour France-Culture, en décembre 1966, il confiera : « *Les soirs où je m'évanouis plutôt que je m'endors, je me dis que c'est une belle journée, c'est une bien belle journée...* » Entretien reproduit dans *Cent pages avec Jacques Brel*, par D. Arban *(op. cit.)*.

nuit de Noël. Des malades qui se connaissent depuis longtemps. Des vieux – en principe trois femmes et trois hommes. Ils se sont raconté leur vie déjà cent fois. Un infirmier un peu brute et une bonne sœur. Arrive un nouveau malade à qui on fait raconter sa vie. Il ment, bien sûr, et chaque fois un des autres lui démontrera son mensonge. Le récit de sa vie est une longue histoire d'amour. Et toujours nous retrouvons la même femme et le même amour impossible. D'autre part, il est nécessaire d'avoir une histoire intérieure aux 6 + 1 malades + le gardien et la bonne sœur. Le tout [les histoires] *sont jouées par les mêmes comédiens* [1]. »

Les Vieux n'ira jamais beaucoup plus loin que ces quelques phrases ; mais *Franz* (le premier film de Jacques Brel comme réalisateur) reprendra cette idée de personnages qu'une vie trop banale a rendus immobiles et qui, dans un monde clos, se réinventent un passé plus conforme à leurs rêves. Tout en s'acharnant en l'occurrence, avec un sadisme évident, à traquer le mensonge dans les récits de celui qui fait ici figure d'intrus : Léon, le plus vulnérable d'entre eux – car le plus innocent. Un personnage dérisoire que l'acteur Brel arrivera à rendre pathétique.

Mon oncle Benjamin reste l'un des meilleurs films joués par Jacques Brel. Celui qu'il déclarait préférer, en tout cas, quand on lui posait la question en privé. Celui aussi, peut-être, dont le succès résiste le mieux à l'épreuve du temps, malgré un nombre d'entrées plutôt moyen lors de sa première exclusivité (deux cent mille spectateurs sur Paris et sa périphérie, contre six cent mille pour *L'Emmerdeur*, l'autre film du tandem Brel-Molinaro). Mais un film qui, passé l'heureuse surprise de la révélation d'un nouveau talent, ne fera pas l'unanimité de la critique. Si Michel Aubriant, de la revue *Cinéma*, y trouve « *Jacques Brel aussi dynamique dans les scènes d'action que savoureux dans les scènes de beuveries et de séduction* », ajoutant que « *Brel a non seulement du tempérament et une présence physique, mais également une dimension intérieure* », Michel Mohrt, dans *Carrefour*, n'y voit qu'une

---

1. Archives de la Fondation internationale Jacques Brel. Texte reproduit en fac-similé dans le bulletin trimestriel de la Fondation (faute d'accord de la dernière phrase incluse).

pantalonnade lourde et vulgaire, et n'épargne pas l'acteur : « *La manière, flamande je pense, plus que gauloise, me paraît détestable.* » Réaction épidermique, que n'étaye aucune analyse véritable, et qui tranche radicalement avec celle de Jean Rochereau, dans *La Croix* : « *Molinaro a révélé un talent jusqu'ici plutôt mal employé au cinéma : celui de Jacques Brel. Peu chantant (mais juste à l'occasion), toujours alerte, bondissant, vif-argent, gueule sympa, moins truculent que spirituel, plus proche de Montaigne que de Rabelais, mais à coup sûr, et de façon très plausible, grand cœur et âme généreuse, n'est-ce pas assez ? Une composition qui vaut un récital.* »

Rochereau a raison de le souligner : Brel chante dans le film. C'est la première fois depuis qu'il a changé de métier. Trois chansonnettes de circonstance. La première, « Buvons un coup » – vers de mirliton et refrain bachique comme il y en a tant –, illustre un banquet bien arrosé, en compagnie de ses acolytes (Paul Préboist, Paul Frankeur, Alfred Adam et Armand Mestral). Les deux autres, en revanche, possèdent un ton nettement plus brélien. Ainsi, « Mourir pour mourir », que Benjamin, emprisonné, chante à ses voisins de peine :

Le cœur appuyé sur les amis de toujours,
Mourir pour mourir
Je veux mourir de tendresse ;
Car mourir d'amour ce n'est mourir qu'à moitié.
Je veux mourir ma vie avant qu'elle ne soit vieille
Entre le cul des filles et le cul des bouteilles.

Six vers libres au long desquels, de l'amitié à la tendresse, en passant par la hantise de vieillir, le pied de nez à la camarde, le coup de patte à l'adresse des femmes et l'ivresse salvatrice de « L'ivrogne », on trouve un véritable condensé de tous les grands thèmes du chanteur.

Enfin, « Les porteurs de rapières » – fredonnée sur le chemin d'un duel à l'issue incertaine – s'inscrit dans la longue série de ces bravades que Jacques aime à lancer au visage de la mort, comme pour se convaincre qu'il ne la craint guère.

Je veux que sur ma pierre
On inscrive ceci :
« Il est mort sans colère
Benjamin Rathery. »

Commencé dans l'euphorie générale, le tournage de *Mon oncle Benjamin* va être brusquement endeuillé : la femme d'Edouard Molinaro, pilote de grande expérience, se tue en vol ! Un accident qui, au-delà de son amitié pour le metteur en scène, touche Jacques tout particulièrement. Car l'avion est devenu pour lui une passion dévorante. Une passion à laquelle il va se consacrer de façon plus intensive encore dans les mois à venir. Il a décidé de s'acheter un nouvel appareil, plus puissant que le précédent, et vient de s'inscrire dans une école de Genève, pour un stage de vol aux instruments : un degré de qualification rarement atteint par un pilote amateur.

9

Je volais, je le jure

Voler !

La belle affaire...

Une chimère, pour l'humanité, qui remonte aux sources de la mythologie. Mais une chimère à laquelle cet aventurier de l'esprit qu'était Léonard de Vinci entreprendra d'apporter un semblant de réalité, dès l'aube du XVIᵉ siècle. Une folie, sans doute, qui attendra 1890 pour se concrétiser vraiment, quand Clément Ader réussira pour la première fois à arracher du sol un engin plus lourd que l'air, capable d'emmener son pilote par ses propres moyens. Bien modestement, peut-être : un bond d'une vingtaine de centimètres, tout au plus, sur quelques dizaines de mètres. Mais un progrès fabuleux qui conduira l'homme, en moins de quarante ans, par-delà les océans les plus vastes, les montagnes les plus infranchissables, les déserts les plus hostiles. L'une des plus grandes épopées humaines, écrites avec une audace et une ténacité inouïes par quelques poignées de héros aux noms entrés dans la légende : Orville et Wilbur Wright, Santos-Dumont, Louis Blériot, Thérèse Peltier, Roland Garros, Charles Lindbergh, Nungesser et Coli, Costes et Bellonte... Sans oublier la fameuse équipe de l'Aéropostale de Didier Daurat : Mermoz, Guillaumet, Saint-Exupéry... Des noms qui, au panthéon personnel de Jacques, le disputent désormais à ceux de Magellan ou Vasco de Gama.

Voler ! L'idée, on le sait, est venue à Brel à bord d'un petit appareil d'aéro-club, loué avec un ami québécois pour l'après-midi, lors de sa tournée canadienne de février 1964 en compagnie de Raymond Devos. Survolant le Saint-Laurent, du Mont Royal jusqu'aux rapides de Lachine, flirtant avec les nuages, il revient émerveillé de sa virée dans le ciel québécois. L'avion a tout juste regagné le sol que Jacques – déjà abonné à ces longs courriers intercontinentaux qui lui permettent de chanter le soir à Montréal, le lendemain à Bandol et le surlendemain à Moscou – déclare à Jojo, qui l'accompagnait : *« C'est décidé, dès notre retour en France, je m'y mets. J'apprends à piloter ! »*

Outre le plaisir qu'il a pris à cette expérience nouvelle, le chanteur a compris aussi à quel point l'avion privé pourrait faciliter ses déplacements professionnels. Surtout entre ces villes de province non reliées par des lignes régulières, mais parfois très distantes les unes des autres, dans lesquelles il se produit quasi quotidiennement, ce qui l'oblige à d'incessants marathons automobiles. Or la France de 1964 ne possède qu'une couverture autoroutière des plus restreintes. A peine six cent cinquante kilomètres, concentrés principalement autour des grandes agglomérations, déjà mieux desservies que les autres par voie ferroviaire. Reste un réseau routier, sans doute dense et bien entretenu, mais dont les meilleurs axes convergent tous vers Paris, au nom du sacrosaint principe de centralisation et de la stratégie de la toile d'araignée.

Jojo a beau conduire la plupart du temps, ces étapes n'en sont pas moins interminables. Et harassantes pour Jacques. Dangereuses aussi, à la longue. Il n'est que de voir la liste impressionnante des artistes ayant laissé leur vie ou leur santé, en tournée, dans des accidents de la route... Parmi les proches de Jacques, l'exemple d'Isabelle Aubret est encore vif.

Tout cela plaide en faveur de l'avion, seul capable de raccourcir les distances en abrégeant le temps. Jacques et son équipe en auront bientôt la démonstration, quand il s'agira pour eux de se produire le dimanche soir à Biarritz et le lendemain lundi, en fin d'après-midi, à Charleville. Plus de onze cents kilomètres en voiture : seize à dix-sept heures de route, au bas mot. C'est-à-dire toute la nuit à rouler, et presque la journée aussi, pour arriver fourbus et poisseux, quelques instants seulement avant de monter sur scène... Mais à peine quatre heures en avion ! Jacques a beau aimer les défis impossibles, son choix est vite fait.

Le pilote qui les emmène, Corti, Jouannest et lui, s'appelle Paul Lepanse. C'est un as. Grand, sec et le regard transperçant. Un personnage haut en couleur, qui a conservé son franc-parler d'ancien de l'Aéronavale. Pilote d'essai, instructeur et avion-taxi à l'occasion, Lepanse est une figure. Et un nouveau coup de foudre pour Jacques : c'est avec cet homme-là qu'il apprendra !

Justement, Paul Lepanse donne des cours à Toussus-le-Noble, aux portes de Paris. Malgré un emploi du temps surchargé, qui obligera son moniteur à lui aménager des horaires flexibles, Jacques Brel passe très rapidement son brevet de premier degré. Une grosse partie théorique, assez ardue pour le néophyte, surtout lorsque celui-ci a quitté l'école à seize ans pour ne pas tripler sa troisième ! Et pour la pratique, une dizaine d'heures de vol avant le premier lâcher en solo. En général, la plupart des débutants, pour se sentir à l'aise et commencer à maîtriser la machine, ont besoin d'une quinzaine d'heures derrière le manche à balai. Mais Paul Lepanse assure que Jacques est un élève particulièrement doué. Un élève pourtant modeste, parmi d'autres, qui aborde son apprentissage – sans jamais jouer à la star [1] – avec une concentration et des facultés d'assimilation stupéfiantes.

Sitôt son premier degré en poche, Brel achète un avion. Un « Gardian Horizon » de couleur crème, sur les ailes duquel, en grosses lettres noires, s'inscrit le code d'immatriculation F-BLPG, formule que l'on épelle en clair *France-Bravo Lima Papa Golf*, durant les échanges radio, pour éviter toute erreur d'identification. Dès lors, Jacques vole... Le plus possible. Le plus souvent possible. Accumulant les heures de pratique, il brûle les étapes et obtient rapidement son second degré : le brevet de pilote privé, qui lui donne le droit d'emmener des passagers, où bon lui semble. Si la licence de base permet seulement de voler dans un rayon de

1. Rappelons que 1964 est quand même l'année d'« Amsterdam » !

trente kilomètres autour d'un terrain, celle de pilote privé, en effet, ne fixe plus aucune limite de distance.

Les rares contraintes, désormais, sont liées à l'autonomie de l'appareil et, bien sûr, aux qualifications du pilote ; chaque changement de type d'avion nécessitant une formation spécifique. Pour l'instant, Jacques ne peut piloter que des monomoteurs à hélice : restriction secondaire, pour le débutant qu'il est encore, qui ne va pas l'empêcher d'effectuer une longue incursion au-dessus de la Méditerranée, en compagnie de Lepanse, au cours de l'été 1966. Une randonnée aérienne de près d'un mois, qui les mènera jusqu'à Beyrouth, via la Corse, Naples, Athènes, Rhodes, Chypre et la Crète, avec retour par la Turquie, la Macédoine et Corfou.

Errance organisée, à l'aide de plans de vol précis et de *checks* méthodiques avant chaque décollage. Aventure et rigueur : tout Brel est là ! Un Brel vivant grandeur nature ces récits de Saint-Exupéry qui ont tant fait rêver son enfance grisaillée. Et comme du temps de Saint-Ex, il embarque un mécanicien pour le périple : André Dorfanis, ex-officier de l'Indo, capable, à l'entendre, de vous désosser n'importe quel moulin en un tournemain et de le remonter aussi sec ! Mais le *Bravo Lima Papa Golf* se comporte bien, et c'est sans encombre que les trois hommes bouclent leur tour de Méditerranée le 1ᵉʳ juillet, en atterrissant à Cannes, à l'heure prévue par le plan de vol. Rien à dire : s'il n'en possède pas les qualifications, le pilote Jacques Brel montre déjà un esprit et un comportement de pro.

D'un naturel désireux de partager ses coups de cœur avec ses proches, Jacques pousse Jojo à passer son premier degré. Miche aussi va prendre quelques leçons. Seule Sylvie, qui a peur de l'avion malgré son passé d'hôtesse de l'air, ne partagera jamais la nouvelle passion de son compagnon. Sans qu'aucun des deux le sache encore, cela constituera la première fissure irrémédiable dans leur histoire d'amour. Sylvie n'a pas bien mesuré, tout simplement, ce que représentait l'avion pour Jacques : plus qu'une passion, un besoin vital. *« L'avion est le seul endroit où je n'ai pas besoin de musique* [1] *»*,

---

1. Emission de RTL, déjà citée, au cours de laquelle Brel répond aux questions de quelques femmes célèbres, dont Irissa Pélissier (juin 1966).

confiera-t-il à Irissa Pélissier, l'aviatrice qui vient de réussir la traversée de l'Atlantique Sud, de Dakar à Natal, sur un « Wasmer Super 421 » – petit monomoteur en bois et toile, parfaitement anachronique à l'heure de la Caravelle et du Boeing 707. Et d'ajouter, comme pour donner plus de force encore à sa confidence : « *La musique est peut-être mon besoin le plus essentiel dans la vie. Musique classique, d'ailleurs. C'est mon appétit le plus féroce. Et quand je suis en avion, eh bien, je n'ai besoin d'absolument rien. Ça me comble tout. [...] Je crois que les mots sont les ennemis de l'aviation. Toutes les sensations aéronautiques ne s'expliquent que très difficilement. [...] C'est physique. C'est une chose animale. Ça touche plus à l'euphorie qu'au bonheur.* »

L'exploit de la jeune femme – dont il dira, toute misogynie bue : « *Ça me réconcilie avec la gent féminine, quand je vois des femmes agir...* » – impressionnera tellement Jacques, que c'est précisément un « Wasmer Super 421 », écarlate, qu'il s'achètera au lendemain du tournage de *Mon oncle Benjamin*. Mais déjà, il s'est rendu à Genève pour s'informer de stages d'un niveau supérieur, prenant rendez-vous pour passer son brevet de pilote professionnel. Rien de moins !

Octobre 1969. Lorsqu'il débarque la première fois dans les locaux de l'école *Les Ailes*, à quelques centaines de mètres de l'aéroport de Cointrin, il porte encore les cheveux longs de *L'Homme de la Mancha*. Une apparence qui effraie un peu Monsieur Saxer, le directeur de l'établissement : un Suisse allemand aux principes rigides, qui n'a jamais entendu parler de Jacques Brel et se méfie d'expérience de ces artistes qui, sous peine qu'ils ont les moyens, viennent en dilettantes suivre quelques cours pour disparaître aux premières difficultés sérieuses. « *Essayez donc de voir ce que vous pouvez en faire* », conseille-t-il à Jean Liardon, un de ses meilleurs instructeurs, en lui confiant le chanteur. Au reste, Jacques ne sera pas le seul « phénomène » tombé entre les mains de Liardon, qui vient déjà d'hériter d'Herbert von Karajan...

Liardon : un nom des plus respectés dans les milieux aéronautiques suisses, car Francis – le père de Jean –, ancien commandant d'escadrille pendant la guerre, a été sacré champion du monde de voltige aérienne, en 1959. Puis il assumera les fonctions d'inspecteur général de l'Office de l'air. Dans un premier temps, Jean Liardon – qui ne veut pas risquer de passer pour un fils à papa – va résolument choisir une autre voie. C'est donc vers l'architecture que ses études le mènent tout d'abord ; ouvrant son propre cabinet, une fois son diplôme obtenu. Mais s'il arrive que l'on échappe à son destin, il est pratiquement impossible, en Suisse, d'échapper à l'armée... et le jeune homme finit par se retrouver pilote de chasse. Gagné pour de bon par le virus de l'aviation, et le pouvoir de persuasion du patron des *Ailes* faisant le reste, il capitule et troque sa table à dessin contre un manche à balai.

Né en 1941, Jean Liardon n'a que vingt-huit ans lorsqu'il fait la connaissance de Jacques Brel, qui en a quarante. Vaudois, souriant, détendu et cultivé, chaleureux à l'extrême, aimant la bonne chère et les conversations animées, il respire la sympathie, l'intelligence et la compétence. Le calme et l'assurance aussi ; qualités indispensables pour affronter n'importe quel imprévu, quand on vole en biréacteur, à plus de cinq mille mètres d'altitude, avec charge de passagers...

Conformément aux instructions reçues, Liardon jauge son élève. Sans complaisance particulière, bien qu'il sache parfaitement, à l'inverse de son patron, qui est Jacques Brel : un chanteur qu'il apprécie et dont il doit même posséder quelques disques... Mais cela, c'est évident, ne saurait entrer en considération dans la cabine exiguë d'un simulateur de vol. Les premières relations entre les deux hommes, bien que fort courtoises, ne dépasseront donc jamais le cadre professionnel. Plus tard, examens passés et réussis, Jean Liardon deviendra l'un des amis les plus chers de Brel. L'un de ses proches, même. Au point d'être admis, fait exceptionnel, à assister aux séances d'enregistrement de son ultime album. Et c'est Liardon, fidèle de Jacques jusqu'au dernier souffle, qui – prévenu en pleine nuit – le ramènera d'urgence à Paris, l'avant-veille de sa mort. Alors, avant de s'abandonner aux mains des infirmiers qui l'attendent sur le tarmac du Bourget, le moribond – déjà conscient de sa défaite – adressera au pilote, ému jusqu'aux larmes, cette phrase bouleversante d'affection : « *Jure-moi de ne jamais être malade !* »

Une amitié en granit. La seule des grandes amitiés de Jacques à ne pas être née d'un coup de foudre.

Aux *Ailes,* la formation suivie par Brel comportera trois stades : la licence de pilote professionnel, le vol aux instruments et la qualification bimoteur. En fait, les trois sont liés : pour obtenir la licence pro, il faut obligatoirement savoir voler aux instruments, ce qui conduit en toute logique à passer au bimoteur. Un programme étalé sur neuf mois, proposant quatre à six heures de théorie par jour, soixante-dix heures de simulateur de vol et une cinquantaine d'heures de pilotage effectif, dans des conditions nouvelles pour Jacques, beaucoup plus difficiles que ce qu'il a connu jusqu'alors. Il apprend à sortir par tous les temps, y compris la nuit, quelle que soit la visibilité. C'est d'ailleurs le but de l'opération : voler en se fiant uniquement aux instruments de bord et à la tour de contrôle. Ce qu'on appelle IFR – *Instruments Flight Rules* – en jargon aéronautique.

Contrairement aux appréhensions de Monsieur Saxer, Jacques Brel n'est pas un fantaisiste. Karajan non plus – mais ça, personne n'en a jamais douté ! C'est avec autant de rigueur et d'assiduité que, malgré des emplois du temps chargés, le chanteur et le maestro poursuivent leur stage. L'un et l'autre réussiront du premier coup leur « check IFR » et obtiendront leur licence de copilote de jet avec qualification sur *Lear 25* : un biréacteur de neuf places, fréquemment utilisé comme petit avion de ligne par les compagnies privées. Liardon rêve alors d'une sortie commune Brel-Karajan... Mais l'opportunité ne se présentera jamais, pour des questions de disponibilité réciproque. En fait, bien que suivant une formation identique, avec le même instructeur, les deux célébrités ne se rencontreront pas ; chacun possédant son propre calendrier, très précis, adapté à ses multiples obligations. Karajan surtout, car Jacques s'est presque installé à demeure pour la durée de son stage.

Etant seul, au début, Brel loge à L'Escale, un petit hôtel situé dans le même corps de bâtiment que l'école ; puis, sa compagne venant le rejoindre, il loue un studio à Cointrin. S'il n'a pas l'occasion de fréquenter le chef du Philharmonique de Berlin, Jacques ne s'en lie pas moins avec d'autres stagiaires, plus anonymes, certes, mais chez lesquels il devine une envie d' « *aller voir* » jumelle de la sienne. Camaraderies nouées autour d'un effort commun, d'un rêve partagé. L'un des pilotes aspirants parle-t-il d'abandonner, faute de pouvoir assumer jusqu'au bout le coût faramineux de sa formation ? Aussitôt, Jacques s'arrange pour régler le problème, le plus dignement – et discrètement – possible. Pour éviter de froisser d'éventuelles susceptibilités. « *Mettez ça sur mon compte.* » Comme s'il s'agissait d'une simple tournée générale au bar de l'aéro-club ! Générosité somptueuse, l'heure de vol de jet – hors de portée du simple particulier – coûtant au bas mot dix à douze mille francs de l'époque... Mais l'argent, aux yeux de Brel, ne mérite pas qu'on en fasse un obstacle – pas plus aujourd'hui qu'à l'époque des sandwiches au camembert –, ni qu'on s'attendrisse en vaine reconnaissance : un sentiment embarrassant pour tout le monde... dont, au grand dam de Canetti, Jacques a déjà dit ce qu'il pensait.

Pour le reste, Brel est un élève sans histoire. Attentif et travailleur, sans aucun doute, mais loin du surdoué évoqué par Paul Lepanse. Sur ce point, l'avis de Jean Liardon est beaucoup plus nuancé : « *Il était normalement doué, mais très accrocheur, très consciencieux, très volontaire. Pour le vol aux instruments, il était d'un niveau assez standard ; par contre, il s'intéressait beaucoup à la navigation et à la météorologie, et là, il était vraiment remarquable* [1] *!* »

Une fois sa licence PP-IFR [2] obtenue, le 17 avril 1970, des rumeurs plus fantaisistes les unes que les autres se mettront à circuler sur Jacques Brel. Des rumeurs, souvent colportées par de soi-disant proches, à partir de boutades lancées par Jacques à la volée. Ainsi prétendra-t-on qu'il voulait travailler comme pilote pour la Sabena, et que ses démarches en ce sens auraient été proches d'aboutir. Réponse de Jean Liardon : « *Sa licence lui donnait, effectivement, le droit d'en faire la demande, et cela aurait peut-être pu se faire s'il avait eu vingt-cinq ou vingt-huit ans. Mais Jacques était déjà trop vieux*

1. Propos recueillis par l'auteur (voir annexes).
2. PP-IFR : Professional Pilot-Instruments Flight Rules.

lorsqu'il a passé son brevet ; aucune compagnie ne songerait à embaucher un copilote de quarante et un ans. C'est beaucoup trop tard. »

Autre affabulation : Jacques aurait parlé de s'engager, toujours comme pilote, aux côtés des mercenaires du Katanga. Là encore, Liardon rectifie, avec un large sourire : *« C'était une blague ! Jacques disait parfois qu'il aimerait piloter en Afrique, pour poser un Boeing en pleine forêt vierge ; mais, bien sûr, il n'a jamais songé à se faire mercenaire. Par contre, il est vrai qu'il aurait aimé faire de l'aéronautique de manière un peu plus poussée ; mais pas dans le secteur commercial. Il a même été question, à un certain moment, qu'il devienne instructeur chez nous, car il s'intéressait beaucoup à la formation. Cela a été un projet sérieux vers l'hiver 73-74, puis il est parti en bateau, il y a eu sa maladie et on n'en a plus jamais reparlé. Plus tard, il m'a écrit des Marquises pour que l'on étudie ensemble les problèmes de largage de courrier dans les îles autour d'Hiva Oa. Il était d'ailleurs prévu que j'aille là-bas, voir la chose avec lui, sur place. Mais son appareil ne se prêtait pas du tout au largage, à cause de la porte située juste au-dessus de l'aile. Enfin, il projetait sérieusement de développer les relations aériennes aux Marquises. Il avait envie de se mettre au service des gens et, bien entendu, tout ça était gratuit. Simplement pour le plaisir de voler* [1]*... »*

---

1. Propos recueillis par l'auteur.

10

Un espoir fané

Jacques va bien. C'est même en pleine forme qu'il aborde la décennie nouvelle ; n'en déplaise à ces « je-sais-tout » de la treizième heure qui affirmeront, lorsque son cancer sera rendu public, qu'il se savait malade depuis longtemps, raison pour laquelle il avait renoncé à la scène puis interrompu les représentations de *L'Homme de la Mancha*... Foutaises ! L'hypothèse, en effet, est absurde. La preuve ? Pour obtenir sa licence de pilote professionnel, chaque candidat doit se soumettre à une série d'examens médicaux d'une impitoyable sévérité. Le postulant est ausculté, radiographié, examiné sous toutes les coutures, avec la plus extrême minutie, avant d'être déclaré apte à risquer la vie de ses passagers – et un matériel excessivement coûteux – à plusieurs milliers de mètres d'altitude. Impossible d'imaginer, dans ces conditions, que les médecins n'aient rien décelé si Jacques avait vraiment eu un cancer à ce moment-là.

Ce bilan physique complet, assorti d'un contrôle de connaissances techniques et d'une démonstration de vol, doit d'ailleurs être renouvelé chaque semestre. Pour d'évidentes raisons de sécurité, en effet, la licence est accordée seulement pour une période fort brève qui ne permet à personne de s'endormir sur un bagage théorique et des acquis coupés de toute pratique. Cet examen draconien, le « check IFR », Brel s'y soumettra régulièrement, jusqu'aux derniers mois de sa vie. Y compris après que la tumeur maligne se fut déclarée... car, si terrible qu'elle puisse être, cette maladie qui n'entraîne aucun risque de mort subite – donc aucun risque d'accident –, ne constitue pas un cas d'interdiction de vol. Au contraire, les médecins affirmeront à Jacques que c'est de lui-même qu'il perdra l'envie de voler, le jour où son cancer sera trop avancé. En attendant, l'obligation de renouveler sa licence tous les six mois sera bénéfique pour son mental – surtout lorsque la maladie aura commencé son sinistre ouvrage –, en lui prouvant, à intervalles rapprochés, qu'il est toujours capable de satisfaire aux critères exigés.

Pour l'heure, cependant, Jacques est solide comme un roc et il déborde d'activité. Juste avant de s'installer à Genève, il a écrit deux chansons sur des musiques de François Rauber, auquel on a demandé de composer la bande-son d'un dessin animé tiré de l'œuvre d'Hergé : *Le Temple du Soleil* – Tintin, ne l'oublions pas, est né la même année que Jacques Brel... Couplets de commande, qui n'ajouteront rien à la gloire du chanteur, ni à celle du compositeur, « Ode à la nuit » et « La chanson de Zorrino » ne sont d'ailleurs pas interprétés par Jacques, dans le film, mais par Lucie Dolène – une chanteuse habituée à doubler les chansons des films de Walt Disney. En revanche, ce sont deux textes dont il n'est pas l'auteur qu'il enregistre, toujours à Hoche, le 12 novembre 1969, sur une bande orchestre mise en boîte quelques jours plus tôt par l'orchestre des Concerts Lamoureux, dans l'église franco-libanaise de la rue d'Ulm. Un 33 tours destiné aux enfants. D'un côté le célébrissime *Pierre et le loup* de Prokofiev, dans une adaptation française de Gil Renaud, de l'autre *L'Histoire de Babar*, écrite par Jean de Brunhoff sur une mélodie de Francis Poulenc. Un disque peu connu – y compris des fidèles du Grand Jacques – qui passerait pour une œuvre mineure et de circonstance, comme la plupart des productions pour enfants, si Brel n'y apportait une présence tout bonnement extraordinaire [1].

Lui qui a tant célébré l'enfance, dans ses chansons et ses interviews, se trouve soudain confronté à la plus désarmante des réalités : parler à un public qui n'est pas le sien, un public

1. Disques Barclay (réf. : 80406). En 1995, cet album a fait l'objet d'une réédition en CD, chez Rym Musique (réf. : 191417).

vierge qui se fiche bien d'« Amsterdam » ou de « La Fanette »,
un public qui ne lui est pas acquis d'avance et qu'il va falloir
séduire sans artifices... Le tour de force de Jacques Brel sera
de ne pas se laisser aller aux conventions du genre. Ah! ce
ton sentencieux, lénifiant et soi-disant complice que les
« grandes personnes » adoptent, la plupart du temps,
lorsqu'il s'agit de parler aux enfants... Refusant tout infanti-
lisme, c'est avec la conviction amusée et l'enthousiasme de
celui qui a réussi à *« être vieux sans être adulte* [1] *»* qu'en
conteur accompli Brel dit ces histoires, naïves sans doute
mais sûrement pas niaises. Et il faudra remonter jusqu'à
Gérard Philipe, disant *Le Petit Prince,* pour trouver un réci-
tant qui s'adresse aux plus jeunes avec autant de respect, de
cœur et de simplicité.

On connaît le mot de Boris Vian, à propos d'Edith Piaf –
un mot que bien des cuistres reprendront à leur compte, au
point de transformer en triste lieu commun ce qui, à l'origine, était l'expression spontanée d'une admiration sincère :
« Elle aurait pu chanter le Bottin! » On ne pourrait certainement pas en dire autant de Jacques Brel – qui a besoin d'une
matière charnue et dense pour donner sa pleine mesure
d'interprète –, mais le Bottin, lui... il est sûr qu'il aurait pu le
lire !

Pour s'en convaincre, il n'est que d'écouter un document rarissime, aujourd'hui introuvable et diffusé, à l'origine, à un nombre quasi confidentiel d'exemplaires : un
simple 45 tours intitulé *Nos amis les mineurs* [2]. Là encore,
Brel dit les mots d'un autre. Un texte didactique, écrit par
Jean Mauduit à la demande du service des relations
publiques des Houillères du bassin du Nord et du Pas-de-
Calais. Une sorte de visite guidée au fond d'un puits de
mine, avec explications détaillées sur les moyens d'extrac-
tion, la vie dans les galeries et le traitement du minerai; le
tout accompagné de quelques commentaires plus généraux
sur les différentes utilisations du charbon et sa place essentielle dans l'organisation économique de notre société.

1. « La chanson des vieux amants ».
2. Disque hors commerce, sans label ni code de référence. Dépôt légal :
juin 1966.

L'équivalent, en somme, du dépliant d'information technique que l'on remet aux visiteurs d'une exposition professionnelle. A deux doigts du pensum... si ce n'était que Brel habite à ce point sa lecture qu'elle transforme le sujet en reportage passionnant ! D'un simple geste bénévole de solidarité, coup de pouce généreux donné à une profession dont l'avenir semble de plus en plus menacé, il fait une véritable création... Eût-il voulu se reconvertir dans la radio, Jacques Brel serait devenu un nouvel Albert Londres des ondes, s'il s'était mêlé d'actualité – ou bien l'un de ces hommes capables, comme Orson Welles, de jeter la moitié d'un pays sur les routes, par la simple magie d'une voix chargée de conviction [1].

A cette différence près, toutefois, que lorsque Jacques aborde la science-fiction, son registre reste celui des rêves de l'enfance, et d'un Far West transposé dans les étoiles. A la demande de Maurice Huysmans, il a en effet promis d'écrire les chansons d'un projet de comédie musicale pour la jeunesse : *Le Voyage sur la Lune, ou Ce qui s'est réellement passé le 21 juillet 1969 à 2 h 56 U.T.* L'auteur du livret, Jean-Marc Landier, est un jeune auteur dramatique auquel Huysmans a décidé de donner sa chance. Pour ce faire, il met à sa disposition une petite salle de trois cents places, dans l'enceinte du théâtre de la Monnaie, et lui offre en sus les collaborations de François Rauber et de Jacques Brel. Deux noms, sur une affiche, qui multiplient les chances de succès.

A vrai dire, l'argument de la pièce est plutôt simpliste et le projet apparaît mal engagé dès l'origine; mais Jacques se sent redevable à Maurice Huysmans. Sans lui, *L'Homme de la Mancha* n'aurait sans doute jamais pu se monter, puisque c'est le théâtre de la Monnaie qui en a financé le décor et les costumes. Et il a beau rejeter publiquement l'idée de reconnaissance, Jacques sait renvoyer l'ascenseur quand on a besoin de lui pour épauler une entreprise difficile. Certes,

---

1. En 1938, l'adaptation radiophonique par Orson Welles, particulièrement réaliste, de *La Guerre des mondes*, de son homonyme H.G. Wells, déclencha une invraisemblable panique à travers tous les Etats-Unis. Au point que l'armée dut intervenir pour rétablir le calme.

le propos est confondant de naïveté moralisante : quand on est gentil et qu'on accomplit de bonnes actions, on s'élève vers le ciel – voire jusqu'à la Lune – tandis que malveillance et vilenies vous font redescendre et déchoir, au sens propre du terme... Mais l'idée d'un *Voyage sur la Lune* n'est pas pour déplaire à ce Cyrano de Bergerac [1] dans l'âme. Il écrit donc les onze chansons prévues par le livret et, retenu à Genève par son stage de pilotage, les expédie à Bruxelles [2].

Toutes ne sont pas, loin s'en faut, de la meilleure veine ; même si elles portent clairement, dans leur majorité, la griffe brélienne. Mais une griffe qui frôlerait souvent le tic d'écriture, aux limites du procédé. Ainsi, ces « *fourmis qui fourmillent à plein bras* » et cette « *Chine qu'on ne sait pas* [3] » (où l'on retrouve, comme souvent chez Jacques, le verbe savoir pris dans le sens de connaître). Recette également que cette accumulation de répétitions dont l'auteur du « Plat pays » s'était fait plus qu'un style, une signature, mais qu'il utilise aujourd'hui comme une formule éprouvée :

Bien sûr, je regrette le temps,
Le temps, de temps en temps.
Bien sûr, je regrette la chance
Du temps de mon enfance [4]*...*

Recette encore que ces néologismes attendus tels que « *luneur* [5] », pour définir à la fois une certaine douceur de vivre sur la Lune, une langueur et une candeur perdues.

L'habileté tant redoutée par Jacques transparaît ici de façon flagrante : il *fait* du Brel ! Mais du Brel à la petite semaine qui, s'il en présente vaguement l'aspect, ne possède ni le goût ni la force de l'alcool enivrant auquel il nous avait

---

1. Hector Savinien Cyrano de Bergerac (1619-1655) écrivit un certain nombre d'ouvrages, dont le plus célèbre reste *Histoire comique des Etats et Empires de la Lune*, publié en 1657.
2. « Allons, il faut partir », « Chanson d'Adélaïde », « Chanson de Christophe », « La leçon de géographie », « Récitatif lunaire », « Chanson de Victorine » (I et II), « Chanson de cowboy » (I et II), « Chanson de Christophe, Pops, cowboy » et « Finale ». Les textes de ces chansons restées inédites, sont reproduits dans l'*Œuvre intégrale* de Jacques Brel (Ed. Laffont, 1982).
3. « La leçon de géographie ».
4. « Chanson de Victorine » (II).
5. *Idem.*

habitués. Quant à l'image « *clair de terre* [1] », elle relève tout simplement du lieu commun, indigne de son génie. Seule, parmi cette production convenue et visiblement bâclée, surnage la chanson d'ouverture : « Allons, il faut partir ». Le thème du départ étant, plus que jamais, une composante essentielle de son univers – et de sa vie –, il s'y retrouve pleinement, avec des vers qui, sans être de sa meilleure plume, ne dépareraient pas ses œuvres plus personnelles :

Allons, il faut partir,
Sans haine ni reproche,
Des rêves plein les poches,
Des éclairs plein la tête.
Je veux quitter le port,
J'ai l'âge des conquêtes;
Partir est une fête,
Rester serait la mort.

Côté pratique, les répétitions sont menées en dépit du bon sens. Tandis que François Rauber travaille à Bruxelles avec l'orchestre du théâtre de la Monnaie au grand complet, les comédiens, chanteurs et danseurs sont retenus à Londres, où ils jouent une autre pièce : ils ne seront disponibles qu'une dizaine de jours avant la date de la première ! On enregistre donc la partition sur bandes magnétiques, pour leur permettre d'apprendre leurs rôles à distance. Passe encore tant qu'il s'agit des chansons, mais cela relève de la gageure pour la chorégraphie, en posant des problèmes insurmontables. Quant à la mise en scène, pas moyen dans ces conditions de s'y attaquer sérieusement... Il n'est plus possible, pourtant, de reculer l'échéance : la publicité a été lancée, la location ouverte et la générale de presse fixée au 29 janvier.

Lorsque toute la troupe se réunit enfin, une grosse semaine avant la « couturière », force est de constater que rien ne va, mais rien de rien ! L'espace scénique de la petite salle paraît trop réduit, personne ne connaît vraiment son rôle, les décors sont loin d'être achevés et, pire encore, les chansons s'intègrent mal au spectacle... Jacques est là. Il est venu, d'un coup d'avion, superviser la mise au point des tout

1. « Récitatif lunaire ».

derniers détails. Du moins le pensait-il. Et la réalité lui saute aux yeux : on ne sera jamais prêt à temps et l'on court au désastre ! Essayant alors de renouveler le miracle accompli à Paris, pour *L'Homme de la Mancha*, il pousse l'équipe à travailler jour et nuit. On charge un nouveau chorégraphe, en catastrophe, d'apporter une cohérence à des ballets que nul ne maîtrise... Mais un tour de force comme celui de Robert Manuel ne se répète pas à la demande, et le temps file en vain.

Le 27, l'avant-veille de la générale, le couperet tombe. Brel annonce qu'il refuse d'aller plus loin : *« Je ne mets pas mon nom sur un truc pareil* [1] *! »* Rauber et Huysmans sont d'accord avec lui : il faut arrêter les frais, sinon ce sera l'éreintement. La pièce est donc reportée *sine die*. Mais si le fiasco humiliant est évité d'extrême justesse, Jacques n'en subira pas moins les attaques de la presse belge, qui le tient pour responsable du dédit. Comme s'il s'agissait, de sa part, d'un caprice de star et non d'une réaction de vrai professionnel, trop respectueux de son public pour lui proposer un travail inabouti. Ainsi, aussi minime que soit sa part de responsabilité – après tout, il n'est ni l'auteur ni le metteur en scène ni le producteur du spectacle... ni même l'initiateur du projet ! –, *Le Voyage sur la Lune* sera perçu par les médias comme un échec personnel de Jacques Brel. Le premier depuis qu'il a accédé au vedettariat.

Bientôt, il y en aurait d'autres. Autrement plus cuisants, ceux-là !

---

1. Souvenirs de Madame Brel, rapportés par Olivier Todd *(op. cit.)*.

11

Moi qui ai trompé mes maîtresses...

Juin 1970. A l'heure où Maurice Schumann, ministre des Affaires étrangères, explique devant le Sénat pourquoi la France ne peut adhérer sans réserves à la Convention européenne des Droits de l'homme, le gouvernement de Jacques Chaban-Delmas, malgré une vive opposition populaire, fait adopter la loi « anti-casseurs » qui individualise la notion de responsabilité collective. Parallèlement, le général de Gaulle – redevenu simple citoyen, mais un citoyen pas comme les autres, dont l'importance symbolique, le poids politique international et l'influence diplomatique restent considérables – rend visite à Franco. Une « visite privée », à laquelle on ne peut pourtant s'empêcher d'associer l'accord militaire franco-espagnol [1] qui sera signé moins de deux semaines plus tard.

Ce même mois de juin est marqué, par ailleurs, par la disparition à quelques jours d'intervalle de deux grandes figures de la scène littéraire : celle de la romancière Elsa Triolet et de Pierre Mac Orlan, le dernier véritable poète de l'aventure depuis la mort de Blaise Cendrars.

Fraîchement diplômé IFR, Jacques Brel s'est encore acheté un nouvel appareil : un « Beechcraft Baron BE 55 »,

---

1. Un accord obligeant notamment les fils de républicains espagnols réfugiés en France à effectuer leur service militaire en Espagne (avec reconduite à la frontière, si nécessaire, par les gendarmes français et régime particulièrement sévère, sur place : des antifranquistes à mater...) ou à « répudier » définitivement la nationalité espagnole qui, jusque-là, était légalement la leur.

bimoteur développant deux fois 260 CV, capable d'emporter six passagers, que Jean Liardon définit comme étant « *la Rolls de l'avion privé* ». Il vole. Il est heureux.

Juin le voit en Lozère, dans la région de Marvejols, au pied du Gévaudan, pour le tournage de *Mont-Dragon*, son quatrième long métrage [1] en tant qu'interprète. La plupart des prises de vues ont lieu au château de la Baume, une demeure seigneuriale appartenant à la propre sœur du président Pompidou. Ce qui amuse beaucoup Jacques. C'est bien la seule chose, d'ailleurs, qui l'amuse dans cette entreprise ; car, très vite, les relations se tendent sur le plateau. Réalisateur de peu d'expérience, Jean Valère maîtrise mal, visiblement, son tournage. Bien souvent, c'est Alain Levent – dont c'est le troisième film consécutif avec Brel, comme chef opérateur – qui doit suggérer des plans et apporter quelques idées de mise en scène. Jacques s'en mêle également... Si bien que, ne sachant plus toujours qui a dit quoi, on tourne certaines scènes dans la confusion la plus totale. En outre, l'histoire est sulfureuse, et le rôle de l'ex-lieutenant Dormond constitue, pour Jacques Brel, un véritable contre-emploi.

C'est la première fois, depuis qu'il fait du cinéma, que Jacques interprète un personnage qui ne peut susciter la moindre sympathie, et partant aucun sentiment d'identification de la part du spectateur. Car Dormond est une crapule, plus vraie que nature. Un être aigri et plein de morgue qui, chassé de l'armée pour avoir cocufié son colonel, se vengera de celui-ci, après sa mort, en humiliant sexuellement sa femme, sa fille, et jusqu'à la bonne ! Pas même l'audace de l'affronter d'homme à homme, comme le voudrait leur code de l'honneur ; mais une litanie d'insolences, de vexations, de coucheries sordides et de brimades avilissantes, avec l'arrogance des médiocres à qui l'on cède un brin de pouvoir. Le tout sur le ton sentencieux d'un sadisme de pacotille. Dormond, du reste, cite volontiers le Marquis... Comme si les auteurs du scénario et des dialogues avaient voulu apporter un semblant de caution littéraire à un film qui, en ces années de féminisme militant, adopte des allures de provocation sexiste délibérée.

1. Adapté du roman éponyme de Robert Margerit (Ed. Gallimard, 1952).

Conscient de l'ambiguïté du personnage, Brel ressentira le besoin de s'expliquer – de lui-même et à plusieurs reprises – sur sa participation à une œuvre aussi controversée : « *Je ne choisis mes films qu'en fonction de l'équipe, pas du personnage. L'histoire, à la limite, je m'en fous !* » Pirouette que cela, bien sûr... Surtout si l'on se rappelle qu'à l'époque des *Risques du métier*, Jacques affirmait n'être intéressé que par le sujet, et se sentir incapable de se glisser dans la peau d'un sale type. Mais il est vrai que sa vision du cinéma s'est modifiée. Songeant à présent à la réalisation, il s'attache de plus en plus à l'aspect technique du travail. Et puis, Brel-chanteur ne s'étant jamais placé au-dessus de la mêlée, il n'y a aucune raison pour que Brel-acteur change d'optique : « *On me propose de jouer tout et n'importe quoi. Du champion de rugby au petit frère des pauvres. Toujours des généreux... Mais il y a aussi un peu de salaud en moi. Alors, voilà* [1]*... »*

Comme il fallait s'y attendre, *Mont-Dragon* sera massacré par la critique. Ce qui n'est sans doute que justice car, même a posteriori, même si les images d'Alain Levent sauvent bien des situations, il n'en laisse pas moins une impression détestable. C'est néanmoins avec beaucoup de mauvaise foi et de complaisance que les journalistes feront endosser à Jacques Brel la responsabilité idéologique du film. Ils n'y verront que l'occasion de souligner à l'envi la misogynie « bien connue » du chanteur ; oubliant facilement que le comédien doit être jugé à son jeu, non à son degré supposé d'assimilation au personnage – fictif – qu'il incarne...

Malgré le contexte de l'époque et cette critique désastreuse, *Mont-Dragon* connaîtra un honorable succès, avec plus de quatre cent mille entrées pour la seule région parisienne ; davantage que *Les Risques du métier*, ou plus que *La Bande à Bonnot* et *Mon oncle Benjamin* réunis.

Au moment même – aux premiers jours de décembre 1970 – où les affiches de cinéma annoncent la sortie imminente de *Mont-Dragon*, le nom de Jacques Brel se retrouve également au programme de la Taverne de l'Olympia. Par personnes interposées bien sûr, quoique la **pu**blicité, un rien

---

1. *L'Express* (20 juin 1970).

racoleuse, insistât tout particulièrement sur son nom. *Jacques Brel* en très gros, et le reste : *Is Alive And Well And Living In Paris...* en beaucoup plus discret ! Il s'agit en effet de Mort Shuman et sa troupe, dans une tentative courageuse – mais vouée d'avance à l'échec – d'étendre à la France le succès d'un *show* dont l'audience dépassera largement le seul cadre new-yorkais. Car la pièce, qui vient de fêter au Village Gate sa troisième année de représentations ininterrompues, sera montée par plus d'une vingtaine de compagnies ; aux Etats-Unis mais aussi au Canada, en Angleterre, dans presque toute la Scandinavie, et jusqu'en Afrique du Sud où elle tiendra l'affiche pendant près d'un an. Enfin, revanche de Jacques sur ses détracteurs flamingants, une adaptation en néerlandais se prépare à Amsterdam, sous un titre beaucoup moins alambiqué : *Namens Brel.* « De la part de Brel », tout simplement. Comme si cela allait de soi.

En France, c'est loin d'être aussi évident : pourquoi, en effet, aller écouter des traductions de Brel, en américain, quand l'original est à portée de main ? S'il ne se produit plus sur scène, ses disques sont toujours là ; sa voix, sa diction, ses attitudes et sa présence sont autant de souvenirs récents que le cinéma ravive à intervalles réguliers. S'il s'agissait, au moins, d'un hommage rendu par des interprètes célèbres, le sentiment de curiosité jouerait peut-être, mais là... Mort Shuman est encore un parfait inconnu pour le public français, bien que Dalida ait fait un tube, dix ans auparavant, avec « Garde-moi la dernière danse » [1]. Et nul ne peut imaginer, bien sûr, qu'il sera bientôt aux premières places des hit-parades hexagonaux, avec des titres comme « Le lac Majeur » ou « Brooklyn by the Sea », dus à son talent de compositeur et à la plume magicienne d'Etienne Roda-Gil. Quant aux autres membres de la troupe... Non, décidément, ce « Brel » sans Brel n'a vraiment rien pour séduire la clientèle de l'Olympia, et le spectacle est abandonné au bout de quelques représentations.

1. « Save The Last Dance For Me », 1960 (paroles originales de Doc Pomus, musique de Mort Shuman, adaptation française de François Llenas et André Salvet).

Jacques rendra bien une petite visite de courtoisie à l'équipe, mais l'entreprise, pour être juste, ne le passionne pas outre mesure. Dans l'immédiat, ce qui l'intéresse surtout, c'est la grande leçon de cinéma qu'il espère retirer de son prochain film. Il envisage plus que jamais de se lancer dans la réalisation – le scénario de *Franz* est déjà bien avancé –, or c'est sous la direction d'un véritable maître qu'il s'apprête à travailler : Marcel Carné, l'un des quatre ou cinq réalisateurs français les plus importants de l'histoire du septième art, auquel on doit des films mythiques comme *Quai des brumes, Hôtel du Nord* ou *Les Enfants du paradis*.

La première rencontre entre les deux hommes a eu lieu deux ans auparavant, lorsque le cinéaste, à l'issue d'une représentation de *L'Homme de la Mancha*, est venu féliciter le chanteur dans sa loge du théâtre des Champs-Elysées. *« Tourner un jour avec vous a été un de mes rêves de jeunesse ! »* assure Jacques en retour... Echange de bons procédés, coutumiers dans ce métier, qui ne prêtent guère à conséquence.

On en serait probablement resté là, si Carné ne s'était souvenu de la réflexion de Brel, au moment où – tel Cayatte quelques années plus tôt – il recherchait pour son prochain film *« un acteur de quarante ans, à l'allure jeune et dynamique, qui soit connu du public sans être une star masculine du cinéma* [1] *»*. Car il s'agit, comme dans *Les Risques du métier*, d'interpréter le héros d'un fait divers authentique : un petit juge d'instruction qui, pour faire éclater la vérité dans une affaire de bavure policière, n'hésite pas à braver sa hiérarchie, malgré les menaces, le chantage et les pressions venues d'en haut.

Un assistant présent lors de l'élaboration du casting lance alors : *« Ce qu'il nous faudrait, c'est une sorte de Don Quichotte. »* Et Carné, frappé par la remarque, de se remémorer instantanément *L'Homme de la Mancha*... Une association d'idées peu fortuite, au reste, puisque dans le dialogue, l'avocat chargé de défendre les inspecteurs meurtriers lance

1. Propos reproduits dans *Jacques Brel : cinéaste et comédien*, numéro spécial de la *Revue belge du cinéma* (n° 24).

à l'adresse du juge, en manière de défi : « *Moi aussi, j'ai lu Don Quichotte* [1] *!* »

La censure est une gueuse tenace. Une catin haineuse à laquelle la république pompidolienne offrit un train de vie de princesse. Petitesse pitoyable d'une époque où, comme aux plus beaux jours du maccarthysme, on inventa la notion d'« ennemi intérieur ». Ce n'est pas sans surprise, pourtant, que Marcel Carné redécouvrira cette vieille ennemie, qu'il avait habilement bernée en tournant *Les Visiteurs du soir* en pleine Occupation. S'attaquant de front à ce que le chroniqueur judiciaire et romancier Jean Laborde appelle *Les Assassins de l'ordre* [2], il s'apercevra très vite qu'on ne s'en prend pas impunément à la police de Raymond Marcelin. Tracasseries administratives, interdiction de filmer dans de nombreux lieux publics et dans plusieurs villes, interdiction d'utiliser des figurants costumés en CRS... tout y passe ! Pour obtenir ses scènes de rue, le vieux cinéaste sera même contraint de filmer de vraies manifestations, avec tous les risques physiques et matériels que cela comporte...

Mais la pire des censures, car la plus insidieuse, la plus humiliante aussi pour un artiste de la dimension de Marcel Carné, ne sera pas dans les pressions du pouvoir en place, mais dans la conspiration du silence qui visera le film. Comme s'il fallait nier à tout prix son existence. Refusé au Festival de Cannes, alors qu'il recevra un excellent accueil à ceux de Venise et de Moscou (où il remportera même un prix), *Les Assassins de l'ordre* sera totalement occulté par les radios et les deux chaînes de télévision françaises ! Quant à la presse, Carné s'en est lui-même expliqué dans ses mémoires : « *Les uns, tel Alexandre Astruc qui, à l'issue d'une projection, était dithyrambique, passait le film complètement sous silence dans* Paris Match, *où pourtant il disposait chaque semaine d'une page entière... D'autres, comme Billard ou Nou-*

---

1. Le rôle de l'avocat de la défense est interprété par Charles Denner. Outre Jacques Brel, deux autres chanteurs jouent également dans ce film : Jean-Roger Caussimon et Boby Lapointe.
2. *Les Assassins de l'ordre*, roman de Jean Laborde (Ed. Plon).

rissier, de L'Express, *partaient malheureusement en voyage ou étaient absorbés par d'autres occupations* [1]*... »*

Un chapitre entier de ce livre est consacré aux *Assassins de l'ordre* et à Jacques Brel, en lequel Marcel Carné voit *« un second Gabin. [...] Il a,* écrit-il, *comme Gabin à l'époque où nous tournions ensemble, le même sens du cinéma. Il dépasse l'acteur. C'est une nature. Il est parfait sur tous les plans »*. Le compliment est d'autant plus appréciable, venant d'un metteur en scène qui a dirigé les plus grands, qu'il ne s'agit pas d'une réaction à chaud, à l'issue d'un tournage agréable, ou d'une phrase à usage promotionnel, mais d'un jugement réfléchi, porté des années après l'événement, dans la solitude de l'écriture.

Au reste, Carné ne s'est pas contenté de regarder son homme évoluer sur le plateau. Il l'a observé, scruté, jusque dans ses failles les plus intimes. Ainsi, parlant des rapports de Jacques avec les femmes : *« Il les haïssait d'une manière presque viscérale. A tel point que je crois n'avoir jamais entendu un homme dire autant de mal d'elles... Non pas à la manière méprisante et gratuite de certains homosexuels, mais avec quelque chose de douloureux dans la voix, et comme une blessure au cœur... Je pensais qu'une femme qu'il aimait avait dû terriblement le faire souffrir, peut-être même se jouer de lui. La plaie ne s'était jamais cicatrisée. »*

Bien vu, monsieur Carné ! Digne d'un parfait psychanalyste... Mais aujourd'hui, les rôles sont inversés et c'est à Jacques de déchirer et de meurtrir. Il vient de changer de compagne, après dix ans de vie commune avec Sylvie, et la rupture a été consommée de la pire façon.

Profitant d'une accalmie dans son calendrier, entre le tournage de *Mont-Dragon* et celui des *Assassins de l'ordre,* Jacques s'est embarqué, en compagnie de Sylvie et d'un couple d'amis, pour une croisière sur un voilier – sa deuxième passion, après l'avion. Les deux couples se sont connus par l'intermédiaire de Sylvie : son amitié avec Monique, son amie la plus proche, remonte au temps où elle était encore hôtesse de l'air; un métier auquel Monique, pour sa part, n'a jamais renoncé et qu'elle a réussi à concilier

---

1. *La Vie à belles dents*, par Marcel Carné (Ed. Jean-Pierre Ollivier, 1975).

avec sa vie familiale en épousant un commandant de bord – fonction pour laquelle Jacques montre une grande admiration.

Les deux couples s'entendent bien et se fréquentent depuis longtemps – lorsque Sylvie a fait les présentations, l'envie d'apprendre à voler n'était pas encore venue à Jacques, et il ne saurait y avoir l'ombre d'une jalousie ou d'une rivalité entre les deux hommes –, chaque fois que leurs emplois du temps parviennent à concorder. Les deux couples... ou plutôt les trois, car Jojo et Alice Pasquier sont souvent de la fête quand il s'agit de passer une soirée ensemble, autour d'une bonne table. Ainsi Monique et son mari seront-ils présents le soir du réveillon où Sylvie se gaussera du cadeau de Jacques : le fameux manteau d'astrakan... Le genre de souvenirs communs au fil desquels se noue une intimité certaine.

C'est donc sans l'ombre d'une arrière-pensée que les quatre amis s'embarquent pour une quinzaine de jours en mer, à l'automne 1970. Si les Pasquier ne les accompagnent pas, c'est simplement que Jojo – tout Breton qu'il soit – n'a jamais beaucoup apprécié le bateau. Sylvie non plus, d'ailleurs, et c'est sans enthousiasme ni entrain qu'elle pose sac à bord. Monique, au contraire, est vive, enjouée, stimulante. Elle déborde d'allant. Tout comme Jacques. Ils rient beaucoup ensemble et, peu à peu, se laissent prendre au piège de la complicité amusée qui tourne au flirt. Mais un bateau est un espace clos, propice à l'exacerbation des sentiments. Unité de lieu et d'action, hors du temps, comme dans une tragédie antique... Un endroit exigu, aussi, où il est impossible de s'abstraire de la communauté, impossible de s'isoler pour laisser s'apaiser passions et rancœurs. Incapables de dissimuler plus longtemps leur penchant l'un pour l'autre, Jacques et Monique décident de faire front, et le drame cimente leur union, transformant en véritable défi amoureux ce qui, en d'autres circonstances, n'aurait peut-être été qu'une passade. L'ambiance à bord, devenue intenable, on écourte la croisière et chacun repart de son côté, emportant ses rancunes, ses larmes ou ses espoirs.

Sylvie est effondrée, brisée. Elle se sent doublement tra-
hie, doublement blessée... Plus qu'à une tragédie classique,
la situation s'apparente en fait à celle d'un vaudeville ordinaire, avec tous les poncifs du genre sur le thème de l'amitié
abusée, du mari bafoué et des portes qui claquent. Mais en
l'occurrence rien ne prête à sourire, car aucune des deux
femmes ne sortira indemne de l'aventure, l'une et l'autre
payant un tribut écrasant au fait d'avoir, un jour, aimé
Jacques Brel... Monique plus encore, peut-être, que Sylvie ;
bien que cette dernière en soit restée meurtrie et dépressive
de longues années :

Elle a perdu des hommes,
Mais là elle perd l'amour...,

comme le chantera si magnifiquement, dans « Orly », un Brel
au terme de sa course.

Monique est mère de famille : elle a un fils. Son mari fera
procéder à un constat d'adultère en bonne et due forme,
avec filature, huissier, témoins, amants surpris au lit, etc.
Comme dans le théâtre de boulevard. Mais à l'issue d'un
procès au cours duquel Jacques sera cité à la barre, le divorce
est prononcé. Aux torts exclusifs de l'épouse... à laquelle on
retire la garde de son enfant.

Pour Jacques, Monique acceptera ainsi de sacrifier beaucoup d'elle-même. Il le lui rendra bien mal, malgré les lettres
d'amour et de tendresse qu'il lui envoie presque chaque
jour ; finissant par la laisser derrière lui, au moment de partir
vers les îles, pour le dernier et le plus grand voyage de sa vie.
Pas d'abandon net et brutal, mais un désengagement
embarrassé, Jacques essayant avec maladresse – et une certaine lâcheté – de dissimuler qu'une autre femme a pris sa
place sur le bateau et dans son existence... Une femme de
tête qui veillera à ne jamais se laisser évincer, et sera sa dernière compagne.

12

Tellement naufragés
que la mort paraît blanche

Désormais, Jacques Brel se sent prêt à affronter le tournage de son propre film. Il sait que cela ne sera pas facile, mais il a beaucoup appris au contact de Marcel Carné, et de nouvelles amitiés, nouées sur le plateau des *Assassins de l'ordre*, lui ont permis de compléter son équipe. Malgré son habitude affichée de ne jamais visionner les *rushes* – « *J'ai horreur de voir ma gueule à l'écran* », explique-t-il aux réalisateurs pour éviter qu'ils se froissent –, il fera une exception pour le vieux maître et se montrera assidu à ces séances de projection qui permettent de juger, au jour le jour, la qualité des séquences filmées. Mieux, il demande à Carné de lui expliquer ses choix en matière de montage, « *se renseignant sur les raisons qui m'avaient fait couper un plan ici et allonger tel autre, un peu plus loin* », se souvient celui-ci [1], qui ajoute : « *Je me sentais flatté de son zèle inhabituel, lorsque j'appris qu'il préparait un film, comme metteur en scène. Ma vanité, je l'avoue, en fut un moment blessée... Puis, je songeai que, même vue sous cet angle, son attitude était néanmoins un hommage.* »

Pour Brel, chaque tournage – cette réunion d'une troupe d'acteurs et de techniciens vivant et travaillant ensemble, plus ou moins en vase clos, pendant plusieurs semaines – est particulièrement propice aux rencontres. Comme toujours, il se fait de nouveaux complices, qu'il tâche alors d'entraîner dans ces longues virées nocturnes auxquelles il n'a jamais renoncé, même après l'abandon des tournées. Le schéma

---

1. *La Vie à belles dents, op. cit.*

n'a guère varié depuis l'époque héroïque du Tournon : on se déniche un bar, une boîte ou un bordel – l'essentiel des extérieurs étant filmés dans le triangle Aix-en-Provence, Salon, Marseille... – et l'on passe la nuit à boire, à refaire le monde et à provoquer le bourgeois. Quitte, à quarante ans passés comme à vingt, à lui montrer « *notre cul et nos bonnes manières* [1] ». Et pas qu'au figuré ! Ainsi Jacques prend-il le pari, un soir, de se promener en plein cœur d'Aix, le pantalon sur le bras ! Sitôt dit, sitôt fait : le voici fesses à l'air, descendant le cours Mirabeau, solennel comme un pape, quand deux passantes le reconnaissent qui, sans se formaliser le moins du monde de sa tenue, lui demandent un autographe. Il s'exécute, sans se départir de sa superbe, salue comme il sied à un gentleman et poursuit son chemin. Comme si de rien n'était... mais sous le regard des copains qui surveillent de loin, hilares, l'accomplissement de la gageure !

Décidément plus intéressé par l'aspect technique du tournage que par le travail d'acteur, ce n'est pas chez les comédiens, mais plutôt au sein de l'équipe de réalisation que Jacques cherche les compagnons de ses dérives nocturnes. Il se lie d'amitié avec le scénariste-dialoguiste Paul Andréota et le producteur exécutif Michel Ardan. Bientôt, il leur parle du film qu'il a en tête et dont le script est déjà bien avancé : ce sera une histoire « *d'amour chez les minables ; l'amour naissant chez un gars et chez une fille au physique plutôt médiocre, à l'intelligence limitée et qui ne sont pas à hauteur de leurs rêves* ». Les personnages principaux sont clairement campés, décrits en quelques lignes sur la première page de son manuscrit : « LÉON : *35 ans. Silencieux et bon. Un visage nullement éveillé. Un rêveur.* LÉONIE : *a environ 30 ans. Elle est grande et maigre, avec de très beaux yeux et un visage triste.* CATHERINE : *tout à l'opposé est une jolie petite môme, très vivante, habillée de façon moderne* [2]. »

Quant au décor, expliquera-t-il plus tard dans une interview accordée au *Monde* pour la sortie du film, « *c'est la Flandre, sa pesanteur, sa jolie grisaille, sa folie aussi* ». Pourquoi ce choix ? Pendant le tournage, un autre journaliste lui

---

1. « Les bourgeois ».
2. Archives de la Fondation internationale Jacques Brel.

posera la question et Jacques n'aura pas l'ombre d'une hésitation : « *Parce que c'est mon pays ! Un pays, c'est l'enfance,
avec l'odeur ; ça n'est pas tellement une géographie* [1]*...* » Puis,
songeur : « *Ici, le vent a une importance formidable. J'ai toujours rêvé de mettre des voiles sur tous ces clochers. Cela ferait un
pays avec deux cents mâts...* » Une idée qu'il a déjà exploitée
dans « A deux », une œuvre de jeunesse restée inédite, et
qu'il développera dans « La cathédrale », l'une de ses dernières chansons enregistrées (parmi celles qui ne seront finalement pas retenues pour l'album des « Marquises ») :

*Prenez une cathédrale
Et offrez-lui quelques mâts,
Un beaupré, de vastes cales,
Des haubans et halebas.
Prenez une cathédrale
Haute en ciel et large au ventre,
Une cathédrale à tendre
De clinfoc et de grand-voiles* [2]*...*

Connaissant le différend à rebondissements qui oppose le
chanteur aux intégristes flamingants, le même journaliste
insistera sur ce point qu'il devine sensible :

« Peux-tu avoir de la tendresse pour les Flamands ?
— Oh oui ! Parce qu'eux-mêmes ont beaucoup de tendresse. Le Flamand est un individu très tendre. Très fragile. »

La sincérité de Brel est manifeste, et de tels propos
auraient dû suffire à dissiper le malentendu. Mais le contentieux subsistera jusqu'au bout malgré ses efforts réels de
conciliation. Jusqu'au jour où, n'y tenant plus, il explosera
de fureur débondée :

Messieurs les Flamingants, je vous emmerde [3] !

L'ébauche de scénario que Jacques montre à Paul
Andréota et Michel Ardan n'a pas encore de titre précis.
Brel hésite entre *Les Moules*, *Léon* et *De tous les peuples de*

1. Archives de la RTB (Radio Télévision Belge).
2. « La cathédrale », chanson inédite, 1977. Archives de la Fondation
internationale Jacques Brel.
3. « Les F... ».

Gaule, ce sont les Belges les plus forts pour porter les valises... Les Moules, parce qu'il s'agit de peindre des gens immobiles et végétatifs, comme des mollusques ; *Léon* – le plus évident des trois –, puisque c'est le prénom du personnage principal ; et l'histoire des valises, par dérision pure car ses concitoyens horripilent Jacques lorsqu'ils revendiquent crânement, et toutes appartenances politiques confondues, le fameux éloge adressé par Jules César à leurs lointains ancêtres : « *De tous les peuples de Gaule, les Belges sont les plus braves* [1]. »

Séduits par Jacques, autant que par le sujet qu'il leur soumet, Andréota accepte de participer à la mise au point définitive du découpage et des dialogues, et Ardan propose de financer l'opération. Seule petite réserve, comme l'aspirant réalisateur est vraiment novice, on demandera à Edouard Molinaro de jeter un œil sur le tournage, en qualité de conseiller technique.

Pour le reste de l'équipe, Brel a les idées bien arrêtées depuis longtemps. Les images seront confiées à la caméra experte d'Alain Levent, le premier auquel il se soit ouvert de son projet, quand il ne s'agissait encore que d'un désir un peu fou, et le montage – sur lequel Jacques se sait le plus vulnérable – à la patience et au savoir-faire de Jacqueline Thiédot. Quant à la distribution, Brel veut Barbara pour le rôle de Léonie, malgré les réticences de Michel Ardan qui préférerait nettement avoir Annie Girardot à l'affiche d'un film qui ressemble, quand même, à un pari risqué... Mais Jacques n'en démordra pas : il veut une femme qui soit laide, tout en ayant un port naturel de diva. C'est d'ailleurs en ces termes, à peu de chose près, qu'il va poser la question à la chanteuse qui, loin de s'en formaliser, donnera immédiatement son accord.

C'est en juin 1971 que démarre la grande aventure. On tourne à Blankenberge, station balnéaire à une douzaine de kilomètres au sud de Zeebrugge. A égale distance, grosso modo, de Knokke-le-Zoute, Ostende et Bruges : le

1. *Commentarii de bello gallico* (Commentaires de la Guerre des Gaules), par Jules César (51 av. J.-C., livre II).

triangle mythique de l'univers brélien. Le titre reste provisoirement *Les Moules*. A l'arrivée ce sera *Franz*. Du nom d'un personnage qui, tel le Godot de Beckett, n'apparaît dans aucune scène et dont on peut se demander s'il n'est pas seulement la création d'un Léon désireux de s'inventer une vie moins terne. Car Franz est un héros ; enfin... un baroudeur. Un mercenaire du Katanga, censé avoir été tué lors d'un accrochage homérique auquel Léon aurait survécu. Du coup, sans avoir l'air de se vanter, puisqu'il n'est question que de Franz, Léon peut habilement laisser planer un doute sur son passé. Il évoque même une ancienne blessure de guerre...

L'essentiel de l'histoire se déroule à la Pension du Soleil. Nom dérisoire, en cette terre aux cieux plombés, pour une auberge minable peuplée de petits fonctionnaires en convalescence. Chacun s'y observe et se jalouse dans une ambiance de mesquinerie fielleuse. Chronique de la haine ordinaire, aurait dit Pierre Desproges... Moins bien armé que les autres pour la méchanceté, Léon y fait figure d'innocent, donc de souffre-douleur. Un jeu qui se révélera dans toute sa cruauté, lorsque deux femmes viendront bousculer l'équilibre interne de cet univers d'hommes frustrés.

Deux femmes que tout oppose : l'allure, le tempérament, l'âge... L'une (interprétée par Danielle Evenou) est blonde, jeune, délurée, rieuse et aguicheuse. Elle joue de sa sensualité avec provocation et prend facilement des airs de Marie-couche-toi-là. L'autre (Barbara), cheveux et regard d'encre, a le profil et la raideur d'un corbeau. Elle est presque sans âge – le script dit trente ans, mais la chanteuse en a onze de plus et ne fait rien pour le masquer – et dissimule sous un abord hautain et glacé ce que Léon prend pour de la distinction et une extrême sensibilité, mais n'est que conformisme frileux de la part d'une petite bourgeoise complexée qui cherche à se donner une contenance. En fait, si leurs armes sont différentes, chacune triche à sa manière – comme « Les biches » de la chanson –, l'une avec son corps, l'autre avec son mystère.

Pour faire bonne mesure, une troisième femme complète cette galerie de portraits : la mère castratrice. La mère vampire, interprétée avec une truculence, une autorité et une vulgarité exemplaires, en l'occurrence, par l'excellente Simone Max.

Trois charges sans complaisance, dans lesquelles il serait tentant de voir une nouvelle manifestation de la misogynie de Brel, si les personnages masculins n'étaient logés à pire enseigne encore, dressant le catalogue de toutes les veuleries et de la misérable férocité dont l'homme est capable... pour peu qu'il ait trouvé plus faible ou plus vulnérable que lui! Ainsi leurs blagues tournent-elles rapidement à une véritable persécution en règle, quand ils s'aperçoivent que Léon est en train de s'éprendre de Léonie.

Aucune femme, dans l'œuvre de Jacques Brel, ne montre comme eux pareille bassesse jubilante; et si la jeune Catherine se prête un instant à une farce sordide – se glisser nue dans le lit de Léon, alors que celui-ci va bientôt rentrer avec Léonie –, c'est sans en imaginer une seconde les conséquences éventuelles. Conséquences tragiques au demeurant, puisque Léon, incapable de supporter l'écroulement de ses rêves, Léon qui vient d'entrevoir et de perdre, en une soirée, ce qu'il croit être l'amour, ira se « *foutre à l'eau* »; réalisant ainsi ce que voulait faire Jef et que suggère « Les désespérés » :

Et en dessous du pont, l'eau est douce et profonde;
Voici la bonne hôtesse, voici la fin du monde...

Ce n'est certes pas un hasard si le générique d'ouverture de *Franz* se déroule sur une magnifique version des « Désespérés », interprétée en néerlandais par Liesbeth List [1]. Pas plus que ne sont fortuites les nombreuses références à des chansons, qui émaillent le film de bout en bout, trop fréquentes et trop précises pour ne pas relever d'une volonté délibérée. Comme si Brel avait ressenti le besoin de planter quelques repères tangibles, semblables à des bornes, pour faire comprendre au spectateur, dès les premières images, qu'il s'agit bien chez lui d'une seule et même œuvre, avec une continuité de ton, des thèmes et une esthétique d'une parfaite cohérence, malgré le changement de mode d'expression. Ainsi, dans les premières minutes du film, une

1. « De Radelozen ».

phrase comme : « *Avec tous ces zéros, vous finirez bien par faire un tunnel* », renvoie-t-elle immanquablement à « Rosa » :

C'est le tango du temps des zéros ;
J'en avais tant, des minces, des gros,
Que j'en faisais des tunnels pour Charlot...

De même, cet échange entre Léon et Léonie :

« LÉON : J'ai toujours rêvé d'avoir une maison. Une vraie maison à moi. Avec presque pas de murs. Et des fenêtres tellement grandes qu'il y aurait du soleil dans les yeux des enfants, et tout le monde rirait tout le temps...

LÉONIE : Et où la voyez-vous ?

LÉON : Au Texas ! »

On croirait entendre Frida et le pitoyable héros de « Ces gens-là », presque mot pour mot, s'inventant un refuge :

Même qu'on se dit souvent
Qu'on aura une maison
Avec des tas de fenêtres,
Avec presque pas de murs,
Et qu'on vivra dedans,
Et qu'il fera bon y être...

La référence au Texas, elle, évoque le Far West, cet éternel rêve d'enfance volé par les « *oncles repus* ». *Far West* : le titre du seul livre, que l'on aperçoit furtivement, posé sur la table de nuit dans la chambre de Léon... Mais aussi celui du prochain film réalisé par Jacques.

Tous les renvois à des chansons ne sont pas aussi appuyés, mais tous sont explicites : de la mer dépeinte telle un « *terrain vague* » (comme dans « Le plat pays »), à cette bouleversante déclaration d'amour par pigeon voyageur interposé, au cours de laquelle Léon retrouve – tout à la fois – le ton général de « Ne me quitte pas », des images de « J'arrive » (« *Je serai brûlé... en cendres...* ») et la terrible constatation de « Madeleine » et de « Ces gens-là » : « *Tu es trop belle pour moi...* »

Techniquement parlant, Jacques Brel maîtrise bien son tournage, malgré quelques divergences d'avis et quelques accrochages avec Michel Ardan, qui semble soudain découvrir que *Franz* n'a pas grand-chose à voir avec ces *Bidasses en folie* qu'il produit en même temps. Alain Levent, en revanche, est enthousiaste. Séduit par les premiers *rushes*, il épaule Jacques de ses encouragements, de ses conseils et de son amitié. Brel, lui, déploie une énergie de tous les instants, mimant dans le détail chaque scène à ses comédiens, jouant lui-même, et réglant chaque cadrage, chaque mouvement de caméra, chaque ouverture de focale, chaque éclairage avec les techniciens. Avec des audaces aussi, sans doute inspirées par défaut de bagage théorique, devant lesquelles des réalisateurs chevronnés auraient sans doute hésité ; tel ce plan de nuit relevé par Henri Chapier, dans *Combat* : « *Quel est le professionnel qui oserait, comme lui, la scène nocturne avec le cocher sous la pluie ?* »

Innovation : Jacques Brel sera le second réalisateur européen (juste après Jean-Luc Godard) à se servir d'un système vidéo pour juger immédiatement du plan qu'il va tourner. Economie de temps – il n'est plus nécessaire d'attendre les *rushes* pour être sûr de son fait – et surtout économie de pellicule, car le fait d'avoir réalisé un brouillon en situation réelle permet de limiter au maximum le nombre de prises d'une même séquence. Une façon de travailler sans « repentir » – dans le sens pictural du terme – qui convient en outre, parfaitement, au tempérament du chanteur, habitué à enregistrer ses chansons du premier jet, en direct avec l'orchestre.

Comme prévu, Edouard Molinaro viendra sur le plateau, mais sans avoir à outrepasser son rôle de conseiller. Claude Lelouch fera également le voyage jusqu'à Blankenberge, en curieux. Lino Ventura l'accompagne. Entre Brel et lui, c'est le coup de foudre ! Les deux hommes se lieront profondément d'amitié : un mot qu'ils n'ont, ni l'un ni l'autre, l'habitude de galvauder.

13

En riant jusqu'aux Antilles

Le premier film d'un nouveau réalisateur, surtout si celui-ci s'est déjà illustré dans une autre discipline, est toujours accueilli par la critique avec une curiosité non dénuée de scepticisme. Sorti en salles le 2 février 1972, *Franz* n'échappera pas à la règle. Les réactions, dans l'ensemble, sont assez mitigées ; plus encore en Belgique qu'en France où, malgré quelques réserves sur le manque de maturité de l'auteur, elles s'avèrent globalement favorables. Celle de Jean de Baroncelli, dans *Le Monde*, est sans doute la plus représentative : « *Franz est un film où l'on entend battre un cœur " gros comme ça ". On est parfois ému. Moins cependant qu'on devrait l'être. La sincérité de l'auteur ne passe pas toujours à l'écran. A côté de scènes empreintes de réelle poésie (la promenade à bicyclette), ou d'une férocité très " brélienne " (la dernière blague des copains), il y a des creux dans le récit, des périodes de cafouillage. Entre l'intimisme et l'expressionnisme, Brel a du mal à se décider et son style se ressent de ces hésitations. [...] Mais Brel est là avec sa force, sa conviction, ses secrets. Le talent ne se partage pas. Et celui de Brel résiste aux faiblesses du film.* »

Henri Chapier, dans *Combat*, y voit pour sa part « *une œuvre très personnelle. [...] On peut ne pas adhérer à ce lyrisme, on peut être réfractaire à sa poésie, mais il me semble impossible de ne pas y reconnaître du souffle, même si cette confession en forme de cri n'est entièrement lisible que pour Brel, son auteur. Vive le cinéma à la première personne, lorsqu'il est fait par un bonhomme qui crache sa vérité !* »

Réfractaire! Le mot est faible pour qualifier la réaction épidermique de Delfeil de Ton, dans *Charlie Hebdo*. Une vraie volée de bois vert arrosée au vitriol : « *Il est incroyable que qui que ce soit puisse parler sérieusement d'une connerie pareille. Il fait du cinéma exactement comme il chante. C'est la même niaiserie, la même prétention, la même emphase, le même creux. Et modeste, le mec, avec ça. Vous avez vu son slogan publicitaire signé Lelouch : " on n'avait pas vu ça depuis dix ans dans le cinéma français, un cinéaste qui prend des risques à chaque plan "? Il y a belle lurette que Brel ne prend plus aucun risque. Il est vacciné, mithridatisé contre tous les risques. Toutes les conventions du cinéma français sont là : le rôle à la Roquevert, le rôle à la Jean Tissier, etc., joués par des acteurs belges. Avec ça, il y a des scènes " à la Fellini "; je vous recommande, si vous passez par Ostende, la scène de la promenade en fiacre sur la plage...* »

Ereintement sans réserve ni appel, s'il en est! Mais peu surprenant, à dire vrai, de la part d'un Delfeil de Ton qui – de son propre aveu – n'a jamais pu souffrir Brel. Ni le chanteur, ni l'acteur, ni l'image qui se dégageait de l'homme... Poussé, plus tard, à s'expliquer sur ce point, le grand polémiste en rajoutera : « *Il passait pour un poète. Vous vous rendez compte ? [...] Tu me dis que j'ai manqué le Brel de la maturité. Mais rien que l'idée d'en entendre, toute la mocheté d'une époque qui remonte. Cette façon de chanter! Ça marche encore, à ce qu'il paraît...* » Puis, au moment de conclure sa diatribe, DDT – qui n'a rien d'un méchant et dont le rire possède la même force contagieuse que les colères – s'offre le luxe d'un clin d'œil conciliant : « *Il devait pourtant bien avoir quelque chose, pour m'énerver encore comme ça!* »; avant d'ajouter, à nouveau moqueur : « *Dans le tas de ses chansons, il y en a sûrement trois ou quatre de bonnes* [1]*...* »

Claude Lelouch, en revanche, porte un tout autre regard sur celui dont il s'honore d'avoir été l'ami. Ses propos confirment en outre, à près de vingt ans de distance, que le slogan promotionnel raillé par Delfeil de Ton était bien le reflet d'une conviction profonde, non d'un simple coup de

---

1. Propos recueillis par l'auteur pour le dossier « spécial Jacques Brel » de *Paroles et Musique* (1982).

pouce de complaisance. Revenant sur les deux films réalisés par Jacques Brel, il n'hésite pas à placer la barre très haut : « *Ce sont des films achevés, et si Godard en avait été le réalisateur, on aurait crié au génie. Ils seraient considérés comme ses plus beaux. Ils vont beaucoup plus loin que ceux de Jean-Luc. Je parle de lui car Jacques a utilisé des raccourcis, des ellipses, aussi le son et l'image, un peu comme il le fait* [1]. »

Si le compliment peut sembler disproportionné aux fidèles de l'auteur d'*A bout de souffle* et de *Pierrot le fou*, la sincérité du metteur en scène ne saurait en tout cas être mise en doute, puisque – séduit par *Franz*, pourtant loin d'avoir été un succès commercial – Lelouch participera à la production financière du second film de Jacques Brel.

Franz fera à peine cent mille entrées payantes sur Paris et sa périphérie, lors de sa période d'exclusivité. C'est peu, mais ce n'est pas non plus un bide. Plutôt une opération blanche, les recettes permettant de couvrir à peu près les frais de production. A titre comparatif, *Les Assassins de l'ordre* vient de faire un peu plus de trois cent mille entrées, malgré les difficultés de promotion que l'on sait (mais c'était tout de même un film de Carné !) ; tandis que *La Bande à Bonnot*, le plus mauvais score réalisé jusqu'alors par un film avec Jacques Brel, avait tout juste attiré cent cinquante mille spectateurs au total.

S'il est sans doute un peu décevant, au regard des espoirs fondés par Jacques et son producteur, le bilan global de *Franz* est donc loin d'être négatif. Critiques mitigées mais plus souvent encourageantes qu'hostiles et comptes équilibrés, ce n'est pas si mal pour une première œuvre... Jacques Brel a montré, surtout, qu'il était capable de mener à bien un projet aussi écrasant ; se le prouvant d'abord à lui-même, comme le laisse supposer cette réflexion : « *Depuis que* Franz *est monté, je sais que je peux faire des films... Je me donne dix ans pour devenir un metteur en scène acceptable. Mais si, un jour, je sais ce qu'il faut faire pour réaliser un film à succès, je m'arrêterai !* » Toujours cette hantise de l'habileté, de la recette et de la routine...

1. Propos recueillis par l'auteur. Voir le témoignage complet de Claude Lelouch, en annexe.

Responsable à la fois du scénario, des dialogues, de la mise en scène, de la musique, de la distribution, des repérages et du rôle principal, Brel – quel que soit le jugement que l'on puisse porter sur *Franz* – a réussi un véritable « film d'auteur ». Exactement comme il faisait de la « chanson d'auteur », au temps où la scène constituait son moteur essentiel. Un parallèle que Robert Chazal, de *France-Soir*, ne manquera pas de souligner : « *Il nous offre un film qui est la plus belle de ses chansons* », avant d'être repris, plus tard, par un Claude Lelouch estimant que les films de Brel le reflètent plus encore, peut-être, que ses chansons.

En réalité, la visite de Lelouch sur le tournage de *Franz*, accompagné par Lino Ventura, n'est pas tout à fait innocente. Le lauréat de la Palme d'or 1966 du Festival de Cannes, pour *Un homme et une femme*, travaille en effet sur un nouveau projet. Une comédie échevelée dont il a proposé les principaux rôles à Jean-Louis Trintignant, Lino Ventura, Charles Denner, Aldo Maccione et Charles Gérard. Mais Trintignant a décliné le rôle (ne souhaitant pas, pour l'instant, jouer de comédie), et Lelouch a pensé aussitôt à Brel... qui n'hésitera pas une seconde : « *Je vous dis oui. Je ne veux même pas savoir de quoi il s'agit : j'ai envie de vous voir travailler...* »

Idem pour l'aspect matériel de la question : Jacques n'est pas, n'a jamais été et ne sera jamais un calculateur. L'argent, pourvu que l'idée le séduise, n'entre jamais en ligne de compte dans ses décisions. « *Vous me donnerez ce que vous voulez !* », répond-il au producteur Alexandre Mnouchkine, qui lui parle de son cachet, et l'affaire est conclue. Le tournage de *L'Aventure, c'est l'aventure* peut commencer.

De septembre à décembre 1971, l'entreprise emmènera toute l'équipe à travers l'Italie, l'Afrique, les Caraïbes et les Etats-Unis (sans oublier Paris...), périple au cours duquel Jacques fera deux des dernières rencontres capitales de sa vie. Avec Lino Ventura, déjà entrevu à Blankenberge, dont l'amitié, nouée au fil des longues semaines de cohabitation, ne se démentira plus jamais ; et avec Maddly Bamy qui allait devenir son ultime compagne.

A l'inverse des clichés généralement admis, Ventura l'Italien est taciturne, secret et volontiers bourru (un « taiseux », comme on dit vers le plat pays et dans les chansons de Brel), tandis que Jacques, l'homme du Nord, est une sorte de volcan en perpétuelle activité. Un exubérant qui, comme le définit si bien Brassens – un autre copain de Ventura –, a besoin d'ouvrir les bras pour dire qu'il embrasse. Deux tempéraments qu'on pourrait croire aux antipodes l'un de l'autre, s'ils ne possédaient en commun une même allergie à la frime et aux mondanités du métier, une générosité et un culte de l'amitié identiques. Et un même sens homérique du rire ! Car Jacques fait beaucoup rire Lino ; au point de l'entraîner dans des « coups » qui bousculent la réserve habituelle de l'acteur, sans doute l'un des moins exhibitionnistes qui soient.

Témoin, la désopilante scène de « drague », tournée sur la plage d'Antigua. Ce jour-là, Lelouch a donné congé à son équipe et tout le monde, jouant les parfaits touristes, se prélasse en bord de mer. Aldo Maccione, lui, fait le pitre en caricaturant sa fameuse démarche de séducteur italien : fesses en arrière, épaules roulantes, moulinets des avant-bras et genoux levés. Hilarité générale ! Quand Brel, le rejoignant, entreprend de l'imiter, avec ses grands abattis d'oiseau déplumé, le fou rire redouble. Pour Lelouch, c'est la trouvaille ! Empoignant la caméra qui ne le quitte jamais, il demande à ses comédiens de suivre l'exemple de Jacques, pendant qu'il les filme, sous les regards amusés et incrédules de quelques vacancières... Charles Gérard et Charles Denner s'exécutent aussitôt, avec plus ou moins de maladresse appuyée ; mais Lino Ventura refuse. Jacques vient alors le chercher par la main et l'entraîne à sa suite. Sans ses techniciens, Lelouch filme seul ; comme s'il réalisait un reportage... Peu à peu, Ventura se laisse prendre au jeu, entre dans le gag et surenchérit en pitreries sur le reste de la bande ! La séquence s'achève lorsque chacun n'en peut plus de rire : elle est parfaite. Naturelle comme jamais on n'aurait pu l'espérer si on l'avait prévue, répétée et tournée dans des conditions normales, elle sera évidemment incluse telle quelle dans le montage final.

Si Brel amuse beaucoup Ventura, à l'inverse le côté mari exemplaire et père de famille modèle de celui-ci fascine le Grand Jacques, qui n'a jamais été un parangon du genre. Curieusement, cela aussi servira de ciment à leur amitié ; Brel offrant d'ailleurs à Lino Ventura – pour sa « Fondation Perce-Neige », au profit de l'enfance handicapée – l'intégralité des droits d'auteur de sa prochaine chanson [1]. Un geste semblable à celui qu'il avait déjà montré pour Isabelle Aubret, à la suite de son terrible accident de 1963, quand il lui avait abandonné tous les droits de « La Fanette ».

Le tournage de *L'Aventure, c'est l'aventure* sera également, pour le chanteur en rupture de music-hall, l'occasion de retrouver un confrère qu'il aime bien : Johnny Hallyday. Dans le film, celui-ci joue son propre rôle avec beaucoup d'humour, se laissant kidnapper, en toute complicité et à des fins promotionnelles, par la bande de Pieds Nickelés modernes que forment Ventura, Brel, Denner et consorts. Johnny relâché, contre rançon sonnante et trébuchante, ces derniers s'en prendront successivement à l'ambassadeur de Suisse, à un célèbre guérillero sud-américain et même au pape, après avoir aidé à fomenter une ou deux révolutions et connu un procès truqué, assorti d'une vraie-fausse évasion, digne des enquêtes du *Canard enchaîné*. Le tout dans l'amoralisme le plus total et une loufoquerie qui masque mal un ton quelque peu réactionnaire, au regard des idées de l'époque.

A considérer le film sous l'angle brélien, on a presque l'impression que Lelouch l'a construit autour de Jacques. Car tout y est ! Du bateau dans les îles à l'avion qu'il pilote (lorsque la bande arrive en Afrique), en passant par l'accent belge et la fameuse misogynie que chacun s'amuse à lui rappeler, le poussant parfois à en rajouter, comme par provocation. Ainsi, cette phrase que le dialoguiste prête à son

1. Précision : cette chanson, « L'enfance », extraite de la bande originale du second film de Jacques Brel, *Le Far West*, n'est pas « la prochaine » au sens strict du terme, car il écrira et enregistrera entre-temps « La chanson de Van Horst » – pour le long métrage d'Alain Levent : *Le Bar de la fourche* – mais celle-ci étant cosignée avec Gérard Jouannest, Jacques n'en avait pas les droits intégraux. C'est donc la prochaine chanson entièrement de sa main qu'il offrira à Lino Ventura, pour *Perce-Neige*.

personnage : « *Si j'aime les hommes, c'est surtout parce que c'est pas des femmes...* » On imagine mal, il est vrai, Jean-Louis Trintignant dans un tel rôle. Même si celui-ci, c'est vraisemblable, a été retaillé pour son remplaçant.

Présenté à Cannes, dans la sélection officielle française, *L'Aventure, c'est l'aventure* ne recueillera guère les faveurs des critiques, à l'exception de Georges Charensol et d'Henri Chapier, qui tous deux y verront « *un chef-d'œuvre de non-conformisme* ». Mais le public lui réservera un accueil triomphal, la seule exclusivité sur la région parisienne totalisant plus de sept cent mille entrées ! Le plus gros score jamais atteint par un film affichant le nom du chanteur à son générique.

14

J'aimerais tenir l'enfant de carême...

23 novembre 1971 : Jacques Brel est à Antigua, en plein tournage de *L'Aventure, c'est l'aventure*. Il y a très précisément six jours qu'il a rencontré Maddly Bamy, avec qui un flirt s'est ébauché. Au sein de l'équipe, l'ambiance est excellente ; la mer est turquoise, le temps magnifique et les copains toujours partants pour des blagues de potaches. Malgré un rythme de travail assez soutenu, tout le monde a plus ou moins l'impression de se trouver en vacances. Météo et moral au beau fixe, Jacques savoure ses amours, cultive son amitié pour Lino et se délecte de la virtuosité technique de Lelouch derrière sa caméra. C'est dire s'il est à mille lieues de se soucier de la vie politique française, de ses dessous comme des manigances qui se trament dans le secret des cabinets. Pourtant, ce 23 novembre, un événement d'apparence anodine va le concerner indirectement, au point qu'il ressentira le besoin, dans les semaines suivantes, d'expédier un communiqué de mise au point à l'agence France-Presse.

Cet événement d'ordre politique paraît si peu important, au regard de l'actualité, que la plupart des Français n'y prêteront pas la moindre attention. Seuls quelques journaux particulièrement vigilants prendront la peine d'en informer leurs lecteurs : Georges Pompidou, président de la République française, a signé la grâce d'un certain Paul Touvier, condamné à mort par contumace, au lendemain de la Libération, pour faits de collaboration et crimes contre l'humanité.

En quoi ce que l'on appellera « l'affaire Touvier » peut-il concerner Jacques Brel? L'arrestation dudit Touvier, le 25 mai 1989, verra resurgir dans l'actualité le nom du chanteur à côté de celui du collaborateur et ancien milicien. L'histoire d'une affaire nauséabonde dans laquelle il semble bien que Brel, comme beaucoup d'autres, se soit littéralement fait piéger.

Au départ, les faits sont clairs et l'itinéraire de Touvier facile à reconstituer. Né à Saint-Vincent-sur-Jabron, dans la région de Sisteron, le 3 avril 1915, d'une famille traditionaliste et maurrassienne, Paul Touvier, dont la mère est morte en couches, épuisée par onze maternités, sera élevé par un père sous-officier de carrière en retraite, devenu percepteur à Chambéry au titre des emplois réservés aux anciens combattants. Comme bon nombre de survivants de la Grande Guerre, Monsieur Touvier père vit dans le culte du maréchal Pétain, vainqueur de Verdun. Se méfiant pêle-mêle des juifs, des francs-maçons, du bolchevisme et, plus généralement, de tout ce que Charles Maurras nomme « le désordre », il milite au sein de la Fédération nationale catholique du général de Castelnau, et des Croix-de-Feu du colonel de La Rocque.

Au terme d'une scolarité médiocre, dans un établissement religieux proche de la maison familiale chambérienne, Paul Touvier, dépourvu de tout diplôme, trouve un emploi d'expéditionnaire à la SNCF. C'est un travail d'archiviste qui lui donne le goût des registres et des fichiers bien tenus; une expérience dont le futur milicien se souviendra lorsqu'il sera question d'organiser le service de renseignements de la collaboration lyonnaise, et surtout de gérer son extraordinaire existence clandestine, qui le verra échapper à toutes les recherches au lendemain de l'épuration et durant près de quarante-cinq ans!

Mobilisé à Epinal, aux premiers jours de 1940, Paul Touvier sera porté déserteur le 24 mai; quatre jours avant la capitulation de la Belgique. Une accusation dont il sera finalement blanchi à la démobilisation, à l'instar de milliers d'autres fuyards, lorsque sera prise en compte l'invraisemblable débandade des unités françaises, lors des semaines précédant l'armistice.

Le retour au foyer est sans gloire, pour les soldats de la débâcle ; mais la vie continue et Touvier retrouve son emploi à la gare de Chambéry, ainsi que sa concubine, une prostituée habituée des maisons closes de Grenoble, Annecy et Aix-les-Bains, et « *connue du Service des Mœurs de Lyon depuis novembre 1934* [1] ». Une liaison qui se prolongera jusqu'en 1944, sans que l'amie de Touvier interrompe pour autant ses activités, faisant *ipso facto* du milicien un proxénète. Comme quoi on peut faire preuve de la morale catholique la plus stricte... sans la rigueur censée l'accompagner !

Pour l'heure, Paul Touvier en est encore à son apprentissage politique, au sein du SOL, le service d'ordre de la Légion française des combattants, créée en août 1940 par Joseph Darnand, pour soutenir l'action du maréchal Pétain. Mais le jeune archiviste grimpe rapidement dans la hiérarchie de l'organisation dont il devient secrétaire régional, avec salaire de permanent. Au programme du SOL comme à ce qui lui tient lieu de doctrine, quelques idées haineuses et primaires, rassemblées dans l'un des couplets de son chant de marche :

SOL, faisons la France pure !
Bolcheviks, francs-maçons ennemis,
Israël, ignoble pourriture,
Ecœurée, la France vous vomit !

« No comment », aurait dit Serge Gainsbourg.

Chargé alors d'organiser le service de renseignements du

---

1. Extrait du rapport du commissaire de police Jacques Delarue, établi le 10 juin 1970, à la requête du procureur général près la Cour de sûreté de l'Etat. Chargé d'enquêter sur le rôle exact joué par Touvier au sein de la Milice, dans le cadre de l'examen de sa demande de grâce, Delarue conclura son rapport par un avis nettement hostile à toute mesure de clémence : « *L'activité passée de Touvier a été néfaste, crapuleuse et sans excuse.* » Ce qui n'empêchera pas la grâce d'être accordée par Georges Pompidou, le 23 novembre de l'année suivante.

SOL, pour toute la Savoie, Paul Touvier constitue très vite un fichier d'une redoutable précision. Sans pour autant dédaigner de participer lui-même à des actions ponctuelles d'intimidation, à la tête de ce que le commissaire Delarue, dans son rapport d'enquête de 1970, appellera *une équipe d'hommes de main*. Puis, en janvier 1943, lorsque le SOL sera transformé en Milice, c'est tout naturellement qu'il endossera le sombre uniforme au brassard frappé du signe gamma. Bientôt nommé chef du « 2e Service » (toujours le renseignement) pour l'ensemble de la région lyonnaise, c'est désormais un personnage important aux pouvoirs étendus, craint aussi bien de ses alliés que de ses ennemis, dans cette France de la collaboration gangrenée par la délation. Car le « 2e Service » ratisse large, dont les attributions vont du simple « fichage » à l'interrogatoire musclé : séances de torture qui s'achèvent souvent par une exécution sommaire ou, ce qui est du pareil au même, par la remise du résistant entre les mains de la Gestapo.

En marge de leurs fonctions officielles, de nombreux miliciens pratiqueront, pour leur compte personnel, la « réquisition » des biens de leurs victimes. Or, comme l'indique le rapport Delarue, Touvier ne sera pas l'un des moins zélés en la matière : son activité *« devait ainsi être constamment marquée de pillages multiples, ce qui paraît avoir été la règle à la Milice de Lyon. Dans le même temps, il commençait à participer à des opérations punitives d'une extrême gravité* [1] *»*.

Au lendemain de la Libération, les activités et nombreux forfaits de Paul Touvier lui vaudront plusieurs condamnations – dont deux à mort, et deux autres à la dégradation nationale et à la confiscation des biens, prononcées respectivement les 10 septembre 1945 et 4 mars 1947 – et diverses peines annexes, pour vol, totalisant une douzaine d'années de prison et vingt ans d'interdiction de séjour. Six jugements au total, tous rendus par contumace ou par

---

1. Le rapport Delarue est reproduit, dans son intégralité, en annexe de l'ouvrage *Un certain Monsieur Paul – L'Affaire Touvier*, par Laurent Greilsamer et Daniel Schneidermann (Ed. Fayard, 1989).

défaut, car l'intéressé est entré en clandestinité au début du mois de septembre 1944.

Sa cavale durera près de quarante-cinq ans !

Quarante-cinq années pendant lesquelles il tiendra en échec tous les enquêteurs lancés sur ses traces, sans même avoir cherché à fuir le territoire français pour se réfugier, comme tant d'autres, en Espagne ou en Amérique du Sud, terres d'asile des plus accueillantes pour les ex-dignitaires nazis et collaborateurs en déroute. Car Touvier a trouvé mieux : un véritable Etat dans l'Etat, aux frontières duquel les lois édictées par les hommes perdent leur sens et la quasi-totalité de leurs pouvoirs : l'Eglise ! L'Eglise et son labyrinthe de couvents, d'abbayes, de monastères, de prieurés et de congrégations. Un monde clos et, en même temps, suffisamment cloisonné pour offrir une parfaite sécurité à un proscrit qui s'est placé sous le quadruple bouclier de la foi, de la charité, de l'indulgence et de la rédemption... Autant de notions avec lesquelles le milicien a largement prouvé qu'il savait s'arranger, mais dont il jouera avec l'habileté consommée que lui a donnée sa pratique du renseignement au plus haut niveau, et un pouvoir de conviction peu commun. En somme, nazi durant les guerres et catholique entre elles, selon la cinglante formule brélienne [1].

Evidemment, Jacques Brel ignore tout de cette histoire sordide, lorsqu'il fait la connaissance de Paul Touvier, vers le milieu des années 60. Celui-ci d'ailleurs ne s'appelle même plus Touvier, ayant adopté entre-temps le patronyme de la femme avec laquelle il s'est marié : c'est donc sous le nom de Paul Berthet qu'il rencontrera puis fréquentera le chanteur.

Sa version de la rencontre, telle qu'il la décrira plus tard, est non seulement tendancieuse mais bourrée d'inexactitudes, voire d'invraisemblances. Ainsi Touvier situe-t-il la scène à Tarare, au printemps 1959, alors que Jacques est en train de dîner avec son pianiste, juste avant un récital. Le proscrit s'approche de la table et se présente : *« Je m'appelle*

1. « Les F... ».

Paul, dis-je, et Brel me prie de m'asseoir. Il m'offre un verre. Ce chanteur est un intuitif et devine immédiatement que je cache un secret. Dès le repas fini, il renvoie le pianiste et nous nous retrouvons en tête-à-tête. Alors, je lui raconte tout : que je suis condamné à mort, que ses disques m'ont beaucoup aidé à supporter ma claustration. A la fin du spectacle, il me propose de me ramener à Lyon dans sa Pontiac et nous poursuivons notre conversation. C'est à la suite de cette première rencontre que Jacques Brel a écrit " L'épervier ", une chanson sur les condamnés à mort[1]. »

Bien que l'on puisse imaginer sans peine Jacques Brel prêtant une oreille attentive et compatissante aux doléances d'un homme traqué par la justice, pour une faute lointaine, le récit de Touvier sonne faux.

Primo, parce que la folle générosité de Jacques Brel n'était pas complètement aveugle et que les suppôts du nazisme ne trouvèrent jamais grâce à ses yeux ; il en conservera d'ailleurs une aversion avouée, quoique passablement irraisonnée, pour le germanisme sous toutes ses formes, à commencer par la langue qu'il s'amusait souvent à brocarder. De même refusa-t-il toujours d'aller chanter en Espagne, du vivant de Franco, pour ne pas cautionner de sa présence la dictature fasciste qu'il voyait dans le franquisme.

Secundo, parce que Touvier – sachant que la précision du détail fait souvent les affabulations les plus réussies – pêche justement par souci de faire vrai. Le repas d'avant spectacle ? Non ! Brel, comme la plupart des chanteurs, ne mangeait *jamais* avant d'entrer en scène, pour ne pas s'alourdir au moment de l'effort. Au contraire même, il vomissait systématiquement juste avant le lever de rideau... Le pianiste qu'il écarte ? A l'époque, c'était déjà Gérard Jouannest : quelqu'un qu'on ne « renvoie » pas comme un domestique ! En outre, Jacques avait bien trop de respect et d'estime pour ses musiciens pour les traiter de la sorte devant un inconnu... La Pontiac ? Un mirage ! Brel roulait en DS depuis 1958 ; depuis le succès, en fait, de « La valse à

1. Propos rapportés par Claude Flory, dans son livre d'entretiens : *Touvier m'a avoué* (Ed. Michel Lafon, 1989).

mille temps » qui lui avait enfin permis d'acheter une voiture neuve... Quant à la chanson « L'épervier »[1], il n'est nul besoin de préciser aux fidèles du Grand Jacques qu'il s'agit d'une grossière affabulation. Non seulement le chanteur n'a jamais rien enregistré de tel, mais il n'en subsiste absolument aucune espèce de trace dans les fameux cahiers sur lesquels il notait toutes ses idées. Pas la moindre ébauche : rien !

Cette rapide démonstration montre le peu de cas qu'il faut faire des affirmations de Paul Touvier, quand il parle de ses relations « amicales et complices » avec un Brel parfaitement au courant de son passé. En réalité, les deux hommes se sont rencontrés fortuitement, lors d'une visite touristique que le chanteur effectuait au monastère de la Grande-Chartreuse, où le proscrit et sa famille avaient trouvé refuge. « Monsieur Paul », comme on l'appelle pudiquement, y sert plus ou moins d'homme à tout faire et rend de menus services dans le village proche, tandis que son épouse, Monique Berthet, tient la caisse et la petite boutique de souvenirs du musée de l'abbaye. Reconnaissant Jacques Brel – qui n'a aucune raison, a priori, de se méfier de ce quidam circulant en toute liberté et semblant jouir de la considération générale –, Touvier l'aborde et la conversation s'engage sur le mode amical. Et puis l'on se revoit... Bientôt, Jacques, qui adore cette région magnifique, exprime le désir d'y trouver un chalet à retaper, pour venir en vacances avec Miche et les filles. Monsieur Paul, bien sûr, propose ses services ; lui qui connaît le massif comme sa poche, c'est bien le diable s'il n'y déniche pas l'occasion rêvée. Mieux, il négociera le prix du terrain car, étant presque de l'abbaye, il obtiendra sûrement un meilleur prix qu'un artiste venu de Paris... Ainsi, le soi-disant Paul Berthet signera-t-il le compromis de vente, au nom du chanteur, le 26 avril 1965. Puis il supervisera les travaux

---

1. Il existe, au catalogue de la SACEM, près d'une douzaine de chansons portant ce titre, dont les plus populaires sont sans doute celle chantée par Georgel, dans les années 20, et celle adaptée par Hugues Aufray d'un thème folklorique sud-américain, vers la fin des années 60. Jacques Brel, il est vrai, n'appartenait pas à la SACEM, mais à la SABAM, son équivalent belge, où aucune chanson de ce nom ne figure sous sa signature.

d'aménagement, étant en relation avec la plupart des entrepreneurs locaux, et assurera même la maintenance de la maison pendant l'absence des Brel. Un rôle de régisseur, en quelque sorte.

La pendaison de la crémaillère, au chalet (une ancienne bergerie sur les hauts de Saint-Pierre-de-Chartreuse), aura lieu en famille, à l'occasion des fêtes de Noël 1967. Depuis plusieurs mois déjà, Jacques a fait ses adieux à la scène, mais avant son dernier tour de piste, il a tenu à s'afficher ouvertement à gauche en soutenant la campagne de Pierre Mendès France et en posant aux côtés de François Mitterrand et de Gaston Defferre. Des prises de position suffisamment claires pour contredire singulièrement l'idée – émise plus tard par des journalistes en mal de sensationnel – qu'il aurait pu, à la même époque, fréquenter Paul Touvier en toute connaissance de cause, voire l'héberger pour l'aider à se cacher ! Jojo, pour lequel Jacques n'avait pas le moindre secret, eût explosé d'indignation et de fureur à cette simple pensée, lui, le sympathisant du PSU de la première heure. Et Gérard Jouannest de même, qui ne fit jamais mystère de ses sympathies communistes.

Par ailleurs, en ce Noël 1967, l'élémentaire sentiment de pitié que l'on pourrait éprouver pour un condamné à mort en fuite ne joue plus dans le cas de Touvier, qui bénéficie de la prescription depuis le 4 mars précédent. Seules demeurent donc, contre lui, l'interdiction de séjour et la confiscation des biens, attachées à ses deux condamnations à la peine capitale. « *La seule mesure qui intéresse Touvier,* dira le commissaire Delarue, *est la levée de la confiscation des biens qui le frappe, afin de faire voir le jour à ce mystérieux " Trésor de la Milice " qu'il aurait emporté et dont l'existence est considérée, à Lyon, comme certaine... »*

Passant plusieurs Noël successifs à la bergerie de Saint-Pierre-de-Chartreuse, Jacques Brel entretiendra donc des relations suivies avec Monsieur Paul. Une correspondance existe même, entre les deux hommes. Versée au dossier d'instruction du procès Touvier, il nous fut, de ce fait, impossible de la consulter. Mais le juge Claude Grellier, le premier magistrat chargé d'instruire l'affaire, est affirmatif sur ce point : « *Bien que le ton de ces lettres soit cordial (" Mon cher Jacques... ", " Mon cher Paul... "), elles ne traitent que de problèmes pratiques, relatifs à l'entretien de la propriété ou à des contrats de disques* [1]. *On n'y décèle aucune preuve que Jacques Brel ait pu connaître la situation exacte ou le passé de Paul Touvier. C'est donc de façon tout à fait subsidiaire que le nom de Brel apparaît dans le dossier Touvier* [2].

Dont acte. Jacques Brel s'est bel et bien fait piéger dans une histoire dont il ignorait à la fois les tenants et les aboutissants. Aussi est-ce avec la plus grande fermeté qu'il met les choses au point, en 1971, lorsqu'il découvre la véritable personnalité de celui qu'il faut bien appeler son « régisseur », après la mesure de grâce accordée par Pompidou, et les articles de presse qui s'ensuivirent. Non seulement le sieur Berthet-Touvier ne réapparaîtra plus jamais à la bergerie [3] ; mais Brel lui-même n'y mettra plus guère les pieds. Comme si l'endroit était souillé.

---

1. Jacques Brel aurait, semble-t-il, fait jouer quelques-unes de ses relations et donné un certain nombre de conseils à Paul Berthet, vers la fin 1966, début 1967, lorsque ce dernier entreprit de réaliser un disque d'éducation sexuelle à l'usage des enfants, visant à leur expliquer « *les mystères de la conception et de la naissance* ». Sorti en avril 1967, sous le titre *L'Amour et la vie*, ce disque restera au catalogue Philips jusqu'en 1971 (réf. : 844 723). Sachant les mauvaises relations que Jacques Brel entretenait alors avec son ancienne maison de disques, on ne peut que douter, vivement, du fait qu'il se soit beaucoup entremis dans ce projet.
2. Propos recueillis par l'auteur.
3. Paul Touvier sera finalement arrêté au prieuré Saint-François, à Nice, le 24 mai 1989. Jugé en mars 1994, il est condamné à la réclusion criminelle à perpétuité, le 19 avril suivant (ou le 20, si l'on veut, le verdict ayant été rendu vers minuit et quart), et mourra à l'hôpital de la prison de Fresnes, le 17 juillet 1996.

15

Au cinéma de son whisky

Lorsque *L'Aventure, c'est l'aventure* sort dans les salles de cinéma, le 4 mai 1972, il y a presque cinq ans jour pour jour que Jacques Brel a donné son dernier récital public au Colisée de Roubaix. Dans l'intervalle, il a tourné sept films – dont un réalisé par lui-même – traduit, monté et joué une comédie musicale, enregistré un disque pour enfants, écrit la bande originale de plusieurs longs métrages et sorti un album composé de neuf chansons nouvelles; sans compter le long stage à l'école des *Ailes,* de Genève, qui lui a permis d'obtenir une qualification quasi professionnelle de pilote.

Ainsi, ce qui s'annonçait, aux yeux des commentateurs, comme une retraite précoce, se révèle en fait une période d'activité tout aussi intense que l'époque des tournées. A cette différence près, aujourd'hui, que Jacques mène en permanence plusieurs projets de front; renouant avec le manque d'expérience propre au débutant, chaque fois qu'il aborde un genre nouveau, et redécouvrant inévitablement le fiel des critiques et, parfois même, l'amertume de l'échec. Toutes choses auxquelles il n'était plus habitué depuis une bonne douzaine d'années. De quoi méditer, lui le lecteur de Conrad, cette pensée de l'ancien marin devenu romancier de l'aventure : « *Aucun de nous ne réussit dans toutes ses entreprises et notre existence à tous compte quelques faillites : l'essentiel, c'est de ne pas flancher au moment d'une tentative et de soutenir jusqu'au bout l'effort de notre vie* [1]. » Une autre manière de définir ce que Brel résumait en deux mots : « *aller voir* »... Mais chaque entreprise, à présent, se mesure à sa part de risques. Passé les premières surprises et la relative bienveillance dont bénéficie (parfois) celui qui n'hésite pas à se remettre en cause – donc en péril – avec autant de résolution, Jacques Brel est entré, insensiblement et à son insu, dans une spirale d'échec dont il aura de plus en plus de mal à s'extraire.

Au cinéma, au bout de sept films, le facteur de curiosité ne joue plus. Brel est désormais un acteur comme les autres, et s'il ne veut pas encourir les foudres de la critique et la sanction du public, il lui faudra choisir les scénarios qu'on lui propose avec un peu plus de discernement que pour *Mont-Dragon* (lequel a réalisé, du reste, un nombre d'entrées très honorable au cours de son exclusivité). Or les deux films qu'il s'apprête à tourner, l'un comme interprète, *Le Bar de la Fourche*, l'autre comme metteur en scène, *Le Far-West*, seront des échecs cuisants qui vont l'amener à délaisser le cinéma, presque aussi brutalement qu'il s'était éloigné de la chanson. Pour des raisons radicalement opposées, sans doute – trop de maîtrise d'un côté, pas assez de l'autre, mais avec une logique somme toute assez cohérente.

Quoi qu'il en soit, Eddie Barclay, lui, n'a pas renoncé à le voir enregistrer un nouveau disque. A quoi bon, en effet, avoir un tel artiste sous contrat, si c'est pour ne rien produire ? Et il rappelle Jacques régulièrement...

Son contrat avec Barclay, Brel va d'ailleurs le renouveler en 1971, dans des circonstances qui font beaucoup couler d'encre et jaser le métier. On parle notamment de contrat à vie... ce qui, bien entendu, est interdit par la loi. En vérité, l'histoire est très simple mais suffisamment exceptionnelle, à la fois, pour donner lieu à toutes sortes de rumeurs et d'affabulations. On se souvient que, quittant Philips avec éclat, Jacques avait offert à Eddie Barclay de travailler avec lui, quel que puisse être le prix à payer. Un premier contrat,

1. « Le duel » : nouvelle extraite du recueil *Gaspar Ruiz*, de Joseph Conrad, 1908 (Ed. Gallimard, 1927, pour la traduction française).

d'une durée de cinq ans, avait donc été signé le 7 mars 1962 ; contrat reconduit tout naturellement pour six ans, en mars 1967, presque de façon tacite, alors que Jacques – après l'annonce de ses adieux à la scène – était en train de boucler sa dernière tournée.

Comme il n'abandonne pas la chanson, seulement la scène, il n'y a aucune raison qu'il se prive d'enregistrer des disques. Un nouvel album est déjà en gestation, du reste, avec des titres que Jacques – c'est une première – n'aura jamais eu l'occasion de roder sur scène. Barclay n'a pas à se plaindre : porté par le succès de « Vesoul » qui caracole en tête des hit-parades, par la nostalgie, sans doute aussi, de n'avoir plus l'occasion de voir le Grand Jacques en chair et en os, l'album se vend très bien. De même que se vendra très bien le disque extrait de *L'Homme de la Mancha*, grâce au triomphe de la pièce, qui tiendra l'affiche un peu plus de cinq mois, comme au formidable retentissement de « La Quête ».

Puis, plus rien. Jacques Brel s'enfonce dans le silence... Trop absorbé par ses multiples activités, il semble avoir définitivement relégué la chanson, cette fois, à l'arrière-plan de ses préoccupations. Non seulement il n'enregistre plus, mais surtout il n'écrit plus ! A l'exception, cependant, de deux scénarios de films [1] et de l'intégralité des chansons du *Voyage sur la lune*, cette comédie musicale avortée qui sera le premier fiasco de sa vie nouvelle. Aussi, lorsque Barclay se fait pressant, la réponse de Jacques est-elle toute trouvée : il n'a rien de nouveau, pour l'instant ; et ce *« pour l'instant »* risque fort de se prolonger longtemps, car les notes qu'il prend dans ses cahiers ne concernent plus, dorénavant, que ses films ou des idées de nouvelles, dans l'attente de ce roman qui le hante... et ne viendra jamais.

Outre leur complicité professionnelle, Brel et Barclay sont

1. Brel parlera souvent d'un troisième projet, déjà bien avancé, qu'il aurait abandonné au lendemain du fiasco de son second film, *Le Far-West* : « Franz *n'a pas gagné d'argent et* Le Far-West *en a perdu. Ce ne serait pas honnête de demander à quelqu'un de rejouer avec moi. Plus tard, dans cinq ans... je saurai ce qui s'est passé, alors je verrai...* » (Propos rapportés dans *La Revue belge du cinéma*, n° 24, déjà cité.)

liés par une profonde amitié. D'une certaine manière et bien que n'appartenant pas à la bande clinquante, bruyante et gesticulante de l'homme au cigare et aux huit mariages, Jacques est fasciné par ce Barbe-Bleue version moderne pour qui la vie n'est qu'une fête, quand la sienne n'est qu'une écorchure. Fasciné par l'individu, non par le décor ou la mise en scène beaucoup trop tapageuse et superficielle à son goût. Au reste, Barclay n'est pas dupe : *« Quelqu'un a publié, il y a quelques mois, un livre sur Brel dans lequel il me met en question,* écrit-il quelques années plus tard. *Ce quelqu'un pense que Brel a été fasciné par mon " coté hâbleur ", mes vestes, mes fêtes, mes bouffes et ainsi de suite* [1]. *Brel ne pouvait être fasciné par ce côté hâbleur, pour la bonne raison que je suis un silencieux de nature, qui doit se forcer pour sortir trois phrases. Brel était bien plus causant que moi! Brel n'était pas le moins du monde " fasciné " par mes vestes, fêtes, bouffes ou bagnoles en tout genre; il ne s'y intéressait pas du tout. Il ne venait pas à mes fêtes, rarement à mes dîners ou déjeuners, détestait de près ou de loin les mondanités. Il vivait d'une manière radicalement différente de la mienne. Ce que voulait Brel, c'était travailler avec le bonhomme Barclay et la maison Barclay, petite maison d'artisan dans laquelle il se retrouvait. Il avait pensé un instant se produire lui-même, mais les structures du métier s'y prêtaient mal. [...] Dans un sens, Brel devinait davantage Edouard Ruault qu'Eddie Barclay* [2]. *Entre Brel et moi, il y avait des liens réels, car celui qui était fasciné, c'était moi. [...] Brel m'émerveillait, il y a de quoi* [3] *! »*

De façon plus intime – mais quelle peut être la notion d'intimité chez un homme qui se marie toujours en conviant à ses noces le ban et l'arrière-ban du *show-business* et de la presse *people*? –, Jacques Brel sera l'un des témoins

1. Allusions aux deux passages suivants du livre d'Olivier Todd : *Jacques Brel, une vie (op. cit.)* : *« Ancien musicien, homme d'affaires entreprenant, gourmet, hâbleur, Barclay est la rade des exhibitionnistes du spectacle, doués ou non. »* [...] *« La personnalité de Barclay, rapide et fonceur, fascine Brel comme, par moments, son côté smoking blanc et ses fêtes autour de sa piscine. »*
2. Edouard Ruault, rappelons-le, est le vrai nom d'Eddie Barclay.
3. *Que la fête continue* : livre de souvenirs d'Eddie Barclay (Ed. Robert Laffont/Cogite, 1988).

du troisième mariage d'Eddie Barclay, en 1965, avec Charles Aznavour. L'amitié, l'estime et la confiance que se portent les deux hommes dépassent donc, et de loin, les simples relations de travail entre un artiste et son producteur... même si, du propre aveu de celui-ci, « *Brel n'a jamais fait partie de la bande à Barclay; ce n'était pas son style, il ne faisait partie d'aucune bande, il faisait bande à part et n'appartenait à personne. Inutile donc de le revendiquer* [1] ». Et Jacques, qui ne conçoit pas l'amitié sans la fidélité, aura l'occasion de montrer que les vrais amis se révèlent dans l'adversité...

Au début des années 70, la maison Barclay traverse une mauvaise passe. Des erreurs de gestion, des frais généraux pharaoniques et quelques choix artistiques imprudents ont laissé un trou d'un peu plus d'un milliard de francs dans les caisses. Eddie Barclay a beau s'en défendre [2], assurant que les actifs de la compagnie pèsent sept ou huit milliards de francs, les rumeurs de faillite commencent à se répandre. Jacques Brel, dont le contrat court encore sur les deux prochaines années, propose alors à son ami Eddie d'anticiper sa date de reconduction... et de signer un contrat à vie! Compte tenu du poids commercial qui est le sien, cela devrait suffire à rassurer les créanciers de la compagnie, et faire taire d'un coup les mauvaises langues prédisant l'imminence du naufrage.

Charles Aznavour, qui vient de triompher pendant près d'un mois à l'Olympia [3], aura exactement le même geste. Numéro un des ventes de disques en ce début d'année 1971, avec « Non, je n'ai rien oublié » [4], il anticipera lui aussi le renouvellement de son contrat. Sans conditions, comme Brel : « *Je ne te demande rien du tout, pas d'avance,*

---

1. *Idem.*
2. Voir témoignage d'Eddie Barclay, en annexe.
3. Récital Charles Aznavour à l'Olympia, du 19 janvier au 14 février 1971.
4. « Non, je n'ai rien oublié », 1971 (paroles de Charles Aznavour et musique de Georges Garvarentz).

pas de garantie, rien. Je suis là. Je suis ton ami [1]. » Sans doute plus au fait de la législation, qui interdit les engagements à vie entre partenaires commerciaux, l'ancien copain de plonge de Jacques, au temps de la vache enragée, se borne néanmoins à renouveler son bail pour une durée ordinaire de six ans, qu'il prolongera encore de six autres années, en 1977, pour finir par quitter la maison Barclay en 1983, après que son fondateur l'eut revendue, en 1979, à son vieux rival Philips... Philips ! la bête noire de Jacques Brel ! Une transaction qu'il ne verra pas se concrétiser de son vivant, par chance pour lui, car il l'eût certainement considérée comme la pire des infamies : le coup de poignard dans le dos d'un ami de longue date.

Pour l'heure, cependant, cet ami croule sous les ennuis. Brel, qui n'aime rien tant que la démesure, se doit de faire un geste qui sorte de l'ordinaire : et pourquoi pas un contrat à vie ! La loi ne l'autorise pas ? Qu'importe ! Loin de refroidir son enthousiasme, Jacques propose un double contrat de trente-trois ans, et c'est finalement celui-ci qui sera signé au domicile d'Eddie Barclay, avenue de Friedland, le 3 mars 1971. En théorie, au terme de ces soixante-six ans de coopération, les deux hommes seront respectivement âgés de cent onze et cent seize ans. Arrivés à cet âge-là, commentent-ils en riant, il sera toujours temps de voir ce qu'ils ont envie de faire... Jacques ignore qu'une simple reconduction de six ans eût presque suffi à le mener au terme de sa course.

Pour célébrer l'événement, il offre à Eddie Barclay un petit vase en étain destiné à recevoir une fleur unique. Avec

---

1. Propos rapportés par Eddie Barclay, dans *Que la fête continue*. Sans que cela ne retire rien à la générosité des gestes de Brel et Aznavour, il serait néanmoins injuste de passer sous silence – comme le fait M. Barclay, dans son livre de souvenirs – la formidable solidarité qui s'est développée alors, parmi le personnel de l'entreprise, pour aider à la sauver. De nombreux employés, que leurs fonctions discrètes n'exposaient pas au feu des projecteurs, acceptèrent sans sourciller des retards d'augmentation ou des reports de primes, en attendant que la compagnie se soit refait une meilleure santé financière. Jacques Lubin, à l'époque l'un des ingénieurs du son du studio Hoche, se souvient encore d'une réunion générale, convoquée par Eddie Barclay, au cours de laquelle celui-ci, ému jusqu'aux larmes, remercia chaleureusement l'ensemble de ses employés pour les efforts qu'ils avaient ainsi consentis. Dont acte.

ce panache qui le caractérise, il fera ainsi porter, pour garnir la précieuse flûte, une rose rouge au domicile de son ami... chaque jour pendant un an! Geste de prince. Mais si beau soit le symbole, les gestes ne sont rien sans effets concrets : n'ayant aucune chanson nouvelle en réserve, il cède alors à la suggestion d'Eddie Barclay de réenregistrer quelques-uns de ses vieux titres, demeurés sur catalogue Philips. Quelques solides succès tels que « Ne me quitte pas », « Quand on n'a que l'amour », « Le moribond » ou « La valse à mille temps » ne peuvent donner lieu, dans le contexte considéré, qu'à une bonne affaire commerciale...

Jacques, à vrai dire, n'est pas très chaud à l'idée de ce réhabillage qui lui semble artificiel, mais la générosité de son amitié finit par l'emporter sur toute autre considération. Y compris sur les réticences de François Rauber que l'idée de réécrire ses arrangements exaspère au plus haut point : *« Quand un enfant est né, il est né ; on ne le remet pas au monde X années après ! »* Malgré tout, Brel se laisse séduire par l'idée que le résultat – grâce à l'équipement technique de pointe du studio Hoche – n'en sera, forcément, que meilleur... Piètre illusion, évidemment, qui le conduira à enregistrer, sans grande conviction et sans véritable investissement personnel, un album au son racoleur qui détonne dans sa discographie et constituera, au bout du compte, une fort médiocre opération commerciale.

16

De drame en dame passe la vie...

Un simple coup d'œil à la pochette suffit à mesurer l'intérêt plus que superficiel porté par les responsables de Barclay à un disque dont ils espéraient, pourtant, de confortables profits. Pas moins de trois erreurs grossières se glissent dans le texte d'une jaquette que, visiblement, personne n'a pris la peine de relire. A commencer par la date d'enregistrement qui suit directement le nom du chanteur, pour montrer qu'il ne s'agit pas d'une réédition des versions Philips, mais bien de « Nouveaux enregistrements réalisés en juillet 1972 dans les studios Barclay », alors que les séances – les fiches techniques du studio en font foi – avaient eu lieu un mois plus tôt. Ce n'est qu'un détail, mais il y a plus désinvolte : le deuxième titre, « Marieke », orthographié « Mareike », et surtout le nom de François Rauber qui se retrouve affublé d'un *t* final, franchement vexant pour un chef d'orchestre qui dirige depuis plus de dix ans des séances au studio Hoche...

La consigne a été de moderniser les orchestrations, pour les adapter au goût du jour. Ainsi, l'accordéon ou les ondes Martenot des arrangements originaux s'effacent à plusieurs reprises derrière des guitares électriques, batteries et autres guitares à douze cordes, guère représentatives de l'univers auquel le trio Brel-Rauber-Jouannest nous avait habitués. Sachant en quelle piètre estime François Rauber tient les guitares, on mesure à quel point ce « ré-enfantement » a dû lui peser... Ces nouveaux arrangements ne présentent que peu d'intérêt, en vérité, au regard des versions Philips que tous les fidèles du chanteur – à la sortie de cet album – gardent encore en mémoire. Certains effets sont même racoleurs, comme cette flûte omniprésente dans « Les biches » qui évoque – mais en beaucoup plus sage – la lumineuse improvisation de Roger Bourdin sur « Il est cinq heures, Paris s'éveille » [1], l'indémodable succès de Jacques Dutronc, paru quatre ans plus tôt.

Brel lui-même adopte un ton frisant la perfection glacée – cette habileté qui est pourtant sa hantise – et semble parfois peu concerné par ce qu'il chante. Sa diction est souvent affectée – ah! ces effets de style de « La valse à mille temps »... – et frise le maniérisme. Un comble pour un chanteur dont les principales qualités ont toujours été sincérité, spontanéité et authenticité. Bref, on a un peu l'impression, pour une fois, que le Grand Jacques s'écoute chanter. Impression renforcée encore par le fait qu'à trois exceptions près (« On n'oublie rien », « Les prénoms de Paris » et « Le prochain amour »), toutes les chansons sont sensiblement plus longues que dans leurs versions d'origine, donc moins ramassées, moins denses, moins écorchées. Autre fait significatif : il ne faudra pas moins de trois séances différentes pour arriver enfin à mettre en boîte « Ne me quitte pas », supposée être la locomotive chargée de tirer tout l'album.

Les prises auront lieu en quatre fois, les 12, 20, 23 et 27 juin, sous l'égide de Claude Achallé qui, exceptionnellement, remplace Gerhard Lehner indisponible [2]. Mais la justice la plus élémentaire force à reconnaître que la qualité de son travail n'est absolument pas en cause. Au contraire, l'une des seules trouvailles intéressantes de cette réalisation relève d'un emploi très intelligent de la stéréophonie, suggéré par la conception même des arrangements de François Rauber. Celui-ci a eu en effet l'idée astucieuse – sachant que l'enregistrement, comme toujours, se ferait d'un seul jet – de doubler la plupart des instruments, pour mieux les répartir dans l'espace sonore. Ainsi entend-on, clairement, deux gui-

1. « Il est cinq heures, Paris s'éveille », 1968 (paroles de Jacques Lanzmann et A. Segalen, musique de Jacques Dutronc).
2. Le CD n° 10 de l'*Intégrale Jacques Brel*, qui reprend l'ensemble de cet album de 1972, fait mention de Gerhard Lehner comme ingénieur du son : une nouvelle erreur parmi tant d'autres...

tares électriques dans « Le moribond » et « Je ne sais pas », deux flûtes dans « Les biches » et deux accordéons dans « La valse à mille temps » où Marcel Azzola dialogue avec Gilbert Roussel.

Le disque paru, l'intention originelle d'Eddie Barclay ayant manifestement été de récupérer d'une manière détournée quelques-uns des titres les plus marquants de la période Philips [1], la réaction de son concurrent ne se fait pas attendre, qui se traduit par un procès... Bien mauvais moyen, au demeurant, de rétablir les affaires d'une compagnie en difficulté.

Jacques Brel, pour sa part, se désintéresse ouvertement de l'avenir d'un album qu'il a enregistré seulement pour rendre service, et dont il perçoit de plus en plus la vacuité artistique. Il a le sentiment de s'être quelque peu laissé forcer la main, pour une opération sournoisement mercantile. Et cela ne lui plaît guère, même si son amitié pour Eddie Barclay n'en est pas affectée ; du moins pour l'instant. De toute façon, la chanson ne fait plus partie de ses soucis du moment.

Outre ses projets cinématographiques en cours, Jacques est partagé entre deux femmes : Monique, sa compagne « officielle », qui a remplacé Sylvie dans sa vie depuis bientôt deux ans, et Maddly Bamy, une jeune et dynamique actrice-danseuse, rencontrée l'automne précédent sur le tournage de *L'Aventure, c'est l'aventure*. Une situation compliquée encore par les relations de tendresse et de confiance que Jacques n'a jamais cessé d'entretenir avec sa femme Miche, dont il refuse d'ailleurs obstinément de se considérer séparé. Ainsi, quand des proches (ou ses compagnes successives) lui demanderont pourquoi il ne divorce pas, sa réponse sera-t-elle toujours claire et sans appel : *« Miche a vécu tous les mauvais moments. Ça n'est pas maintenant que cela marche bien*

---

1. Les onze titres composant cet album sont : « Ne me quitte pas », « Marieke », « On n'oublie rien », « Les Flamandes », « Les prénoms de Paris », « Quand on n'a que l'amour », « Les biches », « Le prochain amour », « Le moribond », « La valse à mille temps » et « Je ne sais pas ». Disque 33 tours, 30 cm (réf. Barclay 80470) ; CD n° 10 de l'*Intégrale Brel* déjà citée.

que je vais la quitter [1]... » Le fait que Jacques vive, au vu et au su de tous, avec d'autres femmes n'empêche donc pas les deux époux de se retrouver à intervalles réguliers. Lorsque Jacques est de passage à Bruxelles, mais aussi pour les fêtes de Noël, traditionnellement passées en famille à la bergerie de Saint-Pierre-de-Chartreuse, ou pour des vacances impromptues, tel ce séjour en Guadeloupe qu'ils viennent d'effectuer ensemble, en février 1971, avec la plus jeune de leurs trois filles, Isabelle, alors âgée de treize ans.

Hormis les problèmes de conscience que cela peut lui poser, et qui déteignent dans sa vision de plus en plus négative des rapports hommes-femmes – lui, l'infidèle ostensible, irrémédiablement blessé par l'inconstance de celles qu'il souhaiterait au-dessus de tout reproche ! –, Jacques a toujours vécu ses aventures extra-conjugales dans une relative sérénité. Cette fois, cependant, les choses se compliquent. Surpris en flagrant délit d'adultère avec Monique, il est cité comme témoin au procès intenté à celle-ci par le mari trompé. Jojo tente bien de le dissuader d'y aller, mais rien n'y fait : son côté Don Quichotte le pousse, en quelque sorte, à boire la coupe jusqu'à la lie. L'audience a lieu en juin 1972, alors que le chanteur se trouve en plein enregistrement de son nouvel album. Monique est condamnée, le divorce prononcé à ses torts exclusifs et on lui retire la garde de son fils. De toute évidence, la renommée de Jacques Brel a pesé lourd dans l'histoire et joué en défaveur des deux amants. Mais c'est Monique seule qui paie la casse de ce mauvais vaudeville... d'autant que Maddly, sans que Monique le sache encore, vient d'entrer au forceps dans la vie de Jacques.

Leur première rencontre, à Antigua, au cours de l'automne 1971, est vraiment le fait du hasard, un avatar de casting... Pour séduire les cinq héros de son histoire, et les faire tomber dans un piège tendu par la guérilla locale, Lelouch a engagé cinq jeunes Antillaises, belles et délurées, chargées d'user de leurs charmes afin d'endormir toute méfiance. Au moment de répartir les partenaires, Lelouch propose de tirer au sort : qui est avec qui importe peu, car les

1. Propos rapportés à l'auteur par Jean Liardon.

filles apparaîtront seulement quelques secondes dans le film. Chacune inscrit donc son nom sur un bout de papier, le jette dans un chapeau de paille, et tour à tour les hommes y plongent la main... Sur le papier tiré par Jacques, un prénom qu'il prononce à haute voix, pour en informer le réalisateur et le reste de l'équipe : Maddly.

Bien que leurs quelques scènes soient très brèves, les filles restent plusieurs jours à Antigua ; comme si la production voulait compenser la maigreur des cachets par des vacances au soleil des Caraïbes, quand le temps, en France, vire à l'hiver. L'ambiance est détendue, amicale, chaleureuse. Heureux en compagnie de Lino et de Jacques, Lelouch fait tout pour que chacun se sente à son aise et donne le meilleur de lui-même, sans trop avoir l'impression de travailler... malgré des journées de tournage, souvent, de douze à treize heures d'affilée. Jacques est subjugué par la manière de travailler du réalisateur qui semble improviser en permanence, tout en se montrant d'une extrême précision technique. Le soir, Lino Ventura et Aldo Maccione se lancent dans d'homériques concours de spaghettis, sous le regard expert et goguenard de Charles Gérard, et Jacques profite de la douceur de la brise marine pour se promener sur la plage avec sa partenaire. Un flirt s'ébauche. Peut-être même y parle-t-on d'amour, car le décor y est propice...

Toujours est-il que, de retour en France, le tournage achevé, Jacques Brel donne pour consigne à Alice Pasquier – l'épouse de Jojo, qui centralise la plupart de ses appels téléphoniques – de « faire barrage » : si Maddly appelle, il n'est pas là, et elle ne sait pas où le joindre... Jacques, qui a toujours été assez lâche avec les femmes, n'ose pas lui dire en face que cette amourette de vacances n'était pour lui qu'une aventure sans lendemain [1]. De son côté, il reprend sa vie avec Monique et, dès le début du mois de février, se rend en Bretagne, dans la forêt de Paimpont, pour jouer le rôle de Van Horst, dans *Le Bar de la Fourche*, le premier long métrage de son ami Alain Levent.

---

1. Voir le témoignage d'Alice Pasquier, en annexe.

Encore une histoire de fidélité ! L'acteur et le cinéaste se connaissent depuis quatre ans maintenant. Ils se sont rencontrés en février 1968, à l'occasion du tournage de *La Bande à Bonnot*, quand Jacques n'était encore qu'un débutant, peu sûr de ses talents de comédien. Dans l'intervalle, ils ont tourné quatre films ensemble, dont *Franz* qui doit beaucoup – Jacques le sait très bien – à la maîtrise technique de son chef opérateur. Les liens d'amitié et de confiance qui les unissent sont solides. Or, pour cette première réalisation, Levent ne dispose que d'un budget des plus minces : aucune vedette confirmée, c'est sûr, n'acceptera de jouer pour le maigre cachet qu'il peut offrir. Reste son ami Brel...

Ils ont passé tant et tant de nuits blanches, autour d'innombrables bières, à rêver sur les ébauches du scénario de *Franz*, que Jacques s'enthousiasme vite à l'idée que son ami s'apprête à franchir le pas. A se lancer à son tour dans l'aventure de la mise en scène. *« Aller voir »*, encore et toujours. Pour que, par brèves éclaircies, le monde cesse un peu de sommeiller *« par manque d'imprudence* [1] *»*.

Tirée d'un roman de Gilbert des Voisins, l'action se situe au Canada, à l'époque de la Première Guerre mondiale. D'une certaine manière, le personnage de Van Horst n'est pas sans rappeler celui de *Benjamin* ; mais l'histoire est plus faible, moins truculente, moins frondeuse aussi. Pour tout dire, moins passionnante. N'est pas Tillier qui veut ! Non plus que Molinaro, d'ailleurs... Dès les premiers jours de tournage, Jacques Brel sent bien que, malgré sa compétence et sa bonne volonté, son ami Levent est loin de posséder son sujet. L'action piétine, le rythme est mou et l'intrigue tourne en rond, à force de faux rebondissements.

Van Horst, que tout le monde croit mort, revient après vingt ans d'absence au *Bar de la Fourche* tenu par son ancienne maîtresse, dont il a emporté toutes les économies en l'abandonnant. Chemin faisant, il rencontre un jeune garçon qui a fui sa famille et lui rappelle un peu l'adolescent qu'il était autrefois. Après moult péripéties, au cours desquelles – comme il se doit – les femmes n'ont pas le beau rôle (surtout Isabelle Huppert, dont c'est l'une des toutes premières apparitions à l'écran), Van Horst est obligé de se

1. « Jojo ».

battre en duel avec son jeune protégé. Mais si les femmes, dit-il lui-même, sont « *la plus belle chose du monde, elles ne valent pas que l'on tue son fils pour elles* ». Van Horst se fait donc passer pour mort, encore une fois, puis réapparaît à nouveau pour tirer le jeune homme des griffes du tribunal, avant de partir en sa compagnie vers d'autres aventures...

Un scénario bavard et relâché, auquel il est bien difficile de souscrire, et que Jacques illustrera d'une chanson où il pousse jusqu'à la caricature, presque, cette technique répétitive qui lui a pourtant valu quelques-unes de ses plus belles réussites :

De peu à peu,
De cœur en cœur,
De peur en peur,
De port en port,
Le temps d'une fleur
Et l'on s'endort,
Le temps d'un rêve
Et l'on est mort [1].

La fameuse habileté, dont il se défiait tant, et dont il craignait qu'elle finisse par l'amener, un jour, à écrire dans le vide, trouve ici sa traduction la plus flagrante ; chaque répétition amenant logiquement la suivante, sans souci du sens, par le simple jeu des assonances et des homophonies (peu-cœur-peur-port). Reste, malgré tout, une jolie chute, authentiquement brélienne, pour justifier ce fastidieux ping-pong de morts apparentes et de prétendues résurrections :

De bière en bière,
De foire en foire,
De verre en verre,
De boire en boire,
Je mords encore
A pleine dents ;
Je suis un mort
Encore vivant !

Nonobstant son amitié pour Levent – qui sera encore le chef opérateur de *Far-West* –, Jacques voudrait apporter

1. « La chanson de Van Horst ».

quelques améliorations au script, dont il perçoit les évidentes faiblesses. Mais à présent que le tournage a commencé, il n'y a plus grand-chose à faire... De plus, il pleut! Pratiquement sans discontinuer. On est en février et, début mars, la Bretagne dégouline de partout. La terre, saturée, refuse d'absorber toute cette eau, et certains jours, il faut tourner avec des bottes en caoutchouc... ce qui oblige à modifier les cadrages. Parfois même à chambouler le plan de travail. Rien ne va comme prévu, mais Jacques, en vrai professionnel – et malgré quelques crises de grogne –, porte de bout en bout le film sur ses épaules.

Robert Chazal le soulignera d'ailleurs, dans *France-Soir*, à sa sortie : « *Fort en gueule, buveur, tricheur, paillard, mais au demeurant le meilleur homme du monde, tel est Jacques Brel dans le personnage truculent de Van Horst. [...] Il en fait le Grand Jacques. Il crie, il rit, il se fâche, s'agite. C'est le mouvement perpétuel au milieu d'autres comédiens un peu dépassés et d'une histoire qui en paraît presque sans rythme* [1]. »

Comble de maladresse, de la part de la production, *Le Bar de la Fourche* sort en salles le 23 août 1972, avant même la fin des grandes vacances d'été. Résultat : la période d'exclusivité est un désastre et le film passe pratiquement inaperçu. Rapidement retiré de l'affiche, il ne totalisera que vingt mille entrées payantes dans la région parisienne. Ce qui constitue alors, et de loin, le plus petit score jamais réalisé par un film comportant Jacques Brel à son générique.

1. *France-Soir*, 26 août 1972.

17

Encore une fois prendre un amour

Conformément aux instructions reçues, Alice Pasquier, l'épouse de Jojo, a dressé un barrage téléphonique devant Maddly Bamy. En dépit de nombreuses tentatives, celle-ci n'a donc pas réussi à joindre Jacques depuis son retour des Antilles. Un peu plus de trois mois se sont écoulés, mais la jeune femme ne se décourage pas pour autant. Elle n'est pas de celles qui renoncent, et c'est une qualité qui aura son importance dans l'amour que Jacques Brel lui témoignera pendant les dernières années de sa vie.

L'Aventure, c'est l'aventure doit être présenté, début mai, en ouverture du Festival de Cannes. Désireux de se faire une première idée de l'accueil qui sera réservé à son film, Claude Lelouch, sitôt son pré-montage achevé, organise une projection privée. Les acteurs sont naturellement invités, et Jacques – malgré son déplaisir de se voir à l'écran – a promis de venir... Par amitié pour le réalisateur. Maddly, pour sa part, se rappelle aux bons souvenirs de celui-ci – après tout, elle figure dans le film, et tout s'est plutôt bien passé avec elle à Antigua –, demande et obtient une invitation. Cette fois, rien ne peut l'empêcher de revoir Jacques ; puis l'idylle de se renouer.

Ils ne se quitteront pratiquement plus durant les six années à venir, malgré la place importante que Monique occupe encore dans la vie de son compagnon. Monique, bafouée, qui s'apprête à passer en jugement pour adultère, et à laquelle Jacques continue d'écrire, presque quotidiennement, de brèves mais belles lettres d'amour. Tout comme sont belles et tendres les lettres qu'il adresse à Miche [1]...

A lire cette correspondance intime, où l'amour le dispute souvent à un étrange sentiment de masochisme, on en vient à se demander quelle est la part de sincérité chez un homme pour qui l'honnêteté et la franchise figurent au rang de vertus cardinales (« *C'est trop facile de faire semblant* [2]... »), mais qui a toujours su cloisonner soigneusement sa vie affective, au point parfois de ne plus savoir lui-même où il en était. A moins que la réponse ne se trouve dans le vieil aphorisme désabusé de Tristan Bernard : « *Les hommes sont toujours sincères. Ils changent de sincérité, voilà tout* [3] ! »

Dans cet invraisemblable jeu de cache-cache, qui l'opposera longtemps à Monique, Maddly sera sûrement la moins naïve et la plus déterminée. Non seulement elle connaît l'existence de sa rivale, contrairement à celle-ci ; mais elle sera suffisamment adroite et patiente, aussi, pour ne jamais forcer la main à Jacques en le mettant devant l'obligation de choisir. Sans doute la vie qu'elle s'était choisie de longue date l'avait-elle un peu mieux armée que l'ancienne épouse modèle soudain saisie par la passion dévastatrice d'un amour qui la mettrait finalement au ban de son propre monde. Car Maddly Bamy, au moment où elle entre pour de bon dans la vie de Jacques Brel, en ce printemps 1972, n'est pas à proprement parler une novice.

A une lettre près, en anglais, ce prénom signifie « follement » ; mais il ne s'agit, en fait, que d'un pseudonyme. Un nom d'artiste – presque un nom de guerre – inspiré du prénom de sa mère, Madou. Pour l'état civil, la jeune femme s'appelle Hélène et elle est née en Guadeloupe en 1943, sous le signe du cancer, comme elle le précise elle-même [4]. Sa prime enfance se déroule à Pointe-à-Pitre – où son père travaille comme employé chez Gardel, l'une des grandes sucre-

1. Sur ce point, on se reportera à l'ouvrage d'Olivier Todd, qui a eu accès aux correspondances privées de Monique (qu'il appelle Marianne) et de Madame Brel (ouvrage déjà cité).
2. « Grand Jacques ».
3. *Ce que l'on dit aux femmes*, par Tristan Bernard.
4. *Tu leur diras*, par Maddly Bamy (Ed. du Grésivaudan, 1982).

ries-distilleries de l'archipel –, jusqu'en 1953, date à laquelle Madou Bamy décide d'emmener ses cinq enfants en France, pour favoriser leurs études. Le père, lui, reste à Grande-Terre. Par une curieuse coïncidence, 1953 est également l'année où Jacques Brel débarque à Paris, sa guitare sous le bras, pour répondre à l'invitation de Jacques Canetti. Ainsi découvrent-ils Paris, à la même époque, chacun dans sa forme d'exil : elle, fillette de dix ans, loin du soleil, des fleurs et des plages de son île ; lui, vingt-quatre ans trop vite montés en graine, marié, deux enfants, idéaliste et gauche, mais enfin libéré de ses cartons, et résolu à se battre jusqu'au bout de ses forces pour ne pas retourner dans le confortable giron familial.

Dans un premier temps, la famille Bamy s'installe à Longjumeau, puis déménage pour Rueil-Malmaison ; là où – autre coïncidence – vivent Jojo et sa femme Alice, dont la maison est une sorte de havre pour le chanteur, toujours entre deux tournées. En marge de ses études, qui s'interrompront peu après le BEPC, Hélène Bamy étudie la danse et le piano. Elle rêve de devenir artiste : danseuse bien sûr, car ses dons en la matière sont indéniables, mais aussi comédienne, pourquoi pas... Elle n'est d'ailleurs pas la seule dans la famille à montrer cette vocation, puisque son frère Erick manifeste de sérieuses dispositions pour la musique et commence à monter des petits groupes avec des copains de rencontre [1].

En ces années 60, l'époque est au rock'n'roll et les opportunités ne manquent pas pour un musicien talentueux. Après avoir fait les premières parties de quelques tournées de Claude François, avec Les Frogeaters dont il était le chanteur, Erick Bamy est remarqué par Lee Halliday qui lui propose de devenir choriste dans le groupe de scène de Johnny. Avec le temps, l'osmose sera telle, entre les deux hommes, que Bamy finira par devenir la véritable doublure de Johnny Hallyday, allant même jusqu'à faire les « balances-voix » à sa place, avant chaque concert, tant leurs

1. Pour plus de renseignements sur la carrière d'Erick Bamy, se reporter à l'ouvrage de Serge Loupien : *Johnny Hallyday, la dernière idole* (Ed. Grasset, 1984).

timbres peuvent se ressembler. Sans doute moins connu du grand public que Michel Mallory, Long Chris ou Pierre Billon, Erick Bamy sera donc, à partir de la fin des années 70, l'un de ces personnages de l'ombre, essentiels dans l'univers musical de l'éternelle idole, pour laquelle il composera, de surcroît, quelques rocks bien sentis.

En 1963, Maddly pose sa candidature à l'ORTF où l'on a toujours besoin de danseuses pour les innombrables ballets qui ponctuent les émissions de variétés. Dans le même temps, Jean-Christophe Averty cherche des figurants de couleur pour tourner *La Case de l'oncle Tom*. Le hasard voulant que la demande de la jeune femme arrive alors que l'auteur des *Raisins verts* est en train de boucler sa distribution, elle est engagée pour tenir le petit rôle d'une esclave. C'est son premier vrai contact professionnel avec les milieux du spectacle. Peu après, elle est engagée par Jean-Louis Barrault pour danser le rôle de la Jobarbara dans *Le Soulier de satin* [1], à l'Odéon. Viendront ensuite quelques courtes apparitions dans un épisode de la série télévisée *Les Cinq Dernières Minutes*, dans le film de Robert Enrico *Boulevard du rhum*, avec Lino Ventura et Brigitte Bardot, ou dans *Chaka*, téléfilm en forme d'opéra-ballet, réalisé par Roger Kahane, d'après un texte de Léopold Senghor.

Années de débrouille et de « panouilles » comme en vivent tous ceux qui aspirent à se faire un nom, dans la masse gravitant à distance incertaine de l'épicentre d'un métier en forme de miroir aux alouettes. Pour vivre, lorsqu'elle ne danse pas, Maddly prête sa silhouette à des défilés de mode. Elle a même l'idée, un jour, de combiner ces deux activités, afin de présenter la haute couture sur des chorégraphies de son cru. L'expérience sera tentée sur la scène de l'Olympia, mais ne connaîtra guère de suite...

En 1968, son frère Erick la présente à Claude François qui l'engage aussitôt pour sa troupe de « Claudettes ». Malgré les sourires, les projecteurs et les paillettes, cela ressemble à une plongée dans la jungle. Car si l'emploi est stable et relative-

---

1. *Le Soulier de satin, ou Le pire n'est pas toujours sûr*, pièce dramatique en quatre journées, de Paul Claudel, 1929 (représentée pour la première fois en 1943).

ment bien payé, le stress y est constant, compte tenu de la rivalité impitoyable existant entre les filles et surtout du nombrilisme forcené, de la tyrannie ahurissante comme de l'hystérie délirante d'un Cloclo, littéralement déifié par ses fans et son entourage, et vivant son ego aux limites de l'aliénation. Le genre d'environnement qui vous broie et vous rejette au bord de la dépression, ou qui vous trempe le caractère une fois pour toutes. Or Maddly Bamy n'est pas précisément du genre à se laisser broyer... C'est une battante ; une vraie. Un aspect de sa personnalité, on l'a dit, qui jouera un rôle important dans sa relation avec Jacques Brel ; mais pour l'heure, c'est un autre expert en la matière qu'il intéresse, sans doute la plus grande star française du moment : Alain Delon.

En ce début des années 70, il y a déjà un certain temps – c'est de notoriété publique – que le « Samouraï » de Jean-Pierre Melville partage sa vie avec Mireille Darc. Elle a trente-deux ans, lui trente-cinq. Ils sont jeunes, beaux, riches, célèbres, intelligents aussi, et ainsi que le veut l'époque, ils vivent leur passion avec intensité. Une description lapidaire que l'on croirait tout droit sortie d'un *sitcom* hollywoodien, mais n'est en l'occurrence que le juste reflet de la réalité.

S'il est probablement l'acteur français le plus connu autour de la planète, la contribution d'Alain Delon au cinéma hexagonal ne s'arrête pas à son seul métier de comédien, et il lui arrive régulièrement de produire des films, dans lesquels, d'ailleurs, il ne joue pas nécessairement [1]. Ainsi a-t-il financé, quelque temps auparavant, le premier long métrage de Roger Kahane : *Sortie de secours*. Le film n'a pas été un gros succès public, mais le réalisateur et son producteur se sont bien entendus et ont conservé d'excellentes relations. Aussi est-ce au même Roger Kahane que Mireille Darc soumet, en 1970, un projet de scénario qui lui tient

1. La réussite la plus marquante d'Alain Delon, en tant que producteur, reste sans doute *Monsieur Klein*, de Joseph Losey, réalisé en 1975 et dans lequel il joue le rôle principal. Par ailleurs, le comédien s'est également essayé à la mise en scène à plusieurs reprises (*Pour la peau d'un flic*, *Le Battant*, etc.).

particulièrement à cœur ; au point de le signer de son nom de jeune fille : Mireille Aigroz.

Produit par Alain Delon, le film s'intitulera *Madly* – avec un seul *d*, pour mettre en évidence le sens anglais de « follement », qui convient bien à cette histoire. Darc et Delon y joueront deux des trois rôles principaux, tandis que Jane Davenport interprétera le personnage-titre : une jeune femme noire, aux cheveux très courts, séduisante et souple comme une liane.

L'action se situe en Ile-de-France, dans une vieille ferme un peu isolée, transformée en dépôt d'antiquités, où Agathe (Mireille Darc) et Julien (Alain Delon) vivent en toute liberté un amour passionné nourri de fous rires et de complicité, sous lesquels se devinent, pourtant, d'évidents rapports de domination homme-femme. Pas un machisme grossier – attitude pratiquement taboue en ces années de forte émancipation féministe – mais, beaucoup plus subtilement, l'acceptation d'une soumission implicite, comme allant de soi.

Un matin, après une nuit passée en discothèque, Julien revient en compagnie de Madly, rencontrée sur la piste de danse. De prime abord, chacun songe à une aventure sans lendemain, mais la jeune femme s'installe et au fil des jours une liaison durable se construit entre les trois personnages. Quelques phrases dans le dialogue donnent le ton : « *On est ta femme...* », dit Agathe ; et Julien répond : « *Je crois que je vous aime. Toutes les deux* [1]*...* »

Au bout de quelque temps, cependant, la situation se dégrade ; jusqu'à devenir bientôt invivable. Madly a pris une telle place, dans la vie du couple, qu'Agathe finit par se sentir évincée. Le jeu à trois l'a poussée peu à peu sur la touche... Elle est convaincue, désormais – si Julien ne semble guère en prendre conscience –, qu'il s'agit d'un calcul délibéré de la part de Madly. Pour tenter de sauver son couple, avant qu'il ne soit trop tard, Agathe décide donc de fuguer, sans en avertir son amant. Une forme d'appel au

---

1. Dialogues signés Pascal Jardin et Roger Kahane.

secours censé provoquer comme un électrochoc... De fait, réalisant enfin qu'il était à deux doigts de tout gâcher, Julien réagit en renvoyant Madly, avant de se mettre, bouleversé d'inquiétude, à la recherche de sa compagne. Le couple revient de loin, même s'il semble évident que les blessures ne cicatriseront pas d'elles-mêmes.

Certaines scènes du film, au dire du réalisateur[1], paraissent avoir été écrites à usage purement interne, comme si la compréhension du public devenait soudain facultative. Ainsi voit-on, un moment, Agathe et Julien lisant tous deux le même livre, côte à côte. Pas le même volume, mais deux exemplaires différents du même roman : *Martin Eden* de Jack London[2], le livre de chevet d'Alain Delon, qui en emportait toujours un exemplaire avec lui lorsqu'il partait en voyage. Cette volonté affichée de montrer les deux personnages lisant le même livre au même instant souligne la complicité totale qui les unit, mais aussi le désir manifesté par la femme de partager les coups de cœur de son compagnon pour se rapprocher encore plus de lui.

Au dernier plan du film, d'ailleurs, comme pour souligner qu'il ne s'agit pas d'un simple clin d'œil anecdotique, une voix off commente les ultimes images en reprenant, au pluriel, les deux phrases finales de *Martin Eden* : « *Ils allaient sombrer dans la nuit... Et, au moment même où ils le surent, ils cessèrent de le savoir...* » Sans la moindre mention du nom de Jack London ; comme si cela allait de soi. Ou que le message ait été destiné, avant tout, à quelqu'un qui n'avait pas besoin qu'on lui mette les points sur les *i*.

Aujourd'hui, à près de trente années de distance, lorsqu'il évoque cette histoire, et ses souvenirs de Maddly Bamy – qu'il a eu l'occasion de diriger dans *Chaka* –, Roger

---

1. Souvenirs de Roger Kahane recueillis par l'auteur.
2. *Martin Eden*, par Jack London (Ed. The Macmillan Co, New York, 1909 ; première édition française : L'Edition Française illustrée, 1921, traduction de Claude Cendrée).

Kahane a ce commentaire mi-figue, mi-raisin : « *Maddly est quelqu'un qui a un charme particulier, que l'on ne peut réduire à sa seule beauté... Elle a une personnalité qui lui est propre. N'oublions pas que c'est quelqu'un qui a réussi à retenir l'attention de deux des plus grandes stars du siècle ; ce qui n'est pas donné à tout le monde... Mais c'est aussi quelqu'un qui a une certaine attirance pour tout ce qui brille* [1]*... »*

1. Propos recueillis par l'auteur.

18

Ils ont des nuages pour mieux voler

Lorsqu'il s'ennuie trop sur le tournage du *Bar de la Fourche*, Jacques Brel se réfugie dans les airs. Ainsi propose-t-il souvent à ses partenaires de faire un petit tour en avion, pour se changer les idées et oublier cette pluie qui commence à détremper le moral de toute l'équipe. Le journaliste Jacques Vassal, venu effectuer un reportage pour le magazine *Rock & Folk*, se souvient d'une conversation du chanteur avec une secrétaire de plateau, lors du déjeuner précédant son interview : *« Ça vous plairait d'assister à la première belge de* Franz, *ce soir à Blankenberg ? On prend l'avion en fin d'après-midi, à l'aérodrome de Rennes, on regarde le film à Blankenberg, et on dîne à Ostende... Ou plutôt non, on va souper à Marseille, dans un très bon restaurant de fruits de mer que je connais, et on remonte dans l'avion tout de suite après. Demain matin à huit heures, on reprend le tournage ici*[1]. *»*

Mais il ne s'agit pas toujours de séduire une jeune et jolie secrétaire... Comme Jojo va mal – il souffre déjà de ce cancer qui finira par l'emporter deux ans plus tard –, Jacques décide de lui offrir du mouvement ; histoire de lui redonner un brin de tonus, de réveiller en lui un peu de cette joie de vivre qui semble s'estomper de jour en jour. Histoire, aussi, de lui faire un dernier plaisir : on sait bien, en effet, que pour *« l'ami Jojo* [2] *»* le compte à rebours a commencé... Et puis,

1. *Jacques Brel, de l'Olympia aux « Marquises »*, par Jacques Vassal (Seghers/Le Club des Stars, 1988).
2. « Les bourgeois ».

Brel lui-même a besoin de changer d'atmosphère, après toutes ces semaines moroses vécues en Bretagne. Il aimerait bien retourner en Guadeloupe, se replonger un peu dans cette ambiance heureuse et insouciante qui, dans ses souvenirs, reste associée à sa rencontre avec Maddly.

L'idée est lancée, comme un défi, un soir que Jacques, Jojo et Alice dînent à Rueil, en compagnie de Lætitia, la sœur d'Alice : « *Qu'est-ce qu'on fait en avril ?* » Va pour la Guadeloupe! Enthousiasmé, Jacques téléphone aussitôt à son ami Jean Liardon, pour le charger de l'organisation technique de l'expédition : choix de l'avion, étude du plan de vol, etc. Loué à Genève, l'appareil utilisé sera un « Lear Jet 25 » : un bimoteur à réaction doté d'une autonomie d'environ trois heures et demie, d'une capacité de neuf personnes. Son rayon d'action implique un certain nombre d'escales, pour ravitailler en kérosène; la route la plus sûre semble donc être celle du nord, *via* l'Islande et le Groenland. Ce n'est sans doute pas le chemin le plus court, ni le plus logique a priori pour se rendre aux tropiques, mais – et ce n'est pas fait pour déplaire à Jacques – quelle incroyable balade!

Outre Jojo, Alice et Lætitia – puisque le voyage s'est décidé en sa présence –, Jacques invite également la fille de cette dernière. Jean Liardon sera accompagné de son épouse Jeanine, Jacques de Maddly, et Alain Ledoux, pilote chevronné, fera office de commandant de bord. En une semaine tout est réglé, et la petite équipe, après que Liardon eut amené l'appareil à Paris, décolle du Bourget à destination de l'Ecosse. Leur première escale sera Prestwick, au sud-ouest de Glasgow, au bord de l'immense estuaire du Firth of Clyde. Puis ce sera Keflavik, en Islande, et Narsarssuak, à l'extrême sud du Groenland. Le terrain d'aviation est celui d'une base militaire danoise, affiliée à l'OTAN et située au fond d'un fjord étroit, d'une centaine de kilomètres de long, dont les parois montent rapidement à plus de deux mille mètres. Un véritable entonnoir où le vent du large s'engouffre sans la moindre retenue, rebondit sur les murailles de glace et crée de violentes turbulences, extrêmement dangereuses et difficiles à évaluer, lorsqu'il s'agit de poser un avion.

Pour l'approche finale, Jacques qui a effectué – en tant que copilote de l'expédition – le plus gros du pilotage depuis Keflavik, cède le manche à balai à Alain Ledoux. La visibilité est nulle, les conditions climatiques exécrables, les rafales de vent atteignent soixante-quinze nœuds et, par endroits, des congères déforment la piste verglacée. Rien d'extraordinaire, à vrai dire, pour les habitués du lieu : de vieux briscards de l'Air Force qui, été comme hiver, posent là des bombardiers rescapés de Corée ou du Viêt-nam et des chasseurs armés jusqu'aux dents en ces temps de guerre froide. De quoi, néanmoins, y regarder à deux fois pour un pilote habitué aux somptueux terrains helvétiques. Mais Ledoux est un commandant de bord plein de sang-froid et d'expérience et après un premier passage à faible altitude, pour jauger la piste, il effectue un long virage à 360° et remet son appareil en ligne. L'atterrissage est impeccable, malgré un curieux craquement dans le train droit, alors que l'appareil a déjà perdu une bonne partie de sa vitesse. Un triangle de suspension vient de céder en heurtant une congère, mais la maîtrise du pilote est telle que la plupart de ses passagers n'ont presque rien senti... Reste qu'il est impossible de repartir ainsi et qu'il faut à tout prix réparer avant de poursuivre le voyage.

Au milieu des avions militaires, le « Lear Jet » fait figure de bibelot de luxe pour lequel le dépôt local ne dispose d'aucune pièce de rechange. Il faut donc la faire venir d'Europe ou des Etats-Unis. Mais pas question de patienter jusqu'à l'arrivée du gros porteur qui, une fois par mois seulement, apporte de Copenhague le ravitaillement nécessaire à la survie de la base. D'autant que personne, évidemment, n'a prévu de vêtements appropriés aux températures locales qui avoisinent moins quinze ou moins vingt degrés en ce début de printemps. Jacques avait bien recommandé à ses huit invités – vu la taille peu volumineuse de la soute à bagages – de n'emporter que le strict minimum pour une semaine de farniente sous un soleil tropical : maillots de bain, shorts, pantalons de toile légère, chemisettes, robes d'été et crème à bronzer... Les habitants de la base prêtent bien quelques parkas, mais cela ne saurait suffire au-delà d'un jour ou deux.

L'appareil étant immatriculé en Suisse – pays réputé pour le sérieux de ses compagnies d'assurance, la ronde des télex bat bientôt son plein entre Narsarssuak, Genève et Wichita, où se trouvent le siège et les usines de la compagnie Lear. A vol d'oiseau, ou d'avion, cela fait pratiquement aussi loin du Grœnland que la Suisse, puisque Wichita (Kansas) est peut-être le point le plus central des Etats-Unis. La question se pose donc : doit-on faire venir la pièce d'Europe ou bien des Etats-Unis ?

Pendant ce temps, Jacques et ses compagnons d'aventure se gèlent consciencieusement. Réfugiés dans le mess de la base, ils se gorgent de boissons chaudes, de soupes brûlantes et de ces deux fleurons de la gastronomie danoise que sont les *smørrebrød* et les *frikadeller* [1]. Par chance, la bière est plutôt bonne... Dehors, les rafales de blizzard déchaînent un raffut de tous les diables et font vibrer, comme des gongs, les tôles des hangars. Jojo, épuisé, n'est plus que l'ombre du joyeux compagnon d'autrefois, et Jeanine Liardon, enceinte de sa fille Maud – dont Jacques sera le parrain –, ne se sent pas très bien... mais chacun s'efforce de faire bonne figure, en attendant que la situation se débloque. Seule distraction, le système de télévision interne de la base, qui diffuse de vieux films comme *Singing In The Rain*.

Finalement, un accord est trouvé : la pièce viendra des Etats-Unis. Question d'opportunité plus que de rapidité ou d'efficacité : un « Lear 25 » doit en effet se rendre en Allemagne pour un meeting de démonstration. Il suffit de le dérouter sur Narsarssuak. Pour l'équipage le détour n'est pas énorme, mais, pour nos Robinsons du Grand Nord, cela représente un gain de temps appréciable : deux jours blo-

---

1. Les *smørrebrød* sont des canapés constitués d'une tranche de pain noir, tartinée de margarine, et garnie au choix d'une tranche de salami, de jambon, de fromage, d'œufs durs, de pâté, de tomate, etc. Tous les ingrédients sont posés sur la table et chacun se prépare sa tartine selon son goût. Les *frikadeller* sont des boulettes de viande cuites dans une sauce brune, généralement servies avec des pommes de terre bouillies.

qués sur place, trois tout au plus, au lieu d'une semaine peut-être, voire davantage. Le nouveau train d'atterrissage arrive ainsi dans la soirée du lendemain et le moral collectif, bien qu'il faille compter de longues heures encore pour effectuer la réparation, s'en trouve nettement revigoré.

Au matin du troisième jour, tout est paré. Et la petite bande de touristes – qui ont tant fait rire les enfants esquimaux avec leurs chemisettes à manches courtes et leurs shorts fantaisie – décolle enfin pour des cieux plus cléments. Trois escales plus loin, toujours pour faire le plein de kérosène, elle est aux Bahamas, à Nassau. Puis c'est Pointe-à-Pitre, sur Grande-Terre : l'île natale de Maddly. L'équipe s'intalle dans le cadre enchanteur de l'hôtel Caravelle, et l'incident, désormais, fait partie des souvenirs partagés, que l'on se raconte, amusés, autour d'un verre ou d'une bonne table.

Jacques Brel, lui, est heureux comme un gosse d'avoir mené à bien *son* expédition. Pour fêter ça, il convie tout le monde à Cannes, dès le lendemain du retour, à la première de *L'Aventure, c'est l'aventure* qui doit être projeté en soirée d'ouverture du festival.

19

Je devenais indien

Au cours de l'été 1972, alors qu'une partie de la jeunesse française est au Larzac, manifestant contre l'extension du camp militaire, Jacques Brel débute en Belgique le tournage de son second long métrage : *Le Far-West*. Les prises de vues auront lieu dans les rues de Bruxelles et le reste à Herstal, dans une vieille mine désaffectée, censée représenter une vallée idyllique à l'abri de la folie des hommes, de leur cupidité et de leur vaine agitation.

Conservant de trop mauvais souvenirs de ses rapports avec Michel Ardan, qui avait assuré le suivi de la production sur le tournage de *Franz* – sans montrer beaucoup de confiance, passé l'enthousiasme initial, envers le metteur en scène débutant qu'il était –, Jacques a décidé cette fois d'être son propre maître et de financer lui-même la majeure partie de l'entreprise. Pour cela, il a demandé à Miche de monter une société de production : IFC Films – les trois initiales évoquant, dans l'ordre inverse de leurs naissances, les prénoms de leurs filles : Isabelle, France et Chantal. Au reste, le budget global n'est pas excessif : environ quatorze millions de francs belges (soit l'équivalent de deux millions de francs français de l'époque), auxquels Claude Lelouch, par pure amitié, propose de participer à hauteur de vingt-sept pour cent. Le ministère de la Culture contribuera en outre à l'investissement, avec l'espoir plus ou moins avoué de voir le film retenu dans la sélection officielle belge pour le prochain festival de Cannes.

A la façon de *Franz*, Jacques Brel a d'abord élaboré seul les grandes lignes du scénario, puis en a précisé les détails, réglé le découpage et rédigé les dialogues avec Paul Andréota. Mais leur travail est resté volontairement flou par endroits, Jacques croyant retrouver ainsi la technique de Claude Lelouch, caractérisée par une grande liberté d'improvisation laissée aux acteurs – comme à la caméra, qu'il tient souvent lui-même. La séquence de « drague » sur la plage d'Antigua l'a beaucoup marqué ; et il en a conclu, non sans naïveté, qu'elle traduisait l'essentiel du style du cinéaste. Impression démentie et nuancée à la fois par Charles Gérard, vieil habitué des films de Lelouch et silhouette éphémère, parmi tant d'autres, dans *Le Far-West* de Brel : « *Lelouch fait des films dans lesquels tout le monde participe, car l'improvisation n'existe pas au cinéma. Le scénario est précis, sans erreur, à la ponctuation près. Parfois Lelouch continue la prise de vue après la scène, il analyse le produit et décide de l'intégrer ou non au film. De plus, avec Lelouch, l'acteur est libre de remanier le dialogue à sa convenance* [1]... » Il est vrai, en revanche, que le metteur en scène laisse parfois évoluer ses acteurs dans une certaine incertitude, pour favoriser la spontanéité, en gardant secrète la fin d'une scène ou sa finalité dans l'histoire. Jacques n'a donc retenu qu'une partie de la leçon, et la qualité de son film s'en ressentira.

Avant même les premières prises de vues, Brel prévient que *Le Far-West* « *sera à la fois loufoque et rêveur. Il fera revivre les chercheurs d'or, les caravanes des pionniers qui ont enchanté mon enfance. Seulement, mon héros décide d'être cow-boy et de vivre à la manière de l'Ouest américain, mais en Belgique. Ce qui n'est évidemment pas facile. [...] Mon but est de faire rêver les gens. [...] De leur faire sentir que la vie peut être belle, joyeuse, tendre, simple... et généreuse* ». Ailleurs, il précise : « *Mon film, c'est l'histoire de types qui ont tous quarante ans et qui sont lassés de la vie moderne. Alors, ils veulent retrouver leur enfance et, pour nous les quadragénaires, l'enfance c'est Buffalo Bill et les*

---

1. Propos rapportés dans la *Revue belge du cinéma* (déjà citée).

cow-boys [1]... » De belles intentions, sans doute, mais pas vraiment une histoire...

Si le synopsis de *Franz* pouvait se résumer en quelques lignes, l'intrigue de *Far-West* se disperse en effet dans toutes sortes de méandres que viennent encore compliquer l'abondance des digressions et des personnages secondaires. Car cette nouvelle aventure – comme souvent chez Jacques Brel – est une célébration de l'amitié, tel ou tel rôle superfétatoire ayant été ajouté, semble-t-il, pour le seul plaisir de compter un copain ou une copine quelques secondes dans son film, un jour ou deux sur le tournage... un peu comme un gamin prépare les invitations à son goûter d'anniversaire. Hormis les quatre ou cinq protagonistes autour desquels s'articule toute l'action, les comparses se multiplient, et finalement tous les amis de Jacques sont là ; apparitions fugaces comme des pièces rapportées...

Une technique qui peut s'apparenter à celle du collage, en peinture, mais qui ne facilite guère la lisibilité au cinéma. Dans le meilleur des cas, cela peut donner le palais du facteur Cheval ; dans le pire, une sorte de boursouflure baroque, sans réelle colonne vertébrale. *Le Far-West* n'est ni l'un ni l'autre de ces extrêmes, mais un film qui ne se laisse pas appréhender dans son ensemble : comme une sorte d'auberge espagnole où chacun trouvera ce qu'il est prêt à apporter. Un film, à l'évidence, à revoir à plusieurs reprises pour espérer en saisir les fils essentiels... Comme si Brel, au-delà de la multiplication des personnages et des anecdotes, y avait mis trop de lui-même. Et *Le Far-West*, en ce sens, est une œuvre encore plus révélatrice de l'univers intime de son auteur que pouvait l'être *Franz*, dont François Truffaut disait pourtant : « *Je crois que les premiers films sont aussi personnels que les empreintes digitales* [2]. »

Jacques Brel, cinéaste, fut littéralement éreinté par la critique, et le public n'eut guère la curiosité d'« *aller voir* » par lui-même ce qu'il en était. Personne, pourtant, ne saurait

1. Propos rapportés par Joëlle Monserrat, dans son livre : *Jacques Brel* (Ed. PAC, 1982).
2. Propos cités par le journal *Nord-Eclair* (11 janvier 1972).

reprocher à Brel d'avoir tourné des films impersonnels. Il s'agit au contraire de vrais films d'auteur qui, avec le recul, nous en apprennent autant sur lui, sur sa sensibilité et ses obsessions, que toutes ses chansons. Renonçant d'ailleurs à se dissimuler sous le nom d'emprunt d'un personnage fictif, c'est sous son propre prénom – américanisé comme il sied à un héros de western – qu'il se présente à nous dans *Le Far-West*. Un « Jack » qui répond même – de façon très fugitive, certes [1] – au nom de Brel...

Adolescent de quarante ans (devenu *« vieux sans être adulte* [2] *»*), Jack parcourt la Belgique, habillé en cow-boy. Chemin faisant, il rencontre un vieux fakir (joué par Charles Gérard) qui, juste avant de mourir, lui transmet un pouvoir mystérieux... sans avoir le temps de lui en révéler les effets. Un peu plus loin, il croise une sorte de vagabond, habillé en Davy Crockett, qui se prétend chercheur d'or. Ce dernier (Gabriel, joué par Gabriel Jabour) va lier son destin à celui de Jack et le suivre, sans poser de question, dans sa quête du Far West de leur enfance. *« Comme le Candide de Voltaire cherchait l'Eldorado et Saint-Exupéry sa planète inconnue...,* précise le dossier de presse du film, *car le Far West c'est nulle part, c'est une parcelle d'imaginaire comme chacun aime à en rêver, un morceau de bonheur que chacun garde profondément enfoui au fond de son cœur. »*

A son échelle, minuscule – vu la taille de la Belgique et la distance séparant Bruxelles d'Herstal –, ce film est ce que l'on appellerait maintenant un *road movie* : un film d'errance, donc de rencontres. Ainsi, au fil des pérégrinations des deux héros, se forme une petite bande autour d'eux : un ancien colonel sudiste, sa femme, une jeune Indienne, un bandit mexicain, un camelot ambulant bardé de potions miracles, une jeune Noire handicapée, un officier de cavalerie, etc. *« Personnages d'un autre monde, d'une autre époque, ils traversent les décors d'aujourd'hui et affrontent des hommes de 1973 ; des gens occupés, des gens importants, des gens puissants, ou qui se croient tels... »*, stipule encore le dossier de presse.

1. Scène de la prison.
2. « La chanson des vieux amants ».

La maigre troupe finit par découvrir une mine abandonnée, et s'y installe comme sur un coin de terre promise ; ce sera leur havre, leur Far West. La concrétisation provisoire de leurs rêves, jusqu'à ce que « les Indiens » – c'est-à-dire les voyous de la ville voisine – cherchent à les déloger en provoquant une explosion qui révélera l'existence d'un trésor : plusieurs caisses d'or cachées par les nazis pendant la dernière guerre ! Naïf, et sans doute conscient du fait que ce trésor serait leur perte – car il n'ignore rien du pouvoir corrupteur de l'argent et sait parfaitement qu'il marquerait la fin de leur innocence –, Jack décide d'en faire don au roi et se rend à Bruxelles en compagnie de Lina, la jeune fille noire (jouée par Arlette Lindon) dont le personnage est fortement inspiré par Maddly.

Il ne rencontrera pas le souverain... mais la prison où l'aura mené « l'étrangeté » de son comportement. Grâce à son fameux don mystérieux – dont il a fini par découvrir qu'il lui permettait de faire s'écrouler les murs –, il s'évade alors et retourne à la mine, pour y constater que ses compagnons, redevenus adultes, donc « normaux », Gabriel excepté, se sont enfuis avec le trésor. Mais la police, croyant qu'il est toujours en possession de Jack et qu'il compte bien le garder pour lui, donne l'assaut. C'est Fort Alamo, version dérisoire : des blindés et des avions de chasse contre ces pauvres bougres désarmés qui vont se faire massacrer... Mais peu importe au final que Jack soit tué, puisque son rêve, de toute façon, a été fracassé.

« C'est dangereux d'aller voir dans ses rêves, disait Jacques Brel, avant d'ajouter : Le grand risque est de constater leur insuffisance. » Un sentiment qu'il est intéressant de mettre en parallèle avec cette phrase de Proust : « Il vaut mieux rêver sa vie que la vivre ; encore que la vivre ce soit encore la rêver [1]. » Pour Jack comme pour Léon (le héros de Franz), la fin du rêve marque à l'évidence la fin de la vie. Une fois pris dans l'engrenage du rêve, aucun des deux ne survit à la brutale reprise de contact avec la réalité. De même, Brel, metteur en scène, ne survivra pas à la réalité des critiques accueillant Le Far-West à sa sortie, en mai 1973. A l'en croire, il possède

1. Les Plaisirs et les jours, Marcel Proust, 1896.

encore plusieurs idées de films dans ses cartons ; mais le choc sera trop rude. Après trois jours de prostration, en tête à tête avec Maddly, dans un hôtel de Deauville, il annonce qu'il abandonne le cinéma, aussi soudainement qu'il avait annoncé ses adieux à la scène. Comme à cette époque avec le tour de chant, certains projets ayant déjà été lancés, Jacques honorera ses promesses en tant que comédien ; mais on ne le verra plus jamais derrière une caméra.

20

C'est rien, avec de l'imprudence

Outre le plaisir d'inviter ses amis à participer à son film, la multiplication des personnages – et donc des histoires dans l'histoire – permet à Brel d'évoquer, sans trop s'y attarder, d'innombrables points qui lui tiennent à cœur et dont l'ensemble, à défaut de bâtir un scénario cohérent, dessine un véritable portrait pointilliste de l'auteur. Un portrait brossé d'autant de touches de couleurs, accumulées et juxtaposées, que la liste – interminable – des camarades de Jacques, célèbres ou inconnus, que l'on voit traverser l'écran l'espace d'une courte scène ou d'un simple échange verbal.

De Michel Piccoli à Lino Ventura, Juliette Gréco ou Claude Lelouch, en passant par Simone Max, Charles Gérard, Edouard Caillau, Erick Bamy (le frère de Maddly), Grégoire Katz, Danièle Evenou, Louis Navarre, Jacques Provins, François Cadet, Robert Delieu, André Debaar, Lucien Froidebise, Gilbert Charles, Jean Musin, Michel de Warzée, Ramon Barri, le clown Géo Bell's, Pierre Dermo, Roger Lussac, Nicolas Donato, Robert Roanne, Charles Ceel, Franz Jacobs, Marc Aucier, etc., le générique des seconds rôles ressemble à un véritable bottin; le carnet d'adresses de Jacques : celui de ses amitiés, complicités et fidélités. Nombre de ces acteurs – belges pour la plupart – sont de vieilles connaissances, rencontrées à l'époque où il écumait les cabarets de l'Ilot Sacré avec ses premières chansons. Quant aux vedettes, il ne s'agit pas de vagues relations de métier, venues enrichir l'affiche et se montrer un peu, mais de solides amis – de longue date comme Piccoli et Gréco, ou plus récents comme Ventura – dont la participation, tout à fait bénévole, relève du coup de pouce. L'idée du rêve partagé en filigrane...

Certains dialogues sont d'évidents clins d'œil, immédiatement identifiables par le public. Cet échange, par exemple, entre Jack et le psychiatre (joué par Claude Lelouch) :

« Le médecin : Si je dis " Napoléon ", qu'est-ce que ça vous fait?

Jack : Rien!

Le médecin : Si je dis " Don Quichotte "?

Jack : Ah... j'aimais bien...

Le médecin : Vous aimiez bien?

Jack : Oui, j'ai essayé d'être Don Quichotte...

Le médecin : Et vous avez arrêté?

Jack : Oui, à cause des femmes...

Le médecin : Des femmes?

Jack : Oui, elles vous réveillent tout le temps... »

(sous-entendu : elles mettent fin à vos rêves...)

Les allusions au héros de Cervantes – nul n'ignore que Brel a joué *L'Homme de la Mancha* – reviennent ainsi à plusieurs reprises, au long du film, tel un leitmotiv. Dès sa première rencontre avec Gabriel, Jack – comme par inadvertance – commence par l'appeler « Sancho »! Ailleurs, lors d'une parodie de combat, il se grime avec quelques mèches de filasse au point de ressembler de manière étonnante, bien que fugitive, au maquillage qui était le sien dans la pièce...

D'autres passages, beaucoup plus allusifs, réclament une connaissance plus approfondie de l'œuvre du chanteur-réalisateur. Ce fameux don, par exemple, de faire s'écrouler les murs, transmis à Jack par le fakir du début de l'histoire, n'a rien d'innocent. Il permet à Brel – qui lui consacre une scène entière, l'une des plus longues du film – d'expliquer que les femmes, par leur besoin d'abri, finissent toujours par réduire les hommes à l'immobilité. Thème récurrent dans l'univers brélien, le mur est un obstacle au bonheur et au rêve dont l'espace et la liberté sont les corollaires (ou les causes) obligés. Alors, à défaut de pouvoir se passer de maison – celle-ci, avec ses quatre murs, prenant chez lui l'image d'une prison –, qu'au moins elle ne soit qu'un pis-aller : « *Avec des tas de fenêtres | Avec presque pas de murs* [1]... » Une idée que l'on retrouve, au mot près, dans « Ces gens-là » et aussi dans *Franz*.

Dans la multitude des thèmes évoqués, de façon plus ou moins appuyée, dans *Le Far-West*, l'enfance et les rapports hommes-femmes retiennent plus spécialement l'attention : Brel insiste en effet sur eux au point d'en faire l'ancrage essentiel de toute son histoire.

Ses héros sont des quadragénaires vivant en total décalage avec leur époque. De faux adultes à la recherche d'un paradis perdu qui leur a été volé, estiment-ils – à tort ou à raison, peu importe –, en même temps que leur enfance :

L'été, à moitié nu
Mais tout à fait modeste,
Je devenais indien,
Pourtant déjà certain
Que mes oncles repus
M'avaient volé le Far West [2]...

Avoir quarante ans en 1972 implique, il est vrai, d'avoir vécu la Seconde Guerre mondiale à l'âge d'une dizaine d'années. Une blessure dont Jacques ne s'est jamais remis. Non plus que de la prudence de ce père abandonnant les rives aventureuses de la rivière Kwango pour la tranquillité et la sécurité d'une paisible cartonnerie bruxelloise. Ce retour à la norme, ressenti comme une désertion, reste une tache indélébile aux yeux d'un gamin sensible, prompt à l'amalgame, qui en perd d'un coup le respect de tous les adultes. Pour lui, cela ressemble à une rupture de contrat, car les parents ne devraient jamais trahir la confiance aveugle que leur portent – dans un premier temps du moins – leurs enfants. Jacques Brel, on le sait, n'a pas été un père modèle, et il y aurait beaucoup à dire sur les rapports de confiance qu'il a su ou non installer entre ses filles et lui ; mais il n'a jamais prétendu, de toute façon, être un exemple

1. « Ces gens-là ».
2. « Mon enfance ».

de cohérence et de bonne foi. Comme il a toujours refusé
– toutes ses chansons le montrent – de s'ériger lui-même en
exemple. Mais cela ne change rien à l'extrême lucidité du
regard qu'il jette sur les gens, la vie, les conventions sociales
et les institutions, et ne lui retire en rien le droit de critiquer,
de s'insurger et de piquer des coups de sang.

Le film, pour l'essentiel, repose donc sur un postulat qui
peut sembler bien dérisoire aux adultes, sensés et raison-
neurs par définition : l'enfance est innocence, et tout ce qui
vise à l'éloigner de cet état primal (l'argent, l'ambition, le
pouvoir, le désir de réussite, le besoin de sécurité, la faculté
de se prendre au sérieux...) conduit irrémédiablement à la
sécheresse de cœur, au reniement de soi, à l'égoïsme, à la
faillite amoureuse, à l'imbécillité, à l'immobilité, à la guerre
et à la mort ! En un mot, à la fin de ce rêve qui, chez Brel, est
une manière de rédemption. Quand la cupidité et la prudence sont les maîtres maux... Dérisoire ? Ce n'est peut-être
qu'une question de formulation : le mythe brélien de
l'enfance n'est-il pas une transposition personnelle du
mythe du « Bon sauvage » cher à Rousseau ? L'idée, dès lors
qu'elle est parée de l'aura du philosophe, prend une tout
autre tenue...

Mais Brel n'est pas un philosophe ; il n'est qu'un faiseur
de chansons... qui va jusqu'à refuser que l'on ose le qualifier
de poète. Ses idées, expliquait-il naguère à Jean Clouzet,
sont prisonnières d'un cadre étroit – de trois ou quatre
minutes, guère plus – et de mille contraintes formelles les
empêchant de s'exprimer autrement qu'en allant au plus
pressé, sans prendre le temps d'argumenter, de développer,
de s'offrir le luxe de la nuance... *« Donnez-moi dix pages et je
vous expliquerai comment je vois l'enfance. Mais, la chanson ne
durant que trois minutes, les dix pages vont se réduire à un
vers* [1]. *»*

Il s'agit aujourd'hui d'un film de long métrage, pas d'une
chanson de trois minutes ; mais c'est pourtant dans une
courte ballade chantée par Jack, s'accompagnant à la guitare
– au cours d'une de ces soirées paisibles à la mine-refuge,
avant que la violence et la cupidité du monde extérieur ne

---

1. Propos, déjà cités, recueillis par Jean Clouzet.

viennent détruire ce coin de paradis retrouvé –, que tient l'essentiel du propos de Brel dans *Le Far-West*! Œuvre méconnue et néanmoins fondamentale, « L'enfance »[1] peut être considérée comme l'une des plus belles réussites de son auteur. Le ton est intimiste et la sourde révolte qui, quelques années auparavant, sous-tendait « Mon enfance » cède la place à une mélancolie un peu désenchantée :

L'enfance,
Qui nous empêche de la vivre,
De la revivre infiniment,
De vivre à remonter le temps,
De déchirer la fin du livre ?

La colère et la raillerie des « Bourgeois » ou de « Ces gens-là » n'ont plus cours ici ; Brel semble se résigner enfin, fataliste, à l'idée que *« les adultes sont déserteurs »*. Il ne bat pas en retraite devant ces *« adultes* [qui] *sont tellement cons / Qu'ils nous feront bien une guerre*[2] *! »*, mais il s'est placé, pour l'instant, en réserve de leur monde, préférant la paix à cette fureur qui l'épuise en vain. Malgré les nombreuses allusions qui émaillent le film, les moulins à vent de Don Quichotte sont restés hors de la vallée heureuse, et leur fascination maléfique ne l'atteint plus. Comme elle ne l'atteindra plus lorsqu'il aura finalement trouvé son île... N'en demeure pas moins cette blessure ancienne, dont la douleur latente lui tient lieu de vigilance :

Mon père était un chercheur d'or ;
L'ennui, c'est qu'il en a trouvé...

L'une des scènes cruciales de *Far-West* montre Jack, dans les rues de Bruxelles, s'en allant offrir au roi le trésor découvert dans la mine. Il est accompagné de Lina : la jeune Noire

---

1. La version originale de « L'enfance », telle que Jacques Brel la chante et la joue à la guitare dans *Le Far-West*, n'a jamais été commercialisée. Un enregistrement en studio a été réalisé le 24 mai 1973, avec François Rauber et son orchestre, alors que Brel savait déjà que son film serait un cuisant échec et qu'il n'y aurait jamais de disque de la bande originale. Cet enregistrement, ainsi que tous les droits d'auteur relatifs à la chanson, ont été offerts à Lino Ventura pour sa fondation Perce-Neige, destinée à créer et à financer des lieux de vie pour enfants handicapés. Cette version de « L'enfance » figure aujourd'hui sur le CD n° 3 de l'*Intégrale* de 1988.
2. « Fernand ».

handicapée, dont le personnage est clairement inspiré par Maddly. Un rôle, curieusement, que Jacques ne lui a pas proposé de tenir elle-même – d'autant qu'elle n'incarne aucune de ces nombreuses silhouettes illustrant les à-côtés de l'intrigue –, alors qu'elle était présente, presque en permanence, sur les lieux du tournage. Monique, elle, ne fera jamais le déplacement. En dépit des lettres que Brel lui écrit quasi quotidiennement, elle est déjà en train, sans le savoir, de s'effacer devant sa rivale.

Poussant le fauteuil roulant de Lina, le long des trottoirs bruxellois, Jack expose à celle-ci sa conception du malentendu fondamental des relations entre les hommes et les femmes. Sans avoir à l'affronter du regard – puisqu'il est constamment derrière elle –, il semble soliloquer plus que dialoguer avec la jeune femme. Lina, cependant, lui répond :

« Jack : L'homme est un nomade, il est fait pour aller voir ce qu'il y a de l'autre côté de la colline. Et puis, il se laisse prendre au jeu de la femme.

Lina : Je t'aime...

Jack : Alors, la femme pond un œuf ; ce qui est bien en soi, d'accord... Mais il faut de la paille au-dessous de cet œuf... Alors, l'homme va chercher la paille ; et puis, il faut bâtir des murs autour de la paille, pour protéger l'œuf contre le vent...

Lina : Je t'aime...

Jack : Et puis, un jour il pleut... Alors, toujours pour protéger l'œuf, l'homme est obligé de construire un toit...

Lina : Je t'aime...

Jack : Et puis, il lui faut consolider cette maison, pour qu'elle puisse servir à ses enfants et aux enfants de ses enfants... C'est comme ça que l'amour fait d'un homme libre un esclave. »

Capitale, cette scène l'est à plus d'un titre, qui confirme une idée que Jacques Brel – parlant en son nom propre – a déjà eu l'occasion d'exprimer dans des interviews. L'image n'est pas tout à fait nouvelle, au reste, et il est fort probable que Brel, grand amateur de Gauguin, en ait eu la révélation en lisant sa correspondance. Dans une lettre à son ami Daniel de Monfreid, auquel il a déjà longuement expliqué la construction de sa case [1], le peintre lui annonçait en effet ceci : « *Je vais être prochainement père d'un demi-jaune ; ma charmante dulcinée s'est décidée à vouloir pondre* [2]... »

Formellement parlant, la scène est d'un symbolisme appuyé. L'homme, on l'a vu, représente le mouvement, tandis que la femme lui tend le piège de l'immobilité. Or, la jeune et belle Lina est paralysée... En outre, lorsque Jack la pousse dans son fauteuil roulant, en devisant, les réponses de celle-ci coïncident systématiquement avec leurs arrêts aux feux rouges jalonnant le parcours. Ainsi l'homme parle-t-il en marchant, et la femme seulement lorsqu'ils sont immobiles... pour lui répéter, qui plus est, inlassablement la même chose : ces « je t'aime » qu'il fait mine de ne pas entendre.

Au-delà de la réputation de misogyne qui est la sienne – et à laquelle il répondait d'une pirouette de Normand, en 1966, au micro d'Emmanuel Poulet, pour RTL : « *Ça n'est pas tout à fait faux et ça n'est pas tout à fait vrai* » –, Jacques Brel tente ici un essai d'explication. Car cette scène ne doit évidemment rien au hasard, dont le moindre détail est indiqué sur le script. Mais surtout, sans même en être conscient peut-être, Jacques délivre une clef qui permet de mieux comprendre l'origine du malentendu.

A la considérer sans idée préconçue, sa métaphore de l'œuf, du nid, des murs et du toit qui, selon les mots de son héros, font « *d'un homme libre un esclave* », n'est en rien un aveu de misogynie ; plutôt l'expression confuse et un brin triviale de ce que Baudelaire nommait « *la grande maladie : l'horreur du domicile* ». Une idée déjà développée par Blaise Pascal, lorsqu'il écrivait : « *Le malheur de l'homme vient de ce qu'il ne peut se tenir tranquillement dans une pièce.* » Nous voilà en effet aux antipodes de cette envie d'« *aller voir* » qui sera toujours le moteur de Brel, dans sa quête d'absolu.

---

1. *Oviri – Écrits d'un sauvage*, par Paul Gauguin : lettre à Daniel de Monfreid, datée de novembre 1895, à Tahiti.
2. *Idem*. Lettre à Daniel de Monfreid, datée de novembre 1896, à Tahiti. A propos de cette « charmante dulcinée », Gauguin avait écrit quelques mois plus tôt, en juillet, à Alfred Valette, directeur du *Mercure de France* : « *Il me reste à vous dire que [...] ma nouvelle épouse se nomme Pahura, qu'elle a quatorze ans, qu'elle est très débauchée, mais cela ne paraît pas, faute de point de comparaison avec la vertu...* »

Or cette « horreur du domicile », cette hantise des murs, de la prudence et de l'immobilité, se rapporte aux femmes uniquement dans la mesure où la relation hétérosexuelle constitue la norme sociale. Brel eût-il été homosexuel qu'il aurait probablement ressenti, au sein du couple, un sentiment d'emprisonnement identique. Ce n'est donc pas tant de la femme qu'il se défie, que du conjoint; de ce besoin inné de la plupart des gens de vivre ensemble. Et la fameuse misogynie de Brel – que l'on s'est tant plu à commenter – de se réduire dès lors à une banale inaptitude au couple et à la vie de famille... La nuance est de taille !

Avec le temps, les aléas de la vie et les déceptions sentimentales le conduiront à adopter un discours bien souvent excessif, tel un rempart de mots derrière lequel on se protège. La brutalité de certaines saillies n'étant pas sans rappeler la déception du renard de La Fontaine, jugeant « *trop verts [...] et bons pour des goujats* [1] » ces raisins qu'il est incapable d'atteindre, malgré tout le désir qu'il en a. Inaccessibles, comme cet amour dont Jacques se faisait une vision tellement idéalisée qu'elle en devenait irréaliste : « *Les femmes sont toujours un peu en dessous de l'amour que l'on rêve* [2]. » Ce que Saint-Exupéry exprimait à sa manière, dans un style moins rugueux : « *Je me suis hâté parmi les femmes comme dans un voyage sans but. J'ai peiné auprès d'elles [...] à la recherche de l'oasis qui n'est point de l'amour, mais au-delà* [3]... »

---

1. « Le renard et les raisins », Jean de La Fontaine, *Fables*, livre III.
2. Propos recueillis par Henry Lemaire, 1971.
3. *Citadelle*, par Antoine de Saint-Exupéry (Ed. Gallimard, 1948).

21

Frappez-moi jusqu'au feu, jusqu'au sol, jusqu'à terre...

Comme prévu, *Le Far-West* représente la Belgique au Festival de Cannes, en mai 1973. Le film est projeté à deux reprises : une première séance pour la presse, le 21 mai en soirée, et une seconde, le lendemain, à l'intention de ce que Jacques Chancel appelle « le tout-cinéma ». Car le 21, quelques heures avant la projection de presse, Jacques Brel est l'invité du journaliste (sur France Inter), pour une *Radioscopie* qui fera date. Entre autres sujets, les deux hommes évoquent, évidemment, l'actualité cinématographique du chanteur :

« Dans quel état serez-vous, lorsque ce film sera présenté ? demande Chancel.

— Oh ! je serai terrorisé, lui répond Brel, c'est évident. [...] Il faut être un grand malade pour aimer se voir.

— Et si *Le Far-West* avait un prix ? C'est une éventualité pour vous ? insiste le journaliste, un peu plus loin.

— Non, mais ça me prouve que vous êtes également rêveur. Il n'y a pas que moi... »

Puis se pose l'éventualité de l'échec :

« Et si le public ne réagit pas au bon moment ?

— Oh, vous savez, ça c'est très possible. Mais encore une fois si ça prend un bon " bide ", c'est bien fait pour ma gueule. Il ne faudrait surtout pas que je dise que c'est des cornichons, après ; ça serait malhonnête. [...] Quand on fait quelque chose, quoi qu'il arrive avec cette chose, c'est bien fait pour sa gueule ; mais je préfère de loin me pulvériser la gueule que de rester immobile et dire que je vais faire quelque chose, ou que ce que les autres font est inintéressant. Je préfère aller voir. »

Le « bide », effectivement, sera au rendez-vous. Claude Lelouch, qui n'a aucun film à présenter cette année-là, a fait le déplacement depuis Paris, pour être au côté de son ami au moment du verdict : celui-ci tombe comme une condamnation à mort. Le jugement des critiques est un désastre pour Jacques, qui sortira sonné de l'affaire, tel un boxeur KO debout.

La veille de la projection, déjà, un autre film a fait scandale. Sur la Croisette, on ne parle que de cette *Grande Bouffe*, de Marco Ferreri, qui restera pourtant l'une des œuvres phares du réalisateur italien. Les controverses vont bon train et le jury du festival, lui-même, va être partagé jusqu'au bout, ne réussissant pas à s'accorder sur la palme d'or : elle sera décernée, conjointement, à *L'Epouvantail* de Jerry Schatzberg et à *La Méprise* d'Alan Bridges. Mais *Le Far-West* de Brel, lui, met tout le monde d'accord... Il s'en faut même de très peu que le film ne soit sifflé avant la fin de la projection de presse.

Le cauchemar se renouvelle une semaine plus tard, en Belgique, à l'occasion de la sortie du film en salles. La première a lieu le 27 mai à Bruxelles, au cinéma Marivaux, et malgré tous les échos défavorables parvenus de Cannes, la salle est comble. A la sortie, la plupart des spectateurs affichent des mines consternées. Dans les jours, les semaines qui suivent, *Le Far-West* est mis en pièces par l'ensemble de la presse belge.

Quelquefois de façon franchement haineuse : « *Une critique unanime, pour une fois bien avisée, a condamné en termes assez sévères le film de Jacques Brel :* Le Far-West, *présenté récemment au Festival de Cannes. Que Brel soit un cinéaste médiocre, il n'était point besoin de cette dernière performance pour nous en convaincre.* Franz, *une " œuvre " antérieure, nous avait déjà démontré à quel point son inspiration était plate. Ce n'est donc pas à lui que nous demandons des comptes, mais plutôt au ministre de la Culture française, M. Falize, dont la sensibilité artistique semble ne s'émouvoir qu'aux seuls accents des chantres flamands*. Le Far-West *partage en effet, avec* Belle, *du Flamand André Delvaux, le privilège d'avoir été doté des plus gros subsides accordés l'an passé par le ministère de la Culture française. Serait-ce trop demander à M. Falize d'avoir un peu plus d'inspiration dans la répartition de ses crédits ? Et à Jacques Brel de se consacrer à la chanson* [1] *?* » Au-delà de l'appréciation strictement professionnelle d'un journaliste, libre d'exprimer ses idées, il est tout de même assez plaisant – et dérisoire – que, sur le fond, le reproche adressé à Jacques Brel repose sur sa qualité de flamand ! Un comble, sachant à quel point le Grand Jacques fut toujours en butte à l'hostilité farouche des milieux flamingants...

Ereinté de tous côtés, le film ne dépassera pas vingt mille entrées lors de son exclusivité et sera rapidement retiré de l'affiche. Il n'était pourtant pas si médiocre que la presse l'a prétendu alors et, avec le recul – sous réserve d'adhérer à l'univers brélien –, on s'aperçoit qu'il mérite bien d'être redécouvert. Personne, curieusement, n'a relevé par exemple l'originalité qu'il y avait à situer un western dans un décor urbain moderne : une idée que reprendra Marco Ferreri avec succès, quelques années plus tard, dans *Touche pas à la femme blanche*, où le cinéaste reconstitue la bataille de Little Big Horn dans le trou des Halles de Paris.

Jacques Brel est anéanti. Il a beau déclarer, toujours un peu bravache mais non sans panache : « *Je préfère mourir en ayant raté des choses qu'en n'ayant pas essayé des choses que j'avais envie de faire. J'aime mieux me tromper que me taire* [2]*...* », en réalité il sait déjà qu'il ne réalisera plus de film. Outre ses blessures d'amour-propre, il n'ignore pas que « *la caméra est un stylo qui coûte très cher* », et que *Le Far-West* est un désastre financier. A ce propos, Maddly Bamy prêtera plus tard à Claude Lelouch – coproducteur du film – une réaction franchement mesquine, au lendemain de son échec. « *Voyant que le film ne marchait pas, il [Jacques] a demandé à Lelouch s'il fallait qu'il le rembourse, et Lelouch a dit : " Ce serait mieux, oui. " Après, Jacques était obligé de le faire. Je pense que*

1. Dans l'hebdomadaire belge *Rénovations*, daté du 14 juin 1973.
2. Propos cités dans *Brel, un cri*, une émission de télévision réalisée par Christian Mesnil.

c'est un peu la formulation de la question, aussi. Mais Lelouch n'a pas dit : "Attends, il faut voir un peu... " Dès le lendemain du Festival de Cannes, Jacques s'est trouvé dans l'obligation de rendre l'argent à Lelouch[1]. »

Interrogé sur ce point, le réalisateur de *L'Aventure, c'est l'aventure* donne une version radicalement différente de l'affaire : « *Il est vrai que j'ai dû me battre avec lui pour qu'il ne me rembourse pas le déficit engendré par* Far-West, *comme il voulait le faire. J'ai dû lui rétorquer : "Ecoute, Jacques, tu es en train de m'insulter ! Je suis producteur, je sais gagner. Je ne t'aurais rien demandé si j'avais empoché une quelconque somme*[2]*... " »*

Sans vouloir mettre en cause, a priori, la bonne foi de nos témoins, ni la fidélité de leur mémoire, il fallait trancher. Seule Madame Miche Brel, productrice majoritaire du film et légataire universelle de son époux, pouvait le faire sans que subsiste l'ombre d'un doute. Et sa réponse est sans appel : Claude Lelouch n'a jamais exigé – ni accepté – de remboursement, et n'a jamais renoncé à ses droits sur *Far-West*. Au contraire, il les a reconduits régulièrement, au fil des ans, en renouvelant le contrat passé en 1972 avec IFC Films. Dont acte !

Malveillance *post mortem*, donc... dont on peut se demander ce qu'elle est censée apporter à la mémoire de Jacques, qui n'ignorait pas que les souvenirs des morts se disputent comme des parts d'héritage, et que la parole, dans cette foire d'empoigne, peut s'avérer une arme particulièrement meurtrière :

C'est elle qui raconte l'histoire
Quand elle ne l'a pas inventée :
La Parlote, la Parlote[3]*...*

Maintenant qu'il a pris la décision de ne plus réaliser de film, le cinéma, aux yeux de Jacques Brel, a perdu une bonne part de son attrait. Reste qu'il s'est engagé auprès d'Edouard

1. Propos recueillis par l'auteur. Voir témoignage de M. Bamy en annexe.
2. Propos recueillis par l'auteur. Voir témoignage de Claude Lelouch en annexe.
3. « La Parlote ».

Molinaro, pour jouer dans son prochain long métrage, et qu'il n'est pas question de se dédire. D'autant moins que Molinaro, depuis *Mon oncle Benjamin,* est un homme qu'il apprécie sincèrement et considère comme un ami. Et puis ce film est l'occasion de retrouver Lino Ventura ; la trame de l'histoire reposant tout entière sur l'opposition de leurs deux personnages.

Il s'agit de l'adaptation d'une pièce à succès de Francis Veber, *Le Contrat,* créée en 1969 à Paris, au théâtre du Gymnase, avec Raymond Gérome et Jean Le Poulain dans les rôles principaux. L'action se déroule à Montpellier. Lino Ventura interprète un tueur à gages, engagé par la Mafia pour abattre un témoin capital, avant que celui-ci ne puisse déposer contre ses anciens complices. Le repenti étant étroitement protégé par la police, le meurtre doit impérativement avoir lieu à son arrivée dans l'enceinte du tribunal, sur les marches mêmes du palais de justice. Pour cela, le tueur a réservé une chambre dans un hôtel situé en face du bâtiment... où il prépare, plusieurs heures à l'avance, son fusil à lunette.

Mais dans la chambre mitoyenne, un banal représentant en chemiserie (incarné par Jacques Brel), qui vient d'être abandonné par sa femme, décide de mettre fin à ses jours en se pendant à la tuyauterie de la salle de bains. Bien entendu, le tuyau cède sous son poids, et l'eau gicle à gros bouillons, inondant la pièce et se répandant sous la porte de la chambre voisine ! Pour ne pas attirer l'attention des forces de l'ordre, l'assassin se voit dans l'obligation de sauver cet encombrant voisin qui, dès lors, va s'accrocher à lui, comme un chien fidèle, affectueux... et collant.

Le temps passe, l'heure de l'exécution approche, mais rien n'y fait : le tueur ne peut se débarrasser de « l'emmerdeur » qui fera définitivement capoter l'affaire, si bien que les deux hommes, après moult péripéties, se retrouveront en prison [1]. Dans la même cellule, cela va de soi ! Car on ne se défait pas d'un « ami » aussi envahissant... L'illustration par-

1. Remarquons que, sur la dizaine de films qu'il aura joués, Jacques Brel se sera retrouvé huit fois en prison ! Ce n'est guère banal pour un amoureux de la liberté qui avait les murs en horreur...

faite du mot attribué à Ibsen : « *Les amis sont dangereux, non point tant par ce qu'ils vous font faire, que par ce qu'ils vous empêchent de faire* [1]. »

Lino Ventura, presque à contre-emploi, joue à la perfection le rôle du tueur complètement dépassé par les événements, dont l'impassibilité habituelle de dur à cuire, que rien ne semble capable d'ébranler, se dégrade progressivement – c'est le ressort comique de l'histoire – face à la sollicitude pleurnicharde, affectueuse, brouillonne et finalement touchante, du pauvre bougre interprété par Brel. C'est « *l'intrusion du vaudeville dans le film noir* », explique Molinaro.

Avant de diriger le Grand Jacques dans *Mon oncle Benjamin*, le metteur en scène, de son propre aveu, n'appréciait guère le personnage : « *Curieusement, j'étais allergique à Brel. Ses chansons me paraissaient outrées. Je ne croyais pas à sa sincérité. Quand je l'ai vu sur scène, se donnant et s'engageant à fond, j'ai compris... Nous sommes devenus de grands amis* [2]. » Et c'est en se référant précisément à ces chansons, qu'il jugeait auparavant « outrées », que Molinaro décrira et commentera son rôle à Jacques ! Celui-ci, qui n'est pas un acteur naturellement comique – pas plus que Ventura, d'ailleurs, mais son expérience fait la différence –, ne sait pas très bien, en effet, comment aborder son personnage. Molinaro lui expliquera donc qu'il s'apparente aux héros de « Madeleine », de « Mathilde » ou des « Bonbons » : fragiles, touchants, pitoyables, désespérément en quête d'amour... La complicité attentive de Lino fera le reste.

Non seulement leur duo est une parfaite réussite, mais tous les critiques qui ont vu à la fois la pièce et le film souligneront que l'interprétation de Jacques Brel est beaucoup plus nuancée, beaucoup plus humaine que celle du créateur du rôle. Ainsi Henry Rabinne, dans *La Croix* : « *Jean Le Poulain chargeait dans le comique glapissant, la drôlerie farceuse. Brel, au contraire, joue du comique geignard et gaffeur : son bonhomme s'affale dans la poisse, oscillant entre le désespoir et l'opti-*

1. Cité par André Gide dans *Corydon* (NRF, 1924).
2. Propos cités dans le fascicule accompagnant la cassette vidéo *L'Emmerdeur*, dans la collection *Inoubliable Lino Ventura* (Ed. Atlas, 1996).

misme, l'un et l'autre injustifiés, du moins à ce degré. C'est vraiment le brave type casse-pieds dans toute sa splendeur. Brel déploie dans le rôle un talent dont la force comique le dispute souvent à la finesse, et vice versa. Bravo [1] ! »

Sorti en salles le 19 septembre 1973, *L'Emmerdeur* obtiendra un succès foudroyant avec plus de six cent mille entrées payantes, sur la seule région parisienne, pendant sa période d'exclusivité. Mais son titre restera toujours l'objet d'une querelle entre le réalisateur et ses deux comédiens vedettes : si celui de départ, *Le Contrat* (comme la pièce), n'évoque guère une comédie légère, Jacques et Lino trouvent en revanche que *L'Emmerdeur* est un titre plutôt vulgaire. « *Ce n'est pas moi qui l'ai choisi*, assure aujourd'hui Molinaro, *et les interprètes eux aussi étaient contre. Mais le mot étant devenu courant, on aurait eu tort de s'en offusquer. De plus, après avoir beaucoup cherché, nous n'avons rien trouvé d'autre qui convienne mieux au sujet [2].* » On envisagea un temps de retenir *Le Casse-pieds* : l'idée était semblable et le mot moins trivial ; mais, jugée moins commerciale, cette possibilité fut abandonnée par la production.

Autre point de discorde... hypothétique : aux dires de certains de ses proches, en effet, Jacques aurait détesté jouer plusieurs scènes du film, dont celle de la salle de bains, dans laquelle on le découvre trempé, écroulé au fond d'une baignoire ou prostré sur le siège des W.-C. Maddly Bamy affirme même que ce tournage lui aurait valu ses premiers cheveux blancs... bien que d'autres témoins, présents sur le plateau, allèguent au contraire qu'il s'est beaucoup amusé et que son humeur était excellente.

De telles assertions, si elles se vérifiaient – mais sont-elles vérifiables en l'absence du principal intéressé ? –, ne feraient que traduire les limites des aptitudes de Jacques Brel pour le métier de comédien : l'incapacité de se glisser dans la peau d'un personnage trop éloigné du sien, le refus d'être montré sous un jour peu flatteur, voire ridicule... L'expression d'un talent relatif, en un mot, d'une étroitesse d'esprit et d'un

1. Henry Rabinne, *La Croix* (numéro daté du 7 octobre 1973).
2. Fascicule de la cassette vidéo, déjà cité.

amour-propre dérisoire, qui ne lui auraient guère permis d'aborder qu'une palette restreinte de rôles. Autant de carences, convenons-en, qui ne lui ressemblent guère. Comment expliquer autrement le rôle qu'il joue dans *Mont-Dragon,* celui du personnage si peu reluisant de Dormond? Qu'il nous soit donc permis d'avoir, du Grand Jacques et de son talent, une plus haute opinion.

Il est certain, cela dit – et nombre de comédiens, parmi les plus grands, sont dans ce cas –, que Jacques Brel avait horreur de se voir à l'écran. Comme si l'image n'était jamais à la hauteur de ce qu'il avait voulu y mettre, ou de ce qu'il espérait y trouver. Il est donc assez probable que Brel n'ait pas aimé voir le film. D'ailleurs, le cinéma a cessé de l'intéresser. Et il n'y reviendra plus. Car il s'apprête à vivre sa dernière grande aventure.

22

Et moi je suis en mer

Les projets de Jacques Brel, désormais, n'appartiennent plus à la terre mais à la mer. Celui qui affirmait, dans « Rosa », avoir compris tout jeune qu'il ne serait jamais Vasco de Gama, rêve à présent de se lancer à la conquête de ce dernier Far West qu'est le grand large. Là où – croit-il – la mesquinerie des hommes ne saurait plus l'atteindre. Là où ses rêves pourront, enfin, prendre leur pleine mesure. Là où :

... ne seraient point ces fous
Qui nous disent d'être sages [1]*...*

L'idée a mûri lentement; elle a fait son chemin avec patience. Il y a déjà longtemps, en effet, que Jacques s'est initié aux plaisirs de la navigation, s'offrant même – seul ou en copropriété – plusieurs petits voiliers. C'est d'ailleurs sur l'un d'eux, on s'en souvient, que s'est nouée sa liaison avec Monique. Au départ, il n'était question que d'agrémenter des vacances, en famille ou avec Sylvie. Echappées de quelques heures, toujours par beau temps : des ronds dans l'eau, comme disent les marins aguerris. Puis il y a eu, plus sérieusement, les sorties de plusieurs jours avec des copains déjà mieux amarinés. Les premières nuits passées en mer, au large, loin de tout, ou simplement reliés au monde des vivants par les lointaines lumières de la côte, sont une expérience inoubliable. Mais ces croisières côtières ou semi-hauturières ont toujours une fin. Elles finissent toujours par

1. « Une île ».

vous ramener au port, où il faut poser sac à terre et reprendre sa vie d'éléphant [1], en attendant la prochaine occasion de repartir. Et Jacques, désireux d'aller plus loin, rêve aujourd'hui de grand départ.

En ce début des années 70, plus de quarante ans après Alain Gerbault, un homme a suscité de nombreuses vocations de ce genre ; un homme exceptionnel, dont le nom seul, Bernard Moitessier, continue de résonner avec le plus profond respect, et une admiration fraternelle, dans le cœur de toute une génération de « vagabonds des mers [2] ». D'autres navigateurs solitaires, bien sûr, comme les Américains Joshua Slocum et Howard Blackburn, l'Argentin Vito Dumas, les Français Jacques-Yves Le Toumelin, Marcel Bardiaux, Louis Bernicot, Marin-Marie, Jean Lacombe ou Alain Bombard, dans un tout autre domaine, s'étaient sans doute illustrés avant lui ; mais exception faite de Gerbault et du brave docteur Bombard, leurs exploits étaient restés presque confidentiels. Seul un petit noyau d'initiés connaissait les noms des mythiques *Spray*, *Kurun*, *Anahita*, *Winnibelle*, et autre *Quatre-Vents* : ces coquilles de noix qui avaient emmené une petite poignée d'aventuriers autour du monde, jusqu'au bout de leurs rêves.

En 1964, la France s'était découvert un héros en la personne d'Eric Tabarly, vainqueur de la seconde course transatlantique en solitaire. Mais pour exceptionnel qu'il fût – et il l'était ! –, son exploit ne relevait, justement, que de l'exploit. Il était impartageable. Et s'il avait donné le goût de la course au large à une nouvelle race de « bouffeurs d'écoutes », pour qui la vitesse, la tactique et l'efficacité primeraient désormais sur tout, il n'était pas question, pour le simple plaisancier, d'imaginer rivaliser un jour avec celui qui restera, sans doute, le plus fabuleux coureur hauturier de tous les temps.

1. Terme d'argot de marin désignant soit un terrien, soit un navigateur débutant.
2. *Un vagabond des mers du Sud* (Editions Flammarion, 1960) est le titre du premier des quatre ouvrages de souvenirs et de réflexions philosophiques publiés par Bernard Moitessier. Les trois autres sont : *Cap Horn à la voile*, *La Longue Route* et *Tamata et l'Alliance* (Editions Arthaud).

La démarche de Bernard Moitessier – bien que le personnage ait été, lui aussi, révélé au grand public et popularisé par les médias à l'occasion d'une course –, procède d'une philosophie de vie radicalement différente. Engagé dans une régate en solitaire et sans escale autour du monde – l'équivalent de l'actuel « Vendée Globe » [1] –, Moitessier sera le premier des neuf concurrents inscrits à ramener son bateau devant la ligne d'arrivée. Mais au lieu de franchir celle-ci et d'empocher la double récompense promise – une petite fortune pour l'époque –, il vire de bord au dernier moment et met le cap sur une destination inconnue ! Dès lors, sa légende est en marche. La presse se passionne pour ce « hippie des mers », chevelu et barbu, qui vient de renoncer, d'un simple coup de barre, aux honneurs et à l'argent qui lui étaient dus. Ce geste incroyable, au lendemain de 1968, prendra une résonance inouïe. Plus qu'un héros, Moitessier devient un véritable symbole vivant : une dimension que n'atteindront aucun des grands meneurs politiques ou des théoriciens prêchant, alors, pour un changement de société et une remise en cause de ses valeurs bourgeoises.

Bientôt, on perd la trace du marin et de son minuscule *Joshua* – baptisé ainsi en l'honneur de Slocum –, et les spéculations les plus alarmantes courent sur son compte... Il ne possède, bien entendu, aucune radio de bord. On le dit fou, perdu corps et biens, réfugié sur une île inconnue... et « La Parlote » va bon train. Friande de ce genre d'histoires, la presse tente de le localiser par tous les moyens possibles, mais les seules nouvelles qui parviennent aux salles de rédaction sont les rares messages que le navigateur échange avec des cargos de rencontre, pour rassurer ses proches. Alors, comme toujours, les magazines brodent, en rajoutent, publient des photos spectaculaires, des commentaires à sen-

---

1. A cette différence près que la date et le lieu du départ étaient libres. Le journal *Sunday Times*, organisateur de la compétition, avait fixé deux règles et offrait deux prix. Chacun partait d'où il voulait, pourvu que ce soit d'un port anglais, et au jour de son choix, entre le 1er juin et le 31 octobre 1968. Le premier prix (un globe en or) récompenserait le premier concurrent qui serait de retour, quelle que soit la date de son départ, après avoir franchi les trois caps australs : Bonne-Espérance, Leeuwin et Horn. Le second prix (cinq mille livres sterling) irait à celui qui bouclerait son tour du monde dans le laps de temps le plus bref, même s'il était parti le dernier.

sation, renchérissent les uns sur les autres... et la légende de s'en trouver magnifiée. Moitessier incarne désormais une espèce de mythe.

Au cours des années suivantes, nombreux sont ceux qui tenteront d'imiter celui qui, à son corps défendant, aura fini par acquérir une véritable stature de gourou des mers. On cherchera d'autant plus à suivre son exemple qu'il a lui-même construit son bateau – on le sait à présent – avec des moyens de fortune, l'équipant pour trois fois rien avec du matériel de récupération : poteaux électriques pour les mâts, câbles EDF pour les haubans, bassine galvanisée pour la bulle du poste de veille, etc. On verra ainsi fleurir un peu partout, pour le meilleur et pour le pire, des dizaines de chantiers d'amateurs, donnant naissance parfois à de solides bateaux qui s'en iront affronter tous les océans du globe, ou laissant au contraire pourrir dans des arrière-cours, encombrées de ferraille, des carcasses inachevées qui ne verront jamais la mer.

Moitessier, quant à lui, finira par toucher terre à Tahiti, le 21 juin 1969, après dix mois de solitude [1] et un périple de trente-sept mille cinq cents milles marins (environ soixante-dix mille kilomètres) : la plus longue distance jamais parcourue, d'une traite, par un navigateur solitaire. Puis il s'installera définitivement en Polynésie et racontera ce voyage aux allures initiatiques dans *La Longue Route* ; un livre qui, plus qu'un récit de mer, est une véritable réflexion philosophique, sans la moindre indulgence pour une société fascinée par le clinquant, la vanité, les faux-semblants, le pouvoir et l'argent. Un livre qui, depuis plus d'un quart de siècle, occupe une place privilégiée dans les bibliothèques de tous ceux qui ont décidé de suivre – et de vivre – la fameuse injonction de Baudelaire : « *Homme libre, toujours tu chériras la mer* [2] *!* »

A sa manière, Bernard Moitessier est une espèce de Don Quichotte, et ses moulins à vent ressemblent fort à ceux de Brel. Mais cet homme doux et rêveur, au caractère solide-

1. Il était parti de Plymouth le 22 août 1968.
2. « L'homme et la mer », *Les Fleurs du mal*, Charles Baudelaire, 1857.

ment trempé, a eu très tôt l'intuition qu'il était vain de s'épuiser à rompre des lances contre un ennemi qui, telle l'Hydre de Lerne, possède bien trop de têtes pour qu'un homme sensé puisse imaginer venir à bout de toutes. Son choix de vie, sur les océans, n'a donc rien d'une fuite : c'est le parti qu'il a décidé de tirer de l'alternative offerte à tout un chacun. Et son refus de se prêter au jeu de la victoire est le geste le plus éloquent qu'il pouvait adresser à cette société qu'il préfère ignorer, plutôt que d'avoir à composer avec des valeurs qu'il rejetait.

De tempérament plus impulsif, Jacques Brel a longtemps cru, pour sa part, que ce combat était de ceux dont on pouvait sortir vainqueur. Semblable à Cyrano, il a ferraillé avec fougue, des années durant, portant à plusieurs reprises quelques coups particulièrement redoutables. Lui-même en a reçus, parfois, qui l'ont laissé exsangue ; blessé beaucoup plus profondément que son orgueil ne lui permettra jamais de le montrer. Puis la lassitude est venue, qui est peut-être une forme de défaite ; et Jacques, à l'inverse de Cyrano et de Quichotte, a fini par comprendre qu'il ne triompherait jamais de la bêtise, de l'hypocrisie, du mensonge et de la veulerie. Restait à se retirer tête haute, sans tourner les talons, la rapière au poing, toujours menaçante, et le panache vierge de toute souillure. Il le fit à deux reprises : avec la plus magnifique des élégances, la première fois ; la seconde, avec l'insolente fierté de ces lutteurs, dont les épaules ont touché terre un jour, et qui préfèrent renoncer aux lauriers qui leur sont encore promis, pour éviter de s'engager dans la spirale des combats de trop.

Parvenu à ce moment de sa vie, Jacques Brel – professionnellement parlant – n'a plus rien à faire... ni en France ni en Belgique. Il n'est plus chanteur, il n'est plus comédien, et sans doute sait-il qu'il n'écrira jamais ce fichu roman qui le hante depuis si longtemps. Il n'a certes que quarante-quatre ans, mais – qu'il l'accepte ou non – le voici retraité ! Un état qui ne correspond en rien à son caractère. Restent l'avion et le bateau : deux passions dont il n'a jamais imaginé, un seul instant, qu'elles puissent se borner à être des loisirs.

Pour ce qui est de l'avion, sauf à multiplier les heures de

vol et les sorties entre copains, comme son périple en Méditerranée avec Paul Lepanse ou son expédition en Guadeloupe avec Maddly, Jean Liardon, Jojo et leurs épouses, Jacques ne peut guère aller plus loin : il possède le plus haut degré de formation possible, pour un pilote privé. Quant à sa proposition d'entrer comme instructeur à l'école des *Ailes*, si elle est appuyée par son ami Liardon, elle ne soulève pas l'enthousiasme de ses collègues. Ses compétences ne sont pas en cause, mais Brel est un artiste, un saltimbanque en quelque sorte... et sa présence au sein de l'équipe risquerait de nuire à la réputation de sérieux de l'école. Au reste, se satisferait-il longtemps, lui qui aime tant « *aller voir* », d'un travail aussi astreignant ? Le projet tournera donc court.

Pour ce qui est du bateau, en revanche, Jacques a encore beaucoup à apprendre. Même si sa formation de pilote, en matière de météorologie et de navigation aux instruments, lui a donné un niveau de connaissance technique bien supérieur à celui de la moyenne des plaisanciers. Lucide, il n'ignore pas que ses points faibles sont les finesses de la manœuvre et le manque d'expérience hauturière. Aussi décide-t-il de se perfectionner, fidèle à son idée que l'on ne doit jamais rien faire en amateur et qu'il faut « *savoir retourner à l'école* » chaque fois que l'on aborde une discipline nouvelle.

N'étant pas du genre à faire les choses à moitié, Jacques ne se contentera pas d'effectuer une de ces croisières côtières, avec mouillage chaque soir dans un port confortable, comme en proposent presque toutes les écoles de voile. D'emblée il va au plus ardu : rien de moins que la traversée de l'Atlantique ! Un défi personnel courageux, sachant que cela n'offre aucune alternative en cas d'indisposition ; de mal de mer par exemple. Quoi qu'il arrive, il faut atteindre l'escale suivante, pour que s'apaisent les malaises. Une expérience terrible, lorsqu'elle dure plusieurs jours... ce qui est le cas, forcément, quand on doit parcourir de longues étapes.

Aux premiers jours du mois de novembre 1973, quelques semaines à peine après la sortie en salles de *L'Emmerdeur*,

Jacques Brel s'embarque donc sur un voilier charter [1], baptisé *Korrig*. L'équipage se compose de cinq personnes : le couple de propriétaires et trois équipiers payants (dont Jacques). Le skipper est rongé par le cancer et l'alcool, mais c'est un bon marin et, de toute façon, aucun des passagers – qui sont là pour apprendre la manœuvre – ne rechigne à la besogne. Surtout pas Jacques Brel, dont la bonne humeur communicative détend souvent l'atmosphère, lorsque le froid, les intempéries ou les caprices de la mer menacent d'avoir raison du moral de l'équipage.

A moins d'être en régate, une traversée océanique s'effectue rarement d'une seule traite. A plus forte raison sur un voilier école où chaque escale est l'occasion de familiariser un peu plus les équipiers novices avec les manœuvres d'entrée et de sortie de port, les problèmes d'appontage, d'amarrage, de remise en ordre du bateau, l'étude des phares, des cœfficients de marées, etc. Parti de Méditerranée, le *Korrig* réalise donc une première étape assez courte, jusqu'à Gibraltar : une sorte de galop d'essai, afin de permettre à tout le monde de faire plus ample connaissance, et à chaque passager de décider s'il désire continuer ou s'il pense s'être embarqué dans une aventure qui le dépasse.

Puis, c'est le premier contact avec l'Atlantique et la descente vers les Canaries. Une navigation d'une petite dizaine de jours, par temps frais et couvert, pour atteindre Las Palmas : une ville sans attrait, au fond d'une large baie abondamment polluée, encombrée de cargos lépreux, et dont les eaux gluantes de pétrole ont de sombres reflets de soie moirée. Jacques déteste cette ville, dont il ne verra guère plus que les façades du port, ne descendant à terre, tant que durera l'escale, qu'avec beaucoup de réticence. Aucunement par mauvaise humeur, car cette croisière lui plaît plus encore qu'il ne s'y attendait – et l'idée de vivre désormais sur un voilier fait son chemin dans son esprit –,

1. En matière de navigation, le mot « charter » n'a pas le même sens qu'en aéronautique. Il désigne un bateau qui accueille à son bord des passagers payants qui, dans le but d'apprendre à naviguer, participent aux manœuvres comme s'ils étaient de vrais membres de l'équipage.

mais tout simplement parce que les Canaries sont territoire espagnol : un sol sur lequel il avait décidé – au temps où il était chanteur – de ne jamais mettre les pieds du vivant de Franco. Or, en ce mois de novembre 1973, le vieux dictateur, bien que diminué [1], préside toujours sans partage aux destinées de la patrie de Cervantes... et Jacques Brel, homme de fidélité, n'a pas bonne conscience à fouler les quais de Las Palmas.

Pour cause de météo défavorable, l'escale s'éternise d'ailleurs un peu plus longtemps que prévu, et Jacques commence à ronger son frein. Aussi est-ce avec un réel plaisir qu'il voit s'amarrer, à quelques encablures du *Korrig*, un superbe voilier battant pavillon belge : le *Kalais*. Le skipper s'appelle Vic ; c'est un industriel fortuné qui, à l'occasion d'un divorce difficile, vient de décider de se retirer des affaires et d'abandonner son ancienne vie, pour courir les mers et jouir un peu de sa liberté retrouvée. Jacques et lui – qui ont le même âge, à quelques mois près – se sont vaguement croisés à Bruxelles, il y a fort longtemps : contents de se rencontrer ainsi, loin de leur Belgique natale, ils sympathisent rapidement et passent bientôt des soirées entières à refaire le monde, dans le luxueux carré du *Kalais*, autour de quelques bières ou d'une bouteille de bourbon.

La véritable traversée de l'Atlantique commence lorsque le *Korrig* quitte enfin les Canaries, à la fin novembre, pour mettre le cap sur La Barbade, cet ancien théâtre des exploits flibustiers. Quatre semaines plus tard, porté par les alizés, il jette l'ancre dans le port de Bridgetown. Jacques et Vic s'y retrouvent avec plaisir, mais cette fois l'escale ne dure que le temps nécessaire au réapprovisionnement. Sitôt paré, on remet à la voile à destination de la Grenade, où l'on compte arriver juste pour fêter Noël. Le continent américain n'est plus qu'à deux ou trois jours de mer, Jacques peut savourer en paix la réussite de son entreprise.

Non seulement cette traversée l'a séduit, mais pour épuisant qu'il ait pu être parfois, cet effort de tous les instants, surtout, lui a fait un bien fou. Accomplissant les gestes rudes de la manœuvre, en compagnie des autres équipiers, cal-

1. Francisco Franco Bahamonde mourra à Madrid le 20 novembre 1975.

culant la route à suivre, sous l'œil avisé d'un skipper tentant d'anesthésier ses métastases au Ricard, ou tenant seul la barre durant les quarts de nuit, il vient de vivre quelques semaines d'un bonheur total, comme il ne croyait plus pouvoir en connaître. Un bonheur et un sentiment de liberté que la vie à terre, désormais, est incapable de lui procurer. Aussi, lorsqu'il reprend l'avion pour l'Europe, à l'aube de l'année nouvelle, est-il bien décidé à se mettre en quête d'un bateau. Un voilier suffisamment grand pour lui permettre de repartir.

23

Offrez-lui quelques mâts

De retour en Belgique, Jacques Brel commence à organiser son départ. Mais d'abord – puisque l'on ne sait jamais ce qui peut arriver et qu'il tient à assurer l'avenir de sa famille –, il rédige un testament qui fait de Miche sa légataire universelle. Ensuite, seulement, il se met à la recherche du bateau idéal. Pour gagner du temps, il pense acheter un voilier déjà tout équipé... en se réservant toutefois la possibilité d'en faire construire un, s'il ne trouve pas l'objet de ses rêves dans un délai raisonnable. Car Jacques, comme chaque fois qu'il a un nouveau projet en tête, est pressé de le voir se concrétiser. Pour lui, l'action est souvent synonyme d'impatience.

Miche, sachant pourtant qu'elle ne sera pas du voyage, l'épaule dans ses recherches. Ensemble, ils se rendent en Angleterre : le pays où la tradition maritime – et plaisancière – est sans doute la plus vivace, et où les voiliers des *gentlemen sailors* sont, la plupart du temps, d'une beauté à vous couper le souffle. Jacques cherchera également du côté des ports de la Méditerranée, où sommeillent quelques belles unités qui se languissent de grand large. Il parcourt les annonces des revues spécialisées, visite les salons de plaisance, fouille un peu le long de la côte, et pousse même jusqu'en Allemagne...

Un vrai départ en mer, « pour la vie » – c'est-à-dire pour quelques années, car tout finit toujours par se relativiser, comme les histoires d'amour –, est très souvent le résultat d'une rencontre entre un homme (ou une femme) et un bateau. L'histoire d'un coup de foudre, véritable transposition matérielle du fameux : « *Parce que c'était lui, parce que c'était moi* », de Montaigne [1]. Même si la décision est déjà arrêtée, on ne cherche pas *un* bateau pour partir ; on découvre *le* bateau, et le voyage s'impose alors de lui-même. Mais il arrive aussi que l'on se trompe de bateau... Alain Gerbault, par exemple, avait choisi un voilier splendide, mais trop grand, trop lourd, trop difficile à manœuvrer pour un homme seul, et son tour du monde en devint un véritable calvaire. A quelques nuances près, Jacques Brel tombera dans le même travers.

C'est finalement en Belgique, à Anvers, qu'il trouve le bateau de ses rêves : un *yawl* [2] noir de dix-huit mètres de long – et non un *ketch*, comme on l'a si souvent dit ou écrit. Les termes de marine sont choses précises, et de cette précision dépend parfois la différence entre la catastrophe ou le salut ; il convient donc d'en faire bon usage, même si cela semble peu important – ce qui n'est pas le cas, précisément, car Brel aurait éprouvé beaucoup moins de difficultés, à longueur et poids égaux, à barrer un ketch plutôt qu'un yawl... Tout marin un peu expérimenté confirmerait cette évidence.

L'*Askoy* [3], c'est son nom, est un magnifique bateau à l'ancienne, solidement construit, en acier, avec un arrière norvégien (un peu rond, mais néanmoins effilé), un vaste carré central jouxtant la cuisine, plusieurs cabines, une salle

1. *Les Essais*, par Michel de Montaigne, chapitre « De l'amitié ».
2. Les mots yawl, ketch et goélette désignent tous trois des voiliers possédant deux mâts, quelle que soit leur longueur hors tout. Un « ketch » a un « grand mât » situé, grosso modo, au niveau du premier tiers avant du plan de pont, et un « mât d'artimon » (nettement plus petit que l'autre), situé *en avant* de la barre. Lorsque les deux mâts sont égaux, ou que le plus grand est à l'arrière, il s'agit d'une « goélette » (le mât avant s'appelant alors « mât de misaine »). Lorsque le plus petit des deux mâts est situé *en arrière* de la barre, il prend le nom de « tapecul », et le bateau s'appelle alors un « yawl ». Or, toutes les photos de l'*Askoy* le montrent, le second mât est « emplanté » au niveau de la cloison arrière de la cabine arrière. Il s'agit donc incontestablement d'un « tapecul », c'est-à-dire d'un yawl.
3. Officiellement, le vrai nom du bateau est *Askoy II*, mais le « II » ne sera jamais peint sur la coque, là où s'inscrit le nom du navire et celui de son port d'attache ; par ailleurs, Jacques, son équipage et ses familiers diront toujours : « l'*Askoy* ». Ce nom vient d'une des innombrables îles qui jalonnent les côtes de la Norvège.

de bains et des aménagements intérieurs tout en bois de teck, rehaussé de cuivre. L'ensemble est somptueux, et de cet assemblage de matériaux nobles se dégage un sentiment naturel de confort et de luxe ; mais aussi cette mélancolie inhérente à la beauté un peu surannée de ces bateaux qui commencent à dater, et dont on sait bien qu'en matière d'accastillage, l'esthétique et le romantisme l'emportent désormais sur l'efficacité et la sécurité. En ce début des années 70, en effet, sous l'impulsion de la démocratisation soudaine de la plaisance, le matériel a considérablement évolué, dans le sens d'une simplification des manœuvres, d'une diminution de l'effort à fournir et d'une modernisation des matériaux employés. Or, l'*Askoy* appartient à une génération de voiliers pour lesquels les problèmes de poids et de force physique ne se posaient pas, leurs skippers ayant les moyens de recruter des équipages composés de plusieurs marins...

Dès le premier coup d'œil, Jacques Brel tombe amoureux de *son* bateau : rien ne pourra plus lui faire considérer, de façon objective, les qualités et les défauts de celui-ci. Pourtant, malgré son charme indéniable et ses évidentes qualités marines, l'*Askoy* est beaucoup trop lourd pour ce qu'il projette d'entreprendre. Au moins deux à trois fois trop lourd [1]... Ce qui finira par poser de réels problèmes, en mer, lorsque Jacques – diminué physiquement par sa récente opération du poumon – n'aura, pour l'aider dans les tâches les plus ardues, que sa fille France et Maddly pour tout équipage. Dans un premier temps, il partira d'ailleurs avec deux marins supplémentaires ; mais ceux-ci se révéleront si incompétents qu'il préférera les débarquer à la première occasion.

En attendant, fidèle à ses principes, Brel retourne « à l'école » – une formule qu'il utilise, comme une marotte, quand les circonstances de la conversation s'y prêtent : *« Je pense qu'il faut savoir aller à l'école... »* Ayant toujours prôné

1. A titre de comparaison, pour une longueur de dix-huit mètres, l'*Askoy* pèse un peu plus de quarante-deux tonnes, alors que – pour une longueur de vingt-deux mètres cinquante – le *Pen-Duick VI*, avec lequel Eric Tabarly gagnera en 1976 sa seconde Transat en solitaire, ne pèsera que dix-sept tonnes.

cette idée de l'apprentissage, pour aborder chaque domaine nouveau avec un sérieux et une maîtrise de professionnel, Jacques s'inscrit à l'Ecole royale de la Marine, à Ostende. La formation qu'il entreprend alors de suivre est tout aussi poussée, dans son genre, que celle dispensée à Genève par l'école des *Ailes*, où il avait obtenu sa licence PP-IFR. A défaut de pouvoir piloter un Bœing, le brevet de « capitaine au grand cabotage » lui donnera le droit de mener un cargo de la Marine marchande. Ainsi, outre le métier de comédien (qui n'exige a priori aucun diplôme particulier), le chanteur Jacques Brel aura les qualifications professionnelles requises – si l'on fait abstraction des impossibilités pratiques, dues à l'âge – pour être et copilote d'avion de ligne et officier de marine ! Des compétences peu banales... et sans doute uniques dans les annales de la chanson.

En Belgique, ainsi que Jacques aimait à le rappeler, *« la mer est flamande »* : toute la côte, depuis la France jusqu'à la Hollande, appartient à la Flandre occidentale. L'enseignement de l'Ecole royale de la Marine est donc dispensé en flamand. Non seulement il est en train de passer un brevet difficile, mais il le passe en flamand ! Ce qui aurait dû définitivement clouer le bec à ceux qui le traitaient de « fransquillon » incapable de parler la langue de « Marieke »... Sans être parfait, son néerlandais lui permet de suivre les cours sans trop de difficultés ; même si l'élève Brel se fait sèchement rappeler à l'ordre chaque fois qu'il se laisse aller à débuter une phrase en français. Juste retour des choses, il s'amuse beaucoup de la réticence embarrassée, manifestée par certains de ses professeurs, lorsqu'il s'agit d'utiliser des termes techniques empruntés au vocabulaire français...

Après trois mois de cours intensifs – dont une certaine partie par correspondance –, Jacques Brel obtient son brevet de capitaine le 1er juillet 1974. Sur l'*Askoy*, qui lui appartient depuis cinq mois, il a fait procéder à des aménagements et vérifications techniques, afin que le bateau soit en état de prendre la mer le plus vite possible, sitôt son diplôme en poche. Dans l'intervalle, il a également mené les multiples démarches administratives indispensables à un tel départ, s'organisant pour qu'aucun imprévu de dernière minute ne vienne retarder l'accomplissement de son rêve. Pourtant, à trois reprises ces derniers temps, son métier de chanteur vient de se rappeler à lui.

En avril 1974, Jacques Brel est en tête des hit-parades américains, avec « Le moribond ». Par interprète interposé, évidemment, puisque la chanson – rebaptisée « Seasons In The Sun » – est chantée par le crooner Andy Williams. C'est une reprise d'une adaptation déjà un peu ancienne – mais toujours aussi exécrable s'agissant de la fidélité au texte – de Rod McKuen, qui vient de consacrer un nouvel album entier aux chansons de Jacques [1]. D'une façon générale, d'ailleurs, McKuen ne s'embarrasse pas de fidélité excessive dans ses traductions : « Fils de... » devient ainsi « I'm Not Afraid » (Je n'ai pas peur), et « Seul » se transforme en « To You » (Pour toi). Deux ou trois chansons échappent cependant à ce triste charcutage : sa version des « Bourgeois » par exemple, bien plus précise que celle d'Eric Blau – laquelle était pourtant l'une de ses adaptations les plus fidèles dans *Jacques Brel Is Alive And Well And Living In Paris*... Quant à « The Women » (« Les biches »), malgré la différence de titre, elle respecte assez bien la lettre et l'esprit de l'œuvre originale.

Sur le ton de la plaisanterie, Mort Shuman confiait volontiers que beaucoup de gens, quand il avait monté sa comédie musicale avec Eric Blau, intrigués par son titre, pensaient que Jacques Brel était un personnage fictif. Aussi, lorsque le spectacle sera porté à l'écran par le réalisateur canadien Denis Héroux, Shuman tiendra-t-il expressément à ce que Jacques fasse, au moins, une courte apparition dans le film. Ne serait-ce que pour montrer, à ceux qui ne l'avaient jamais vu, qu'il n'était pas une légende. Pas encore !

Encore que...

1. Sorti à l'automne 1973, l'album s'intitule *Rod McKuen Sings Jacques Brel*, et contient les douze chansons suivantes : « If You Go Away » (« Ne me quitte pas »), « Come, Jef » (« Jef »), « The Statue », « The Far West » (« L'enfance »), « Zangra », « Amsterdam », « I'm Not Afraid » (« Fils de... »), « The Lovers » (« Les amants de cœur »), « To You » (« Seul »), « Les bourgeois », « The Women » (« Les biches ») et « Seasons In The Sun » (« Le moribond »). (Stanyan Records Co, réf. : SR 5022).

Depuis *L'Emmerdeur*, Jacques a décidé – sans aller pour autant le crier sur les toits – de ne plus apparaître en public. Il commence donc par refuser tout net la proposition de Mort Shuman. D'ailleurs, celui-ci n'est pas très chaud lui-même pour participer au film et y reprendre les chansons qu'il chantait, au printemps 1967, à Greenwich Village. Entre-temps, sa vie a considérablement changé, et il s'est installé en France où il s'est rendu célèbre, à la suite de sa rencontre avec Etienne Roda-Gil et Jean-Claude Petit, avec des chansons comme « Le lac Majeur » ou « Brooklin By The Sea » [1]. Cette carrière de chanteur est assez nouvelle pour lui puisque, mis à part les inévitables groupes de rock de l'époque du collège et la comédie musicale consacrée à Brel, il n'était jamais monté sur scène aux Etats-Unis, où il se contentait de composer pour les autres. Quoique favorable à l'idée de ce film, il préférerait donc qu'un autre interprète que lui tienne son rôle. Mais Denis Héroux insiste et réussit à le convaincre que, sans lui, le projet lui-même n'a plus de raison d'être.

Le même argument que Mort Shuman resservira à Brel, lorsqu'il aura finalement accepté de participer au film... la condition expresse que le Grand Jacques, en personne, y interprète au moins une chanson. Ce dernier, par amitié pour celui qui a tant œuvré à le faire connaître outre-Atlantique, se laisse fléchir... Soit ! il apparaîtra dans le film, mais brièvement (pas plus d'une chanson), et ce sera la toute dernière fois ! Plus question, après ça, de venir le déranger : il part ! Au reste, il vient de refuser le rôle principal du prochain film de son ami Lelouch : *Le Mariage* (qui reviendra finalement à Rufus)... Plusieurs semaines avant que l'étrave noire de l'*Askoy* ne franchisse l'écluse qui ferme et protège le port d'Anvers, Jacques Brel n'est déjà plus là pour personne.

Denis Héroux tient d'autant plus à réaliser l'adaptation cinématographique de *Jacques Brel Is Alive And Well And Living In Paris*, que sa compagne, Elly Stone, fut l'une des créatrices du spectacle au Village Gate, en 1967. Attablé à

1. « Le lac Majeur » et « Brooklin By The Sea », 1972 (paroles d'Etienne Roda-Gil, musique de Mort Shuman).

une simple table de bistrot, dans un décor qui lui est familier, Jacques va donc y interpréter une version particulièrement intense et dramatique de « Ne me quitte pas ».

La qualité technique de la prise de son cinématographique ne possédant pas la précision des enregistrements phonographiques, il est hors de question de filmer simplement Jacques comme s'il s'agissait d'un banal reportage télévisé. Se pose en outre le problème de l'accompagnement musical : avec son habitude de travailler en direct, Brel n'a pas de bande instrumentale à sa disposition sur laquelle il pourrait juste rajouter sa voix. Quant à se servir des albums existants – solution qui semblerait devoir s'imposer, car la séquence doit être tournée en play-back –, il est inutile d'y songer. La première version de « Ne me quitte pas » (celle de septembre 1959) appartient en effet à Philips, avec qui Jacques est définitivement brouillé, et la seconde mouture, refaite en juin 1972, ne l'a jamais vraiment satisfait. Reste donc à reprendre le chemin du studio Hoche, pour enregistrer une troisième fois cette chanson qu'il a toujours affirmé ne pas aimer.

Cette fois, l'ingénieur du son n'est pas Gerhardt Lehner, mais un jeune débutant plein d'avenir : Mick Lanaro, qui sera quelques années plus tard l'un des directeurs artistiques les plus recherchés sur la place de Paris. Sans être un novice, Lanaro est très impressionné par Brel qui, pour sa part, n'a guère chanté depuis deux ans et se pose quelques questions quant à la qualité actuelle de sa voix. Les deux hommes se rassurent mutuellement : « *Avant la prise, nous avons fait quelques réglages de micro, et Brel est venu me demander comment était sa voix, se souvient Lanaro* [1]. *Alors je lui ai dit que j'avais été obligé de baisser le volume de dix décibels, parce qu'elle était trop présente par rapport à l'orchestre, et qu'elle faisait saturer les indicateurs de niveau. Visiblement cela l'a rassuré et, par la suite, tout s'est bien passé ; on a mis la chanson en boîte d'une seule traite.* »

L'enregistrement terminé, Mick Lanaro expédie la bande à Denis Héroux, au Québec, afin que Jacques Brel puisse chanter dessus, en play-back, au moment du tournage. Bien

---

1. Propos recueillis par l'auteur.

que cette technique, qui ne lui est pas familière, ne soit guère à son goût, l'effet est saisissant et Jacques arrive à faire passer une émotion qui, malheureusement, discrédite le reste du film. Car le contraste est trop grand entre lui et les autres chanteurs, la différence d'intensité trop flagrante. Le film n'obtiendra du reste aucun succès et sera très rapidement retiré de l'affiche, lorsqu'il sortira en France en janvier 1976, sans avoir attiré plus de dix mille spectateurs durant sa période d'exclusivité.

Enfin, quelques semaines plus tard – alors qu'il est à Anvers en train de mettre la dernière main à ses préparatifs de départ –, Brel a l'insigne honneur de figurer, en France, au programme du baccalauréat! Lui, l'ancien cancre, qui collectionnait les zéros pour en faire « *des tunnels pour Charlot / Des auréoles pour Saint-François* [1]... » Les candidats de l'épreuve anticipée de français, marquant le passage en classe de terminale, ont en effet le choix entre trois sujets : l'étude de texte d'un poème d'Apollinaire, l'analyse d'une réflexion de Gutenberg, relative à l'importance de l'écriture dans notre civilisation, et l'observation du processus de création poétique et littéraire à l'intérieur d'une chanson de Jacques Brel. Cette fois, le Grand Jacques est statufié vivant ; ce qu'il appréhendait depuis fort longtemps :

J'aimerais tenir l'enfant de Marie
Qui a fait graver sous ma statue :
« Il a vécu toute sa vie
Entre l'honneur et la vertu [2]. »

Raison de plus pour mettre à la voile, le plus vite possible.

---

1. « Rosa ».
2. « La statue ».

24

Et filez sur l'Angleterre...

Le mercredi 24 juillet 1974, vers six heures du matin – en raison des coefficients des marées –, l'*Askoy* largue les amarres. Il s'éloigne lentement du quai pour franchir l'écluse qui ferme le port d'Anvers, puis s'engage dans le chenal menant vers l'estuaire de l'Escaut, et au-delà vers la pleine mer. Malgré des conditions météorologiques maussades, Jacques Brel n'a pas voulu différer plus longtemps son départ. Il lui fallait quitter la terre, et se donner l'illusion d'être parti... quitte à rester encalminé trois jours durant dans l'embouchure du fleuve, à hauteur du port hollandais de Breskens, à cause du mauvais temps.

La veille au soir, Jacques a écrit à Miche et à Monique. Des lettres tendres et apaisantes qui, à aucun moment, ne peuvent laisser supposer qu'il s'est embarqué avec une autre femme. Comme toujours lorsqu'il s'agit de ses différentes compagnes, Jacques se montre d'une lâcheté difficile à comprendre de la part d'un homme qui, toute sa vie, s'est dressé, le poing brandi et le verbe rageur, pour combattre l'hypocrisie, la veulerie et le mensonge. Quelques semaines auparavant, quelques jours même, il promettait encore à Monique de l'emmener avec lui. Quant à Miche, il n'était pas question qu'elle fasse tout le voyage, mais elle devait le rejoindre, de temps en temps, aux escales... En fait, Jacques écrit à chacune de ses « femmes » ce qu'elle a envie de lire ; en réussissant à la persuader qu'« elle » est unique. L'illustration parfaite, à usage domestique – bien que non délibérée ni

même consciente, probablement – du vieux principe romain
« diviser pour régner ».

A qui veut bien l'entendre, Brel affirme qu'il part seulement avec sa fille France et qu'il sera toujours temps, pour
ce qui est des femmes, d'aviser aux escales (l'éternel mythe
marin d'une femme dans chaque port), ou de faire venir
l'une de ses « régulières », d'un coup d'avion, là où il aura
décidé de faire relâche. Rêves de sultan...

Je veux voir ces drôlesses
Dont je fus maître et roi
Ou qui furent mes maîtresses [1]...

Au final, c'est Maddly qui l'emporte ; mais sa présence à
bord, selon Alice Pasquier, relève du véritable coup de force :
« *Maddly est arrivée un jour, avec tous ses bagages, et elle a dit :
"Voilà, je pars avec toi..." Elle m'en avait déjà parlé. Elle
m'avait dit qu'elle partait avec lui pour cinq ans, et qu'elle avait
déjà loué son appartement. Elle s'est installée carrément, et
Jacques n'a rien pu dire. Il ne voulait pas partir avec elle, mais il
ne savait pas discuter avec les femmes. France aussi a été mise
devant le fait accompli, et elle était très étonnée. D'autant que
Maddly disait : "Madame Brel peut venir si elle veut, mais moi
je reste là..." En fait, Jacques était très embêté. D'autant qu'il
avait proposé à Monique de partir avec lui. Ils s'adoraient, tous
les deux ; et puis le beau rêve s'est écroulé lorsque Maddly est partie avec Jacques. Je me souviens encore du jour où Monique est
arrivée à la maison, en pleine dépression. Elle en était malade.
Elle marchait dans la rue, mais elle ne savait plus où elle était, ni
où elle allait ; au point que je l'ai gardée un an à la maison, le
temps qu'elle se remette un peu* [2]... »

A l'image de ces gens qui donnent toujours raison au dernier qui a parlé, Jacques a bien du mal à faire le tri de ses
affections et de ses amours. A France, il offre l'*Askoy*, bien
avant le départ, pour la convaincre de le suivre dans son
aventure : « *Ce sera ton bateau...* » ; mais c'est Maddly qui,
dès le premier jour de mer, fait office de commandant en
second. France, bien sûr, en sera blessée...

1. « Le dernier repas ».
2. Propos recueillis par l'auteur.

Juste avant d'embarquer, Jacques Brel a fait un court voyage à Paris, pour voir Jojo et prendre de ses nouvelles. Les médecins ont été rassurants et, dans l'ensemble, l'état de son vieil ami semble plutôt s'orienter vers une amélioration. Jacques s'en va rassuré, ainsi qu'il l'écrit à Monique : « *Jojo me semble aller nettement mieux. Vu le toubib (un nouveau), assez optimiste. J'avoue que je respire* [1]... » Dès lors, plus rien ne le retient, et l'*Askoy* peut pointer son étrave face à cette mer du Nord houleuse, au-delà de laquelle l'Angleterre n'est rien d'autre qu'un « *faubourg de Bruges* » [2]...

Le fameux « rail » de la Manche est un endroit dangereux, encombré de cargos, de pétroliers et de porte-containers ; en particulier au niveau du Pas-de-Calais où, en raison de l'étroitesse du passage, le trafic s'intensifie encore. Il faut alors redoubler de vigilance et rester à la barre en permanence, jusqu'à la sortie définitive de la zone difficile. En dépit des règles maritimes qui accordent la priorité aux voiliers, les gros bâtiments, lancés de toute la puissance de leurs énormes moteurs, n'accordent en effet pas l'ombre d'une attention aux minuscules bateaux de plaisance croisant dans les parages. Ceux-ci sont tellement bas sur l'eau, d'ailleurs, que la plupart du temps, du haut de sa dunette, l'homme de quart ne les aperçoit même pas... « *Déférence gardée envers Paul Valéry* [3] » – comme disait le bon Brassens –, cet endroit est un véritable cimetière marin où bien des navires se sont perdus corps et biens. La pause marquée devant Breskens permet donc aux passagers de l'*Askoy* de se reposer avant de s'engager résolument dans ce couloir si fréquenté, qu'il faut traverser de part en part. Au reste, Jacques n'est pas mécontent de ce répit, car il est épuisé.

Il met cette énorme fatigue sur le compte de tous les efforts et de toutes les tensions accumulés au cours des dernières semaines. Car son énergie, aussi impressionnante soit-elle, a été mise à rude épreuve ; entre ses examens de

1. Correspondance privée, citée par Olivier Todd, *op. cit.*
2. « Mon père disait ».
3. « Supplique pour être enterré à la plage de Sète », 1966 (paroles et musique de Georges Brassens).

l'Ecole de marine, les dernières formalités administratives, les ultimes préparatifs du bateau, l'avitaillement pour plusieurs semaines, l'étude de la route à suivre, les allers-retours à Paris, pour voir Jojo et faire ses adieux à Monique... N'importe qui serait sur les genoux. Jacques est certes d'une constitution robuste, habitué à beaucoup exiger de son organisme, sans le ménager, et à récupérer très vite ; mais justement, voilà qu'il récupère de plus en plus difficilement, et qu'il est victime de violents et persistants maux de tête... Il ne l'apprendra que trois mois plus tard, mais il y a déjà un certain temps que le « crabe » est en train de lui ronger les poumons. Et il commence à s'en ressentir.

Pour traverser le *Channel,* Jacques doit pratiquement barrer sans discontinuer. Dans ces eaux dangereuses, ses équipiers ne sont pas assez sûrs. Malgré leur bonne volonté, Maddly et France – pour l'instant – n'y connaissent pas grand-chose ; quant aux deux marins professionnels, engagés pour aider aux manœuvres les plus délicates, ils se révèlent vite incapables d'assurer correctement leurs tâches. Le plus vieux, Lucien, est hollandais et faisait déjà partie de l'équipage de l'*Askoy* du temps de l'ancien propriétaire. Jacques l'a donc gardé à bord, en pensant que sa bonne connaissance du bateau pourrait toujours être utile, au début ; étant convenu, d'un commun accord, qu'il débarquerait à la première ou la seconde escale, lorsque le nouveau « capitaine » aurait son bâtiment bien en main. Car Lucien n'est pas un aventurier, et les voyages au long cours ne le font pas rêver. Au reste, avec son précédent patron, il n'a jamais perdu des yeux la côte batave, se bornant à être un bon matelot d'entretien. Il ne faut donc pas lui demander de tenir la barre ! Encore moins de trop s'éloigner de ce « plat pays » qui est le sien...

L'autre équipier s'appelle Conan, il est suisse. Maddly le surnomme « Conan-connerie », tant il se montre maladroit. Qui plus est, il passe ses journées à parler du Sahara ; ce qui a le don, en pleine Manche, d'agacer passablement Jacques Brel. Il devient rapidement évident que, lui non plus, n'ira pas très loin sur l'*Askoy.*

Une fois le Pas-de-Calais traversé, l'*Askoy* longe les côtes du Sussex, du Dorset et de la Cornouaille. Direction les îles Scilly, à l'ouest sud-ouest de ce cap Land's End qui, comme son nom l'indique, marque l'extrême fin des côtes anglaises. Jacques n'est pas en course, il ne vise aucun exploit sportif, et il n'est pas spécialement pressé par le temps ; il ne rechigne donc pas à faire escale dans les endroits qui lui plaisent, ni à s'y attarder plus longtemps que prévu. Avec leur myriade d'îlots sauvages, leurs cinq îles habitées, leurs ports minuscules et accueillants, leurs maisons basses, arc-boutées au vent, leur climat sachant parfois être si doux, leurs palmiers, leurs pins parasols et leur abondance de fleurs multicolores, les Scilly ressemblent à un petit paradis terrestre. Pour Jacques et Maddly, elles seront les premières d'un long chapelet d'îles, qu'ils égrèneront ensemble, avant de trouver celle où jeter définitivement l'ancre.

Si la mer est un espace de rêve et de solitude, les escales sont le plus souvent l'occasion de rencontres. Amicales, imprévues, éphémères, courtoises, festives, envahissantes, surprenantes, cocasses, inoubliables ou décevantes – parfois même tout cela à la fois –, mais jamais anodines. Ainsi, aux Scilly, l'*Askoy* mouille-t-il à quelques encablures du *Bel Espoir* : le bateau du père Jaouen. Un trois mâts goélette de trente-huit mètres cinquante, célèbre dans tout l'Atlantique Nord, sur lequel l'intrépide curé fait naviguer un équipage d'anciens délinquants et de jeunes drogués essayant d'échapper à leur enfer intérieur. Ex-aumônier du quartier des mineurs de la prison de Fresnes, ce natif d'Ouessant est un solide gaillard barbu qui n'hésite pas, quand il le faut, à faire office de mécanicien, de cuisinier ou de matelot de pont. La main qu'il vous tend est rugueuse comme un morceau de bois flotté, mais le regard ne s'oublie pas facilement. Jacques est immédiatement séduit par le bonhomme. Comme au temps du « Moribond » :

Adieu Curé, je t'aimais bien, tu sais,
On n'était pas du même bord,
On n'était pas du même chemin
Mais on cherchait le même port...

Le 21 août, l'*Askoy* quitte les Scilly pour mettre le cap sur les Açores. Une traversée d'environ mille cinq cents milles, que Brel compte effectuer, si tout va bien, en une petite quinzaine de jours. La route qu'il a tracée est assez astucieuse, d'ailleurs, dans la mesure où elle lui permet de tirer très au large du golfe de Gascogne, redouté pour la fréquence et la violence de ses tempêtes. Conan, le dernier des deux matelots recrutés à Anvers, a finalement été débarqué, après avoir coincé l'ancre du bateau – au terme d'une longue série de maladresses – sous le câble téléphonique sous-marin alimentant une partie de l'archipel !

Pour reconstituer son équipage, Jacques Brel engage donc deux jeunes Anglais, Terry et Phil, qui, après l'avoir aidé à se dégager de cette situation délicate, sans tout arracher ni sacrifier son mouillage, lui affirment que la mer n'a aucun secret pour eux. Affabulations intégrales... mais Jacques est d'un naturel confiant et, une fois au large, lorsque la vérité se fait patente, il est trop tard pour rebrousser chemin. Non seulement ces deux nouveaux équipiers ne seront d'aucune utilité à bord, mais comme ils souffrent en permanence du mal de mer, il faudra de surcroît leur consacrer un temps, une attention et une énergie qui en feront de véritables fardeaux.

Jacques se sent toujours aussi fatigué, et ses migraines redoublent d'intensité. Il continue pourtant de mettre son état sur le compte des efforts constants qu'il est obligé de fournir. L'*Askoy* est en effet plus lourd qu'il ne l'imaginait avant le départ, et faute d'accastillage moderne, la plupart des manœuvres exigent une force physique assez importante. Ses matelots quasiment dans l'incapacité de travailler, Jacques doit souvent être au four et au moulin, car France et Maddly ne peuvent pas assurer toutes les tâches à elles deux. Tout cela l'épuise. Mais il sera toujours temps, pense-t-il, de profiter de la prochaine escale pour récupérer au mieux. D'ailleurs, le bateau se comporte bien et le vent se maintient sans mollir.

Finalement, la quinzaine prévue se réduit à une douzaine de jours, et le 2 septembre 1974 à l'aube, après une approche de nuit impeccable, l'*Askoy* prend le mouillage dans le port d'Horta, sur Faial, l'une des îles les plus occidentales de l'archipel des Açores.

C'est un lundi matin, et comme il se doit après une traversée où l'on a été confiné dans l'espace réduit d'un voilier de dix-huit mètres, France et Maddly descendent à terre, tandis que le « capitaine », consciencieux, remet son bateau en ordre. D'abord, se dégourdir les jambes et flâner un peu au long des quais et des ruelles colorées ; ensuite, acheter quelques vivres frais et des fruits pour améliorer l'ordinaire du bord ; enfin, passer relever le courrier à la poste et donner quelques coups de téléphone, à de rares proches, afin de leur montrer que tout va bien et que le moral est bon.

Mais le plus important, aux yeux de Jacques, étant de prendre des nouvelles de Jojo, pour s'informer de l'évolution de son état de santé, le premier appel de Maddly est pour Alice Pasquier. Et la stupeur succède au coup de fil : Jojo vient juste de mourir.

Dans quelque temps, deux ou trois ans, guère plus, et malgré son poumon mort, Jacques trouverait la force de chanter le souvenir de celui qu'il aimait plus qu'un frère :

Six pieds sous terre, Jojo, tu n'es pas mort...
Six pieds sous terre, Jojo, je t'aime encore... [1] ;
mais pour l'heure, il est anéanti :
De chrysanthèmes en chrysanthèmes,
Nos amitiés sont en partance...
[...]
De chrysanthèmes en chrysanthèmes,
A chaque fois plus solitaire [2]...

De « Fernand » (« *... je viendrai pour de bon / Dormir dans ton cimetière* ») à « Jojo » (« *... heureux de savoir / Que je te viens déjà* »), en passant par « J'arrive » (« *Bien sûr, j'arrive...* »), « L'éclusier » (« *Dans mon métier, c'est au printemps / Qu'on prend le temps de se noyer* ») ou « Les vieux » (« *... la pendule d'argent / Qui ronronne au salon, qui dit : "oui", qui dit : "non", qui leur dit : "je t'attends"* »), Jacques Brel utilise souvent l'idée de rendez-vous lorsqu'il parle de la mort. Mais cette fois, il prend date, et l'annonce à la sœur d'Alice, lors de la mise en bière : « *Le prochain, ce sera moi !* »

---

1. « Jojo ».
2. « J'arrive ».

25

Face au cancer

« *Peu à peu nous découvrons que le rire clair de celui-là, nous ne l'entendrons plus jamais, nous découvrons que ce jardin-là nous est interdit pour toujours. [...] Rien, jamais, en effet, ne remplacera le compagnon perdu. On ne se crée point de vieux camarades. Rien ne vaut le trésor de tant de souvenirs communs, de tant de mauvaises heures vécues ensemble, de tant de brouilles, de réconciliations, de mouvements du cœur. On ne reconstruit pas ces amitiés-là. [...] Et à nos deuils se mêle désormais le regret secret de vieillir*[1]. » Jamais, sans doute, les mots de Saint-Exupéry, qu'il aimait tant, n'ont résonné de manière aussi douloureuse dans l'esprit de Jacques Brel. Jojo est mort, et avec lui c'est la meilleure part de sa vie qui vient de disparaître. La part de la jeunesse, de l'insolence, de la liberté. La part de l'amitié. Jacques est déchiré, désespéré, brisé.

Il n'y a pas de liaison aérienne directe entre Horta et Paris. Il faut d'abord rejoindre l'île de Santa Maria, au sud de l'archipel, là où la compagnie Air France possède une escale régulière. Une escale de sinistre mémoire, puisque c'est en essayant de rallier ce petit aéroport, perdu au milieu de l'océan, que l'avion qui emportait Marcel Cerdan vers l'Amérique s'est fracassé contre les parois du pic Rodonta, le 28 octobre 1949. Mais Jacques a promis à Alice qu'il serait là, quoi qu'il arrive... Et il atterrit à Paris, au terme d'un voyage éprouvant de près de trois jours, juste à temps pour assister à la levée du corps. Puis, l'enterrement devant avoir

1. *Terre des hommes*, par Antoine de Saint-Exupéry (Gallimard, 1939).

lieu à Saint-Cast-le-Guildo, dans les Côtes-du-Nord (le 7 septembre), il fait le trajet jusqu'en Bretagne, dans le fourgon mortuaire. Seul avec Alice, seul avec ses souvenirs, seul comme un chien perdu :

Lui, dans sa dernière bière,
Moi, dans mon brouillard,
Lui, dans son corbillard,
Moi, dans mon désert [1]...

Deux jours plus tard, le 9 septembre, sa fille Chantal se marie à Bruxelles ; mais, plus exemplaire dans son rôle d'ami que dans celui de père, Jacques ne daigne même pas pousser jusque-là. Il reprend l'avion pour les Açores, où il a laissé l'*Askoy* à la garde de Maddly. Ce bateau, dont il disait à France, au départ d'Anvers, qu'il était pour elle, voilà qu'il l'offre subitement à une autre : « *Doudou, c'est toi la patronne à bord, jusqu'à mon retour... Prends bien soin du bateau.* » Brel, décidément, n'a pas le chic avec ses filles...

Mortifiée, France comprend alors qu'elle n'est qu'une pièce parmi d'autres dans le jeu de dupes que son père agence autour de *ses* femmes. Sans qu'elle le sache – et Maddly pas davantage –, il continue d'ailleurs d'écrire à Monique : « *Bien sûr, je vais revenir, je ne sais ni quand ni où... C'est ce que je cherche à présent... Ne t'y trompe pas, je suis près de toi* [2]. » Il est prévu, aussi, que Miche vienne quelques jours sur l'*Askoy*, pour la Toussaint. Et l'on est déjà presque à la mi-septembre... N'en pouvant plus de cette situation trop ambiguë pour elle, France annonce alors qu'elle rentre en Belgique, pour finir de passer ses examens d'assistante sociale. Il ne s'agit pas d'un départ, mais d'une courte pause ; pour respirer un peu et faire le point. Elle prendra l'avion à Madère, la prochaine étape, et rejoindra le bord aux Canaries, à l'occasion de l'escale suivante : la dernière avant le grand bond vers les Antilles.

Le 16 septembre 1974, environ une semaine après le retour de Jacques, le *Kalais* de son ami Vic fait son entrée dans le port d'Horta. A son bord, outre l'ancien industriel,

1. « Fernand ».
2. Correspondance privée, citée par Olivier Todd, *op. cit.*

sa fille Claude et sa compagne du moment : Prisca Parrish. Une configuration d'équipage identique en tous points à celle de l'*Askoy*. La rencontre n'a du reste rien de fortuit, car les deux hommes se sont fixé rendez-vous, quelques mois plus tôt, sachant que l'un viendrait de Terre-Neuve et l'autre de leur Belgique natale. La jonction faite, les deux voiliers navigueront de conserve pendant quelque temps, calquant leur plan de route l'un sur l'autre, afin de se retrouver aux escales.

Après une courte halte à Funchal, sur la côte orientale de Madère – ce qui coupe le trajet en deux –, l'*Askoy* et le *Kalais* cinglent vers Santa Cruz, le port de Tenerife, la plus vaste et peut-être la plus attrayante des îles Canaries. La ville elle-même n'a rien à voir avec Las Palmas, dont Jacques conservait un si mauvais souvenir. Construite à l'époque de la splendeur espagnole, elle garde le charme baroque d'une architecture coloniale un peu délabrée, faite d'arcades, de fontaines et de patios ombrés. Quant à l'île, elle est dominée par le pic du Teide, un volcan explosé culminant à plus de trois mille sept cents mètres au-dessus du niveau de la mer. Lors de sa dernière éruption, celui-ci s'est désintégré pour donner naissance à une montagne de lave noire. Côté au vent (c'est-à-dire à l'ouest), les graines et les sédiments, venus d'on ne sait où, se sont accumulés au fil du temps pour donner une végétation luxuriante et parfumée ; mais sur la face abritée du volcan, le paysage est resté lunaire, chaotique et stérile, avec parfois, entre deux blocs de lave, des touffes de pins rabougris cherchant désespérément à se frayer un chemin vers la vie. Le contraste est d'autant plus spectaculaire que la ligne de partage des climats est aussi nette et visible que si elle avait été tracée, au sol, par un paysagiste fou. Et, bien sûr, un hôtel a été construit sur place, pour que les touristes puissent profiter de cet étonnant antagonisme de la nature.

Croyant qu'un repos complet, dans ce cadre luxueux, devrait effacer sa fatigue et ses migraines persistantes, Brel décide d'y passer quelques jours, en compagnie de Maddly. Mais l'idée n'est pas très bonne, en dépit de la beauté du site, car l'air se raréfie à cette altitude, et Jacques éprouve de grandes difficultés à respirer. Mais il dort tout son soûl, ce qui ne lui était pas arrivé depuis longtemps.

Le voyage de France Brel, jusqu'en Belgique, n'a été qu'un intermède. Trois semaines, à peine : le temps de présenter son mémoire de fin d'études et de rester quelques jours avec sa mère. Celle-ci ignore toujours la présence de Maddly à bord de l'*Askoy*... et la date de son arrivée à Tenerife s'approche. Initialement prévue pour la Toussaint, elle est maintenant fixée au 16 novembre : dans un mois, presque jour pour jour. Jacques lui a même adressé une liste d'objets divers, introuvables en voyage, qu'il lui a demandé d'apporter. Maddly ne sait pas non plus, pour sa part, que Miche doit arriver bientôt. L'histoire tourne au vaudeville... et Brel doit se demander, l'échéance se précisant, comment il va bien pouvoir se sortir d'une si courtelinesque situation.

Alice Pasquier est également attendue. Jacques l'a invitée sur son bateau, pour l'aider à se remettre du choc et se changer les idées. Tandis qu'il séjourne sur le Teide avec Maddly, France garde l'*Askoy*. C'est la première fois qu'elle est seule à bord de ce bateau que son père avait prétendu lui offrir... Elle est seule aussi, le 19 octobre, quand Alice Pasquier arrive à Santa Cruz ; seule pour l'accueillir à l'aéroport. Alice s'en étonne, qui sait fort bien que Jacques Brel s'est toujours déplacé en personne pour souhaiter la bienvenue à ses invités. Mais France la rassure : « *Elle m'a dit : " Ne t'inquiète pas, il est là. Il est seulement très fatigué, alors il est monté au Teide, se reposer un peu, avec Maddly. Ce soir, on dort sur le bateau, et on ira les rejoindre dès demain... " Le lendemain, France a loué une voiture, et nous sommes montées... A notre arrivée, ç'a été une vraie fête. Jacques était très gai, il voulait me faire oublier* [1]... »

Après le repas, il propose à France et Alice d'aller se promener dans les environs. « *Pour que vous ne soyez pas seulement venues pour déjeuner.* » Il se reposera, pendant ce temps, avant d'entamer la descente en voiture... Lorsque les deux femmes reviennent de leur promenade, Brel et Maddly sont

1. Propos recueillis par l'auteur.

déjà installés sur la banquette arrière de la Volkswagen de location ; Jacques a visiblement hâte de rejoindre son bord.

France conduit en essayant d'éviter au maximum les ornières de la route, mais au bout d'une vingtaine de minutes, après un cahot un peu plus appuyé, Jacques pousse un hurlement de douleur. Tout le côté gauche le fait souffrir : le bras, la cage thoracique et tout particulièrement le cœur. *« Cela ressemblait beaucoup à un infarctus*, se souvient Alice Pasquier [1], *Jacques suffoquait... France a tout de suite arrêté la voiture, et nous avons essayé de le faire sortir ; mais il ne voulait pas descendre. Nous, on voulait l'étendre, pour qu'il reprenne sa respiration ; lui, au contraire, il voulait marcher, rester debout... Finalement, nous l'avons fait s'allonger sur un petit talus qui longeait la route. Il disait qu'il avait soif, mais on n'avait pas une goutte d'eau. Et il n'était pas question d'espérer en trouver car, là-bas, c'est le désert... Jacques a dû rester un quart d'heure, vingt minutes, étendu sur le bord de la route ; puis il a dit qu'il se sentait un peu mieux et qu'il souffrait moins... Alors, on est remontés en voiture et nous sommes repartis... »*

Effectivement, au fur et à mesure que la voiture perd de l'altitude, Jacques semble se porter de mieux en mieux. Au point de refuser de se rendre à l'hôpital, à leur arrivée à Santa Cruz. L'argument qu'il avance est la crainte des rumeurs que la nouvelle ne manquerait pas de susciter : *« Vous imaginez les titres : " Brel est mourant ! ", etc. Non, je ne veux pas ! Je veux regagner le bateau ! »* Tandis que Maddly demeure auprès de lui, France et Alice – qui parle espagnol – se mettent en quête d'un médecin. A l'écoute des symptômes qui lui sont décrits, celui-ci confirme qu'il s'agit vraisemblablement d'un infarctus, et qu'il ne sert à rien qu'il se déplace puisqu'il ne pourrait pas faire d'électrocardiogramme à bord de l'*Askoy*. Il conseille donc d'hospitaliser Jacques le plus tôt possible, afin de procéder aux examens nécessaires...

Non seulement l'électrocardiogramme ne donne rien, mais il indique que le patient a un cœur exceptionnel et que, de ce côté-là au moins, tout va bien. Reste à chercher ailleurs... Quelques radiographies plus tard, les médecins

1. Propos recueillis par l'auteur.

canariens sont sceptiques : il y a bien quelque chose au niveau du poumon gauche, mais ils n'arrivent pas à se décider entre tuberculose, pneumonie ou cancer ! Dans le doute, ils prescrivent des doses de morphine propres à assommer un bœuf, afin d'éviter que la douleur se réveille. De l'incompétence considérée comme un des beaux-arts, pour paraphraser Thomas De Quincey [1].

Jacques est drogué... K.-O. pour le compte. Ses proches comprennent vite qu'il ne s'en sortira pas si on le laisse dans cet état ; glissant insensiblement mais sûrement vers la mort. Mais les responsables de l'hôpital tiennent absolument à le garder en observation. Une véritable conjuration est alors mise en place pour le sortir de là : une évasion entièrement tramée de l'extérieur, car au bout de trois jours de ce traitement à base de morphine, Brel se trouve dans un état second qui le rend incapable de décider – voire de comprendre – quoi que ce soit. Vic, France et Maddly se chargent de le récupérer au cours d'une opération qui prend des allures de kidnapping. Mais Jacques est sauvé. Après une bonne nuit de sommeil naturel, à bord de l'*Askoy*, il se sent mieux et peut même se lever.

Devant l'incertitude de la situation, une décision s'impose : il doit rentrer sur le continent, pour se livrer à de vrais examens. Même s'il ne souffre plus, il ne peut pas reprendre la mer dans l'ignorance de son état. Si l'incident se reproduisait au large, ni Maddly ni France ne sauraient y remédier. D'instinct, Jacques choisit la Suisse : *« Ce sont les meilleurs ; et puis j'ai de bons copains là-bas... »* Il pense à Jean Liardon, bien sûr, et ses proches se proposent de l'appeler, pour qu'il vienne le chercher en avion. Mais Brel refuse : il n'est pas question qu'il dérange Liardon sans que cela soit indispensable. Il prendra donc une ligne régulière.

Prévenu par Alice Pasquier, Charley Marouani l'attend à Genève, avec une ambulance, pour le mener directement dans une clinique discrète ; Jacques ayant toujours la hantise

---

1. *On Murder As One Of The Fine Arts* (« De l'assassinat considéré comme un des beaux-arts »), par Thomas De Quincey (Londres, 1827).

que l'affaire s'ébruite et que les journaux se mettent à tirer parti de son état de santé...

Depuis que Brel a cessé de chanter et de tourner au cinéma, l'imprésario – que Jacques, en guise de plaisanterie, surnommait « Monsieur dix pour cent » – n'a plus l'occasion de signer des contrats pour lui. Plus rien à gagner, donc, à s'occuper d'un artiste dont la carrière est désormais derrière lui. Mais Marouani, comme Jacques Brel, appartient à cette race d'individus pour laquelle la fidélité n'est pas une question de contrat ni de pourcentage. Les deux hommes resteront liés jusqu'au bout par une très profonde amitié ; Charley sera même le seul ami européen de Jacques à lui rendre visite aux Marquises. Le seul également à être présent dans le petit cimetière d'Atuona, le jour de son enterrement... Alice Pasquier confirme cette amitié indéfectible : « *Charley, c'était presque comme Jojo. Ça n'était pas exactement la même tendresse, mais Jacques l'aimait énormément, lui aussi. Parce que c'était quelqu'un de très fidèle* [1]... »

A Genève, Jean Liardon a fait jouer ses relations ainsi que la solidarité des anciens de l'école des *Ailes*. Parmi eux, quelques-uns des meilleurs médecins de la place. Jacques est donc admis, en urgence absolue, à l'Hôpital cantonal... et cette fois, le verdict tombe sans l'ombre d'un doute : il s'agit d'une tumeur cancéreuse, localisée dans le lobe supérieur du poumon gauche, tout près de l'arrivée de la bronche. Une saloperie, bien sûr ; mais les exemples ne manquent pas de ceux qui s'en sont tirés... Et Jacques est un battant. Rien n'est joué... Surtout pas le pire !

---

1. Propos recueillis par l'auteur.

26

Adieu l'Antoine, je t'aimais pas bien

Cette fois, la mort n'est plus une figure de style, un sujet de prédilection parmi tant d'autres :

J'arrive, j'arrive ;
C'est même pas toi qui es en avance,
C'est déjà moi qui suis en retard...
J'arrive, bien sûr j'arrive ;
N'ai-je jamais rien fait d'autre qu'arriver [1] *?*

Chansons que cela ! Car malgré leur beauté rageuse et leur formidable pouvoir émotionnel, ces quelques vers peuvent tout aussi bien se lire à l'envers : non, ce n'est pas Jacques qui « arrive », mais la mort qui pointe son triste mufle de gueuse, pour réclamer son dû, avec passablement d'avance sur l'échéance la plus raisonnable. En ce mois d'octobre 1974, Jacques Brel n'a que quarante-cinq ans, et à quelques jours près, il en lui reste seulement quatre à vivre. On ne peut guère parler de retard sur l'espérance normale de vie...

Maintenant qu'il sait de quoi il retourne, Jacques a décidé de se faire opérer chez lui, en Belgique. L'un de ses plus vieux amis, Arthur Gélin, est chirurgien, et c'est à lui qu'il confie son sort... Non sans lui avouer, faisant toujours le bravache lorsqu'il s'agit de tourner la mort en dérision : « *J'aime mieux être à ma place qu'à la tienne !* »

Avant d'entrer en clinique, il retourne en coup de vent à

1. « J'arrive ».

Tenerife, pour prendre ses dispositions en ce qui concerne son bateau. Il laisse l'*Askoy* sous la responsabilité de France, étant entendu que Vic veillera à ce que tout se passe bien. Il revient en Belgique aux premiers jours de novembre et se fait hospitaliser à la clinique Edith Cavell [1], où Arthur Gélin est chef de service. L'opération est fixée au 16; le jour précis où Miche devait atterrir à Tenerife, pour deux ou trois semaines de vacances... Bien qu'excellent chirurgien, Gélin n'est pas spécialiste des interventions pulmonaires; aussi laisse-t-il au professeur Charles Nemry le soin de diriger l'intervention, lui-même se contentant d'un simple rôle d'assistant. La tumeur repérée sur les radios n'est pas bien grosse (c'est ce qui a rendu le diagnostic si difficile à établir), mais son ablation est une opération lourde. Il faut ouvrir une fenêtre dans la poitrine, trancher des muscles, scier les côtes, amputer le poumon de la quasi-totalité de son lobe supérieur...

Dans son malheur, Jacques a néanmoins de la chance : il n'y a pas de métastases déclarées et les pathologistes confirment – l'opération s'étant parfaitement déroulée – que ce qui reste du poumon est parfaitement sain. La suite n'est donc plus qu'une question de convalescence. Mais elle sera extrêmement douloureuse, comme tout ce qui touche à la cage thoracique; les côtes sectionnées ne pouvant être immobilisées, chaque mouvement, chaque rire, chaque toux, chaque hoquet provoquent en effet des élancements à faire monter les larmes aux yeux.

Preuve, pourtant, que la vie est en train de reprendre ses droits, Jacques sort son grand numéro, terrorisant et séduisant tour à tour le personnel de la clinique. Tantôt il joue l'agonisant à qui l'on dissimule la gravité de son mal (*« Vous êtes tous des bons à rien ! J'exige que l'on me laisse crever en paix ! »*), tantôt il lance ses chaussons à la tête des infirmières, tantôt encore il les charme par sa gentillesse et

---

1. Edith Cavell : infirmière anglaise, en poste à Bruxelles au cours de la Première Guerre mondiale; fusillée par les Allemands, le 12 décembre 1915, sous l'accusation d'espionnage (en fait, pour avoir organisé une filière d'évasion de prisonniers blessés). Née le 19 décembre de la même année, la future Piaf sera baptisée Edith en hommage à l'héroïne britannique.

sa simplicité, leur offrant de pleines boîtes de chocolats ou de gâteaux... Entre-temps, bien sûr, la nouvelle a filtré et la presse recherche le *scoop* : la photo choc montrant la star à l'agonie ou mal en point, tout au moins, couverte de pansements... Jacques tempête contre les journalistes, mais ne fait pas grand-chose non plus pour les éviter ; au contraire, dès qu'il peut quitter la clinique, il s'installe pour un mois à l'hôtel Hilton : l'un des lieux les plus exposés de Bruxelles.

Sitôt sa convalescence terminée, Jacques Brel reprend l'avion pour les Canaries. A peine se permet-il un court crochet par Paris, pour rendre visite à Brassens et à Lino Ventura. Dans son obstination, il a décidé de passer Noël à bord de son bateau et de mettre à la voile, pour traverser l'Atlantique, avant que l'année ne s'achève complètement. Il débarque donc à Las Palmas, dans la matinée du 22 décembre, et non à Santa Cruz, car durant son séjour en Belgique, France et Vic ont déplacé l'*Askoy* qui mouille à présent dans la nouvelle marina de Puerto Rico, sur la côte sud de la Grande-Canarie.

Noël 1974. Noël à bord... Flânant sur le pont de l'*Askoy*, Brel voit arriver une goélette blanche, baptisée *Om* et battant pavillon français. De loin, la silhouette du skipper lui semble familière, et à mesure que le bateau approche, il reconnaît Antoine : l'homme des « Elucubrations » !

Comme lui, Antoine a décidé de prendre un certain recul par rapport à la chanson et au show-business, pour vivre en nomade sur les mers. N'étant pas exactement de la même époque [1] – ni de la même école ! –, ils se sont peu croisés, et Jacques n'a jamais caché ce qu'il pensait des œuvres de son jeune collègue. Mais ici... Sur ce minuscule caillou au milieu de l'océan, leurs deux voiliers pratiquement bord à bord... le jour de Noël, qui plus est... La question ne se pose même pas. C'est donc avec un salut joyeux que Brel souhaite « la bonne arrive » à ce voisin inattendu, puis – constatant

---

1. Antoine a commencé de chanter vers la fin de l'année 1965, alors que Jacques Brel a donné son tout dernier récital, à Roubaix, le 16 mai 1967.

qu'Antoine navigue seul – l'invite à passer le réveillon, en famille, sur l'*Askoy*.

La soirée se déroule dans une excellente ambiance. Et la journée du lendemain de même, durant laquelle on rit de tout et de rien. Car Jacques, malgré son opération si récente, n'a pas perdu le goût des pitreries, faisant pouffer tout son monde. On évoque des projets à plus ou moins long terme – l'*Askoy* s'apprête à mettre le cap sur la Martinique, tandis qu'*Om* flânera quelque temps le long des côtes africaines – et on prend des photos, afin de conserver un souvenir de ces heures agréables. Antoine photographie Brel en train de faire le bouffon, devant France et Maddly écroulées de rire, puis il tend son appareil à cette dernière, pour qu'elle prenne quelques clichés où il pose au côté de Jacques. A l'heure de se séparer, on se congratule en se souhaitant bonne mer et bon vent. Quelques heures plus tard, *Om* appareille vers le sud.

L'histoire aurait pu – et dû – en rester là... mais c'eût été trop simple ! Elle donnera naissance à un malentendu tenace qui se traduira, pour Jacques Brel, par l'équivalent d'un coup de poignard dans le dos. Et l'affaire le confortera plus que jamais dans sa misanthropie, sa haine des journalistes et des médias ; et une espèce de paranoïa qui sera toujours soigneusement entretenue – c'est le moins que l'on puisse dire – par certains de ses proches. A commencer par Maddly Bamy, la première à accréditer la rumeur qui s'ensuivra [1].

De quoi s'agit-il ? Avant de partir vagabonder sur les mers, au gré et au rythme de ses humeurs, Antoine avait proposé à l'hebdomadaire *Le Hérisson* d'écrire une chronique régulière, sous forme de journal de bord, pour rendre compte des principales péripéties de son voyage et de ses rencontres insolites au hasard des escales. La plupart des navigateurs au long cours pratiquent pareillement dans des livres de souvenirs – ce qui ne choque personne (et Antoine ne fera pas

1. Chronologiquement, *Tu leur diras*, le livre de souvenirs de Maddly Bamy (Editions du Grésivaudan, 1982), est le premier ouvrage biographique consacré à Jacques Brel, faisant état de la supposée « indélicatesse » d'Antoine.

exception à la règle) –, mais la parution dans la presse, qui implique des délais plus resserrés, peut être ressentie parfois comme un manquement aux règles élémentaires de l'intimité.

Antoine écrira donc un article consacré à son escale canarienne, en l'illustrant de trois photos représentant Jacques Brel, dont une – prise par Maddly – où on les voit tous deux, visiblement complices, en train de discuter en souriant. A quelque temps de là, des amis de Brel, sans doute animés des meilleures intentions – tout le monde compte des amis de ce tonneau-là... –, lui montrent la fameuse photo, découpée dans le journal, sans légende et hors contexte : « *Regarde, Antoine clame partout que tu es malade, et en plus il se fait du fric sur ton dos !* » Commentaire de Brel, selon Maddly : « *Tout ce qu'il fallait pour mettre les journalistes à mes trousses. Et ça n'a pas manqué* [1]*...* »

Histoire reprise, telle quelle, par Olivier Todd : « *Antoine revendit les photos, clamant que Brel était malade* [2]*...* », par Pierre Berruer : « *Mais pourquoi a-t-il fait ça, ce garçon* [3] *?* » et par l'ensemble des biographes de Brel qui, sans prendre toujours la peine de vérifier leurs sources – au risque de colporter des erreurs voire des rumeurs infondées –, jouent à se recopier les uns les autres...

Or tout cela est pure affabulation, et il n'y a pas un mot, pas un seul dans l'article d'Antoine, qui puisse laisser penser que Jacques Brel est malade. Pour s'en convaincre, il suffit de faire le déplacement jusqu'à l'annexe de Versailles de la Bibliothèque nationale (consacrée à la presse), et demander à consulter le n° 1504 du *Hérisson*, daté du 13 au 19 février 1975.

Le titre, en « accroche de une » – *Antoine : Avec Jacques Brel aux Canaries* –, est sans doute un peu racoleur; mais outre qu'il est du ressort de la rédaction (et non de l'auteur de l'article), n'est-ce pas le lot habituel de ce genre de

1. *Tu leur diras*, Maddly Bamy, *op. cit.*
2. *Jacques Brel – Une vie*, Olivier Todd, *op. cit.*
3. *Jacques Brel va bien, il dort aux Marquises*, Pierre Berruer (Editions des Presses de la Cité, 1983).

presse ? Quant au « papier » lui-même, après quelques considérations générales sur Gibraltar, le Maroc et le Big Bazar de Michel Fugain rencontré à Agadir, voici exactement *tout* ce qu'Antoine écrit sur sa rencontre avec Jacques Brel ; coquilles incluses :

« *Toute la nuit je contourne Las Palmas et les changements de voiles sont perpétuels. Au matin, je découvre le port en question, y rentre, et tandis que je jette l'ancre, je suis accueilli par un salut provenant d'un superbe bateau voisin. Son capitaine ? Jacques Brel !*

« *Je pensais bien que je finirais par rencontrer Brel sur les océans, mais je ne pensais pas que cela viendrait si vite ! Quel beau cadeau pour ce Noël 74 ! Jacques Brel a abandonné la scène il y a 6 ou 7 ans, au sommet de la gloire. Il a fait du cinéma, piloté beaucoup d'avions (il a même le droit de piloter un jet) et puis il a décidé de réaliser son rêve, partir à l'aventure en voilier. Une traversée de l'Atlantique sur un bateau de location, l'an dernier, et il a acheté cette année un extraordinaire bateau d'acier de 19 m. et 43 tonnes, de construction hollandaise. Quand je pense que mon bateau me semble parfois trop grand ! Son équipage (deux femmes, dont sa fille 20 ans) et lui-même le mènent sans aucune aide technique (le progrès leur créerait plutôt des problèmes, quand on voit la complexité de la salle des machines : Moteur, groupes électrogènes, barre assistée* [1]. *Il y a des vannes dont il ne sait même pas à quoi elles servent). Le bateau s'appelle " Askoy ", du nom d'une île du nord de l'Europe. Pour pouvoir descendre l'Escaut et conduire le bateau d'Anvers en Atlantique, Jacques Brel a dû, selon la législation belge, passer un examen de " caboteur ". Pour cela, il a vécu six mois dans les brumes (qu'il n'apprécie pas tellement) de ce plat pays qu'il a si bien chanté. Et puis l'Angleterre, la Manche, les îles Scilly ; le golfe de Gascogne, les Açores, Madère. Il y a maintenant plusieurs mois qu'il est aux Canaries. Il prévoit son départ pour les derniers jours de l'année.*

« *J'ai à peine fini de m'amarrer et de ranger un peu le pont que Brel vient m'inviter pour le réveillon. Plein de festivités se préparent sur les quelque trente bateaux qui vont appareiller d'un*

---

1. Ici, Antoine affabule un peu, car nous savons que l'*Askoy* est plutôt équipé à l'ancienne. Il n'a pas de barre hydraulique, mais un vieux système à câble et à poulies.

jour à l'autre. Le soir vient vite, pas moyen d'acheter des cadeaux dans ce Puerto Rico complètement artificiel où il n'existe aucun magasin. Des bateaux ont envoyé le grand pavois, un autre a cloué un vrai sapin de France sur son pont ! Le dîner, très familial (nous sommes quatre) se déroule comme un enchantement : Foie gras et vins de France dans la chaleur des boiseries du bateau de Brel. Il fait un grand numéro, rit, joue et n'oublie pas, bien entendu, de singer les Belges (c'est lui qui a dit " Si vous voyez un Belge intelligent, c'est un Suisse "). Le vent a soufflé fort toute la journée, puis a fait la trêve de Noël, et c'est sous un ciel paisible que nous sortons sur le pont, saluer les bateaux voisins, lorsque vient minuit. Un petit pot sur tous les bateaux en fête, et je vais me coucher, comblé par ce Noël inattendu.

« Mais tous les rêves s'envolent. Celui-ci était si beau qu'il faut qu'il finisse vite. Le lendemain, je déjeune avec Jacques Brel, à terre. Il fait un grand numéro comique, me confie un tas de choses que je ne vous raconterai pas, car Jacques Brel ne reçoit pas les journalistes, aime qu'on le laisse tranquille, et je m'en voudrais de dévoiler ses secrets.

« Le vent a repris, et il est temps d'en profiter. J'essaye de partir discrètement ; mais tous les Français des bateaux montent sur leurs ponts, saluent, Jacques Brel me crie : "Dis bonjour à Sheila ! ", un bateau fait marcher sa sirène, et, heurtant un instant un banc de sable, vite secoué par un fort vent d'Est, je quitte le port et oblique vers le Sud, quittant " l'autoroute de la plaisance ".

« Vous tous, que j'ai eu la joie de rencontrer, et surtout toi, Jacques, vous tous qui partez vers l'Ouest, puissiez-vous avoir bon vent et bonne mer, et puissions-nous nous croiser un jour, dans les parages de l'océan Pacifique aux îles dorées, de l'autre côté de cette boule que nous avons choisi de sillonner. »

Rien n'indique donc dans cet article, ni ne le sous-entend, que Jacques Brel est malade, diminué, et qu'il vient d'être opéré d'un cancer du poumon. Si l'information a néanmoins filtré, Antoine n'y est évidemment pour rien : l'Agence France Presse, lors de l'hospitalisation du chanteur à Bruxelles, avait passé une dépêche annonçant la nouvelle à l'ensemble des salles de rédaction de la presse francophone. Face à la puissance de feu médiatique de l'AFP, le petit article d'Antoine n'aurait pas pesé bien lourd s'il avait voulu réaliser un *scoop* au détriment de Jacques... Quoi qu'il en soit, les faits sont là, aussi têtus qu'une rumeur maligne : Antoine n'a jamais exploité la nouvelle de la maladie de Brel, contrairement à ce que d'aucuns ont voulu faire croire à celui-ci – visiblement avec succès. Le grand air de la calomnie... D'ailleurs, près de vingt-cinq ans plus tard, *« il en reste toujours quelque chose* [1] ».

Pierre d'achoppement non négligeable : l'utilisation des photographies, à propos desquelles on a parlé d'abus de confiance. Trois photos : l'une, on l'a dit, représente Brel et Antoine assis côte à côte, souriants et complices ; une autre montre Jacques en train de faire le clown, devant France et Maddly qui rient de bon cœur ; la troisième est un gros plan, un instantané où Brel caricature quelqu'un en appuyant sa charge... Images ludiques qui ne peuvent en aucun cas laisser deviner le drame qui vient de frapper le Grand Jacques. Des photos qui ne trahissent aucun secret, et qu'il n'y avait a priori aucune raison de ne pas publier... ne serait-ce, a contrario, que pour attester que Jacques Brel allait bien, qu'il riait de la vie, et qu'il naviguait *« en père peinard / Sur la grand-mare des canards* [2] »*,* quelque part sous le soleil des Canaries.

Pas de quoi fouetter un chat, on le voit... tant que l'information n'est pas présentée (déformée et tronquée) au principal intéressé, dans le but évident de provoquer sa fureur. Cela relève de la technique de manipulation : cultivez la colère de qui vous fait confiance, canalisez-la soigneusement, et vous entretenez votre pouvoir sur lui. Toutes proportions gardées, les régimes totalitaires ont toujours utilisé ce genre de procédés.

Enfin, avant de faire de si mauvais procès aux gens, peut-être faudrait-il que les donneurs de leçons balaient devant leur porte. En effet, dans les jours qui précédèrent sa mort, Jacques Brel intenta des procès en référé, pour atteinte à sa vie privée et à son intimité, à plusieurs hebdomadaires qui

1. Francis Bacon, déjà cité.
2. « Les copains d'abord », 1965 (paroles et musique de G. Brassens).

avaient publié des photographies de lui, extrêmement affaibli et marchant à l'aide d'une canne. Brel attachait beaucoup trop de prix à la liberté pour être procédurier ; mais ces gens qui s'acharnaient à le poursuivre, au lieu de le laisser mourir en paix, n'étaient à ses yeux que des charognards. Ils furent sa dernière haine. Peut-être la plus violente de toutes, étant déjà conscient qu'il n'aurait ni la force ni surtout le temps de gagner cette partie... Aujourd'hui, ces mêmes hebdomadaires publient à intervalles réguliers, au rythme des anniversaires et des commémorations, des photographies d'un éphémère bonheur – en mer ou aux Marquises – allégrement fournies par celle qui fut la première à déchaîner la foudre contre Antoine.

Comme le disait Jacques Brel, dans une chanson écrite vers cette époque, qui fut le principal succès de son ultime album :

Je trouve que Madame est gonflée [1] *!*

1. « Les remparts de Varsovie ».

27

Jusqu'aux îles, droit devant

L'*Askoy* appareille dans la matinée du 30 décembre. Un mois et demi, exactement, après que Jacques Brel fut passé sur le billard. Cette fois, l'équipage est réduit à son strict minimum, car il y a belle lurette que les deux jeunes Anglais ont été priés de faire leurs sacs, et Jacques n'a pas voulu les remplacer. Maddly, France et lui sont à présent bien assez expérimentés, pense-t-il, pour faire la traversée sans aide extérieure. Et puis, cela n'est pas si difficile : il n'y a qu'à descendre un peu, vers le sud, pour récupérer les alizés, et se laisser porter ensuite jusqu'aux Caraïbes. En cette saison, il est rare que le temps ne soit pas clément.

Certes... Mais c'est oublier un peu vite qu'il est diminué physiquement. Il porte d'énormes cicatrices sur le thorax et dans le dos, et son bras gauche le fait considérablement souffrir. Un bras qui lui donne l'impression d'être paralysé, et ne possède plus la moindre force. Chaque mouvement lui cause une douleur aiguë, et comme souvent dans ces cas-là, le caractère de Jacques s'en ressent. Il devient facilement irritable et l'ambiance à bord commence à se dégrader.

France a le sentiment d'être le souffre-douleur de son père, qui ne lui passe rien. Sa paranoïa l'amène à penser que sa fille, depuis son séjour en Belgique, n'est plus la même. Il la sent agressive, renfermée, étrangère, et pour tout dire hostile, quand elle n'est peut-être que meurtrie ; déçue par ce père à la tendresse si versatile, voire un peu jalouse de cette jeune femme qui prend tant de place dans la vie et le cœur de Jacques. Une femme d'une énergie peu commune, capable de monter au mât ou d'étarquer des drisses, alors que son père n'y parvient plus. Une femme sur laquelle le mal de mer semble n'avoir aucune prise, quand elle-même est si souvent incommodée. Une femme, enfin, pour laquelle Jacques n'a que des mots de tendresse et de patience... De jour en jour le fossé se creuse, le malentendu s'installe. La traversée en devient pénible, étouffante. Et pas moyen de s'isoler pour prendre un peu de recul ! Rapidement, les tensions prennent des proportions incontrôlables.

Le 26 janvier 1975, l'*Askoy* jette l'ancre dans le port de Fort-de-France. La traversée a duré vingt-sept jours ; c'est beaucoup pour un bateau de cette taille, même lorsque l'équipage n'est pas pressé. Elle a été très éprouvante aussi, car Brel a choisi une route un peu trop au nord, qui l'a privé d'une bonne partie des alizés. En outre, comme l'*Askoy* n'a pas de système de pilotage automatique, il a fallu barrer presque tout le temps. En cours de route, les relations avec France se sont tendues à l'extrême. A tel point que, sitôt arrivés à Fort-de-France, elle quitte le bord sans mot dire... Arc-bouté à son orgueil de père, vexé, Jacques ne fera rien pour la retenir : « *J'espère que je ne te reverrai plus jamais...* », lâchera-t-il en guise d'adieu. Le mardi 28, dans le livre de bord du bateau – un document qui a valeur d'acte officiel au regard des autorités maritimes –, il écrit : « *Le Capitaine n'a plus d'enfants !* » Cette fille-là était peut-être celle des trois qui lui ressemblait le plus ; mais Jacques Brel s'est refusé à le voir. C'est lui, plus qu'elle, qui a coupé les ponts.

Demeurant quelques semaines encore à Fort-de-France, où elle vit de petits boulots, France tentera un jour de renouer le fil du dialogue. Sur un dinghy de location, elle ramera jusqu'à l'*Askoy* et s'accrochera aux filières en attendant que « le capitaine » lui signifie qu'elle peut monter à bord. Mais Jacques ne se montrera pas, alors qu'elle sait très bien qu'il est là... Puis, Maddly apparaîtra, pour lui annoncer que son père ne souhaite pas la revoir. L'indulgence ne fait visiblement pas partie des qualités bréliennes.

L'hospitalité, en revanche, lui est naturelle. Durant le séjour que Jacques et Maddly effectueront aux Antilles, avant le grand bond vers le Pacifique, quelques amis d'Europe viendront leur rendre visite. Le premier d'entre eux sera le fidèle Charley Marouani, puis ce sera au tour d'Arthur Gélin. On les emmène naviguer un peu vers les îles alentour : les Saintes, au sud de la Guadeloupe, à quelques encablures de Marie-Galante, Sainte-Lucie, l'île Moustique, les Grenadines... Jacques est heureux et il pense même, un temps, s'établir en Guadeloupe ; mais la presse a retrouvé sa trace et commence à le traquer dans les ports où il fait relâche. Chacun veut sa photo et produit, à défaut d'interview, son petit commentaire fantaisiste ou alarmiste. Un journal annonce même sa mort. Comme disait Brassens, à qui la même aventure était arrivée : « *C'est très nettement exagéré !* » ; mais tout le monde n'a pas l'humour du bon Georges, et Jacques se sent de plus en plus persécuté. Sans qu'il n'y prenne garde, son voyage se met à ressembler à une fuite ; y compris dans son esprit.

Désormais, il a hâte d'arriver dans le Pacifique ; comme s'il devait quitter l'Europe une seconde fois. Les Antilles sont décidément trop proches du vieux continent ; une banlieue tout juste un peu lointaine. Quelques heures d'avion, et n'importe quel casse-pieds vient faire le beau en chemisette devant votre bitte d'amarrage ! Le Pacifique, c'est quand même autre chose... tout y prend une autre dimension.

Avant de mettre le cap sur le canal de Panama, Jacques doit rentrer en Belgique, pour y subir des examens de contrôle. Il compte laisser l'*Askoy* au Venezuela, dans une marina près de Caracas, sous la surveillance de Vic avec lequel il continue de naviguer de conserve. Comme toujours, à l'arrivée dans le pays, il faut remplir les formalités douanières ; puis on leur indique un mouillage provisoire dans un coin du port de La Guaira. Au milieu des cargos et des pétroliers, l'endroit n'est pas idéal pour des plaisanciers. Mais les douaniers sont charmants. Ils ont reconnu Jacques et font tout pour lui être agréable. Ils appellent d'eux-mêmes la marina toute neuve de Carabellada, pour y réserver deux places ; un geste qui tient presque de la réquisition car les pontons y sont généralement bondés et, surtout, réservés exclusivement aux propriétaires locaux.

Le lendemain matin, un officier se présente à la passerelle de l'*Askoy* et demande à parler personnellement à « Monsieur Jacques Brel » : « *Cher Monsieur, messieurs les ministres de l'Information et du Tourisme aimeraient venir vous saluer...* » Interloqué – on le serait à moins – Jacques découvre qu'il jouit d'une grande popularité en Amérique latine, et que les Vénézuéliens sont d'une gentillesse rare et précieuse : des gens courtois et cultivés qui se piquent de parler un français irréprochable et vont faire de leur mieux pour rendre le séjour de leur hôte le plus agréable possible. Voilà qui réconcilie Brel, provisoirement, avec l'espèce humaine.

C'est donc en pleine forme et l'âme sereine qu'il prend l'avion pour l'Europe. Confiant. A juste titre, puisque les examens montrent que l'opération s'est soldée par un succès réel, et qu'il n'existe aucune séquelle apparente. L'alerte a été chaude, certes, mais tout est rentré dans l'ordre et il n'y a, visiblement, plus rien à craindre.

De retour à Caracas, Jacques découvre avec intérêt cette ville dont il aimera à la fois l'art de vivre et l'exubérance latine ; au point d'en faire un cliché, dans l'une de ses dernières chansons :

Les soirs où je suis Caracas,
Je Panama, je Partagas[1]*,*
Je suis le plus beau, je pars en chasse,
Je glisse de palace en palace[2]*...*

Jacques Brel prépare maintenant son bateau pour ce qui doit être sa première longue traversée, rien qu'avec Maddly. Au fil du temps, l'équipage de l'*Askoy* – composé de cinq membres au départ d'Anvers, en juillet 1974 – s'est en effet réduit à leur seul couple. Quittant le Venezuela, ils se dirigent à petits sauts de puce vers le canal de Panama, en

---

1. Néologismes typiquement bréliens, pour décrire une situation en deux mots, sans avoir besoin de plus amples explications. Le *Panama* est un chapeau et le *Partagas* un cigare ; avec ces deux accessoires, tout le personnage est campé.
2. « Knokke-le-Zoute tango ».

faisant escale dans les îles hollandaises de Curaçao et de Bonaire. Curieux de trouver, non loin de Puerto Cumarebo ou de San Juan de los Cayos, des noms comme Kralendijk ou Sint Nicholaas... Au moins Jacques peut-il montrer aux autorités portuaires, particulièrement obtuses, qu'il parle le néerlandais comme un vrai Flamand. Mais l'accueil est détestable, contrairement à celui qu'il a connu au Venezuela, hostile même, et agressif : après s'être copieusement enguirlandé, en flamand, avec le fonctionnaire de service, Jacques quittera le port en pleine nuit, à la sauvette, de peur de voir son bateau cloué à quai par décision administrative.

A l'approche du canal de Panama, la navigation devient difficile et dangereuse. La situation est assez comparable à celle rencontrée au niveau du Pas-de-Calais : de très gros porteurs convergent jour et nuit vers un goulet d'étranglement, aux abords duquel la densité du trafic vire au cauchemar. Surtout pour des embarcations de la taille de l'*Askoy* ou du *Kalais*, qui font figure de coquilles de noix à côté des gigantesques *tankers* dont certains avoisinent les trois cents mètres de longueur hors tout [1]. Il faut donc, une nouvelle fois, barrer sans répit et manifester une vigilance de tous les instants. A ce petit jeu, Jacques se fatigue vite et le bel optimisme dont il faisait preuve à son retour d'Europe commence à s'éroder. Le climat, qui plus est, n'arrange rien. L'atmosphère est surchargée d'humidité, il fait lourd, orageux, et l'air est difficilement respirable. Jacques a l'impression de se trouver dans une étuve et d'étouffer.

Avant d'entreprendre la grande traversée, il faudra pourtant prendre le temps d'accomplir toutes les formalités, de refaire l'avitaillement du bord, de réviser l'accastillage du bateau, d'étudier les cartes pour arrêter la route à suivre; mille et une choses indispensables... Jacques et Maddly resteront ainsi près d'un mois dans ces parages irrespirables, ancrés dans le port de Colon, qui marque l'entrée du canal.

Enfin, le passage de l'isthme proprement dit, de Colon à Balboa, s'effectue sans difficulté majeure – si ce n'est qu'il

---

1. Les trois écluses doubles qui permettent de franchir l'isthme de Panama ont le même gabarit : 305 m par 33,5 m; les *super tankers* de plus de 300 m de long ne peuvent donc pas emprunter le canal.

faut veiller, à chaque écluse, à ne pas être écrasé contre les parois de béton par les lourds cargos que les remous de la manœuvre, parfois, rendent un peu trop câlins. Et c'est la découverte du Pacifique. L'éblouissement. *« Il y a on ne sait quel doux mystère dans cette mer...* écrivait Melville [1]. *Au-dessus de ces prairies marines, ces immenses prairies ondulant dans la largeur des abîmes au-dessus de ce cimetière des quatre continents, les vagues se lèvent, tombent, montent et retombent sans cesse. Car des millions d'ombres et de ténèbres entremêlées, de rêves noyés, de fantômes, tout ce que nous appelons vies et âmes sont là à rêver, à rêver sans cesse, se tournant et se retournant comme de mauvais dormeurs dans leurs lits, et ainsi les vagues roulent sans arrêt sous leur fièvre. »*

Quelques jours, encore, à régler les tout derniers détails, à faire provision de vivres frais et à s'offrir d'ultimes soirées au restaurant, avant de longues semaines de nourriture en conserve et de solitude à deux ; et l'*Askoy* et son équipage sont fin prêts pour le grand bond vers l'ouest.

« Un vingt-deux septembre, au diable vous partîtes [2] », chantait Brassens... et c'est un 22 septembre, comme par un fait exprès, que Jacques Brel et Maddly Bamy laissent derrière eux le port de Balboa : direction, les Marquises ! Une longue, très longue traversée. Sans aucune escale au programme. En effet, en dépit de leur beauté et de leur intérêt touristique, Jacques a décidé d'ignorer les Galápagos, les seules îles à être situées à peu près sur la route prévue. Car l'archipel appartient à l'Equateur, dont le régime, depuis des années, n'est qu'une succession de dictatures militaires... Quant aux histoires d'iguanes et de chasse à la tortue géante, cela ne le passionne pas outre mesure, comme il l'explique avec son ironie si particulière : *« Je ne connais pas personnellement les tortues, mais je n'ai pas du tout envie de les tuer [3]... »*

Après un début difficile, vent debout face à la longue houle du Pacifique, l'*Askoy* reste encalminé (faute de vent,

1. *Moby Dick*, par Herman Melville, 1851 (traduction française de Jean Giono, Lucien Jacques et Joan Smith, éditions Gallimard, 1941).
2. « Le vingt-deux septembre », 1965 (paroles et musique de Georges Brassens).
3. Propos rapportés par Maddly Bamy *(op. cit.)*.

cette fois) pendant dix-sept jours, incapable d'avancer et partant à la dérive sans pouvoir être contrôlé. L'air redevient difficile à respirer, et Jacques ressent de nouveau la fatigue. Avant de se lancer dans cette traversée qui représente, d'une seule traite, plus d'un sixième de la circonférence du globe, il a fait installer un système de pilotage automatique sur son bateau. Mais il n'a guère eu le temps d'en peaufiner les réglages et son efficacité se révèle des plus aléatoire. Il faut barrer plus souvent que prévu, et Brel commence à maudire ce navire trop lourd et trop grand pour être mené par un simple couple. Merveilleux bateau d'escale, d'un confort largement supérieur à la moyenne au mouillage (où l'on passe, lors d'un tel voyage autour du monde, la majeure partie du temps), l'*Askoy* n'est pas fait, tout simplement, pour naviguer avec un équipage aussi réduit...

Quoi qu'il en soit, le 19 novembre 1975 en fin d'après-midi, après cinquante-neuf jours de mer, Jacques Brel jette l'ancre dans la baie de Tahauku, devant Atuona : la seule réunion de bâtisses et de maisons que l'on puisse décemment qualifier de « village » sur l'île d'Hiva Oa. La seconde en importance de cet archipel des Marquises qui marque l'extrême nord de la Polynésie française. Il y a un an et trois jours, très précisément, qu'il a été opéré de son cancer du poumon, et il ne lui reste plus que trois années à vivre. Trois années qu'il passera, pour l'essentiel, sur ce cône de lave noire et de verdure luxuriante où, soixante-dix ans auparavant, Paul Gauguin était déjà venu achever de vivre et de mourir.

28

Entre le ciel et l'eau

Pour beaucoup de voyageurs effectuant le tour du monde à la voile, les Marquises ne sont qu'une escale. Un archipel où l'on s'arrête quelques semaines, le temps de souffler un peu, après la longue traversée depuis Panama ou le Chili, lorsque l'on a eu la folle audace de passer par le cap Horn, contre le vent. Le temps aussi de vérifier l'état du matériel, avant de pousser plus avant, vers l'ouest; c'est-à-dire vers les Fidji, les îles Salomon, Timor, la Papouasie, la Barrière de corail ou la mer d'Arufura. Ainsi, quand l'*Askoy* pénètre dans l'anse de Tahauku, celle-ci abrite déjà une demi-douzaine de voiliers – dont le *Kalais* qui, bien que parti avec une bonne semaine de retard sur l'*Askoy*, l'a précédé de quelques jours.

Jacques Brel n'échappe pas à la règle : pour lui, les Marquises sont une simple étape. Il compte poursuivre vers Tahiti et les îles Sous-le-Vent; mais, pour le moment, il récupère de l'énorme fatigue accumulée pendant deux mois de mer, tout en visitant un peu cette île à l'abord si étrange. Car Hiva Oa est à l'opposé de tous les clichés paradisiaques dont se nourrit l'imagination collective à propos de la Polynésie. Ni soleil brillant éternellement, ni lagon aux eaux turquoise, ni plages de sable blanc; mais un décor sévère, presque oppressant. Un fragment de chaîne volcanique émergeant au milieu de l'océan; vestige d'une ancienne barrière de feu dont chaque sommet forme une minuscule tache de vie sur le vide de la carte : Nuku Hiva (la plus grande des îles de l'archipel), Ua Huka, Fatu Hiva, Eiao, Ua Pou, etc.

Et la mer se déchire, infiniment brisée
Par des rochers qui prirent des prénoms affolés [1]...

Mélange de lave et de latérite, le sol est noir, parcouru de soudaines blessures rouges, étroites comme des lames de poignard. La montagne s'élève d'un trait, dès la plage, pour culminer à plus de mille mètres, alors que l'île dépasse à peine une petite quarantaine de kilomètres en longueur, pour un peu moins de la moitié en largeur ; d'où cet étrange sentiment de vivre au pied d'un mur... Entre les pics Feani et Ootua, perdus en permanence dans une couronne de nuages porteurs de pluies, un entrelacs de vallées *« très resserrée[s] en certains endroits où la montagne forme muraille* [2]*... »* ; des vallées tapissées d'une végétation lourde et odorante, où les fleurs de tiarés, d'hibiscus et de bougainvilliers se mêlent aux fougères de toutes sortes, et les frangipaniers aux arbres à pain, aux manguiers et autres cocotiers.

Malgré le *« soleil redouté* [3] *»*, dont parle Brel, il ne se passe guère de jour sans qu'il pleuve ; brèves et violentes rafales (*« La pluie est traversière, elle bat de grain en grain... »*), dont l'évaporation quotidienne contribue à alourdir une atmosphère déjà saturée d'humidité, de parfums et de relents de décomposition. D'un point de vue climatique, tous les jours se ressemblent : il n'y a pas de saisons, aux Marquises. Ainsi que le soulignait déjà Gauguin, dans sa correspondance, le temps est comme suspendu et, pour reprendre la belle formule de Jacques Brel, *« ... s'il n'y a pas d'hiver, cela n'est pas l'été »*.

Autre obstacle à ce tourisme de masse qui s'est emparé de Tahiti, de Bora Bora ou des Tuamotu, Hiva Oa – dépourvue de barrière de corail – ne possède aucune protection naturelle contre les vagues. Pas de lagon enchanteur, mais de rares plages de sable noir (couleur de lave), directement offertes aux caprices de la houle du Pacifique. Des caracté-

1. « Les Marquises ».
2. Description de la vallée d'Atuona, par Paul Gauguin. *Oviri (op. cit).*
3. « Les Marquises ».

ristiques dissuasives pour les *tour-opérateurs*, mais séduisantes pour Jacques qui, désormais, aspire surtout à la paix...

Un an et demi, presque, après le début de son voyage, le bateau n'est plus un but pour Jacques Brel – si jamais il l'a été – mais le moyen d'atteindre ce havre où il sera enfin à l'abri, du moins l'espère-t-il, de la bêtise, de la méchanceté et de la curiosité des hommes. Il y a déjà quelque temps qu'il rêve d'une île :

Chaude comme la tendresse,
Espérante comme un désert
Qu'un nuage de pluie caresse [1]...

Il avait même pensé s'établir en Guadeloupe, avec Maddly, avant que les paparazzi ne l'en dissuadent, en le poursuivant de leurs flashes jusque dans les restaurants où il dînait. Rien de tel à craindre aux Marquises ! A moins d'y aller en voilier, justement, il faut d'abord se rendre à Tahiti – vingt-quatre heures d'avion depuis Paris, contre six ou sept pour les Antilles... – puis emprunter le vol hebdomadaire reliant Faaa (l'aéroport de Papeete) à Nuku Hiva [2], et enfin le coucou local assurant la liaison inter-îles... Sauf à embarquer sur l'une des deux « goélettes » assurant le ravitaillement de l'archipel à un rythme pour le moins fantaisiste : des cargos, en fait, cabotant d'île en île, selon une fréquence de passage imprévisible, avec une durée de voyage de plusieurs semaines... Dans ces conditions, Jacques comprend très vite que nul ne viendra le déranger ici.

Tandis qu'il visite les îles avoisinantes, l'idée de s'installer à Hiva Oa se précise chez lui. A Nuku Hiva, par exemple, les notables du cru, prévenus de sa présence dans les parages, organisent une réception en son honneur, afin de lui vanter les charmes de leur île, beaucoup mieux desservie qu'Hiva Oa. Chacun s'efforce d'être charmant avec lui, sans paraître lui faire l'article, mais avec un manque de psychologie qui laisse deviner qu'ils n'ont pas beaucoup écouté ses chansons

---

1. « Une île ».
2. Pour un saut de puce de mille cinq cents kilomètres, le voyage aller-retour coûte presque aussi cher que le billet d'avion Paris-Tahiti-Paris.

– ou, pire, qu'ils n'y ont rien compris – les *popaas* [1] ont
endossé leurs tenues de gala et mis les petits plats dans les
grands :

Il pleut des orangeades
Et des champagnes tièdes
Et les propos glacés
Des femelles maussades
De fonctionnarisés [2]...

Jacques n'a qu'une envie : « *aller voir* » ailleurs. Poussant
l'*Askoy* jusqu'à Papeete, il n'aimera guère cette ville tout en
longueur, dont le front de mer, plusieurs heures par jour,
n'est qu'un interminable embouteillage. Cela ne l'empêchera pas d'y nouer quelques solides amitiés, plus tard, surtout parmi les pilotes et le personnel de l'aéroport, lorsque
son installation aux Marquises sera devenue effective, et
qu'il aura acheté un nouvel avion.

Jacques profite de ce séjour à Papeete pour refaire un
bilan de santé. L'état de ses poumons reste satisfaisant, et il
semble que la maladie soit bel et bien jugulée. Pourtant le
climat humide des Marquises, sa touffeur, est le pire qui soit
pour qui relève d'un cancer de l'appareil respiratoire ; il ne le
sait pas encore, mais il refusera d'en tenir compte lorsque
des amis médecins l'en auront informé...

Peu à peu, la vie s'organise. Dans un premier temps,
Jacques et Maddly continuent d'habiter sur l'*Askoy* ; puis,
tout comme il avait quitté la terre pour la mer, Brel, insensiblement, revient à la terre. Il fait de nouvelles rencontres,
parle d'acheter une maison et, dans l'attente, cherche une
location...

La longue et difficile traversée du Pacifique a progressivement fait naître en lui un irréversible sentiment d'hostilité à
l'encontre de son bateau. Il maudit ces heures d'efforts
démesurés où chaque mouvement n'est plus qu'une douleur, l'immobilité étouffante des calmes plats ou, au
contraire, ces jours entiers de vent debout quand tout à bord
semble définitivement faire angle avec la verticale, ces longs

1. Mot générique pour désigner les métropolitains (fonctionnaires administratifs, enseignants, médecins, gendarmes, etc.).
2. « Je suis un soir d'été ».

quarts à la barre lorsque le pilote automatique est incertain, le guindeau qui se coince, la voile qui se déchire... Tout, il maudit tout ! Avec cette mauvaise foi des amoureux éconduits qui prétendent n'avoir jamais aimé, Brel fait mine d'oublier les nombreux instants de bonheur ébloui qui jalonnent son voyage, pour n'en dresser qu'un bilan désastreux ; comme un constat de faillite.

Bien qu'il n'en parle pas autour de lui et que rien ne soit encore officiel, l'*Askoy*, dans son esprit, est désormais à vendre... Il le cédera bientôt à un jeune couple d'Américains embarqués à Panama, comme équipiers, sur un voilier qui relâchera quelques semaines devant Atuona. Jacques le vendra pour un prix très inférieur à sa valeur réelle ; preuve supplémentaire, selon certains, de sa générosité habituelle. En l'occurrence, et sans vouloir minimiser celle-ci, il semble plutôt qu'il ait cherché à se débarrasser au plus vite d'un bateau qu'il avait pris en grippe et qui, amarré sous ses yeux dans la baie de Viahi (la « baie des Traîtres », tout un symbole !), le ramenait sans cesse à ses mauvais souvenirs.

L'*Askoy*, d'ailleurs, ne portera guère chance à ses nouveaux propriétaires. Comme il porta malheur aux précédents... Les marins sont gens de superstition et il ne leur viendrait pas à l'idée d'embarquer sur un bateau marqué du mauvais œil. Encore faut-il connaître ses antécédents. Or l'histoire de l'*Askoy* commence avant Jacques Brel.

C'est un architecte d'Ostende, passionné de voile, qui en avait dessiné les plans et surveillé la construction, confiée à un chantier naval voisin. Une fois le bateau mis à l'eau, équipé et aménagé comme il se doit, l'architecte et sa femme envisagent d'effectuer une croisière vers la Scandinavie et recrutent à cet effet deux ou trois hommes d'équipage, dont le fameux Lucien que Brel engagera plus tard, lors de son départ d'Anvers. Avant de mettre le cap sur les eaux froides de Norvège, on procède à quelques sorties en mer, histoire de se familiariser avec le navire et d'effectuer les réglages indispensables à tout nouveau gréement. Mais au cours d'une de ces courtes virées côtières, l'épouse du propriétaire fait une mauvaise chute et se retrouve paralysée : clouée à vie dans un fauteuil roulant ! Effondré – on le serait à moins –, le pauvre homme décide de se débarrasser au plus vite d'un bateau qui lui fait soudain horreur ; et le premier acquéreur qui se propose emporte l'affaire : ce sera Jacques Brel.

Jacques n'est pas superstitieux et sa décision est prise dès le premier regard qu'il porte à l'*Askoy* : il a le coup de foudre pour ce gros yawl noir si bien taillé, semble-t-il, pour affronter n'importe quelle mer du globe. A son tour il arme le voilier, en prévision cette fois d'un tour du monde prévu pour durer plusieurs années. On connaît la suite... A ses yeux, aujourd'hui, l'*Askoy* est associé à une longue litanie de peines, de souffrances et de chagrins. Mort de Jojo, apprise à l'occasion de la première escale importante, découverte de son cancer quelques semaines après, traversée excessivement tendue de l'Atlantique – rendue plus pénible encore par les douleurs incessantes qui vrillent son bras gauche et la moitié de sa poitrine –, rupture avec sa fille, sentiment de persécution liée à « l'affaire Antoine », épuisante et interminable dérive dans les vents capricieux du Pacifique... Au bout du compte, la somme des blessures finit par effacer jusqu'au souvenir des moments de joie et de liberté totale.

C'est sur un coup de tête que Brel décide de s'en séparer, par un soir de colère qui le conduit à se brouiller avec Vic, ce frère de bourlingue avec lequel il avait navigué de conserve pendant près d'un an... Mais la dramatique histoire de l'*Askoy* ne s'arrête pas là. Ses nouveaux propriétaires le mèneront vers les îles Samoa, les Salomon, la Nouvelle-Calédonie et l'Australie, puis divorceront, stupidement, comme se défont parfois, à force de trop peiner, les couples que leurs amis croyaient à jamais heureux. Quelques mois plus tard, pris par une tempête un peu plus violente que les autres, le voilier porte-poisse viendra se fracasser sur un récif de corail des Fidji, et tout sera dit, comme dans les vers du vieil Hugo : « *L'ouragan de leur vie a pris toutes les pages / Et d'un souffle il a tout dispersé sur les flots* [1] ! »

Lorsqu'il s'installe à Hiva Oa, Jacques Brel renoue avec ce

1. « Oceano Nox », de Victor Hugo (*Les Rayons et les ombres*, 1840).

qui restera, peut-être, la plus grande passion de sa vie : l'avion. L'île possède en effet un petit terrain d'aviation, à une quinzaine de kilomètres d'Atuona, auquel on accède par une piste à moitié défoncée, sur laquelle on ne peut circuler qu'en Jeep, rendue glissante et dangereuse à souhait par les pluies quotidiennes. Chaque trajet s'apparente à une expédition aventureuse, au milieu de l'abondante végétation couvrant les flancs escarpés des monts Feani et Ootua; ce qui rappelle à Jacques son ancien fantasme de poser un Boeing en pleine jungle.

Il s'achète donc un nouvel appareil : un «Twin Bonanza» blanc et ocre, dont le fuselage s'orne de deux grosses bandes rouges. Fabriqué par Beechcraft, c'est un bimoteur (comme son nom – *Twin* – l'indique), développant une puissance de deux fois deux cent soixante chevaux, et capable d'emporter sept passagers avec une autonomie de vol d'un peu plus de six heures. *« La Rolls de l'avion privé »*, selon Jean Liardon... C'est le quatrième appareil que possède Jacques, et si son immatriculation officielle est FODBU (Fox, Oscar, Delta, Bravo, Uniforme), son vrai nom, peint en lettres rondes sous le poste de pilotage, est *Jojo*.

N'étant pas français, Jacques Brel – qui a l'habitude de s'entendre rappeler sa « belgitude » chaque fois que se pose un problème – devra se plier à de nombreuses formalités administratives avant d'obtenir le droit de voler librement dans le ciel de la Polynésie *française*. En premier lieu – mais cela il le sait –, il faudra qu'il se réhabitue à piloter. Ensuite, qu'il réactualise sa licence, obtienne les équivalences françaises de ses brevets suisses, passe la qualification adaptée à son nouvel avion et subisse des examens médicaux complets, dépassant largement le simple suivi semestriel de son cancer. Jean Liardon vivant à l'autre bout du monde, c'est en compagnie de Michel Gauthier et de Jean-François Lejeune, tous deux pilotes à Air Tahiti, que Brel recommence à voler, réalisant plusieurs allers-retours entre Faaa, Nuku Hiva, les Tuamotu, Bora Bora et le petit aérodrome d'Hiva Oa.

En dépit des rebuffades qui s'accumulent, Jacques s'obs-

tine et finit par obtenir gain de cause : on lui accorde sa nouvelle licence et, après quelques réparations indispensables,
son appareil reçoit son certificat d'homologation. Jacques
Brel est désormais libre de voler à sa guise.

Le ciel des Marquises sera son dernier Far West.

29

Dans l'odeur des fleurs
qui bientôt s'éteindra...

Après ces longs mois d'errance sur les océans, ses problèmes de santé et l'espèce de paranoïa engendrée par l'acharnement des journalistes, Jacques est enfin en paix. Avec lui-même et avec ses semblables. Car l'homme que les Marquisiens découvrent importe plus, à leurs yeux, que le chanteur. D'ailleurs, à part quelques *popaas*, personne ne sait vraiment qui est Jacques Brel : ici, l'histoire de la chanson métropolitaine semble s'être provisoirement arrêtée aux romances de Tino Rossi.

Il noue rapidement des relations de bon voisinage. Avec les religieuses de l'école située à quelques centaines de mètres de chez lui. Avec Alain Laffont, l'unique gendarme de l'île. Avec Amaru, le facteur. Avec le père André Darielle, curé sympathique qu'il prend plaisir à taquiner en lui montrant, en parfait athée, qu'il connaît son histoire sainte sur le bout des doigts. Et surtout avec Marc Bastard, professeur d'anglais et de mathématiques au passé fort chargé, qui deviendra à Hiva Oa son ami le plus intime. Pour le reste, il évite de trop se mêler au semblant de vie sociale qu'essaient d'entretenir les rares Européens du cru en s'invitant les uns les autres. Mais s'il se tient volontairement en retrait de cette vie « coloniale », Jacques ne prétend pas vivre pour autant à la mode marquisienne – il n'est pas de ces Occidentaux, en quête d'on ne sait trop quelle rédemption, qui mythifient le retour à la vie sauvage...

Brel a trouvé son havre, c'est un fait. Mais dans la mesure

du possible, celui-ci sera confortable. Sise à flanc de volcan et surplombant la baie des Traîtres, la maison où il s'installe avec Maddly, en mai 1976, est un bungalow en bois, couvert de tôle ondulée, comme la plupart des habitations polynésiennes actuelles. Les murs sont d'un vert terne, supposé se fondre dans la végétation locale. Triste comme une tenue de camouflage. Leur première décision est donc de tout repeindre en blanc, pour profiter au maximum de la lumière. D'ailleurs, depuis qu'ils sont aux Marquises, Jacques et Maddly ne s'habillent pratiquement plus qu'en blanc. Ils installent l'air climatisé, car Jacques a des difficultés à respirer, surtout aux heures les plus chaudes de la journée. Et ils font creuser une petite piscine, le sable noir des plages, qui s'infiltre partout, ne donnant guère envie de se baigner dans l'océan. Puis, à l'occasion des passages successifs des « goélettes », Jacques se fait livrer un congélateur, de quoi alimenter une cuisine ultra-perfectionnée (car l'art culinaire est devenu pour lui une vraie marotte, et il se pique d'avoir l'une des meilleures tables de toute la Polynésie), ainsi qu'une chaîne stéréo, un magnétophone et même un orgue électronique, sur lequel il se remet composer.

La chanson – depuis si longtemps ! – a beau ne plus faire partie de ses préoccupations, il n'a pu s'empêcher de jeter, de loin en loin, une idée sur le papier ; et de bribes de vers ou de phrases en fragments de couplets, certaines d'entre elles commencent à prendre tournure. Des idées qu'il envisage maintenant de mettre en forme, pour enregistrer, peut-être, un nouveau disque... Rien n'est encore décidé, bien sûr, mais de même qu'il a regagné la terre, après une longue période en mer, Brel revient doucement vers la chanson, après des années de silence obstiné. Il commence à en évoquer la possibilité par allusions, dans les lettres qu'il envoie régulièrement à ses amis restés en Europe. Oh, il ne faut rien brusquer, puisque rien n'est certain ; mais *« si c'est pas sûr / C'est quand même peut-être* [1] *»*...

Pour le moment, Jacques se rassasie d'avion. Il vole autant que possible, mettant son *Jojo* à la disposition de tous.

1. « Ces gens-là ».

Chaque voyage à Tahiti est l'occasion de rendre service, tantôt emmenant un voyageur qui ne peut attendre le vol des lignes régulières, tantôt rapportant tel ou tel colis urgent. Mais ces virées aériennes n'ont pas qu'un but utilitaire : il arrive aussi, pour le plaisir, qu'il offre un baptême de l'air aux sœurs de l'école voisine, ou propose une promenade autour de l'archipel.

Plus sérieusement, il obtient de l'administration l'autorisation de rétablir la desserte de Ua Pou, dont la ligne officielle a été abandonnée, faute de rentabilité. Depuis lors, le courrier met entre deux et trois semaines, de Tahiti, pour parvenir jusqu'à l'île, et réciproquement... Jacques se lèvera donc aux premières lueurs de l'aurore, chaque vendredi, pour assurer le transport des sacs postaux et prendre à son bord, parfois, un ou deux passagers. Ses qualités de pilote impressionnent ses amis d'Air Tahiti ; l'état de la piste de Ua Pou – un champ bosselé comme de la tôle ondulée, pris entre deux parois de lave – demande, il est vrai, un sérieux sang-froid... A l'époque des *jumbo-jets* et de « Concorde », c'est un peu de l'Aéropostale de Mermoz, Saint-Exupéry et autres Guillaumet qui renaît aux Marquises, quand un terrain de football dans la cordillère des Andes servait d'aérodrome à ces défricheurs de planète.

Pour les îles ne disposant même pas d'un de ces mouchoirs de poche, où il est possible de poser son *Jojo*, Jacques songe à larguer le courrier en effectuant des passages à basse altitude. Il s'en ouvre à Jean Liardon et lui propose de venir sur place étudier la question avec lui ; mais l'affaire restera sans suite car la configuration de son appareil, dont la porte latérale s'ouvre juste au-dessus de l'aile droite, rend cette solution impossible. Pour larguer les sacs dans de bonnes conditions, il faudrait une trappe...

Outre ces activités quasiment professionnelles – il met son avion, son temps et son argent (car voler coûte très cher, et il prend tout à sa charge) à la disposition de la collectivité –, Jacques retrouve à Hiva Oa certaines aspirations sociales fort semblables à celles qui l'animaient avec la Franche Cordée. Comme à l'époque de la petite troupe d'Hector Bruyndonckx, il pense que la culture est un facteur essentiel de bonheur et d'équilibre. Mais c'est souvent une question de moyens financiers, or la culture n'est pas affaire de rentabilité. Brel s'en ouvre à Guy Rauzy, le maire d'Atuona. Jeune et dynamique, celui-ci ne cache pas sa volonté de voir la population de son île augmenter et franchir le seuil des mille cinq cents habitants [1], afin d'obtenir plus de subventions de l'administration des territoires d'outre-mer. Corollaire de ce désir de développement local, Rauzy souhaite retenir la jeunesse qui, pour sa part, rêve de l'animation bruyante et colorée de Papeete. Pour Jacques, le constat est vite fait : « *S'ils veulent s'en aller, c'est qu'ils n'ont aucune distraction, ici...* » Un phénomène, ni nouveau ni typique des Marquises, que Jean Ferrat décrivait déjà au début des années 60, avant que le retour à la terre, dans la foulée des idées de 1968, ne devienne une mode : « *Les filles veulent aller au bal / Il n'y a rien de plus normal / Que de vouloir vivre sa vie* [2]*... »*

Ce que Jacques Brel traduisait ainsi, à peu près à la même époque :

On a tellement besoin d'histoires
Quand il paraît qu'on a vingt ans [3]*...*

Cette paix que Jacques est venu chercher – et trouver ici – résulte d'un isolement que les jeunes de l'archipel ont de plus en plus de mal à supporter. Hormis l'avion hebdomadaire de Tahiti et les « goélettes » aux passages incertains, les Marquises sont pratiquement coupées du reste du monde. Les journaux, tout comme le courrier, n'arrivent qu'avec des semaines de retard ; il n'y a pas de télévision, car les relais de Papeete ne portent pas jusque-là, et le cinéma est inexistant. Enfin presque... Le père André – que Brel aborde toujours, chaque fois qu'il le croise, d'un retentissant : « *Dieu est mort !* » – possède en effet un appareil de projection : un modèle d'un format 16 mm, ancien et bruyant, mais fonctionnant néanmoins de manière satisfaisante. De loin en loin, le brave curé organise des séances dans le local de la Maison des Jeunes ; la difficulté majeure étant de trou-

1. A l'époque où Jacques Brel s'installe à Hiva Oa, l'île compte entre mille deux cent cinquante et mille trois cents habitants.
2. « La montagne », 1964 (paroles et musique de Jean Ferrat).
3. « Quand maman reviendra ».

ver des films : d'abord il faut les louer à Papeete et les faire venir par avion – ce qui coûte cher –, et surtout, le choix disponible n'est constitué que d'un stock de vieilles productions sans grand intérêt, dont les copies, archi-usées, sont rayées et mutilées par mille rafistolages de fortune. Rien de bien attractif pour une jeunesse en manque de loisirs.

Jacques Brel écrit alors à son ami Lelouch, pour que celui-ci l'aide à monter un vrai cinéma, conforme aux standards de qualité les plus actuels. Il commande un projecteur professionnel de 35 mm ; puis il s'arrange avec les relations qu'il a gardées dans les milieux de la production et de la distribution pour se faire livrer des copies neuves de films récents. Certains seront même projetés à Atuona avant de l'être à Papeete. Jacques met également à contribution ses copains aviateurs, qui oublient le plus souvent de facturer le transport des volumineuses bobines. Reste l'écran. Au début, ce sera un grand drap, installé en plein air à côté de la Maison des Jeunes ; mais chaque saute de vent tend la toile, comme une voile, et déforme les images. Les visages des acteurs grimacent dans la tiédeur des alizés, et les scènes les plus romantiques ou dramatiques sont régulièrement interrompues par des vagues de fou rire. Pour y remédier, Jacques convainc le maire de bâtir un mur, peint en blanc, près du terrain de football – comme dans les *drive in* américains !

Aidé par Maddly, il se transforme alors en projectionniste bénévole ; mais les séances sont payantes – il y tient absolument, par principe et pour éviter de les dévaloriser –, même si le prix d'entrée reste symbolique (cent francs Pacifique [1] : quatre fois moins cher qu'à Papeete !) et ne saurait en aucun cas couvrir les frais engagés. De toute façon, Jacques prend tout à son compte, sans ostentation, puisque c'est lui qui a mis cette histoire en branle.

Sachant qu'il a d'autres activités, qu'il se déplace beaucoup et ne pourra pas toujours assurer les deux projections hebdomadaires, il entreprend ensuite de former un jeune Marquisien au métier de projectionniste. Maddly, quant à elle, qui n'oublie pas qu'elle a été danseuse, donne régulière-

1. Environ cinq francs cinquante, en équivalents métropolitains.

ment des cours aux jeunes filles de l'école des sœurs. Pour passer les disques et les cassettes dont elle a besoin pour faire travailler ses élèves, Jacques offre une chaîne stéréo et une petite sonorisation à ces « *nonnettes* [1] » qui, non seulement n'ont pas peur de lui, mais l'adorent. L'entendant souvent chercher de nouvelles mélodies sur son orgue – sa maison est à un jet de pierre de leur école –, elles vont répétant à qui veut l'entendre que « *Monsieur Brel est le plus heureux des hommes; il chante à longueur de journée...* ».

Lorsqu'il ne vole pas, qu'il ne s'occupe pas de gérer ses locations de film, qu'il ne travaille pas à ses nouvelles chansons ou qu'il ne cuisine pas pour ses amis pilotes, auxquels il offre de véritables repas gastronomiques chaque fois qu'ils sont de passage, Brel se promène en compagnie de Maddly. Aux yeux de tous, ils forment un couple exceptionnellement amoureux et uni. Ils descendent jusqu'au village en se tenant par la main, ou poussent jusqu'au petit cimetière où se tient la tombe de Gauguin. L'endroit est paisible, fleuri, et n'est distant de leur maison que de quelques centaines de mètres. Pour Jacques, qui s'épuise vite en marchant, c'est un lieu de promenade agréable, d'où l'on surplombe la baie des Traîtres. Il apprécie cette symbolique qui lui rappelle les romans d'aventure de son enfance, comme *L'Île au trésor*, de Stevenson, dont il garde un exemplaire dans sa bibliothèque – Stevenson qui était venu, lui aussi, quelques années avant Gauguin, chercher sa part de vérité aux Marquises [2], avant de s'en aller mourir aux Samoa, les poumons rongés par la tuberculose.

Laissée à l'abandon, la tombe de Gauguin est une grosse dalle toute simple, formée de plusieurs blocs de lave noire. L'inscription est réduite au minimum : *Paul Gauguin – 1903*, et ne mentionne même pas la date de naissance du peintre [3], sans doute ignorée par ceux qui l'ont porté en terre. Des

---

1. « Le dernier repas » : « *Les paillardes romances / Qui font peur aux nonnettes...* »
2. Robert Louis Stevenson séjourna aux Marquises en juillet 1888; Paul Gauguin y arriva en août 1901.
3. Gauguin est né le 7 juin 1848, à Paris; il est mort le 8 mai 1903, à Hiva Oa.

plaques de mousse et de lichen la tachent par endroits, et un frangipanier la couvre d'une ombre parfumée. L'une des plaisanteries favorites de Jacques Brel, lorsqu'il rencontre une religieuse venue se recueillir sur une tombe un peu mieux entretenue que celle du rapin débauché, est de lui montrer tour à tour le Christ sur la grande croix de bois peint qui domine le cimetière, la grossière dalle du peintre et un carré d'herbes folles lui faisant pendant, de l'autre côté de la croix. *« Ma sœur, un jour je serai là, et lui, là-haut, il sera pour toujours entre les deux mauvais larrons ! »*

Jacques a beau retourner en Europe, à peu près tous les six mois, pour se faire examiner par le professeur Nemry – qui lui assure que son cancer ne présente aucune trace de récidive –, sa condition physique ne lui laisse guère d'illusions... Ses difficultés respiratoires dans cette atmosphère saturée d'humidité, d'une moiteur étouffante, et la fatigue qui l'envahit au moindre effort physique sont, pour lui, des signes qui ne trompent pas. Ces derniers mois, il s'est empâté et, s'il affecte de ne pas en tenir compte, il sait que le dernier round est engagé et que l'*« arrêt de l'arbitre* [1] *»* va intervenir à plus ou moins brève échéance. Aussi les chansons qu'il achève d'écrire et de composer prennent-elles, de plus en plus, des allures de testament.

---

1. « Vieillir ».

30

On m'attend quelque part...

La nouvelle a été tenue secrète le plus longtemps possible, mais elle a fini par filtrer et les médias s'en sont emparés. Brel est de retour ! Pour enregistrer un nouveau disque. Un Brel que l'on a du mal à reconnaître sur les rares photos saisies au vol par les paparazzi. Grossi, barbichu, tout de noir vêtu, et affublé d'un chapeau noir à bords roulés qui lui donne de vagues airs de « parrain » sud-américain. Pour le reste, quoi qu'on en dise, il n'a pas l'air en si mauvaise santé que cela. C'est d'un pas ferme et résolu qu'il marche dans les rues de Paris, au bras de Maddly – également habillée en noir, comme s'ils avaient voulu marquer symboliquement, l'un et l'autre, le fossé qui les sépare désormais de la vieille Europe, en renonçant au blanc immaculé de leurs tenues des Marquises. Evoquant ses voyages en France ou en Belgique dans ses lettres à ses amis, Jacques ne parle-t-il pas de son manque de *« courage d'aller au gris »* ?

Outre François Rauber, Gérard Jouannest, Eddie Barclay et Charley Marouani, directement concernés puisqu'il s'agit aussi de leur travail, les rares à être dans la confidence sont une toute petite poignée d'intimes. Miche, bien sûr, Jean Liardon, Arthur Gélin – l'un des seuls amis européens, avec Marouani, qui ait fait le voyage jusqu'aux Marquises – et Juliette Gréco, chez laquelle auront lieu les répétitions. Mais même à ceux-là, Jacques refuse obstinément de communiquer le nom et l'adresse de l'hôtel où il est descendu. Il ne veut pas voir sa famille, il ne veut pas risquer d'être assailli par les journalistes, il ne veut rencontrer aucun copain qu'il n'aurait pas lui-même sollicité. Ainsi est-ce lui qui contactera Brassens et Lino Ventura, pour sacrifier au rituel des spaghettis chez ce dernier – un sujet des plus sérieux! –, comme il invitera Barbara à passer au studio Hoche pour assister aux séances d'enregistrement de son nouvel album.

En cet automne 1977, alors qu'ils dînent chez Lino Ventura, Jacques Brel et Georges Brassens dissertent sur la mort. Au-delà du thème qu'ils ont si souvent chanté, chacun sait désormais – pour avoir côtoyé la Camarde de près – de quoi il parle. Au premier, il manque la moitié d'un poumon; au second un rein. Brassens a déjà sorti ce qui va devenir, sans qu'il le sache encore, son ultime album [1] (dont la première chanson – cela ne s'invente pas – s'intitule « Trompe la mort »); et Brel est en train d'enregistrer le sien – car il sait, en parfaite connaissance de cause, lui, que ce disque sera le dernier. Pour sa part, Lino va très bien, et s'il est, depuis plusieurs années déjà, au sommet du box-office français, certains de ses meilleurs films sont encore à venir. Pourtant, superstitieux comme tout bon Italien respectueux des traditions, la conversation le met mal à l'aise : « *Arrêtez de parler de tout ça; vous allez nous coller la scoumoune!* »

Mais ce n'est plus une question de chance ou de malchance; simplement de calendrier : dans un peu plus d'un an Jacques sera mort, et à trois semaines près, Georges ne lui survivra que de trois petites années. Lino, lui, vivra encore dix ans; s'interrogeant souvent comme dans la chanson de Léo Ferré : « *Que sont mes amis devenus? / Que j'avais de si près tenus* [2]... »

Quelques mois auparavant, Jacques Brel avait envoyé une courte lettre à Eddie Barclay : « *Bloque des dates de studio pour septembre ou octobre; je serai là...* » Conscient du formidable potentiel commercial que représentait un nouveau disque de Brel, Barclay ne lui avait pourtant pas forcé la main : « *On*

1. Brassens vient également de faire son ultime apparition sur scène : il a donné sa dernière représentation le 20 mars 1977 à Bobino, après cinq mois complets.
2. « Pauvre Rutebeuf », 1958 (paroles de Rutebeuf, musique de Léo Ferré).

s'écrivait... Il me manquait. Je n'avais pas essayé de le faire changer d'avis, un type comme lui ne change pas d'avis. Pas plus qu'il ne voulait obéir à la fameuse loi des rappels sur scène (quand c'est fini, c'est fini), il ne reviendrait sur sa décision : plus de disques, plus de scène. [...] J'avais envie qu'il fasse encore un disque, et Charley en avait envie aussi. Evidemment, Monsieur Barclay veut faire de l'argent. Evidemment, Monsieur Marouani veut toucher son pourcentage. Evidemment, nous sommes de vieux routards, de sacrés marchands... C'est ce qui s'est murmuré. Quelle erreur ! De l'argent on en faisait de toute façon avec Brel, ses disques continuant de se vendre avec une régularité implacable [1]. *Charley et moi trouvions seulement dommage qu'il n'y ait pas, encore une fois, un petit supplément de ce talent immense. [...] Avec le recul, je pense que Brel en avait lui aussi envie. Histoire de boucler la boucle, de refermer la parenthèse, de prouver que la maladie n'empêchait rien, qu'il chanterait toujours aussi bien et qu'il avait plein de choses à chanter, plein de choses à écrire* [2]. »

Brel débarque à Paris courant août, après un crochet par les Etats-Unis où il est allé recevoir un disque d'or pour « Seasons In The Sun ». Arthur Gélin lui avait conseillé d'en profiter pour se faire examiner plus sérieusement à Los Angeles, mais Jacques n'en a eu cure. D'une certaine façon, il joue au funambule sur son fil. D'un côté il affecte d'ignorer son mal, du moins de le traiter par le mépris ; de l'autre, quand ça l'arrange, il en rajoute et n'oublie pas de rappeler qu'il n'est qu'un mort en sursis :

J'arrive, j'arrive,
Mais pourquoi moi ? pourquoi maintenant ?
Pourquoi déjà ? et où aller ?
J'arrive, bien sûr, j'arrive,
N'ai-je jamais rien fait d'autre qu'arriver [3] *?*

François Rauber et Gérard Jouannest ont, bien sûr, été prévenus. Ils attendent Jacques qui, effectivement, arrive... Il a dix-sept nouvelles chansons, enregistrées sur une cas-

1. A titre indicatif, pour la seule année 1976, Philips a vendu six cent cinquante mille albums de Jacques Brel, et Barclay un peu plus d'un demi-million (dont quarante mille coffrets d'une *Intégrale* en sept disques).
2. *Que la fête continue*, par Eddie Barclay *(op. cit.)*
3. « J'arrive ».

sette où il s'accompagne tantôt à la guitare, tantôt avec son orgue électronique et la boîte à rythmes incorporée. Certaines mélodies sont même assez embryonnaires (« La ville s'endormait » et « Vieillir ») et Jouannest devra les restructurer complètement. Chaque jour, Brel et Maddly se rendent donc chez Juliette Gréco pour travailler avec les musiciens. Ils arrivent tôt car aux Marquises, où l'électricité est coupée à partir de dix heures du soir, ils ont pris l'habitude de se lever avec le soleil et de se coucher de bonne heure. Pour écrire les arrangements, François Rauber doit travailler dans l'urgence. Mais, une nouvelle fois, il accomplit des miracles. Malgré les années d'absence, la complicité qui unissait les trois hommes est demeurée intacte et les chansons trouvent rapidement leur forme définitive.

La première séance de studio est prévue pour le 5 septembre ; à huit heures du matin, ainsi que Jacques l'a demandé. Une heure où, généralement, les musiciens dorment encore ! Comme au bon vieux temps, Gerhardt Lehner est à la console de prise de son : il s'agit désormais – le progrès aidant – d'une table de mixage multipiste, avec laquelle il serait possible d'enregistrer indépendamment chaque partie de l'orchestre puis de coller la voix par-dessus, en se réservant la possibilité de refaire à l'infini tout ce qui n'est pas parfait. Mais Brel n'a pas l'habitude de travailler ainsi, et à de rares exceptions près, l'enregistrement aura lieu « à l'ancienne », c'est-à-dire tous ensemble, chanteur et musiciens, en deux ou trois prises au maximum.

L'atmosphère des premières séances est tendue. Chacun sait que Brel est malade, et personne n'est à l'aise. *« Personne ne savait que dire à Jacques,* se souvient Marcel Azzola ; *on voulait lui manifester notre amitié, notre sympathie, mais on ne trouvait pas les mots... »* Conscient de la gêne collective, Brel se dirige vers le piano, fait mine de chercher dessous, dedans ; puis, se tournant vers les musiciens, lance cette question : *« Vous n'auriez pas vu un poumon ? »* Silence glacé, bien sûr... mais Jacques reprend : *« Bon, on l'a dit, alors on n'en parle plus. »*

« Et on n'en a plus jamais reparlé, commente Azzola ; *il nous avait évidemment choqués, mais il savait que cela nous libére-*

rait... » Dès lors, le sujet n'a plus rien de tabou. Et l'on peut même se permettre d'en plaisanter. Après une prise qui ne le satisfait pas, Brel annonce qu'il faut la refaire : « *On recommence, les gars; mais une fois seulement. Parce que, excusez-moi, mais je n'ai plus qu'un seul soufflet...* » Et Marcel Azzola de lui répondre, pince-sans-rire : « *Si tu veux, je peux te prêter celui de mon accordéon !* » Tout le studio s'esclaffe et cette fois, c'est dit, on n'en reparlera plus.

Le premier titre sera « Orly ». Une chanson difficile à enregistrer, dans la mesure où Jacques la commence seul, à la guitare, et que l'orchestre le rejoint seulement au moment du premier refrain. Une orchestration magnifique où les pupitres de cordes posent une rythmique dramatique avant que les trompettes ne viennent marquer, de façon magistrale, ce fameux crescendo que l'on dit « brélien » tant il constitue la signature du chanteur. Dès la première séance, le tandem Brel-Rauber renoue donc avec la perfection de ses meilleures réussites passées. Car « Orly » est certainement l'une des plus grandes chansons jamais écrites par Jacques Brel. Peut-être même, tout simplement, l'une des plus belles chansons d'amour qui soient. Le démenti le plus éclatant, en tout cas, à opposer à ceux qui s'obstinent à ne voir en lui qu'un misogyne obtus. En effet, si l'histoire met en scène un couple en train de vivre une rupture à la fois banale (le cadre de l'aéroport) et terriblement déchirante :

Tout encastrés qu'ils sont,
Ils n'entendent plus rien
Que les sanglots de l'autre...,

« Orly » ne s'attache, en réalité, qu'au personnage féminin de ce désastre :

Elle connaît sa mort,
Elle vient de la croiser...
[...]
Elle a perdu des hommes,
Mais là, elle perd l'amour.

Et Brel (narrateur-spectateur s'exprimant à la première personne) porte sur cette femme brisée de chagrin un regard impuissant où ne perce aucun de ces relents machistes-

consolateurs qui, dans la culture masculine, vont généralement de pair avec ce genre de situation :

Je n'ose rien pour elle
Que la foule grignote
Comme un quelconque fruit.

Par cette impuissance avouée devant la douleur de l'autre,
Jacques se place lui-même en position de vulnérabilité ; seule
manière de vraiment compatir : un mot qui, littéralement,
signifie « souffrir avec ».

Quant à la construction de la chanson proprement dite,
elle relève d'un art et d'une audace qui forcent l'admiration.
Qui donc, hormis Brel, pourrait se permettre de se livrer
ainsi, dans une chanson d'amour, à une explication de texte
en règle, sans que cela ruine l'émotion de son propos ?

Et maintenant ils pleurent :
Je veux dire tous les deux ;
Tout à l'heure c'était lui,
Lorsque je disais « il ».

En dépit de leur caractère universel, les chansons de
Jacques Brel – on l'a vu – sont très souvent empreintes
d'indications autobiographiques, à décrypter entre les
lignes. En l'occurrence, le fait que sa dernière rencontre avec
Monique ait eu lieu dans la salle des pas perdus d'un aéroport n'est certainement pas étranger au ton si bouleversant
d'« Orly », à peine dédramatisé par l'allusion souriante à Gilbert Bécaud [1].

Pour cet album, vu sa condition physique incertaine,
Jacques Brel a décidé de s'en tenir à un ou deux titres par
séance. Mais, prévoyant que la guitare dont il joue dans
« Orly » devrait être doublée par un meilleur instrumentiste
que lui, il profite de la présence en studio de Michel Gésina
pour enregistrer « Jojo » dans la foulée. En ce 5 septembre
1977, il y a exactement trois ans (à trois jours près) que
Georges Pasquier est mort. Et la blessure de Jacques ne s'est

1. Référence on ne peut plus explicite à « Dimanche à Orly », paroles de
Pierre Delanoë, musique de Gilbert Bécaud : énorme succès de ce dernier
en 1963.

toujours pas refermée. Elle est, avec son cancer, de celles qui le tueront :

Orphelin jusqu'aux lèvres,
Mais heureux de savoir
Que je te viens déjà...

Jacques ne retrouvera jamais un ami comme Jojo, à la fois frère de cœur et voisin de planète. Compagnon de bringue, aussi ; Jacques n'oublie pas de le souligner – cela avait son importance – en transformant en aveu de tendresse un de ces refrains de corps de garde, qu'il a dû si souvent brailler avec Jojo (*« Six pieds sous terre, il n'est pas mort / Six pieds sous terre, il bande encore ! »*) :

Six pieds sous terre, Jojo, tu frères encore ;
Six pieds sous terre, Jojo, tu n'es pas mort...

Un procédé – le détournement – qu'il avait déjà utilisé, mais à une tout autre fin, dans « La... La... La... » :

Messieurs, dans le lit de la Marquise,
C'était moi, les quatre-vingts chasseurs...

Comme toujours, dans les meilleures chansons de Brel, l'introduction ne se perd pas dans des fioritures de style, dès les premiers mots on entre dans le vif du sujet :

Jojo,
Voici donc quelques rires,
Quelques vins, quelques blondes...

Toute pudeur bue, ce sont de véritables mots d'amour. Des mots d'une tendresse et d'une dignité admirables, réduisant d'avance au pire des ridicules les sous-entendus ambigus des *« amputés du cœur »*. Et si l'accompagnement est ici aussi sobre (un simple arpège de guitare auquel s'ajoutent, peu à peu, les commentaires aériens d'une seconde), c'est sans doute qu'il n'y avait rien à y ajouter.

Trois jours plus tard, le 8 septembre, Jacques et ses musiciens s'attaquent à ce qui constituera l'un des plats de résistance de l'album : « La ville s'endormait ». Une de ces chansons typiquement bréliennes, hors du temps et de l'espace, comme pouvait l'être « Regarde bien, petit ». Les similitudes entre les deux sont d'ailleurs nombreuses. Cette ville, aux trois quarts assoupie, pourrait tout aussi bien abriter ce guetteur anxieux et cet enfant armé surveillant le passage, au loin, d'un cavalier solitaire et fourbu, trop orgueilleux pour leur demander ne serait-ce qu'un peu d'eau. Le sentiment de continuité s'impose de lui-même, comme dans un film en plusieurs époques. A la fin de la première période :

Y a un homme qui part
Que nous ne saurons pas...,

et cet homme ressemble comme un frère (« *Non, ce n'est pas mon frère / Mon frère a pu mourir !* ») au personnage principal de l'épisode suivant. Avec, en filigrane, l'idée implicite que l'immobilité des sentinelles, du haut de leurs remparts, est la source de leurs angoisses frileuses, alors que l'arrogante liberté du voyageur – fût-il un gueux – constitue un trésor inestimable.

Ces dernières chansons de Jacques Brel, on le sait, présentent un caractère testamentaire. Il est donc normal d'y trouver de nombreuses indications autobiographiques. Certaines sont sans détour, comme lorsque Jacques interpelle directement Jojo, en affectant de ne pas tenir compte de notre présence ; d'autres, au contraire, usent de paraboles et offrent des pistes à défricher plutôt que des chemins à suivre qui seraient tout tracés. Ici, les deux genres s'entrecroisent : à travers ce cavalier fictif, il évoque sa maladie, son exil et la superbe, presque « espagnole », de ses refus, de ses intransigeances et de son isolement :

Et la fatigue plante
Son couteau dans mes reins,
Et je fais celui-là
Qui est son souverain...

Le personnage de Don Quichotte n'est pas très loin ; mais un Quichotte aux membres de fer et à l'esprit enfin libéré de ses folies. Un ascète intraitable et splendide. Sans doute ce que Jacques Brel aurait rêvé d'être, aux Marquises, si la maladie ne l'avait pas à ce point diminué.

Le pont du troisième couplet vaudra – bien entendu ! – à Jacques une cinglante volée de bois vert et des accusations redoublées de misogynie :

Mais les femmes, toujours,
Ne ressemblent qu'aux femmes,
Et d'entre elles les connes
Ne ressemblent qu'aux connes !

Comme si la « connerie » ne se déclinait qu'au masculin ! Comme si elle n'était pas la chose la mieux partagée du monde... celle dont Flaubert disait qu'elle lui donnait *« une idée de l'infini »*.

Le coup de patte à Jean Ferrat, enfin, sera également assez mal interprété. Il ne s'agissait pourtant que d'aller au plus pressé, en tirant parti d'une référence connue de tous (ce qui n'est pas un mince hommage, d'ailleurs, venant de Brel) :

Et je ne suis pas bien sûr,
Comme chante un certain,
Qu'elles soient l'avenir de l'homme [1] *!*

En répondant aussi vite à la chanson de Ferrat, sortie seulement deux ans plus tôt, Jacques Brel s'inscrivait dans un débat d'actualité. Contrairement à Brassens, qui adorait la chanson et en possédait une connaissance encyclopédique, Brel ne s'intéressait guère à un genre qu'il jugeait mineur et qui, même à travers ses plus belles réussites, ne l'a jamais totalement satisfait. Il a néanmoins semé dans son œuvre – bien plus que Brassens – quelques points de repères montrant à quel point il était conscient de l'importance des chanteurs et des chansons dans la mémoire collective. Ainsi cite-t-il successivement « Viens poupoule » [2] dans « Les bigotes », « Je cherche après Titine » [3] dans « Titine », Jacques Dutronc dans « Vesoul », Gilbert Bécaud dans « Orly », Jean Ferrat, ici... et lui-même, à plusieurs reprises : « Ne me quitte pas » dans « Le cheval », « Amsterdam » dans « Vieillir », et « *Brel, à la télévision* » dans « Les bonbons 67 ».

Ceux qui, encore et toujours, s'acharnent à traquer la misogynie de Jacques Brel – mais comment peut-on encore y croire après avoir écouté « Orly » ? – seraient sans doute assez surpris de découvrir qu'il a mis, à peu de chose près, les

1. « La femme est l'avenir de l'homme », 1975 (paroles de Jean Ferrat, musique d'Alain Goraguer).
2. « Viens poupoule », paroles d'Henri Christiné et Trébitsch, musique d'Adolf Spahn ; créée par Mayol en 1902.
3. « Je cherche après Titine », paroles de Bertal, Maubon et Lemonnier, musique de Léo Daniderff ; créée par Gaby Montbreuse en 1917.

mêmes mots dans la bouche du héros de « La ville s'endormait » (« *Mais on ne m'attend point / Je sais depuis déjà / Que
l'on meurt de hasard...* ») et dans celle de Juliette Gréco, l'une
des chanteuses symbolisant le mieux l'indépendance et
l'intelligence féminine, depuis les riches heures de Saint-
Germain-des-Prés :

Je n'aime plus personne
Et plus personne ne m'aime...
On ne m'attend nulle part,
Je n'attends que le hasard [1]*...*

Avec Brel, la chanson prend parfois une dimension « différente ». Si la puissance émotionnelle d'un art peut se
mesurer à ses ambitions, « La ville s'endormait » montre
toute l'ampleur, toute la signification de ce mot. Non seulement son texte est l'un des plus forts, l'un des plus denses,
l'un des plus philosophiques que la chanson française ait
jamais offert, mais l'arrangement exceptionnel de François
Rauber lui donne en outre des allures de véritable oratorio.
Et surtout, surtout – performance assez inattendue de la part
d'un homme auquel il ne reste plus « *qu'un seul soufflet* » –,
Jacques Brel n'a peut-être jamais aussi bien chanté que ce
jour-là !

1. « Je suis bien... ».

31

Je chante, persiste et signe...

Deux semaines plus tard, le temps de se reposer un peu et que François Rauber peaufine ses arrangements, Jacques Brel revient au studio Hoche, le 21 septembre, pour reprendre l'enregistrement. Ce jour-là, un seul titre est au programme : « Voir un ami pleurer ». Juliette Gréco, chez laquelle se déroulent les répétitions, adore cette chanson et ne s'en cache pas. Toujours aussi généreux avec ceux qu'il aime, Jacques la lui offre aussitôt, proposant à la chanteuse, qui prépare elle-même un nouvel album, de l'enregistrer et de la sortir avant lui, sans se soucier de déflorer ainsi une partie de son propre disque.

« *Bien sûr, il y a les guerres d'Irlande...* », comme il y avait déjà « *Carthage, Waterloo et Verdun* », à la fin des « Toros ». Mais il y a aussi l'argent qui corrompt tout (« *Bien sûr, l'argent n'a pas d'odeur / Mais pas d'odeur vous monte au nez...* »), les amours qui se délitent, la mort qui s'approche, le temps qui vous échappe, les villes où s'étiole la vie, les rêves qui se perdent en cours de route, les mensonges, les trahisons, le racisme banalisé, l'hypocrisie et l'indifférence quotidienne... A sa manière, cette chanson est un bilan ; le solde de tout compte de ce que Brel a toujours détesté, toujours dénoncé, et qui l'a toujours blessé. Ce qu'il a toujours combattu, en refusant d'admettre que le rapport de forces n'avait rien d'égal et que le bras de fer qu'il engageait était, inévitablement, voué à l'échec.

Cette fois, cependant, le vieux lutteur, rongé de l'intérieur, reconnaît son impuissance. Sa hargne et sa vaillance ne sont pas en cause, car Brel n'a rien renié, rien abdiqué, rien cédé. Mais poussé inexorablement vers le terme du voyage, il constate avec amertume que rien n'a vraiment changé dans ce monde sur lequel Jojo et lui espéraient naïvement avoir quelque prise. Jojo est mort, lui-même « *arrive* » ; et il sait désormais qu'il n'a pas même le pouvoir d'enrayer le chagrin d'un ami confronté au malheur. « *Voir un ami pleurer...* » On pense à « Jef », bien sûr, mais ici les mots restent en l'air et les points de « suspension » prennent toute leur sens. A chacun d'achever la phrase à sa guise, selon l'idée qu'il se fait de la couleur des larmes.

A l'époque où il chantait, plusieurs centaines de fois par an, pour un public suspendu au moindre de ses mots ou de ses gestes, Brel disait volontiers qu'il se considérait comme « *une simple aspirine* » ; rien d'autre. Mais voilà qu'il prend conscience aujourd'hui – à tort ou à raison, qu'importe ! l'important étant ce qu'il croit – que cela même n'était peut-être qu'un leurre : la marque d'une prétention exagérée... Cette découverte lui est sans doute très pénible ; mais Brel n'a jamais été de ceux qui esquivaient. Toutes ses chansons le prouvent : le Grand Jacques s'est toujours exposé en première ligne, face à ce qu'il dénonçait, sachant depuis ses débuts chez Canetti qu'il est bien « *trop facile de faire semblant* ». Il suffit, pour s'en convaincre, de réécouter « Les bourgeois », chanson exemplaire entre toutes... La formidable dignité de Jacques Brel, et une grande partie de l'indéfectible attachement que lui portent ses admirateurs, vingt ans après sa mort, trouvent leur source dans ce courage hors pair. Or, pour la seconde fois sur ce disque (après « Orly »), le voici qui manifeste son impuissance. Le mot lui-même est prononcé (« *Notre impuissance à les aider...* »), qui reviendra, entre les lignes, dans « Jaurès », « Knokke-le-Zoute tango » ou « Vieillir ». Comme le disait Brassens, confronté peu ou prou à la même lucidité : « *J'ai bien peur que la fin du monde soit bien triste* [1]. »

---

1. « Le grand Pan », 1965 (paroles et musique de Georges Brassens).

Au désenchantement de « Voir un ami pleurer » succède, deux jours plus tard, la virulence explosive d'une chanson en forme de manifeste. Brel règle ses comptes avec « Les F... », sans prendre la moindre précaution oratoire, conscient qu'il lui reste peu à vivre. Sa chanson n'est qu'une litanie d'insultes, plus appuyées les unes que les autres ; mais elle a le mérite, au moins, d'être claire !

Messieurs les Flamingants, je vous emmerde !
Vous salissez la Flandre, mais la Flandre vous juge.
Voyez la mer du Nord, elle s'est enfuie de Bruges.
[...]
Et si mes frères se taisent eh bien tant pis pour elle,
Je chante, persiste et signe : je m'appelle Jacques Brel !

Son titre lui-même – à la façon de « P... de toi » de Brassens ou de *La P... respectueuse* de Sartre – s'orthographie comme s'il s'agissait d'un mot ordurier, que la décence interdit d'imprimer en toutes lettres.

A la sortie de l'album, la chanson fera un tel tollé, en Belgique, que le gouvernement sera interpellé à la Chambre ! La Fédération des étudiants catholiques flamands déposera une plainte officielle contre le chanteur pour « *atteinte à l'honneur du peuple flamand* », et demandera que la chanson soit interdite dans les radios d'État, exigeant enfin de Brel – c'était bien mal le connaître... – des excuses publiques. Le tribunal d'Anvers finira par rejeter la plainte, mais Brel se verra néanmoins refuser la remise d'un disque d'or, malgré l'énorme succès de l'album.

Tout a été fait, pourtant, pour minimiser sa diffusion en Belgique. Madame Rita de Backer, ministre de la Culture flamande, ira jusqu'à lancer un appel aux Wallons, affirmant qu'« *une diffusion massive de ce disque, en région wallonne, constituerait un acte inamical* » ! Un vague tâcheron de la chansonnette, Johan Vermineen, connaîtra même sa petite heure de gloire en « s'offrant » Brel, dans une pauvre charge intitulée « La farce de messire Jacques ».

En France, également, la chanson sera mal prise. En cette fin de décennie 70, les mouvements régionalistes et autonomistes sont en effet très actifs. En Bretagne, en Occitanie, au Pays basque, en Corse, en Alsace, on se bat pour imposer – au moins – la reconnaissance culturelle et l'enseignement des langues minoritaires à l'école. Des vers comme : « *Et je vous interdis d'obliger nos enfants / Qui ne vous ont rien fait à aboyer flamand !* » sont forcément considérés comme scandaleux. Mais cette indignation ne reflète, en fait, qu'une méconnaissance totale du problème posé par les groupuscules flamingants – confondus à tort avec les Flamands en général –, plus ou moins affiliés aux mouvements d'extrême droite, dont la plaque tournante à cette époque se situe, justement, entre Anvers et Gand. Ce que Jacques Brel résume d'une phrase sans appel :

Nazis durant les guerres et catholiques entre elles,
Vous oscillez sans cesse du fusil au missel !

Pour le reste, il a suffisamment prouvé son attachement à la Flandre (à travers certaines de ses chansons, avec *Franz*, etc.) et à sa langue (« Marieke ») pour ne pas être soupçonné de les rejeter en bloc, sans nuance. Il s'en explique d'ailleurs, avec beaucoup de sincérité, lors d'une interview accordée au journaliste Jacques Danois [1], à l'occasion du tournage de *Franz* :

« Pourquoi ce film en Flandre ?

– Parce que c'est mon pays. C'est mon enfance. Un pays, c'est ça.

– Le pays des hommes, c'est leur enfance ?

– Oui, c'est l'enfance avec l'odeur. Ce n'est pas tellement géographique. »

Et Jacques d'ajouter, un peu plus loin :

« Je suis plutôt de race flamande. Et j'aime les Flamands. Je me sens très à l'aise avec les Flamands. »

La musique de la chanson, elle – une sorte de disco vaguement latino-américain –, est signée d'un certain Joe Donato, dont la présence surprend au milieu des habituels collaborateurs du Grand Jacques. Interrogée sur ce point, Maddly Bamy explique qu'il s'agit d'une cassette qu'elle utilisait souvent, lorsqu'elle donnait ses cours de danse aux jeunes Marquisiennes de l'école d'Atuona. A force d'entendre cette mélodie et ce rythme, par la fenêtre ouverte du bureau où il travaillait, Jacques décida de l'adopter pour cette chanson

1. Propos reproduits dans le bulletin de la Fondation internationale Jacques Brel : *Jef*, n° 79, premier trimestre 1998.

qu'il souhaitait résolument atypique, par rapport à son style propre.

Voltaire, qui savait parfois plaisanter, disait que si Dieu avait créé les hommes à son image, ceux-ci le lui avaient bien rendu. Plus radical dans son athéisme, Jacques Brel préférait affirmer : « *Dieu, ce sont les hommes ; et un jour ils le sauront !* » Une idée qu'il développe en quelques vers, dans « Le Bon Dieu » :

Mais tu n'es pas le Bon Dieu,
Toi, tu es beaucoup mieux :
Tu es un homme...

Une chanson qui ne dit pas grand-chose, à part cela, et vaut surtout par sa mélodie : une jolie valse fort bien mise en valeur par l'arrangement de François Rauber. C'est d'ailleurs l'un des deux titres les plus longs de l'album (près de cinq minutes contre cinq minutes dix pour « Knokke-le-Zoute tango ») : la musique y tient une place considérable, alors que le texte tout entier se résume à seize vers assez brefs et qui parfois se répètent. Au final et à l'évidence, « Le Bon Dieu » constitue le temps faible du disque, avec « Le lion » – deux titres dont Jacques Brel aurait très bien pu se dispenser.

Juste après ce « Bon Dieu » qui n'a pas dû beaucoup le fatiguer, Jacques enregistre « Les remparts de Varsovie » : le morceau qui ouvrira la face B de l'album et en deviendra le principal succès radiophonique, avant que « Les Marquises » ne s'imposent sur la durée.

Troisième variation sur le thème de la femme dominatrice, arriviste et sans scrupule – après « Grand-mère » et « Le cheval » –, « Varsovie » est aussi la plus méchante et la plus aboutie des trois. Donc la plus efficace. D'une chanson à l'autre, la progression est nette. « Grand-mère » est une pochade amusante, qui procède par tableaux successifs et suffisamment flous pour que l'on ne soit pas tenté d'en chercher les clés. « Le cheval » est déjà plus explicite, Jacques y livrant plusieurs détails qui l'impliquent personnellement : ses dents, le métier de chanteur, la citation de « Ne me quitte pas »... Autant d'indices de nature à inciter l'auditeur – ou le spectateur, puisque Brel interprétait régulièrement cette chanson sur scène – à « chercher la femme ». Avec « Les remparts de Varsovie », cela se précise encore et il s'agit, de toute évidence, de la même femme. Il n'y a guère que le théâtre de l'action qui ait changé, se déplaçant de la ville de Bordeaux où : « *Je traînais, Madame, votre landau* [1]*... »*, à celle de Varsovie où « *Madame promène carrosse qu'elle voudrait bien me voir tirer... »*.

Grand-mère dirigeait « *ses affaires* » et comptait « *son magot* » ; la jolie maîtresse du « Cheval » prétendait en faire son « *banquier* » ; quant à l'héroïne des « Remparts de Varsovie », elle a droit à une liste de récriminations beaucoup plus longue et plus précise :

Madame promène mes sous chez des demi-sels de bas quartier,
[...]
Madame promène banco qu'elle veut bien me laisser régler,
Madame promène bijoux qu'elle veut bien me faire facturer,
Madame promène ma Rolls que poursuivent quelques huissiers.

Sans oublier ce terrible : « *Je trouve que Madame est pressée...* », laissant présager l'attente d'une conclusion prématurée... Laquelle ne saurait plus tarder, vu l'état de santé de Jacques, à l'heure où il écrit la chanson.

Sur les douze chansons de cet ultime album, huit évoquent la mort, de manière plus ou moins marquée. Pour certaines, cela relève de l'allusion discrète, comme dans « Orly » (« *Elle connaît sa mort / Elle vient de la croiser... »*) ou « Voir un ami pleurer » (« *Bien sûr, il y a nos défaites / Et puis la mort qui est tout au bout... »*) ; pour d'autres, en revanche, elle en est le thème central : c'est le cas de « Jojo » et de « Vieillir ». Reste une troisième façon d'aborder la question : « *Pourquoi ont-ils tué Jaurès ? »*

« Jaurès » est la chanson qui ouvre la face A du disque : la première nouvelle chanson de Brel, en bonne logique, que le public découvrira après neuf années de silence. C'est dire son importance... Et d'emblée, sa sobriété même – la voix de Jacques et le seul accordéon de Marcel Azzola, joué avec une retenue poignante – lui confère un classicisme qui la situe

1. « Le cheval ».

hors du temps. De fait, alors qu'il n'avait pas hésité à s'engager aux côtés de Pierre Mendès France et à poser en compagnie de François Mitterrand et de Gaston Defferre, en pleine campagne électorale, Jacques Brel préfère inscrire son propos dans l'Histoire, plutôt que dans l'actualité.

De cette seule chanson politiquement engagée, de toute sa discographie, il dira d'ailleurs qu'elle n'est pas politique, mais « *socialiste* ». Un mot encore porteur, à ce moment-là, de tous les espoirs possibles, n'ayant pas été corrompu par les excès du pouvoir [1]. Brel se place donc dans cette longue tradition ouvrière, particulièrement vivace dans le nord de la France – c'est-à-dire aux portes de la Belgique. Un pays de mines et d'usines si imposantes qu'on les appelle là-bas « les cathédrales de l'industrie »; en sous-entendant, ainsi, toute l'importance que revêt la religion aux yeux des patrons de droit divin contrôlant l'activité et la richesse de la région. Outre son combat pour une élémentaire justice sociale, Jean Jaurès symbolise également le refus de ce militarisme forcené qui tentait d'imposer sa loi à la nation, à la fin du XIXe siècle et au début du XXe.

L'époque était alors à la Revanche – un mot tellement sacré qu'on l'écrivait avec une majuscule. En 1870, en effet – Napoléon III ayant été vaincu par les Prussiens lors du siège de Sedan –, la France avait perdu la guerre et, avec elle, l'Alsace et la Lorraine. Depuis, le pays tout entier ne rêvait plus que de revanche. L'armée, loin d'être sortie humiliée de cette pitoyable défaite, semblait avoir tous les droits... et n'avoir de comptes à rendre à personne – ainsi que l'affaire Dreyfus, notamment, le montrera. Les chansonniers renchérissaient sur le discours des politiciens, et la mode était aux refrains nationalistes et cocardiers, créés pour la plupart par Mademoiselle Amiati : « Le maître d'école alsacien », « L'oiseau qui vient de France » et autres « Alsace-Lorraine » ou « Fils de l'Allemand ». Rares étaient les voix qui s'élevaient alors contre ce discours belliciste. Pour un Gaston Couté, un Eugène Bizeau ou un Montéhus, les cafés-

1. « Jaurès » a été écrite en 1977, alors que le socialisme n'arrivera au pouvoir, en France, qu'en 1981 avec l'élection de François Mitterrand à la présidence de la République.

concerts regorgeaient de dizaines d'émules de Paul Dérou-
lède et autres Delormel et Villemer.

Plus rares encore étaient les hommes politiques qui affi-
chaient ouvertement leur refus de la guerre et leur volonté
d'unir les peuples, par-delà les frontières, pour éviter de
nouveaux conflits meurtriers. Des conflits, dont l'une des
finalités premières – et non avouée, bien sûr – était l'enri-
chissement des industriels de la métallurgie et des financiers
de haut vol... Le plus représentatif de ces pacifistes, le plus
écouté, le plus populaire – donc le plus dangereux – était
sans conteste Jean Jaurès. Et la logique belliciste et revan-
charde de l'époque ne pouvait que se solder par son assassinat, le 31 juillet 1914 : quatre jours à peine avant que ne
soient tirés les premiers coups de feu « au champ d'horreur »
de la Première Guerre mondiale.

Bien qu'il retrouve là quelques-uns des thèmes majeurs
sous-tendant son œuvre : haine de la religion, refus de se
soumettre, antimilitarisme, etc., Jacques Brel, fidèle à son
habitude, ne s'érige à aucun moment en donneur de leçons.
Il se limite au contraire à énumérer les points qui le touchent
le plus, sans le moindre commentaire ; et c'est à l'auditeur,
s'il le désire, de tirer ses propres leçons de cette histoire tragique :

Demandez-vous, belle jeunesse,
Le temps de l'ombre d'un souvenir,
Le temps du souffle d'un soupir,
Pourquoi ont-ils tué Jaurès ?

Comme souvent, la réponse est induite dans la question.
Encore faut-il accomplir soi-même la démarche nécessaire.
Mais Brel, on le sait, a toujours préféré parier sur l'intelligence de son public plutôt que d'utiliser un discours didactique et moralisateur. Jamais il ne s'est pris pour un gourou ;
et c'est sans doute ce qui explique, vingt ans après sa mort,
que sa parole conserve un tel pouvoir de conviction, dans les
esprits et les cœurs de ceux qui savent l'entendre.

32

Gémir n'est pas de mise...

Juste après avoir enregistré ce monument d'émotion et de dignité qu'est « Jaurès », Jacques Brel se livre avec « Le lion » à l'une des pires pantalonnades qui soient. Pseudo-fable africaine d'une épouvantable bêtise, la chanson est faite tout exprès, dirait-on, pour alimenter sa réputation de misogynie. Car il y aura toujours des gens qui choisiront de se référer au « Lion » plutôt qu'à « Orly »... Grand bien leur fasse ! Mais de grâce, que l'on cesse de juger Brel sur les scories de son œuvre... pour difficile qu'il soit, convenons-en, de comprendre comment, sur un même disque, le même auteur peut parler de la femme avec autant de délicatesse, de tendresse et de finesse et, l'instant suivant, se complaire dans une charge bouffonne et grasse, digne d'une fin de banquet trop arrosé :

Vas-y pas, Gaston !
Arrête de remuer la queue ;
Il faut qu'elle s'impatiente...

Quand même – histoire sans doute, dans cet univers de « Beauf » à la Cabu, de montrer que cette chanson ne reflète pas son ordinaire intellectuel –, Brel glisse au passage une référence à Manon Lescaut et au chevalier Des Grieux, les héros romantiques et tragiques de l'abbé Prévost [1] :

Elle sera ta Manon,
Tu seras son Des Grieux :
Vous serez deux imbéciles !

1. *La Véritable Histoire du chevalier Des Grieux et de Manon Lescaut,* par Antoine François Prévost d'Exiles, 1731.

Littérature Louis XV, mondaine, un rien précieuse, que Brel semble finalement jeter aux orties – l'emploi du mot « imbécile » pouvant aussi bien, dans ce contexte ouvertement vulgaire, s'adresser aux amateurs de ce genre de romans –, afin de mieux revenir à la démagogie simpliste de sa diatribe phallocrate. Puis, à la fin du dernier couplet, au cas (bien improbable !) où l'on n'aurait toujours pas compris que les jeunes lionnes ne sont que des garces utilisant leurs charmes pour conduire les vieux mâles vers une mort certaine, Jacques en rajoute encore dans la farce pesante. Une voix féminine (celle de Maddly, présente dans le studio) l'interpelle avec une suavité exagérée : « *Jacques, Jacques...* », à laquelle il ne peut que répondre, en bredouillant : « *Euh oui, oui... C'est, c'est moi qu'on appelle ? Oui, oui, je suis là, oui...* »

Lamentable et parfaitement ridicule !

Le personnage principal de « Knokke-le-Zoute tango » est lui aussi, par certains côtés, parfaitement ridicule ; mais la chanson est d'une tout autre tenue. C'est une nouvelle fois l'histoire d'un *loser*, d'un type qui rêve au-dessus de ses moyens, à l'image de l'amoureux transi qui attendait « Madeleine » à l'arrêt du « *tram 33* ». Ici, pourtant, il n'est même plus question d'une hypothétique fiancée, ou d'une cruelle que l'on peut espérer séduire en lui apportant « *des bonbons* » ; mais plus prosaïquement de « *Carmencitas de faubourg / Qui nous reviennent de vérole...* » Bref, de prostituées « *à cueillir dans les vitrines / Des jolis quartiers d'Amsterdam* ».

Le contraste est grand, entre les rêves de ce don Juan de pacotille :

Je suis le plus beau, je pars en chasse,
Je glisse de palace en palace
Pour y dénicher le gros lot
Qui n'attend que mon coup de grâce...,

et la réalité qui n'est qu'une succession d'échecs :

Ce soir, comme tous les soirs,
Je me rentre chez moi,
Le cœur en déroute
Et la bite sous le bras...

A travers ses espoirs déçus de conquêtes somptueuses, ce solitaire en mal d'amour est un proche cousin de ce « Jacky » qui s'imaginait finissant *gouverneur de tripot / Cerclé de femmes languissantes* », et rêvait tout haut d'être beau, ne serait-ce qu'*« une heure, quelquefois... »*.

Brel ne manifeste d'ailleurs aucune animosité à l'égard de son personnage. Il n'est qu'une figure de plus dans cette longue galerie de portraits de vaincus, qui va de « Jef » aux « Désespérés », en passant par « Les timides » ou les héros – à des degrés divers – de « La Fanette », « Comment tuer l'amant de sa femme », « Vesoul », « L'ivrogne », etc. En revanche, dans la mesure où ce disque testament constitue son ultime occasion de régler quelques comptes depuis trop longtemps laissés en suspens, Jacques se rappelle au bon souvenir de certains fâcheux qui, par le passé, ont eu l'audace de lui empoisonner l'existence. De Franco, tout d'abord, dont le régime lui inspirait un tel dégoût qu'il s'est toujours refusé à mettre les pieds en Espagne, malgré son amour et sa curiosité déclarés pour le pays de Cervantes. Le *Caudillo* est expédié en trois vers rageurs :

[...] ces femelles qu'on gestapotte
Parce qu'elles ne savent pas encore
Que Franco est tout à fait mort!

Plus appuyée, ne serait-ce que parce qu'elle sert de chute à la chanson, la pique lancée contre Jean Dutourd est de celles qui se savourent avec d'autant plus de délice qu'elles ont su mijoter le temps nécessaire. Le contentieux remontait à l'époque de *L'Homme de la Mancha*, quand le chroniqueur, croyant faire un bon mot, avait assassiné la pièce en affirmant : *« Monsieur Brel ne sait visiblement pas l'anglais, mais il ne sait pas non plus le français* [1]. »

L'affront demandait réparation et, comme la vengeance, dit-on, est un plat qui se mange froid, c'est à l'heure de *« cracher sa dernière dent* [2] » que Brel épinglera ce « ronchon [3] », qui pensait sans doute qu'il y avait prescription :

1. *France-Soir* (déjà cité).
2. « Vieillir ».
3. Jean Dutourd est membre du « Club des Ronchons », fondé par Alain Paucard, et dont l'un des buts avoués est d'*« étudier l'horreur du bonheur »*.

Je la veux folle comme un travelo,
[...]
Elle m'attendrait depuis toujours,
Cerclée de serpents et de plantes
Parmi les livres de Dutourd.

Enregistrée le 29 septembre, « Vieillir » débute presque comme une réponse aux « Deux oncles »[1] de Georges Brassens, dont « *l'un aimait les Tommi's, l'autre aimait les Teutons...* », et qui, finalement, moururent tous deux pour leurs amis :

Mourir en rougissant
Selon la guerre qu'il fait,
Du fait des Allemands,
A cause des Anglais...

Mais on en revient rapidement à des obsessions plus radicalement bréliennes. Si le Grand Jacques n'a jamais eu peur de la mort, qu'il a souvent chantée, il a toujours eu la hantise de vieillir, d'être diminué, de ne plus pouvoir « *aller voir* » où et quand il en aurait envie. A présent, il sait qu'il n'aura pas l'occasion de vieillir et que la fin – selon toute vraisemblance – s'approche à grands pas. Alors, il crâne :

Mourir, cela n'est rien,
Mourir, la belle affaire !
Mais vieillir... ô vieillir !

Dans sa pièce *Roméo et Jeannette*, Jean Anouilh avait évoqué la question en termes similaires. Et la réponse qu'il mettait dans la bouche de son personnage développait, sur le ton de la résignation, ce que Brel se contente ici de suggérer : « *Mourir, mourir... Mourir, ce n'est rien. Commence donc par vivre. C'est moins drôle et c'est plus long*[2]. » A moins que le temps ne « *s'immobilise* »... comme aux Marquises.

Dernier titre enregistré par Jacques Brel (le dernier, en tout cas, à être mentionné sur les fiches de studio), et dernière plage du dernier disque, « Les Marquises » met un point final d'une exceptionnelle beauté à l'une des œuvres

1. « Les deux oncles », 1965 (paroles et musique de Georges Brassens).
2. *Roméo et Jeannette*, par Jean Anouilh, 1946.

les plus fortes et les plus originales de la chanson de notre siècle. C'est la seconde fois que Jacques s'attache à décrire un paysage – la première a donné « Le plat pays » –, et ces deux tentatives – deux coups de maître – comptent parmi ses réussites majeures. Comme si ce formidable portraitiste était avant tout un paysagiste qui ne dévoilerait cette facette de son talent qu'avec une extrême parcimonie ; un peu à la façon d'un Vermeer peignant sa *Vue de Delft* à ses moments perdus, entre tant de scènes d'intérieur représentant des personnages affairés, aux traits précis.

Si l'on réduisait – comme le souhaitait Jacques Brel – la vie d'un homme, dans les dictionnaires et sur les pierres tombales, aux deux dates indiquant sa naissance et sa mort, la sienne pourrait s'inscrire entre ces deux chansons, si différentes du reste de sa production. « Le plat pays » pour rappeler l'origine de son histoire, et « Les Marquises » pour marquer le terme de son aventure.

Décrivant son île à petites touches impressionnistes plutôt qu'à grands traits colorés, Brel a eu le talent de ne pas affubler sa chanson d'une pseudo-musique polynésienne ; travers dans lequel tombent souvent ceux qui veulent donner une coloration « typique ». A François Rauber, qui devait écrire l'orchestration, Jacques demanda, au contraire, d'imaginer un arrangement suggérant une totale *« absence de paysage »*. Une tâche dont Rauber s'acquitta avec une rare intelligence, multipliant les pupitres de cordes qui découpent l'espace sonore, d'une manière souple et presque suspendue, dans l'air tiède de ces soirées paisibles d'où *« montent des feux et des points de silence / Qui vont s'élargissant... »*.

Ayant poussé ses derniers coups de gueule, exprimé ses dernières indignations, confié ses dernières tendresses et planté ses dernières banderilles, le Grand Jacques, enfin apaisé, nous livre ses derniers mots ; stoppant net, par avance, les larmes de ceux qui, dorénavant, devront apprendre à *« vivre debout »* sans lui :

Veux-tu que je te dise ? gémir n'est pas de mise,
Aux Marquises...

Cette fois, le travail d'enregistrement est terminé. Jacques Brel peut repartir à l'autre bout du monde, regagner son île et, surtout, s'éloigner de l'agitation médiatique que ne manquera pas de susciter la parution de ce nouvel album. Il a écouté le mixage définitif des douze chansons retenues et il s'en trouve satisfait. Il laisse cependant derrière lui un certain nombre de titres qu'il estime moins achevés, mais qu'il envisage de reprendre à l'occasion d'un séjour ultérieur. Cinq chansons et deux sketches parlés, en forme d'histoires belges – ce que l'on appelle aujourd'hui « *les inédits de Brel* », objet de mystères et de convoitise...

A vrai dire, l'un de ces cinq titres n'est plus inédit, même s'il n'est jamais sorti sur disque. Il s'agit de « Mai 40 », qui a été inclus dans la bande-son du film de Frédéric Rossif *Brel* [1], produit par Eddie Barclay, en 1982. Comme son nom l'indique, la chanson raconte les premiers temps de la Seconde Guerre mondiale, avec ses longues files de soldats vaincus et fatigués, ses cortèges de réfugiés lancés sur les routes de l'exode :

Les hommes devenaient des hommes,
Les gares avalaient des soldats...
[...]
Je découvris le refusé,
C'est un armé que l'on désarme
Et qui doit faire chemin à pied.

Triste vision du monde, par un enfant de « *onze ans d'altitude* », qui se souvient surtout que l'on jouait, alors, une sorte de jazz assez enlevé, d'où se dégageait parfois un violon ressemblant étrangement à celui de Stéphane Grappelli. Sans le paraître, cette chanson est un bel hommage aux femmes, gardiennes de la dignité commune, quand les hommes plient, rompent et se débandent, et que tout ce à quoi elles tentent de se retenir s'effrite entre leurs doigts. Ainsi, de couplet en couplet, « *les femmes s'accrochaient à leurs hommes...* », puis « *aux enfants* », puis à « *leurs larmes* », et enfin « *au silence* ».

---

1. Voir vidéographie, en annexe.

« L'amour est mort » rappelle « Les vieux », mais des vieux dont l'histoire aurait mal tourné. Un peu comme dans *Le Chat* [1], le roman de Simenon :

Ils se perforent en silence,
La haine est devenue leur science :
Les cris sont devenus leurs rires...

Certaines images sont absolument terrifiantes :

Ils ne voient plus dans leurs enfants
Que les défauts que l'autre y laisse...

Il y eut pourtant, pour ces anciens amants, des jours de bonheur et d'amour fou, avant que le temps et le manque de vigilance quotidienne ne recouvre tout d'une poussière d'ennui, virant peu à peu à l'indifférence, puis à l'hostilité et à la haine :

Ils ont oublié qu'autrefois
Ils naviguaient de fête en fête,
Quitte à s'inventer à tue-tête
Des fêtes qui n'existaient pas...

Ne négligeant jamais de se mettre lui-même en cause, dans tout ce qu'il pointe du doigt, pour montrer qu'il n'est pas meilleur qu'un autre et ne s'érige nullement en juge, Brel achève sa chanson par une remise en question de ses propres amours :

Et, mais nous, ma belle...
Comment vas-tu ?
Comment vas-tu ?

Il est difficile de comprendre pourquoi Jacques Brel a choisi de laisser de côté ces cinq chansons, alors qu'il a inclus dans cet album un titre aussi médiocre que « Le lion ». La plupart d'entre elles sont visiblement achevées, et certaines sont même de grandes réussites, au niveau de l'écriture comme de la réalisation en studio. Pour « L'amour est mort », en revanche – qui compte indiscutablement au nombre de ces réussites –, le motif semble couler de source : Jacques y utilise, en effet, exactement le même procédé d'explication de texte que dans « Orly ». Une figure de style qui aurait alors semblé relever du tic d'écriture, c'est-à-dire

1. *Le Chat*, par Georges Simenon (Ed. des Presses de la Cité).

de cette fameuse « habileté » dont il se méfiait en toute circonstance :

Ils ont oublié qu'ils vivaient...
A deux, ils brûlaient mille vies ;
Quand je disais « belle folie »,
C'est de ces deux que je parlais.

S'il est un titre qui n'aurait pas dépareillé l'album, c'est bien « Sans exigences » ; une magnifique chanson d'amour où le désenchantement, une fois encore, naît de la banalisation du bonheur. Ce bonheur auquel on finit par ne plus attacher d'importance, puisqu'il est là, à portée de main, et qu'il fait partie de ces choses de la vie dont on n'imagine pas qu'un jour elles pourraient bien se briser :

Je n'étais plus que son amant,
Je vivais bien de temps en temps,
Mais peu à peu, de moins en moins...
[...]
Puis je devins son habitude,
Je devins celui qui revient
Lorsqu'elle revenait de partance...

Le piège, précisément, que surent éviter les « Vieux amants » qui, après vingt années d'« *amour fol* », pratiquent « *toujours la tendre guerre* ». Sur nappes d'orgues, entrecoupées de griffures de clavecin, « Sans exigences » – tout comme « Orly », dans un genre différent – est exactement le contraire d'une chanson misogyne : au refrain, l'homme reconnaît volontiers que tout le drame vient de sa maladresse et de son incapacité à exprimer ses désirs. Comme si Brel essayait de nous expliquer, avant de faire à jamais silence, que le bonheur et la tendresse sont des activités à plein temps :

[...] me voyant sans exigences,
Elle me croyait sans besoins.

« Avec élégance » est l'une des très rares chansons de toute l'œuvre de Brel où il s'exclut de son propos, pour se borner à dénoncer – voire à juger – un comportement qui l'agace ou le fait carrément sortir de ses gonds. Car il y a des degrés dans l'irritation, et « Les paumés du petit matin » ne méritent certes pas la bouffée de rage inspirée par les Flamingants. « Avec élégance » se rattache donc, plutôt, à l'univers des « Paumés du petit matin », traînant leur mélancolie de dandys désœuvrés dans des bars de nuit où :

Ils éclaboussent de pourboires
Quelques barmans silencieux,
Et
Grignotent des banalités
Avec des vieilles en puissance.

Au refrain, ces snobs qui *« peuvent se passer de bonheur »* sont *« désespérés / Mais avec élégance... »*. On est loin, on le voit, de la tendresse affichée par Jacques pour ces vrais « Désespérés » qui *« marchent en silence / Dans ces villes éteintes que le crachin balance... »* et dont il connaît le chemin *« pour l'avoir cheminé / Déjà plus de cent fois, cent fois plus qu'à moitié... »*.

Avec « La cathédrale », vieux thème brélien s'il en est, le Grand Jacques s'amuse à rêver une église *« débondieurisée »* qu'il pourrait gréer en voilier et traîner à travers prés *« jusqu'où vient fleurir la mer... »*. Ses clochers lui évoquent des mâts, auxquels il manque juste un peu de toile pour avoir l'air de porter :

Un beaupré, de vastes cales,
Des haubans et halebas...

La chanson constitue un véritable récit de voyage qui – de la Flandre à l'Angleterre, et des Cornouailles aux îles du Pacifique, en passant par les Açores, Madère, les Canaries, les Antilles et Panama – reprend point par point l'itinéraire de l'*Askoy* ! Cette fois, la musique paraphrase le texte, et si l'ambiance de départ est à l'accordéon pour décrire Anvers, l'orchestre se déchaîne ensuite progressivement, au fur et à mesure que l'on croise tempêtes et coups de chien.

Restent enfin, au nombre de ces inédits, deux histoires parlées, d'un humour appuyé et sans grand intérêt (« Le docteur » et « Histoire française »), dont on se demande bien ce qu'elles pourraient faire sur un disque de Brel.

33

Porter le chagrin des départs,
partir où personne ne part...

Jacques Brel et Maddly quittent Paris quelques jours après la fin des séances d'enregistrement. Pas question de s'attarder. Jacques n'a plus qu'une idée en tête : fuir ! Fuir ces journalistes qui le traquent à chaque coin de rue, fuir la ville qu'il déteste désormais, après l'avoir tant aimée, fuir l'Europe, fuir les gens, fuir le bruit : fuir à l'autre bout du monde, pour rejoindre son île le plus vite possible.

Le voyage de retour empruntera pourtant le chemin des écoliers. Jacques n'a pas oublié qu'en s'embarquant sur l'*Askoy* il partait pour faire le tour du monde. La maladie et la découverte des Marquises en ayant décidé autrement, il l'interrompra exactement à mi-parcours. Aussi décide-t-il de profiter de l'occasion pour effectuer l'autre moitié du chemin, en allant vers l'est cette fois, et non vers l'ouest, comme le font toutes les compagnies aériennes qui desservent la Polynésie depuis l'Europe.

Prenant tout son temps, il fractionne son périple en plusieurs étapes, s'arrêtant successivement en Inde, en Thaïlande et à Hong-Kong... tandis qu'à Paris, Eddie Barclay prépare activement la sortie du disque, fixée au jeudi 17 novembre 1977.

Brel lui a demandé de ne rien prévoir de particulier. Il ne veut pas de publicité tapageuse ; et surtout, il insiste sur le fait que les médias les plus importants ne doivent pas bénéficier – comme toujours dans ces cas-là – d'un traitement de faveur. Personne ne doit être servi avant les autres, et cela est également valable pour les disquaires. Il n'y a aucune raison, aux yeux de Jacques, pour que les grands centres commerciaux soient mieux traités que les boutiques de quartier, ou que le public des petites villes de province soit moins bien considéré que celui de Paris. Pour le reste, il n'y aura, bien sûr, aucune promotion de sa part, ni aucune interview... Car Brel sera tout bonnement absent.

C'est le début d'un malentendu qui pèsera lourd, par la suite, sur les relations entre Jacques Brel et Eddie Barclay. Le chanteur a donné des consignes strictes pour les modalités de sortie de son disque... que le producteur, lui, espère naturellement vendre de son mieux. Les deux termes de l'équation ne sont pas forcément antinomiques, mais il faut néanmoins trouver une solution qui permette, à la fois, de respecter la volonté de l'artiste et de profiter du formidable intérêt suscité par l'annonce de la parution imminente de l'album. Car les disquaires croulent sous les demandes. Un million d'exemplaires en sont potentiellement vendus avant même d'être pressés ! C'est la plus grosse pré-commande de toute l'histoire de l'industrie musicale, en France. Un investissement colossal pour la maison Barclay ; mais l'assurance, également, de profits records en un laps de temps minimum. Les premières estimations des bénéfices s'élèvent à plusieurs milliards de centimes...

S'il est relativement aisé de ne privilégier personne et de livrer à peu près tout le monde en même temps, en ce qui concerne la presse et l'audiovisuel, il en va tout autrement avec les milliers de disquaires répartis à travers l'ensemble du pays. Eddie Barclay a donc l'idée d'envoyer à l'avance, à chaque point de vente, des containers scellés, fermés par des cadenas à chiffres. Cela laisse le temps de procéder à toutes les livraisons, dans les quelques jours qui précèdent la date fatidique... Puis, à l'heure dite, une armada de secrétaires – certaines engagées spécialement pour l'opération – téléphoneront la combinaison secrète des cadenas aux vendeurs concernés ; tandis que des bataillons de livreurs à bicyclette, à la même heure, porteront l'objet tant attendu à toutes les rédactions. Une opération de grande envergure, aux allures de manœuvres militaires ou de conjuration politique, qui fera couler beaucoup d'encre.

Jeudi 17 novembre, 12 h 51. C'est l'heure H! Quelques minutes seulement avant le début des journaux télévisés et des informations radiophoniques... Au même instant, tous les émetteurs de France et de Navarre vont diffuser les premières chansons du nouveau disque de Jacques Brel. Dans la journée, le million d'exemplaires pré-commandés disparaît! Les stocks sont épuisés. Il faut represser dans l'urgence. Et par cent mille exemplaires à la fois!

Aucun événement discographique, jamais, n'aura revêtu une telle importance en France. Jamais non plus à ce jour – malgré une forte progression des chiffres de vente depuis l'époque – pareil phénomène ne s'est reproduit. Ce lancement reste l'un des plus beaux « coups » médiatiques de ces dernières décennies... car Barclay n'a pas eu à y investir un centime! Du grand art.

Mais, dans son île, Brel est furieux. Il a l'impression d'avoir été trahi. Il avait d'ailleurs demandé à Eddie Barclay de limiter le tirage à trois cent mille exemplaires... Un chiffre que l'on atteindra au cours de la première heure suivant la mise en vente de l'album! C'est en effet du jamais vu : comme devant les boulangeries ou les épiceries en temps de guerre, les gens font la queue devant les magasins de disques, avant leur ouverture, pour être certains de pouvoir se procurer le nouveau disque du Grand Jacques!

Avant son départ, Eddie Barclay proposera à Brel – sachant qu'il ne serait pas là, au moment de la sortie du disque, pour répondre aux questions des journalistes – de choisir une personnalité qui pourrait venir commenter ses chansons à la télévision. Et Jacques, sans hésitation, de choisir François Mitterrand, alors Premier secrétaire du parti socialiste.

Jouant le jeu, celui-ci donnera une interview à Antenne 2, qui sera diffusée le 19 novembre, à 15 heures, dans le cadre de l'émission *Hebdo chansons, Hebdo musique*, réalisée par Agnès Delarive et animée par Luce Perrot. François Mitterrand y parle aussi bien de l'homme qu'il a connu que du chanteur qu'il apprécie et qu'il considère, précise-t-il, comme un poète :

« J'ai, en effet, reçu un disque hier... et je l'ai écouté ce matin. J'avais grande envie de l'entendre ; dix ans de silence, c'est long !

« Jacques Brel, je l'ai connu lorsqu'il était présent dans nos capitales d'Europe, spécialement à Paris. Beaucoup de choses nous avaient réunis et les thèmes que je retrouve dans le disque d'aujourd'hui formaient déjà le fond de sa conversation. La différence, c'est que maintenant il a vécu tout ce qu'il dit ; à l'époque, il se contentait de projeter. Maintenant, c'est sa vie, c'est sa solitude, c'est son voyage, ce sont ses questions, et la dimension naturelle que prend cette musique, que prennent ces paroles, est d'un tout autre ordre, à mon sens – tout en développant les qualités qui sont les siennes –, d'un tout autre ordre que ce que nous avons connu naguère.

« Brel est un écrivain, Brel est un poète. On peut publier ce qu'il a écrit et cela figurera dans les anthologies de la poésie moderne. Simplement, avec le temps, et c'est un phénomène assez constant, il épure sa propre langue. Il garde ce langage populaire nécessaire à sa chanson, qui est chanson populaire. Il veille même à ce que le mot qu'il emploie soit de plus en plus simple, de plus en plus immédiat ; mais il reste précis et il reste d'une bonne langue. En plus, c'est un langage savoureux, celui du Belge amoureux de la langue française, qui apporte les intonations, les inflexions, la richesse et, je le répète, la saveur du pays dont il est issu.

– Et l'homme Brel ?

– L'homme ? Ce que je sais de lui, pour l'avoir un peu connu, un peu fréquenté... J'ai discuté avec lui de choses importantes. Peut-être aussi s'est-il trouvé dans des circonstances qui l'ont conduit plutôt que d'autres à se poser des problèmes qui dépassent ceux de la vie quotidienne. Mais j'ai toujours senti en lui cette distance, cette capacité de dépasser la passion du moment tout en s'amusant, se distrayant. Il crie sa colère, il crie son amour, il crie son espérance, il crie son désespoir, mais ce n'est pas simplement dans l'intensité que je le trouve remarquable, c'est aussi dans cette volonté d'identité. Brel, on pourrait le dire de beaucoup d'autres – mais pas tellement, au fond –, il ne ressemble à personne. Et c'est pourquoi je crois que son œuvre et que sa physionomie sont particulièrement caractéristiques du moment où nous sommes. On se souviendra de Brel lorsque le temps sera venu, j'espère beaucoup plus tard... On se souviendra de Brel comme particulièrement expressif des besoins d'une société et d'une génération, une génération plus jeune que la mienne, celle qui s'est exprimée au lendemain de la dernière guerre mondiale et qui a éclaté, explosé en mai 1968 ; porteur d'un tas de rêves, voulant définir une écriture nouvelle, cassant les structures du monde...

« Pourquoi faire ? Pour s'éloigner du monde ? Non. Pour en retrouver l'essentiel.

– C'est une sensibilité qui vous est proche ?

– Je la sens, je suis de sa parenté, comme quelqu'un qui écoute et quelqu'un qui lit et qui admire la capacité créatrice d'un homme comme lui [1]. »

A Hiva Oa, Brel est furieux de la manière dont son disque a été commercialisé. Il faut pourtant reconnaître, à la décharge d'Eddie Barclay, que l'affaire était délicate, que Jacques ne lui laissait pas une grande marge de manœuvre et, surtout, qu'il n'a pas outrepassé ses consignes : il n'y a pas eu l'ombre d'une campagne publicitaire, et nul n'a été ni favorisé ni pénalisé dans le système de distribution mis en place. Mais Jacques Brel, même à vingt mille kilomètres de distance, ne supporte plus que l'on fasse le moindre battage médiatique autour lui... Et bien sûr, il se trouvera de bonnes âmes, comme toujours, pour envenimer la situation – ce qui n'est guère difficile, au demeurant, avec un homme que la maladie ronge inexorablement et qui se laisse gagner par la paranoïa.

La tension entre Jacques Brel et Eddie Barclay touchera au paroxysme, quelques mois plus tard, lorsque le premier apprendra que le second veut vendre sa maison de disques. Et pas à n'importe qui : à Phonogram, c'est-à-dire à Philips ! A cette compagnie dont il était parti, bien des

1. Propos recueillis par Luce Perrot (archives INA).

années auparavant, en claquant la porte... Jacques se sent trahi. Non seulement ses albums de la période Barclay retourneront *ipso facto* chez ses vieux ennemis, mais les inédits figureront en outre dans le paquet cadeau ! Des inédits que Barclay a peut-être même mis en avant, pour valoriser le potentiel commercial de sa société, et qui pourront donc sortir d'un jour à l'autre. Rien que d'y penser, Jacques en est malade. Surtout qu'Eddie Barclay, lui affirme-t-on, savait déjà qu'il céderait sa firme, à l'heure où il enregistrait son nouvel album... Pour Jacques, les bornes sont dépassées. Cette fois, c'est décidé, il renonce définitivement à enregistrer. Quoi qu'il puisse arriver !

Il tiendra parole.

Ces fameuses chansons, laissées de côté dans le tri final de ce dernier l'album, sont toujours inédites. Eddie Barclay a respecté sa parole, donnée à Jacques, de ne jamais les commercialiser. Exception faite, toutefois, de « Mai 40 », utilisée pour la bande-son du film que Frédéric Rossif a consacré à Brel ; sans que le producteur phonographique, d'ailleurs, ne puisse en expliquer les raisons [1]. De toute façon, François Rauber et Gérard Jouannest, qui possèdent des droits musicaux sur ces bandes, en qualité d'arrangeurs, d'interprètes et parfois même de compositeurs, veillent en fidèles gardiens du temple sur les intérêts moraux de leur ami... Il y a donc bien peu de chances, dans la mesure où la volonté de Jacques était formelle à ce sujet, pour que ces chansons soient un jour publiées sur disque. Mais il est tout à fait possible, en revanche, de les écouter au siège de la Fondation Brel, à Bruxelles [2].

1. Voir témoignage d'Eddie Barclay, en annexe.
2. Voir coordonnées en fin de volume.

34

Mourir, la belle affaire...

En quelques mois, la condition physique de Jacques Brel se dégrade de manière alarmante. Son disque a beau avoir battu des records de vente, il en retient surtout des déceptions d'ordre moral et amical, qui ne font rien pour arranger son état de santé. Pourtant, Jacques continue à nourrir de nouveaux projets. Il envisage de quitter la maison qu'il loue à Atuona, pour s'installer un peu plus haut sur le volcan, sur un terrain qu'il achèterait. En altitude, se dit-il, l'air sera meilleur pour ses poumons.

En attendant, ses sorties se font rares, et il marche avec plus de difficultés qu'auparavant. Mais ses voisins et amis continuent de le trouver enjoué, charmant, disponible et d'une sérénité qui fait plaisir à voir. Sous le petit auvent de sa maison, il passe le plus clair de son temps à lire, recevant ses visiteurs :

Assis seul comme un roi
Accueillant ses vestales [1].

Au cours du mois de juillet 1978, rien ne va plus. Jacques est pris de violentes quintes de toux, de plus en plus souvent, qui lui font venir les larmes aux yeux et le sang à la bouche. Il a perdu jusqu'à l'envie de piloter. Le moment annoncé de longue date par ses médecins est finalement arrivé : il ne risque pas l'accident en vol, car il n'a même plus le goût de voler... Sa dernière rotation, se trouvant dans l'obligation de

1. « Le dernier repas ».

transporter une jeune femme enceinte jusqu'à Ua Pou, est un calvaire. Au retour, il remise *Jojo* sous son hangar en bois... en sachant parfaitement qu'il ne l'en sortira plus jamais.

Devant l'évolution nouvelle de la situation, Jacques se rend d'urgence à Tahiti, accompagné de Maddly, pour procéder à de nouveaux examens. Cette fois, les médecins se montrent catastrophés : des métastases se sont formées, des ganglions apparaissent sur les radios... L'ensemble du poumon gauche est atteint. Par chance, le célèbre professeur Lucien Israël, cancérologue de réputation mondiale, se trouve à Papeete pour donner une série de conférences. Jacques ose à peine lui demander un rendez-vous, mais du premier coup d'œil le professeur devine l'ampleur du mal. Nul besoin, pour quelqu'un d'aussi familiarisé que lui avec la maladie, de consulter les radios. Il suffit de regarder Jacques et de l'écouter respirer. Il est violet, comme s'il souffrait de couperose ; et lorsqu'il ne tousse pas, ses poumons sifflent comme une vieille forge.

Israël lui conseille de prendre le premier avion pour Paris, afin de tenter un traitement aux rayons X. Rien n'est encore perdu, estime-t-il, dans la mesure où le second poumon n'est pas touché... Jacques et Maddly embarquent donc dans l'avion qui décolle de Faaa le 27 juillet. Tous ses copains aviateurs étant dans la confidence, ils l'aident à monter à bord aussi discrètement que possible pour éviter d'éveiller l'attention de la presse. Mais ce jour-là, précisément, Caroline de Monaco est du voyage ! Et la princesse a l'habitude de traîner un certain nombre de paparazzi dans son sillage... L'un d'entre eux, inévitablement, reconnaît Brel, mais le personnel de l'aéroport dresse un barrage infranchissable ; sitôt sorti de l'aérogare, il se précipite sur le téléphone et contacte son agence à Paris. Le vol durant près de vingt-quatre heures, cela laisse tout le temps d'organiser une véritable souricière, à travers les mailles de laquelle Jacques Brel ne devrait pas pouvoir passer.

Pendant tout le voyage, le Grand Jacques ne pense qu'à ça. Il se ronge les sangs, sachant qu'*ils* vont l'attendre à l'arrivée. Le 28 juillet, en fin d'après-midi, l'avion atterrit à

Roissy. Repérables à leurs costumes blancs, Jacques et Maddly sont immédiatement mitraillés par les flashes ! Jacques est terrible à voir : grossi, voûté, au bras de Maddly d'un côté et s'appuyant de l'autre sur une canne, il se déplace à grand-peine. Marouani a organisé leur accueil et une voiture les emmène directement à l'Hôtel George-V. Celui dont Jacques se moquait dans « Les bonbons 67 »...

Quelques jours plus tard, les premières photos commencent à paraître dans la presse. Jacques a décidé de se battre avec la dernière énergie contre cette intrusion dans sa vie privée. Désireux qu'on le laisse *« crever en paix »*, et bien que cela ne soit pas dans son caractère, il attaque systématiquement les journaux en justice. Il fait ainsi condamner *Le Meilleur*, *Ici Paris* et *Paris Match* ; le président du tribunal d'instance parlant de *« persécution »* dans les attendus de son jugement. Mais la traque ne cesse pas pour autant, les amendes étant toujours plus faibles que le profit escompté... Face à tant d'acharnement, Jacques aura ce mot : *« Je meurs d'inconvenance. »*

Car ce sont bien les paparazzi qui le tueront, indirectement. Jacques Brel n'aura même pas le temps de mourir de son cancer du poumon...

Inscrit à l'Hôpital franco-musulman de Bobigny, dans le service du professeur Israël, sous le faux nom de Jules Romain [1], pour dérouter la presse, il commence à reprendre confiance. Il sait en effet qu'Israël est de ceux qui ne renoncent jamais devant la maladie. Fût-elle le cancer, fût-elle à un stade aussi avancé... N'étant pas vraiment hospitalisé, Jacques effectuera encore quelques courts séjours sur les bords du lac Léman, pour revoir son ami Jean Liardon qui se montrera, à cette occasion, d'une fidélité et d'une serviabilité absolument exemplaires. A tel point que, deux jours avant sa mort, les larmes aux yeux, le ton poignant, Jacques lui dira, serrant fort son avant-bras : *« Jean, jure-moi de ne jamais être malade ! »*

Le professeur Israël louera toujours le courage exceptionnel de Jacques Brel face à sa maladie : *« Il s'est battu avec une*

---

1. Romain, rappelons-le, était le prénom de son père.

détermination tout à fait fantastique. » De fait, dans un premier temps le traitement au cobalt semble porter ses fruits : « *La mort de Jacques Brel n'était pas une mort obligatoire. Il en était convaincu, et j'en étais convaincu. Les chances de le sauver n'étaient pas nulles. Cela aurait pu se passer autrement. Car il n'est pas mort de son cancer, mais de complication (une embolie pulmonaire), due au fait que son traitement a été beaucoup trop tardif.* »

La bêtise tue sans doute aussi sûrement que la pire des méchancetés... Mi-septembre, au retour d'un de ses voyages à Genève, alors que Jean Liardon a utilisé des ruses de Sioux – déposant un plan de vol fictif, modifié au dernier moment – pour tenter d'aiguiller les photographes sur de fausses pistes, quelques-uns d'entre eux aperçoivent Brel dans les couloirs de l'aéroport et se lancent à sa poursuite, appareil en mains. Pour échapper à la meute, Jacques ouvre la première porte venue et se réfugie dans un local d'entretien, tandis que Maddly fait tout ce qu'elle peut pour entraîner les photographes à sa suite, le long de couloirs interminables...

Le temps s'éternise et le local où Jacques s'est caché est particulièrement frais. Trop légèrement vêtu, il reste là, longtemps, à grelotter, en attendant que Maddly revienne le délivrer. Il prend froid... et une sale bronchite se déclare, qui provoquera l'embolie pulmonaire dont il décédera le 9 octobre 1978, à 4 h 30 du matin.

Je suis mort à Paris
De m'être trop trompé [1],

disait une de ses anciennes chansons. Et à l'heure de mourir, comme pour donner raison à cette dernière, Jacques se trompera de maladie... Une pirouette qui aurait beaucoup fait rire son vieil ami Brassens, s'il avait eu le cœur à cela en ce triste 9 octobre. Par une étrange coïncidence qui, elle, aurait plutôt plu à Brel, c'est aussi un 9 octobre que Clément Ader fit effectuer son tout premier saut de puce à la machine volante qu'il avait baptisée « Avion ».

Trois jours après, Jacques Brel prendra son tout dernier avion ; à destination de la Polynésie. Seuls Maddly et Char-

1. « Clara ».

ley Marouani seront de ce voyage au bout de la vie. Jacques sera enterré discrètement dans le petit cimetière d'Atuona, à quelques mètres de Gauguin, le 14 octobre 1978. Quinze ans, jour pour jour, après les funérailles quasi nationales d'Edith Piaf au Père-Lachaise.

Plus tard – car il y a toujours un « plus tard » –, un chanteur yougoslave, Arsen Dedic, écrira une chanson disant à peu près ceci :

Pour certains ce n'est rien,
Mais moi, ça me tue :
Le neuvième jour d'octobre
Quand Jacques est parti...

IV

LA LÉGENDE

« Rien n'est plus vivant
qu'un souvenir... »

Federico GARCIA LORCA

Et nous voilà, ce soir...

S'ils n'étaient pas morts en pleine jeunesse, James Dean, Gérard Philipe ou Marilyn Monroe auraient aujourd'hui peu ou prou soixante-dix ans. Imagine-t-on les deux premiers en vieux messieurs aux cheveux blancs et aux gestes déjà mesurés? Imagine-t-on Marilyn en vieille dame? Les imagine-t-on, diminués et prudents, qui « *vieillissent à petits pas* »?

Et Brel?

L'imagine-t-on septuagénaire? Imagine-t-on un Brel figé dans « *le temps arrêté* [1] »? Non! Bien sûr que non! C'est une idée qu'il a lui-même rejetée, toujours, de toutes ses forces, jusqu'à nous faire partager sa conviction :

Mourir, cela n'est rien,
Mourir, la belle affaire!
Mais vieillir... ô vieillir [2] *!*

Le temps, chez lui, s'est toujours bousculé. Certes, Jacques Brel est mort relativement jeune – il n'avait pas cinquante ans – mais chaque étape significative de sa vie s'est trouvée d'autant plus raccourcie qu'il a multiplié les passions et les activités. Tout comme Picasso a eu ses « périodes », Brel a vécu une suite d'époques différentes, aussi intenses qu'assez brèves. Ce qui était sa façon d'échapper au piège de l'immobilité; c'est-à-dire au vieillissement :

1. « La ville s'endormait ».
2. « Vieillir ».

On joue au jeu des imbéciles.
Où l'immobile est le plus vieux [1]...

Jacques Brel n'a jamais tiré de plans sur la comète. Il a vécu, sinon tout à fait dans l'instant, du moins au gré de ses envies ou de ses coups de cœur. Avec lui, tout a toujours été très vite et de courte durée. Car il n'aimait rien tant que le provisoire – sauf en amitié. Jamais il ne s'est réellement installé dans ses meubles. Ni au propre ni au figuré. Les endroits où il posait ses affaires n'étaient que des appartements de location, de simples lieux de passage, où il ne mettait rien de lui-même. Seule exception à cette manifestation évidente de « *l'horreur du domicile* » évoquée plus tôt : son installation aux Marquises, d'où il croyait, justement, ne plus repartir... « *L'homme est un nomade, il est fait pour aller voir ce qu'il y a de l'autre côté de la colline* », dit le personnage de Jack, dans *Le Far-West* ; et c'est effectivement en nomade que Brel vivra les périodes importantes de sa vie, ne passant avec lui-même que des contrats à durée déterminée, dont les plus longs n'excèdent pas cinq ou six ans.

C'est d'abord la période de la cartonnerie familiale, qui va de l'été 1947 à celui de 1953 (avec une interruption d'un an, pour cause de service militaire). Une période pendant laquelle il se sent prisonnier de son statut social de petit-bourgeois – même si son analyse de la situation est encore informulée – et d'un travail routinier qui l'ennuie à mourir. Un bail de cinq ans, donc.

Puis vient l'époque des vaches maigres, dans l'attente d'un hypothétique succès dans la chanson. Elle s'étend de l'automne 1953 au début du printemps 1957, lorsque l'Académie Charles-Cros décerne à Jacques Brel un prix pour son troisième 45 tours, comprenant « Quand on n'a que l'amour ». Un an plus tard, il passera à l'Olympia en première partie de Philippe Clay, auquel il volera la vedette... On a beaucoup noirci le trait pour dépeindre cette époque de petits cabarets et de sandwichs au camembert. Trop sans doute, puisque Jacques Brel, grâce aux tournées Canetti, n'a pratiquement jamais manqué d'engagements durant cette

1. « L'éclusier ».

période (même s'ils étaient plutôt mal rémunérés). En outre, il ne lui a fallu que cinq petites années pour réussir, là où d'autres – et non des moindres – tirent parfois la langue pendant une éternité. Charles Aznavour, par exemple, a peiné près de quinze ans (de 1941 à 1954) avant de se faire accepter par le public et par les critiques, qui ne voyaient en lui qu'un petit bonhomme tout en nerfs, malingre et enroué, à l'heure où les chanteurs se devaient d'être beaux, grands et d'avoir de la voix.

Troisième époque, sans doute la plus importante de toutes : celle où Jacques Brel, chanteur, touche le grand public, devient une vedette incontestable – l'une des plus considérables du moment – et finit par choisir de se retirer, de lui-même, du devant de la scène. Deux dates délimitent cette période : octobre 1961, la date de son premier Olympia en vedette, qui est un triomphe, et octobre 1966, celle des adieux déchirants, après le plus long rappel de toute l'histoire de la célèbre salle du boulevard des Capucines. Cinq ans, encore... et quelques mois de plus, puisque cette dernière tournée – on le sait – ne s'arrêtera pas à l'Olympia, mais à Roubaix en mai 1967. Jacques Brel aura donc occupé le sommet de l'affiche pendant cinq ans et demi ; ce qui est incroyablement et ridiculement bref, si l'on songe à l'impact et à l'influence qu'il exercera sur la chanson de son époque. Sur toute la chanson, pas seulement francophone, puisque Brel a inspiré des auteurs-compositeurs et des interprètes américains, allemands, anglais, espagnols, italiens, yougoslaves, brésiliens, japonais, grecs, israéliens, flamands, danois, finlandais, suédois, hollandais, vénézuéliens, russes, etc.

Moins de six ans et tout était dit ! La manière d'écrire et de penser la chanson ne serait plus jamais la même. Six ans seulement, avant de tirer définitivement le rideau, quand d'autres fêtent gaillardement leurs trente ou quarante ans de carrière, voire plus, et se lancent dans des tournées d'adieux qui ressemblent à d'interminables rappels.

Jacques Brel se consacra ensuite au cinéma. Dix longs métrages, dont deux en tant que réalisateur ; l'ensemble ramassé sur une seule période de sept ans, de 1967 à 1973. Vint alors le fameux départ en bateau, qui fit couler beaucoup d'encre et alimenta tant de rumeurs... Entre le départ d'Anvers, en juillet 1974, et l'arrivée de l'*Askoy* aux Marquises, en novembre 1975 : moins de dix-huit mois ! Et pourtant, l'aventure maritime s'inscrit dans la légende de Brel comme si elle avait duré plusieurs années. Et l'on parle régulièrement de son « tour du monde » en voilier... alors qu'il n'en a bouclé que la moitié.

Ultime période : le séjour à Hiva Oa. Le Grand Jacques touchant enfin à la paix, à la sérénité, à la vie *« simple et tranquille »*, comme disait Verlaine[1] : le bonheur au côté de Maddly et les folles envolées avec *Jojo* dans le ciel polynésien. En tout et pour tout : trois ans. Trois années seulement, auxquelles il faudrait encore retrancher les séjours passés en Europe, pour les examens médicaux à Genève ou à Bruxelles et l'enregistrement du disque à Paris ; sans compter les semaines du long voyage de retour aux Marquises et les derniers jours vécus à l'hôpital.

Ainsi Brel fut-il un homme vivant dans le provisoire. Son voyage tout entier n'aura pas duré un demi-siècle, mais l'intensité extraordinaire de ce parcours a fait que chacune de ses escales s'inscrit désormais dans la mémoire collective comme un temps parfaitement abouti. Et pourtant, tout est loin d'être abouti dans la vie et l'œuvre du Grand Jacques ; son besoin de mouvement, de changement, son éternel désir d'*« aller voir »* l'obligèrent à laisser beaucoup de choses « en plan ». Des idées, des envies, des projets dont on peut se demander quelles surprises ils réservaient et ce qu'ils auraient pu donner, une fois menés à leur terme. Car Jacques Brel ne fut pas seulement un homme vivant dans le provisoire, mais aussi – quoi qu'il ait pu en dire lui-même – un homme d'intentions.

Il est tout aussi important, chez lui, de chercher à comprendre l'intention directrice que de s'attacher à la simple réalité des faits ; important de comprendre la forme de l'œuvre, l'aspect matériel de la création, ou le sens exact du mot prononcé au cours de toutes ces heures d'interview où il fut placé devant l'obligation de s'expliquer, voire

1. « Le ciel est par-dessus le toit », *Sagesse*, de Paul Verlaine, 1880.

sommé de se justifier. Sans que cela l'empêche pour autant d'aller, le plus souvent, au bout de ses idées, Jacques Brel fait en effet partie de cette race d'hommes pour qui le chemin qui mène au but est déjà un but en soi. Un but plus important que le but lui-même! Peu importe, dès lors, de faire mouche, puisque l'essentiel n'est pas la cible, mais la trajectoire de la flèche qui file vers elle, à travers l'espace. Précisément ce que dit Don Quichotte, dans *L'Homme de la Mancha* :

Peu m'importent mes chances,
Peu m'importe le temps
Ou ma désespérance [1]...

Don Quichotte... et Albert Camus – dont les livres occuperont une place de choix dans la dernière bibliothèque de Jacques – qui pensait que le résultat n'est rien, si le chemin n'est pas accomplissement.

Jacques Brel, on l'a dit – et lui-même l'a suffisamment répété –, a toujours essayé d'aller au bout de ses rêves. Avec une énergie et une obstination folles, mais sans toujours faire la part des choses entre le rêve et le mythe. Il affiche pourtant ouvertement – au-delà de ce culte du rêve, qu'il a si souvent célébré et dont il s'était presque fait une ligne de vie – l'influence de trois des plus grands mythes littéraires qui soient : Don Quichotte, Don Juan et Faust.

Le héros de Cervantes est, bien sûr, le plus évident des trois, qui deviendra – surtout au lendemain de *L'Homme de la Mancha* – l'incarnation fondamentale de sa vie. Don Juan, pour sa part, se retrouve dans des chansons de séduction manquée, telles que « Knokke-le-Zoute tango » ou « La Fanette », où l'on sent que le physique de Jacques – surtout à ses débuts – aura été pour lui un handicap fatal dans sa volonté de séduire. Plus tard, comme beaucoup d'hommes franchissant le cap des trente-cinq ou quarante ans, le temps finira par lui donner ce qu'au cinéma on appelle « une gueule »; trop tard, dans son esprit, pour chercher à savoir qui, de lui-même ou du personnage public, est vraiment concerné dans l'intérêt qu'il exerce désormais. Quant à Faust, chez qui la beauté est avant tout synonyme de jeu-

1. « La Quête ».

nesse, Jacques s'en rapproche à la fois par son attachement à l'enfance et son refus de vieillir, omniprésents dans son œuvre. Et s'il ne saurait être question, comme le vieux docteur au prix de son âme, de signer un pacte avec le diable, Brel n'en exprime pas moins un souhait analogue :

Etre une heure, une heure seulement,
Etre une heure, une heure quelquefois,
Etre une heure, rien qu'une heure durant,
Beau, beau, beau et con à la fois [1] *!*

Pour toute une génération de fidèles, Jacques Brel fut une sorte de compagnon philosophique, de conscience diffuse ; ce que l'écrivain-aviateur Saint-Exupéry représenta pour lui-même et pour beaucoup d'autres, en son temps. L'auteur d'un code moral plus séduisant et plus rigoureux à la fois que la prétendue morale bourgeoise, dans laquelle les enfants de cette époque étaient élevés. Une morale dont ils découvraient bien vite les limites artificielles, dans les reniements constants de ces adultes « *déserteurs* », pour lesquels l'argent, par exemple, prenait le meilleur, dans les faits, sur toutes les valeurs qu'ils professaient.

Saint-Exupéry, lui, n'attacha jamais aucune espèce d'importance à l'argent, au pouvoir ou à la réussite sociale. Seul comptait, à ses yeux, le dépassement de soi – en l'occurrence à travers la livraison du courrier, le but qu'il s'était choisi, se préférant simple maillon d'une chaîne que brillant aviateur mondain. Car « Saint-Ex » avait ce vrai courage, tout en ne se croyant supérieur à rien ni à personne, de pouvoir affronter la vie de face aussi bien que la mort, sans détourner son regard ne serait-ce qu'un instant ; avec cette assurance que seule apporte l'action menée à son terme, quelle que soit l'importance de sa fonction sociale. Alors que, pour la plupart des gens, le courrier ne justifiait pas que l'on risquât la vie d'un seul pilote...

Saint-Exupéry écrit dans *Citadelle* que le vrai bonheur, pour un marin, est de mener son bateau à bon port, pour le paysan de tracer le sillon le plus droit et pour le cordonnier de fabriquer les plus belles chaussures. Encore que le bon-

---

1. « Jacky ».

heur, ajoute-t-il, puisse aussi bien être, pour le laboureur, de partir sur les mers, pour le marin de confectionner de bonnes chaussures, et pour le bottier de prendre les mancherons de la charrue.

Exactement ce que fit Jacques Brel, sa vie durant.

Bourgeois rangé, il devint chanteur ; chanteur, il renonça à la chanson pour se lancer dans le cinéma ; acteur, il s'en alla sur les océans ; marin accompli, il ne rêva que d'être un modeste pilote d'avion-taxi desservant l'un des endroits les plus reculés et isolés de la planète.

Ainsi, à ses yeux, sa vie prit-elle enfin son sens. Car Brel – comme Rimbaud – est de ceux dont la vie finit par illuminer l'œuvre. Quoi qu'ils puissent en dire, les plus fervents rimbaldiens sont autant fascinés, en effet, par la vie du poète que par son œuvre. Sans Aden, sans l'Ethiopie et sans la mer Rouge, Rimbaud n'est plus le même. Plus aussi unique. Verlaine, Baudelaire, Nerval, etc., il y eut d'autres poètes aux vers incandescents, mais ce qui distingue Rimbaud de tous ses confrères tient surtout à la manière dont il sut conduire sa vie, tournant le dos à une gloire qui, au final, ne pouvait en faire qu'un bourgeois de plus dans une société prompte à récupérer les marginaux au talent évident.

Il en alla de même pour Jacques Brel. Une telle intensité dans la vie de tous les instants ne peut pas durer bien longtemps. Elle finit forcément, à plus ou moins long terme, par se muer en procédé, à devenir fonds de commerce ou carte de visite – et elle n'effraie plus personne. Au risque, même – ce qui aurait été insupportable au Grand Jacques –, de prêter au sourire un peu condescendant de l'indulgence...

Brel eut l'intelligence et la finesse de le comprendre à temps, et de se retirer du jeu avant de ne plus être qu'un habile auteur-compositeur parmi tant d'autres. Il avait alors trente-huit ans et ne savait pas qu'il ne lui restait plus qu'une dizaine d'années à vivre. Dix ans au cours desquels il bâtit sa légende, alors que l'essentiel de son œuvre – exception faite de son dernier album (qui demeure l'un de ses plus beaux) – était achevé.

Tous les grands auteurs de l'aventure, que Jacques admirait tant (Blaise Cendrars, Jack London, Joseph Conrad...)

ont d'abord vécu de façon très intense, avant de prendre un certain recul, par rapport à l'action, pour se mettre à écrire. A l'image de Rimbaud, Jacques Brel adopta le comportement exactement contraire. Sa vie n'ayant, dès lors, plus d'autre objet que d'être source de découverte et d'expériences nouvelles. Ce faisant, et aussi paradoxal que cela puisse paraître, sa vie devient une composante à part entière de son œuvre, et non l'inverse. Seule la maladie – chez Brel comme chez Rimbaud, amputé d'une jambe et agonisant, rongé par la gangrène, sur son lit d'hôpital – pourra en venir à bout, mettant un point final d'une intensité dramatique exceptionnelle à une vie qui, pourtant, n'en manqua pas.

Et malgré tout l'intérêt que l'on porte à son œuvre de chanteur – l'une des plus fortes qui soient dans l'histoire de la chanson –, il y a gros à parier qu'un Brel, mort paisiblement dans son lit, n'exercerait certainement pas la même fascination. L'homme, c'est indéniable, a fini dans son cas par l'emporter sur l'artiste.

Aujourd'hui, en France et en Belgique notamment, il y a des rues, des bibliothèques, des collèges, des places, des écoles maternelles, des médiathèques, des salles de spectacles, des centres culturels, des foyers d'étudiants, etc. – et même une station de métro, à Bruxelles – qui portent le nom de Jacques Brel! Ses chansons sont reprises dans le monde entier, adaptées dans toutes les langues, et des spectacles sont montés autour de son œuvre. Sans parler de la comédie musicale américaine de Mort Shuman et Eric Blau, qui fut donnée par des dizaines de compagnies; une troupe francophone composée d'artistes belges mais aussi français et québécois (Georges Chelon, Louise Forestier, Jofroi, Philippe Lafontaine, Maurane...) tourna en Europe, en Afrique et en Union soviétique, entre 1979 et 1986, avec un spectacle baptisé *Brel en mille temps,* orchestré par François Rauber. A Londres, Scott Walker fit les beaux jours du Donmar House vers la fin des années quatre-vingt, avec un show simplement intitulé *Brel*. Plusieurs troupes anglaises reprirent le flambeau par la suite.

Plus récemment, le Berlinois Klaus Hoffmann, qui chante

Brel depuis les années soixante-dix, a créé lui aussi un spectacle spécifique sur le Grand Jacques, qui a été l'un des grands succès de la saison musicale 1997 en Allemagne. La même année, le Festival d'été de Québec, le plus important festival francophone de chanson et le plus ancien (celui de la fameuse rencontre de 1974 entre Félix Leclerc, Gilles Vigneault et Robert Charlebois), consacrait toute la soirée d'ouverture de son trentième anniversaire à Jacques Brel. Et en Espagne, au printemps 1998, le disque n° 1 dans les ventes était celui du chanteur-comédien Miguel Bosé, un album en forme de coup de chapeau aux plus grandes chansons de sa vie, parmi lesquelles « Ne me quitte pas »...

Vingt ans après sa mort, le souvenir de Jacques Brel est donc toujours aussi vivace. Bien au-delà de la France et de la Belgique. Bien au-delà, même, de l'espace francophone. Ses disques sont toujours aussi demandés et continuent de figurer – avec ceux d'Edith Piaf – en tête de toutes les ventes de « fonds de catalogue » d'expression française. Le temps qui passe n'a en rien entamé sa popularité, ni diminué son influence sur les chanteurs et les chanteuses de la jeune génération, dont la plupart – et pour cause – ne l'ont jamais vu sur scène. Rien n'a terni sa légende. Jacques Brel est toujours aussi vivant, toujours aussi actuel, toujours aussi corrosif et redoutable, toujours aussi indispensable. Car, comme le disait Tarrou, l'un des personnages essentiels de *La Peste* [1], de Camus : « *La mort n'est rien pour les hommes comme (lui). C'est un événement qui leur donne raison.* »

---

1. *La Peste*, par Albert Camus (Editions Gallimard, 1947).

ANNEXES

I
Témoignages

JOHAN ANTHIERENS

Journaliste et écrivain bruxellois, de langue flamande, Johan Anthierens prépare depuis plusieurs années un livre dont le titre sera *Jacques Brel, de passie en de pijn* (Jacques Brel, la passion et la peine). Cet ouvrage constituera la première étude sérieuse, en flamand, sur un artiste très contesté dans les milieux flamingants. Esprit libre et dégagé des habituels clichés du genre, Johan Anthierens se déclare volontiers républicain, ce qui – en Belgique – est la marque d'une indépendance de caractère manifeste. Il collabore régulièrement au journal *De Morgen* et se trouve à l'origine du projet ayant abouti à l'érection d'une statue de Marieke, à Bruges, le 23 juillet 1988.

MARC ROBINE : *Quand on a décidé de créer cet Etat un petit peu artificiel qu'est la Belgique, la partie flamande a été prise sur la Hollande ?*

JOHAN ANTHIERENS : La Flandre et la Hollande ont été unies jusqu'au XVIe siècle, puis il y a eu l'occupation espagnole contre laquelle les Pays-Bas se sont révoltés. Le Nord a réussi à chasser les Ibériques tandis que le Sud, c'est-à-dire la Flandre, est resté sous la forte domination catholique des Espagnols. Ceux qui avaient quelque chose dans la tête sont partis vers le nord et ont contribué à la grande prospérité du « siècle d'or » de la Hollande. Il ne subsistait ici que les mauvais restes. Un des résultats est que les Hollandais sont protestants, alors que les Flamands de Belgique sont catholiques. Plus tard, vers 1630, les Flamands se sont alliés aux Anglais pour combattre la France et ainsi préserver leurs privilèges.

– *Une polémique oppose les Flamands aux Wallons quant à la collaboration avec l'occupant allemand pendant la Seconde Guerre mondiale.*

– Oui. Ils s'accusent les uns les autres d'amitiés avec le régime d'Hitler. Il est clair que le grand catholicisme et la forte tendance réactionnaire des Flamands ont suscité un large courant de sympathie pour l'occupant ; les Flamands se sentant, d'ailleurs, plus germains que latins. Cependant, à la demande du roi Albert, le peuple flamand s'était mobilisé pour repousser l'ennemi hors de Belgique, en 1914. Mais le mépris des officiers francophones a donné naissance à un mouvement très combatif qui a protesté et, par la suite, édifié la tour d'Yser, à Dixmude, pour commémorer tous les Flamands morts au combat au cours de cette Première Guerre mondiale.

– *N'est-ce pas l'une des lointaines raisons qui font que la ville d'Anvers est devenue une plaque tournante du fascisme européen ?*

– Tout à fait. Déjà sous l'Occupation les Allemands, qui interdisaient par ailleurs tout rassemblement de masse, laissaient les leaders des partis extrémistes flamands se rendre en pèlerinage à Dixmude. Tous les mouvements d'extrême droite s'y donnent désormais rendez-vous. Quant à Anvers, il existe au moins un café où l'on trouve toutes les marches nazies dans le juke-box, et l'équivalent belge du Front national y a effectivement réalisé de gros scores lors des dernières élections parlementaires.

– *La Belgique semble réellement être constituée d'une multitude de petits États !*

– Absolument. Il y a un gouvernement national et plusieurs régionaux. C'est un Etat d'opérette : presque tout le monde est ministre ou secrétaire d'Etat ! Il y a d'ailleurs trois langues en Belgique : le français, le néerlandais et l'allemand vers Aix-la-Chapelle.

– *Et l'opposition culturelle est nette, au moins entre les communautés flamande et wallonne.*

– Les Flamands étaient, en effet, mal jugés et considérés comme des bourgeois de deuxième zone. Cela créait un complexe d'infériorité et entraînait une lutte contre cette mentalité francophone, afin de prouver leur propre valeur culturelle. La culture flamande a eu un retard de cinq siècles qui n'est toujours pas rattrapé. D'ailleurs, le sera-t-il un jour ? Mais la Flandre est, malgré tout, la partie riche du pays depuis trente ans. L'économie y est florissante.

– *La langue flamande n'est-elle pas en réalité le néerlandais ?*

– Officiellement oui ; mais dans la pratique, ça n'est jamais le cas, car chaque lieu a son dialecte. Les quotidiens et les livres sont quand même écrits en hollandais. De plus, la Flandre ayant été dominée pendant cinq ou six siècles, les Flamands ont perdu le goût ou le talent naturel pour une langue maternelle. Nous devons donc apprendre le néerlandais, tout comme un francophone ; ce qui fait que les finesses techniques nous échappent. Nous ne maîtrisons pas suffisamment la langue, par exemple, pour décrire convenablement la sortie d'un nouveau modèle de Renault. En revanche, nous pouvons être très romantiques et très littéraires grâce aux libertés de langage.

Mais je comprends très bien le francophone qui n'a pas d'attirance marquée pour cette langue, pas vraiment culturelle au sens noble du terme. C'est une langue infirme. Il faut d'ailleurs noter que les Belges francophones non plus, pour autant que je puisse en juger, ne parlent pas bien le français. C'est vraiment une maladie ici !

– *Il y a des discordes avouées entre les Belges, mais y a-t-il des divisions au sein même de la communauté flamande ?*

– Oui. On fait toujours la distinction entre un bon et un mauvais Flamand. On se base pour cela sur le degré de nationalisme et sur les positions politiques. Un bon Flamand ne peut être de gauche. Et même, nombre de Flamands aux responsabilités politiques et culturelles importantes ont réellement été collaborateurs. Mais ici, on ne parle de la guerre qu'à travers les excès de la Libération... Il est sous-entendu, bien sûr, qu'un bon Flamand est catholique ; et si un Flamand qui rejette l'idée que les Latins doivent dominer est appelé « Flamingant », celui qui s'affirme trop proche des francophones est un « Fransquillon » ; à l'image, par exemple, de la famille Brel.

– *Jacques Brel se sentait, pourtant, très profondément flamand.*

– C'est exact, mais il ne parlait pas pour autant correctement la langue, il avait peur. Il la comprenait très bien, il l'a même un peu chantée, se vantant alors de parler le néerlandais des Hollandais ; c'est-à-dire une langue plus culturelle. Il le prononçait certes avec toute son émotion, mais il restait un francophone tentant de bien chanter en néerlandais, sans accent...

GRAND JACQUES

Je le considère malgré tout, moi aussi, comme un Flamand et lui accorde le droit de tout critiquer de la Flandre; car l'auto-critique est la première des critiques. Le manque d'humour caractérise, malheureusement, les Flamands; et ils ne l'acceptent pas facilement... Il ne faut pourtant pas oublier que si l'on n'ose pas se moquer de soi-même, on doit se taire quant aux autres.

(Propos recueillis le 19 mai 1988)

JEAN CORTI

D'origine italienne, comme Marcel Azzola, Jean Corti est né en 1929, la même année que Jacques Brel, dont il sera l'accordéoniste pendant six ans. De 1960 à 1966. A ce titre, il participera à plus d'un millier de spectacles, des plus petits théâtres aux plus grandes scènes du monde, ainsi qu'à l'enregistrement de huit disques 33 tours, dont deux en public. Il est, notamment, l'accordéoniste d' « Amsterdam » et le compositeur des « Bourgeois ».

MARC ROBINE : *Comment avez-vous rencontré Jacques Brel ?*

JEAN CORTI : Je faisais les saisons à Bandol et Brel y passait ses vacances, en juin. Il venait tous les soirs dans la boîte où je travaillais, le Suzy Bar. On s'est vus, on a bu un coup ensemble, il était très sympa.

— *Et comment êtes-vous devenu son musicien ?*

— C'était au mois d'août 1960. Les tournées Philips de Jacques Canetti n'avaient pas d'accordéoniste et on m'a proposé la place. Je n'étais pas très chaud parce que, d'une part, je voulais presque arrêter le métier à l'époque et que, d'autre part, j'avais des galas à faire. Je prends quand même contact avec Canetti. Il était baratineur et m'explique que c'est pour Claude Sylvain, une chanteuse en première partie de Jacques Brel. Je me décide en posant mes conditions, à savoir que je devais absolument honorer mes contrats antérieurs. Il est d'accord, je signe et on répète aux Trois-Baudets. Brel apprend alors qu'il y a un accordéon dans la tournée et il décide de s'en servir. C'est là que je rencontre pour la première fois François Rauber et Gérard Jouannest qui accompagnaient Brel à quatre mains sur un piano (quand il y avait deux pianos, c'était l'Amérique !). Brel me dit : « *Il faut apprendre tout ça par cœur, parce que tu ne vas pas te trimballer tout le mois avec ces petites partitions.* » Quand on apprend une ligne mélodique, ça va, mais quand dans un couplet on fait tel ou tel contre-chant, que dans l'autre on ne fait rien et qu'on intervient dans le troisième par un nouveau contre-chant... J'ai pris une grosse tête ! Et on est partis faire cette tournée. Il était impossible de ne pas se lier d'amitié avec Jacques, François ou Gérard.

    — *Et le public était au rendez-vous ?*

    — Oui. En fin de compte, Brel n'a pas galéré longtemps. Il est arrivé à Paris en 1953-54, et il gagnait déjà correctement sa vie en 1960. En 1961 ou 1962, Brel grimpait ; il avait un budget de plus en plus important et pouvait se payer trois musiciens, voire quatre, et Jojo lui servait même de secrétaire en remplacement de Georges Rovère, ainsi que d'habilleuse, d'imprésario et de chauffeur ! Jojo était un type extraordinaire et extraordinairement amoureux de Brel. Pas pédé du tout mais amoureux ! Dieu le Père, quoi. Il le préservait, le couvait. Après les spectacles, en tournée, ils allaient au bordel. A l'époque ça existait, avant que ça ne ferme. Des cabarets de province avec des entraîneuses. Ils n'allaient pas forcément se payer une fille, d'ailleurs. On restait plutôt à boire des bouteilles de whisky jusqu'à six ou sept heures du matin. C'était ça le truc...

    — *Lors de la première tournée, comment se passaient les voyages ?*

    — On voyageait dans une seule voiture. Jojo conduisait. La voiture était une DS. Pour les kilomètres, c'était formidable... On n'avait rien à l'époque. Pas de sono, pas de lumières, on n'avait que dalle ! J'avais mon accordéon, c'était le seul truc encombrant de la tournée. On avait aussi des boules ; ça nous écartait un peu de la routine, des kilomètres, de la bagnole, de l'hôtel, du restaurant... On s'arrêtait et il fallait voir la tête des gens quand on déballait nos boules en pleine campagne et qu'on jouait ! Brel était connu en 1962-64 ! Mais personne ne venait pour autant le déranger ; il y avait un étonnant respect.

    — *D'autres musiciens se sont joints à vous, pendant ces années-là ?*

    — Oui. Il y a eu Philippe Combelle, un batteur qui a même fait *La Mancha*, et un bassiste resté peu de temps : Pierre Sim. Lors des spectacles, Jacques nous présentait d'une manière des plus fantaisistes. Il y avait Nikita Jouannest, moi c'était César, etc. On y est d'ailleurs tous passés dans ses chansons ; moi, j'étais le *« fils de César »* [1], mon père portant ce prénom...

— *Brel se servait-il des radios et des télévisions de l'époque pour sa promotion ?*

— Peu de la télévision car il estimait que, le voyant sur le petit écran, les gens n'auraient plus envie d'aller le voir en salle. Mais il n'ignorait pas qu'il devait se montrer, alors il tournait énormément... et il vendait beaucoup.

— *Qui était chargé d'organiser toutes ces scènes ?*

— C'était Georges Olivier qui « achetait » Brel à Marouani, moyennant les 10 % de tout imprésario. Le cachet était versé par Olivier qui s'occupait, bien sûr, de contacter les salles. A côté de ça, Brel faisait beaucoup de galas gratuits de charité, pour lesquels nous étions partie prenante et ne touchions pas d'argent. Cela se passait en général à côté de l'endroit où l'on travaillait, on ne se déplaçait pas exprès. Une fois cependant, on a fait une semaine spéciale pour Madame Lebrun à L'Echelle de Jacob. Mais là, par contre, Brel, qui se produisait à l'œil, a payé lui-même les musiciens. Il pouvait se le permettre, il n'était pas à la rue ! C'était une fleur qu'il faisait à Madame Lebrun, mais nous on ne la connaissait pas...

— *Brel trouvait donc le temps de rejouer sur la petite scène de ses débuts, tout en donnant des spectacles dans le monde entier...*

— Oui. Nous sommes allés en URSS par exemple. Il nous est arrivé là-bas une drôle d'histoire... Ils éteignaient dès onze heures dans les restaurants ; à l'époque en tout cas... Comme nous n'avions pas spécialement envie de nous coucher si tôt, nous jouions à la belote dans les chambres. Il y avait sur chaque palier une grosse matrone qui donnait les clés et elle acceptait mal qu'on se retrouve à quatre ou cinq dans une même pièce... Elle voyait peut-être autre chose ! C'était pourtant seulement pour jouer aux cartes.

— *Le spectacle en URSS était-il exactement le même qu'en France ?*

— Oui. Enfin, pas toujours. Jacques faisait soit un récital, soit deux parties. Il attaquait la deuxième par « Amsterdam », puis je donnais le départ des « Vieux » avec la petite musique mécanique qu'on entend aussi sur le disque. Un soir, dans cet énorme Théâtre de Moscou, les Russes, qui applaudissent tous ensemble,

1. « Fils de... ».

sont restés sur « Amsterdam »... si bien qu'on n'entendait rien de ma petite musique des « Vieux ». Brel me disait : *« Non non, conti-nue, attaque »*... mais là il a été obligé de bisser « Amsterdam ». C'est la seule fois où j'ai vu Jacques faire un bis ! « Amsterdam » est une chanson, d'ailleurs, en laquelle il ne croyait pas beaucoup. Il l'avait même placée en première position à l'avant-première que nous faisions toujours à Versailles, à la veille de l'Olympia ; il disait : *« Comme ça je serai tranquille. On n'en parlera plus de celle-là. »* C'était en 1964...

– *Quand et comment avez-vous décidé de ne plus l'accompagner ?*

– Nous étions justement en URSS quand je lui ai annoncé que j'allais arrêter. Il m'a alors déclaré : *« T'es con, tu vas le regretter »* et il a ajouté : *« Moi aussi de toute façon j'arrêterai un jour. »* Ce à quoi j'ai répondu : « Toi ? Jamais ! Tu as le virus. Il te faut du monde, il faut que tu bouges, que tu fasses une ville par jour, même si tu la fais trois-quatre fois dans l'année pendant vingt ans d'affilée ! » Et lui : *« Non, non. Un jour j'arrêterai. »* C'était en octobre 1965. Neuf mois plus tard il annonçait ses adieux à la scène...

– *Pourquoi avez-vous interrompu votre carrière ?*

– Un ras-le-bol. Cela devenait routinier. Brel acceptait n'importe quoi et n'importe où. Il ne savait même pas combien il gagnerait ni où c'était, mais il fallait qu'il bouge. Je m'étais marié en 1958, puis j'avais suivi Brel pour ne revenir chez moi, pratique-ment, qu'en 1965... cela me créait un problème familial... Brel, lui, n'avait pas changé. Ma musique lui convenait sûrement, sinon je ne serais pas resté six ans, mais il y avait quand même autre chose que la musique, autre chose que je ne retrouvais plus à la fin. Avant, on sortait avec Jacques, on mangeait avec lui... Puis, peu à peu, une cour s'est organisée autour de la star qu'il était devenu et c'était fort agaçant. Il fallait frapper avant d'entrer dans sa loge. Je n'y étais pas habitué... Sylvie, Jojo, Barclay, Marouani, Coquatrix, etc., c'était sa cour. Ils accaparaient Brel. Avant, on traînait avec lui le soir. A la fin, il n'avait plus le temps, il y avait toujours quelqu'un qui voulait le voir.

– *Vous avez collaboré à la musique de plusieurs de ses chansons qui ont marqué, durant ces six années.*

– Quatre ou cinq, c'est tout. Il y a eu « Les bourgeois », « Les vieux », « Les toros », « Madeleine »... et « Titine ». C'est une ques-tion de chance. Brel n'avait besoin de personne. Jouannest et moi lui apportions un plus, une autre couleur, c'est tout.

— *Il y avait eu Gilbert Roussel et Roger Damin avant vous. Qui vous a succédé ?*

— André Dauchy a joué pour l'Olympia de 1966 et la tournée des adieux, et Azzola a pris le relais pour les disques qui ont suivi. Moi, j'ai acheté un dancing aux Mureaux, que j'ai eu du mal à faire démarrer. C'était en 1966, Brel faisait l'Olympia... J'ai décidé de lui téléphoner pour lui demander son aide. J'ai dû passer par je ne sais combien de sbires avant d'arriver à le joindre dans sa loge ! Il m'a dit de venir immédiatement le voir. J'y suis allé et, là, je lui ai demandé de faire un gala chez moi, aux Mureaux. Brel a dit à Marouani de regarder son calendrier, puis il m'a répondu : « *Il n'y a pas trente-six solutions. C'est telle date, dans quinze jours, autrement je ne peux plus.* »

J'étais un peu affolé pour la publicité, les affiches, etc., mais j'ai accepté. « *Je ne te demande que deux choses, m'a-t-il dit, deux pianos, une poursuite et une sono, bien sûr.* »

Il est venu avec François Rauber, Jouannest, Dauchy et Sylvette Allart, à l'œil ! Ça a été un triomphe. Il y avait plein de gens de Paris qui n'avaient pas pu le voir à l'Olympia... Une soirée mémorable. La dernière... J'ai tenté de le voir à l'hôpital quand il a été malade, mais Maddly a fait un barrage digne du mur de Berlin. Impossible de l'approcher. Il paraît que Miche non plus n'a pas réussi à le voir. J'étais écœuré.

— *Brel avait un côté Saint-Exupéry... dont il aimait les livres.*

— Oui. Il a lu des tonnes de livres tout au long de sa vie. Des livres compliqués, parfois. On retrouve aussi ce côté-là chez les grands peintres tels Van Gogh, Gauguin. Ce sont des gens en dehors des normes. On me dit souvent : « *Il est mort jeune, il a un peu abusé de la vie, quand même...* » Moi je pense qu'il a réussi sa vie jusque dans sa mort. Sa conscience était intacte encore vingt-quatre heures avant qu'il ne s'éteigne, malgré le cancer.

— *Vous croyez qu'il voulait fuir, à la fin de sa vie ?*

— Il fuyait Paris, il était dans une île, ailleurs. Mais est-ce que ça lui suffisait ?

— *Peut-être avait-il trouvé son Far West ?*

— Le Far West, c'était quoi ? C'étaient des rêves. Est-ce qu'il l'a trouvé là-bas ? Moi, j'ai des doutes. Ou alors il avait changé.

(Propos recueillis le 17 mai 1988)

HENRI GOUGAUD

Auteur-compositeur-interprète, originaire de Carcassonne, Henri Gougaud a enregistré une bonne demi-douzaine d'albums, dont un consacré à la redécouverte de la poésie des troubadours et un autre, *Lo Pastre de paraulas* (Le Berger de paroles), entièrement en langue occitane. En 1965, il reçoit le Prix de l'Académie de la chanson française. Il a aussi beaucoup écrit pour les autres : de Jean Ferrat (« Cuba, si », « Picasso colombe », etc.) à Juliette Gréco (« Vivre », « Paris, aujourd'hui »), en passant par Serge Reggiani qui fit de « Paris ma rose » le succès que l'on sait. S'étant peu à peu éloigné de la chanson, depuis le début des années quatre-vingt, il se consacre désormais au conte (dont il a déjà publié plusieurs recueils) et au roman, dont la trame s'appuie le plus souvent sur des événements historiques relatifs à la culture et à la mémoire occitanes.

« J'ai vu Jacques Brel pour la première fois un soir des années cinquante au théâtre municipal de Carcassonne, où j'étais venu écouter Sidney Bechet. Brel chantait quatre chansons, en première partie : " Sur la place ", " Ça va (le diable) " sous un projecteur rouge, et les deux autres dont je n'ai pas souvenir. Ce soir-là, il n'eut guère de succès. Sans doute était-il trop simple, trop perdu et poétiquement maladroit pour inspirer autre chose qu'un sentiment d'étrangeté. Moi, je lui fis un triomphe intime. J'étais un lycéen très sensible et timide. Cet homme venait de me planter au cœur l'immense envie d'être ce qu'il était, pas plus : un poète solitaire sur une scène trop grande, avec cette fierté, cette gloire

d'insuccès qui me paraissait plus enviable, en ces temps adolescents, que l'adoration des foules.

« A la sortie du théâtre, j'allai boire un verre, avec quelques
copains, au " Bar de l'entr'acte ", rue de la Gare. Il y avait des
militaires qui chahutaient des filles. Brel était au fond du bistrot,
assis devant un demi, seul. J'aurais voulu aller m'asseoir en face de
lui, dans ce brouhaha de minuit, lui parler, mais que lui dire ? Je
n'ai pas osé. Ah, ces retenues au bord de l'audace, le cœur battant
à tout casser ! Je me suis contenté de le regarder à la dérobée, obstinément, indifférent aux gros rires, aux bousculades de paroles
qui m'environnaient. Je remarquai que lui aussi était indifférent à
tout cela. Il regardait la rue. Il avait l'air fatigué.

« Beaucoup plus tard, un jour de rencontre chez François Rauber, j'ai dit à Brel mes sentiments de ce soir-là. Il ne se souvenait
pas précisément de Carcassonne mais n'avait pas oublié sa tournée – la première de sa vie – avec Sidney Bechet. " *J'étais seul
comme un chien* ", me dit-il en grimaçant des lèvres pour cracher le
mot " chien " avec plus de force. " *Nom de dieu, tu m'aurais fait du
bien si tu étais venu me parler.* " Et il partit d'un grand éclat de rire
triste.

« Nous ne nous sommes rencontrés que deux ou trois fois. Il
n'était jamais là, et je n'ai jamais fréquenté grand monde. Je l'ai
revu une fois sur scène, à Bobino, en 1964, et j'avoue avoir
éprouvé un grand malaise. Il chantait " Ne me quitte pas ", chef-
d'œuvre vénéneux d'un masochisme presque insoutenable. Il était
devenu célèbre. Il avait l'impudeur pathétique qui fait les grands
artistes publics. Mais lui chantait vraiment comme si la mort
l'attendait en coulisse. C'est pourquoi je n'ai pas pu applaudir
quand l'ombre du rideau est tombée sur lui. Et je ne suis jamais
revenu le voir. »

HENRI GOUGAUD
(Lettre à l'auteur, avril 1988)

EDDIE BARCLAY

Eddie Barclay – de son vrai nom Edouard Ruault – est un auto-didacte de la musique. Pianiste, compositeur, chef d'orchestre, il crée sa propre maison de disques en 1955 et introduit en France la technique du microsillon. Jacques Brel signe le 7 mars 1962 un premier contrat avec lui, et le 3 mars 1971 les deux hommes passent entre eux ce que l'on a appelé un « contrat à vie », les liant en fait pour deux périodes successives de trente-trois ans. En novembre 1979, Eddie Barclay vend sa maison de disques et son catalogue au groupe Phonogram. Brel était déjà mort depuis plus d'un an lors de la signature, mais les négociations ayant été assez longues, il est probable qu'il en ait entendu parler avant de s'éteindre.

EDDIE BARCLAY : J'ai connu Jacques Brel avant qu'il ne rentre chez moi comme artiste. Il travaillait après la guerre dans des petits cabarets, seul à la guitare. La toute première fois, c'était à L'Echelle de Jacob. Il était déjà engagé par Monsieur Canetti, alors directeur de Philips-Polydor. On était devenus copains, on buvait des coups ensemble. Un jour est arrivé où Brel m'a dit, dans une conversation, qu'il aimerait bien travailler avec moi. Etant en contrat avec Philips, on n'a rien pu faire... jusqu'à ce qu'il me répète : *« Contrat ou pas contrat, je viens travailler chez toi. Il se passera ce qu'il se passera. »* C'était la première fois que j'entendais de tels mots de la bouche d'un artiste. Cela me donnait une agréable sensation, mêlée d'une moins plaisante, sur le plan juridique. Il m'a gentiment mis le couteau sous la gorge : *« A toi de te débrouiller.* » Je lui ai promis d'obéir à ses souhaits, tout en l'avertissant des évidentes difficultés qu'allait poser Philips. « *Ça m'est égal. Je prendrai tous les frais de procès que tu pourrais avoir à ma charge.* » On a aussitôt conclu un accord et Philips nous a, dès lors, assigné en justice ; Brel en premier lieu, bien sûr. Finalement, il y a eu conciliation. A partir de cet instant, on a commencé toute la série de disques, pas loin de quatorze.

MARC ROBINE : *La société Barclay a connu quelques difficultés à une certaine époque, et on a dit que Jacques Brel avait signé pour vous aider à sortir d'une mauvaise passe.*

— La compagnie, en effet, a été mal gérée pendant un an et demi ou deux ; ce qui a provoqué un trou d'un milliard ; cela n'étant en aucun cas une faillite, pour une maison qui en représentait déjà sept ou huit... Mais il est vrai que Jacques a beaucoup aidé à l'époque en m'offrant un cadeau royal, puisqu'il m'a annoncé qu'il désirait signer un contrat à vie avec Barclay. C'était juridiquement impossible, alors on a signé deux contrats de trente-trois ans chacun. On s'est dit que, arrivé à cent vingt ans, on verrait à ce moment-là s'il voulait en conclure un troisième... Mais Jacques était parmi nous depuis au moins sept ou huit ans. Aznavour, lui aussi, m'a soutenu en renouvelant de cinq ou sept ans son contrat, avant même que l'autre ne soit terminé. Aucun des deux ne m'a posé de conditions particulières ni ne m'a demandé d'avance ou d'augmentation de royalties... Un pur cadeau d'un ami à un autre ami.

— *La presse a dénoncé l'énorme battage publicitaire fait autour de la sortie du dernier disque de Brel...*

— En fait, on n'a pas dépensé un franc de publicité. Il n'en voulait pas.

— *Il y aurait eu des containers scellés partis dans toutes les directions...*

— Je vais vous expliquer comment cela s'est exactement passé, parce qu'on m'a agressé plusieurs fois avec cette histoire. Même Jacques s'est plaint de tant de raffut. Je lui ai alors rappelé que j'avais agi à sa demande, qui tenait en ces termes : « *Je veux qu'il n'y ait aucune injustice avec ce disque. Il faut que tu l'envoies à tout le monde en même temps. Je ne veux pas que la grande surface soit favorisée par rapport aux petits disquaires. La même chose pour les radios et les journalistes.* » Pour les radios, on a été obligés d'envoyer des coursiers à la minute près, c'est-à-dire midi moins sept, en France, en Belgique et en Suisse. On a donc opéré par containers dotés de numéros de code. On a dû engager des téléphonistes pour que les gens puissent ouvrir leur paquet. On a appelé quatre cents points de vente dans la demi-heure qui a suivi l'heure décidée. Cela a évidemment fait beaucoup de bruit... mais c'était à sa demande. Ni lui ni moi ne pouvions nous douter qu'il y aurait une telle répercussion médiatique.

– *Aucune affiche ? Pas d'insert dans les journaux ?*

– Rien. Uniquement ce qu'on aurait fait pour n'importe quel artiste de chez nous. A propos de ce disque, il me vient une réflexion de Brel à l'esprit. Quand je lui ai annoncé qu'on allait probablement en vendre un million, il s'est écrié : *« Comment ? Un million ? Mais non. On n'en tire que cent ou deux cent mille, pas plus. »* Il a ensuite compris qu'on devait fournir la quantité réclamée par le public, qui attendait depuis neuf ans. Et il y avait un million de pré-commandes !

– *Pensez-vous que l'héritage de Jacques Brel soit suffisamment important pour résister à l'épreuve du temps ?*

– Oui. Il y a un phrasé Brel ; c'est concis, rapide, les mots ne riment pas toujours mais sont tellement percutants ! On trouve aussi de nombreuses assonances.

– *Estimez-vous l'interprète plus important que l'auteur, comme d'aucuns le prétendent ?*

– Non, car quand il écrivait un mot, il avait déjà le geste et l'intonation ! Il répétait de différentes façons afin de trouver la meilleure. Il faisait son choix à tout jamais... Je l'ai vu faire.

– *On sent pourtant une espèce de pudeur autour des chansons de Brel.*

– Très peu de gens osent, effectivement, reprendre ses titres. Il y a un respect du personnage... et une peur de mal interpréter aussi. Les chansons de Brel sont devenues des œuvres classiques ! On les apprend à l'école... Ce sera, finalement, plus facilement repris par des étrangers. Je pense que Brel marquera plus l'avenir que Brassens, que j'admire également, car les pensées profondes de Brel sont plus fortes que les pensées profondes de Brassens. Jacques restera plus longtemps dans le panthéon grâce à la profondeur des sujets développés et à la façon dont il le faisait. C'est peut-être ce qui explique son succès international.

— *Il existe une espèce de querelle à propos d'inédits de Brel. Que vont-ils devenir ?*

— Ils sont dans mon tiroir, ainsi que dans celui de Philips, et ils ne sortiront pas pour l'instant. J'en ai donné ma parole à Jacques. Tout a certes été vendu à Phonogram, mais je les ai prévenus, comme j'ai prévenu la famille.

— *Vous aviez évoqué la possibilité de sortir au moins un 45 tours lors d'une interview à* Paroles et Musique. *« Mai 40 » est d'ailleurs sorti dans le film de Frédéric Rossif. Pourquoi ce titre-là et pas les autres ?*

— C'est vrai. Je sais qu'il y avait une raison à l'époque... mais aujourd'hui je l'ai oubliée. La chanson n'est d'ailleurs pas parue en disque. Il est certain que les disques seraient déjà depuis long-temps dans le commerce s'il ne m'avait rien dit.

— *Jacques Brel a beaucoup attendu avant de retourner en studio...*

— Oui. S'en allant après avoir fait ses adieux à la scène, il décide plus ou moins explicitement de ne plus enregistrer. Je savais par-faitement qu'il recommencerait un jour ou l'autre à écrire. C'était dans sa nature. Cela a simplement été plus long que je ne le pen-sais. Il est arrivé avec vingt titres et la ferme intention de terminer par un double album.

— *Pensez-vous que, dans son esprit, cela ait réellement été un dernier disque ?*

— Sûrement... mais je suis persuadé qu'il en aurait fait d'autres s'il était resté en vie. Vous savez, c'est à chaque fois la même chose dans la tête des gens... On ne peut pas savoir ! Moi aussi, c'est mon dernier mariage, le prochain [1]...

(Propos recueillis le 28 mars 1988)

---

1. Cet entretien ayant eu lieu en mars 1988, Eddie Barclay a, effective-ment, divorcé une nouvelle fois depuis.

TEXTE DU PROGRAMME
DE LA DERNIÈRE TOURNÉE DE JACQUES BREL,
ÉCRIT PAR GEORGES BRASSENS (1966)

Pour Brel, c'est uniquement le public qui a décidé, ce ne sont pas les gens du spectacle.

Lorsque Jacques Brel est arrivé, on l'a regardé avec des yeux tout ronds, comme on le fait à chaque fois qu'une espèce de personnalité insolite se présente. Et on a pensé que pour Brel ça ne marcherait pas, et c'est le public qui a décidé.

Jacques Brel a beaucoup changé depuis ses débuts. Il était plutôt tourné vers l'intérieur. Comme peu de gens semblaient s'intéresser à cette époque à ses chansons, il était un peu chat écorché. Je le connais très bien, Brel, parce que moi j'étais exactement pareil; quand le succès vient, on s'ouvre.

Jacques Brel a déployé plus de courage que n'importe lequel d'entre nous et c'est pour cela peut-être qu'il semble réserver sa tendresse à ceux qui, contrairement à lui, ne peuvent pas lutter.

En définitive, je crois que, malgré ce qu'il raconte, Jacques Brel aime tout le monde. Je suis même persuadé qu'il aime tout particulièrement ceux qu'il engueule le plus. Il est plein de générosité, mais il fait tout pour le cacher.

C'est comme pour les femmes, un type qui parle des femmes avec une telle colère, croyez-moi, c'est qu'il leur appartient totalement. Il a peut-être besoin, en marge de son bonheur, de se raconter des petites histoires tristes, ça, nous le faisons tous. Nous en avons besoin. C'est une espèce de jeu. Nous jouons à être gais, nous jouons à être tristes et nous nous prenons au jeu, bien sûr.

Je pense qu'il est dans un désert en scène. Il y va exprès justement pour être seul et pour crier sa solitude aux autres. Il a besoin de la montrer, de dire qu'il est seul et de le crier. En scène, il est enfin vraiment libre de faire ce qu'il veut.

C'est un Belge, mais il est plus que méridional. Il a besoin de taper sur la table quand il est en colère et quand il dit qu'il embrasse, lui, il a besoin d'ouvrir ses bras.

GEORGES BRASSENS
(Reproduit avec l'aimable autorisation de L'Olympia)

LETTRE DE PIERRE MENDÈS FRANCE
À JACQUES BREL
(en date du 25 février 1967)

Cher Jacques Brel,

Je tiens à vous redire combien la soirée de jeudi fut, à mes yeux, une réussite parfaite.

Je savais certes que les Grenoblois vous assureraient le succès qui vous est habituel, mais je ne savais pas que serait à ce point sensible pour la salle l'ardeur exceptionnelle que vous avez manifestée pour marquer la signification de cette soirée.

Très sincèrement je pense que personne d'autre que vous aurait pu exprimer si clairement aux yeux des Grenoblois que l'association de nos deux noms n'était pas ce soir-là une rencontre de hasard.

J'oublie maintenant le contexte politique de cette rencontre pour vous dire que vous avez tort de ne pas accepter d'être traité de « poète ». Je suis personnellement convaincu que depuis jeudi soir j'ai un ami de plus et qu'il s'agit bien d'un poète.

Je compte sur vous pour remercier en mon nom M. MAROUANI, M. PASQUIER, M. OLIVIER, M. JOUANNEST et tous ceux qui avec vous m'ont aidé.

J'espère vous revoir bientôt, et je vous prie de croire à mes sentiments les plus amicaux.

PIERRE MENDÈS FRANCE
(Lettre communiquée à l'auteur
par Mme Marie-Claire Mendès France,
et reproduite avec son aimable autorisation)

CLAUDE LELOUCH

Cinéaste bien connu, Claude Lelouch a dirigé Jacques Brel comme comédien dans *L'Aventure, c'est l'aventure*, film à l'issue duquel les deux hommes resteront très liés. Lorsque Brel envisagera de devenir réalisateur à son tour, Lelouch sera l'un de ceux auprès desquels il cherchera conseil. Il coproduira aussi, avec Madame Brel, le deuxième et dernier film de Jacques, *Far-West*, dans lequel il joue d'ailleurs un petit rôle, à titre amical.

CLAUDE LELOUCH : J'ai rencontré Jacques Brel à l'occasion de *L'Aventure, c'est l'aventure*. Je le connaissais et l'admirais déjà beaucoup en tant que chanteur. Je lui ai demandé de venir me voir le jour où Jean-Louis Trintignant, à qui j'avais proposé le rôle, m'a fait savoir qu'il ne souhaitait pas pour l'instant jouer une comédie. Jacques a immédiatement accepté le rôle en disant : « *Ecoutez, je vous dis oui. Je ne veux même pas savoir de quoi il s'agit :* *j'ai envie de vous voir travailler.* »

J'ai senti qu'il était comme un écolier désireux d'apprendre des choses du cinéma et qu'il avait fait ses précédents films par plaisir, mais aussi afin d'effectuer des « stages à la mise en scène ». C'était un véritable espion pendant le tournage, s'intéressant finalement plus aux choses techniques, à celles de l'écriture, à la fabrication du film en quelque sorte. Il se dédoublait en acteur s'amusant comme un fou et en fin observateur qui enregistrait les mouvements de caméra, de lumière, le travail du son...

Cet intérêt pour le cinéma nous a beaucoup rapprochés l'un de l'autre et notre amitié s'est scellée lorsque nous nous sommes découverts des tas de points communs sur la musique, l'image, sur la vie et les gens... On avait des discussions sans fin et sans trace d'un quelconque ennui.

MARC ROBINE : *Vous parliez sans doute plus de la vie que de la profession...*

– Tout à fait. On a surtout traité des femmes, car le comportement des hommes nous décevait un petit peu. On voulait qu'ils soient à la hauteur, performants. On était très exigeants.

– *Brel est finalement resté assez longtemps adolescent. Ne pensez-vous pas qu'il vouait, au début, une adoration quasi mystique aux femmes, parce qu'il n'y connaissait rien, qu'elles n'ont pas été à la hauteur de ses rêves, et que c'est la raison pour laquelle certains le prétendent misogyne ?*

– Je l'ignore... mais misogyne, il ne l'était pas. Il jetait sur les femmes un regard mêlé d'amour, de haine et de tendresse. Je crois qu'il n'a jamais su, lui-même, si elles étaient déesses ou monstres. Il les aimait tellement qu'il devait s'en protéger. Il en parlait d'ailleurs volontiers et elles ont sans aucun doute guidé son œuvre. Je crois qu'il m'est impossible, aujourd'hui, de regarder une femme sans penser à lui...

– *Brel est une sorte de compagnon philosophique pour toute une génération qui, devant un événement, se rappelle souvent telle ou telle de ses chansons...*

– Il est effectivement un leader pour beaucoup, mais ceux qui le côtoyaient au quotidien le voyaient, surtout, comme un être humain assoiffé de perfection et d'absolu. Un homme fascinant, qui fait partie des trois ou quatre types pour lesquels j'ai vraiment eu un coup de cœur dans ma vie.

– *Et en tant que technicien du cinéma, que pensez-vous des deux films que Jacques a réalisés ?*

– Tout à fait exceptionnels. Il a cherché une écriture, il a trouvé un ton. Peut-être même ses films reflètent-ils plus Brel que ses chansons... Il y a une fougue, une passion et un lyrisme... Ce sont des films qui auront un jour du succès, malgré les critiques négatives. De toute façon, beaucoup d'œuvres sont reçues avec un décalage énorme...

– *Mais il faut bien avouer aussi que l'écriture de* Far-West *est quelque peu décousue et donc déroutante pour le public.*

– Surtout pour la critique... Ce sont des films achevés. Et on aurait crié au génie si Godard en avait été le réalisateur; ils seraient considérés comme ses plus beaux. Ils vont beaucoup plus loin que ceux de Jean-Luc. Je parle de lui car Jacques a utilisé des raccourcis, des ellipses, aussi le son et l'image, un petit peu comme il le fait.

— *Vous avez participé à* Far-West *en tant qu'acteur.*

— Oui, simplement parce qu'il a fait jouer tous ses copains. J'étais également coproducteur.

— *Ce fut un bel échec commercial et, surtout, la dernière chose qu'il ait faite avant son départ.*

— Cela ne veut rien dire. Le principal est que c'est un grand film ! Jacques a beaucoup souffert de ce revers, mais il avait quand même le sentiment sincère, car il ne trichait pas, d'avoir eu raison de faire ce film, puisqu'il avait plu à certains. C'était ce qui comptait, avant toute considération extra-artistique et maté-rielle... La dernière chose n'était d'ailleurs pas cet « échec » mais plutôt sa maladie, car il était trop intelligent pour ignorer son état... Il aurait réalisé d'autres longs métrages, sinon !

— *Il s'affirmait pourtant décidé à ne plus tourner, pour ne plus causer de perte financière à ses producteurs...*

— Oui. Il est vrai que j'ai dû me battre avec lui pour qu'il ne me rembourse pas le déficit engendré par *Le Far-West*, comme il vou-lait le faire, confus de m'avoir fait perdre de l'argent. J'ai dû lui rétorquer : « Écoute, Jacques, tu es en train de m'insulter ! Je suis un producteur, je sais gagner. Je ne t'aurais rien demandé si j'avais empoché une quelconque somme... »

Je reste néanmoins persuadé qu'il se serait débrouillé, en gagnant de l'argent et en s'impliquant personnellement... Il aurait tout entrepris pour continuer ! Jacques Brel était un homme d'action : il n'était pas fait pour les vacances...

(Propos recueillis le 20 juin 1988)

MADDLY BAMY

Maddly Bamy fut la dernière compagne de Jacques Brel lorsqu'il s'installa à Hiva Oa, aux Marquises. Le chanteur s'était alors délibérément retiré de toute vie publique et, à ce titre, la plupart des faits, gestes, souvenirs et conversations rapportés par Maddly Bamy sont difficiles voire impossibles à recouper avec d'autres témoignages. Force est donc de tabler sur la fidélité de sa mémoire... Beaucoup de propos recueillis ici sont néanmoins en contradiction flagrante avec les affirmations de certains autres témoins privilégiés de la vie de Brel. Notre but, dans ces documents annexes, n'étant ni l'analyse ni le jugement, mais la mise en évidence d'une certaine partie de nos sources, nous nous bornons par conséquent à reproduire littéralement les déclarations de Maddly Bamy, sans vouloir entrer dans un débat contradictoire.

MARC ROBINE : *Pratiquement tout le monde, c'est l'un des grands clichés le concernant, parle de la misogynie de Jacques Brel. Pourriez-vous me donner deux points de vue : de femme avant de l'avoir connu et de femme ayant vécu un temps avec lui ?*

MADDLY BAMY : Avant de l'avoir connu, je ne sais pas car je ne m'en occupais pas. Mais moi je sais de lui la réponse qu'il m'en a fait : il aimait trop les femmes pour supporter qu'elles fassent des conneries. Ça n'est pas de la misogynie. Il leur demandait d'arrêter de tout commercialiser, de se vendre... Il avait envie que la femme reste à sa place, c'est-à-dire pratiquement sur un piédestal. Il aurait voulu que la femme soit belle mais intérieurement, soit fraîche, calme et qu'elle ait son rôle de femme, de mère et d'amante. Il ne supportait pas les femmes du marchandage et il en rencontrait beaucoup. Ça pouvait être de la misogynie au premier degré. J'en ai vu quelques-unes de ces femmes agaçantes, lors de nos pérégrinations, qui, après un spectacle, lors d'un repas, à une table, lançaient des questions idiotes.

– *Pourquoi dites-vous que les femmes se vendent ?*

– Elles se vendent dans le sens où elles ont leur charme et, en face d'un mari ou autre, c'est donnant donnant. Je ne suis pas comme ça : je trouve que c'est détestable. Les femmes qu'il a rencontrées disaient toujours non. Dès qu'il proposait de faire quelque chose, un voyage, c'était d'abord : « Non ! parce que je dois aller chez le coiffeur, parce que ci, parce que ça... » Moi, je ne connaissais pas ça, car dans ma famille, je ne voyais pas ce genre de caricature de femme. Lui, il avait envie de quelqu'un qui parte avec lui, qui fasse des choses avec lui, qui se batte avec lui. Coup de chance, c'est mon tempérament.

– *Est-ce qu'il lisait beaucoup ?*

– Oui, beaucoup. Il a en tout cas beaucoup lu et il relisait beaucoup.

– *Quels sont les livres, les choses qui l'ont beaucoup marqué ?*

– Il avait *L'Homme* de Jean Rostand en plusieurs exemplaires. Il essayait de comprendre les gènes. Autrement, il avait du Jules Verne, toute la bibliothèque classique. Une espèce de culture générale, comme s'il voulait s'instruire. Le dernier livre qu'il a voulu, c'était Shakespeare, toutes les œuvres de Shakespeare.

– *Avant le départ en bateau, Brel ignorait-il réellement qu'il était malade ou s'en doutait-il un peu ?*

– Non, il ne savait pas qu'il était malade, malade dans le sens où il l'a été, même s'il se savait fatigué. Mais il avait fait armer tout le bateau, c'était un gros travail, très fatigant.

– *Il avait quand même arrêté* L'Homme de la Mancha, *pendant un temps...*

– Non. Il avait mangé des oursins dont un qui n'était pas bon. Il est resté huit jours à l'hôpital pour un empoisonnement. Ce n'est pas du tout une question de maladie.

– *Vous le connaissiez déjà à l'époque de* L'Homme de la Mancha *?*

– Non, je l'ai connu sur le film *L'Aventure, c'est l'aventure.*

– *Oui, c'est plus tard... 1971. Avant de partir, il est allé suivre des cours de navigation à l'Ecole royale d'Anvers ?*

— Oui.

— *Quelle formation a-t-il suivie et quel diplôme a-t-il eu?*

— Mais toutes les questions que vous me posez sont exactement dans mon livre!

— *Oui, j'ai lu votre livre. Mais d'abord on n'écrit pas toujours tout, et puis je ne vais quand même pas recopier votre livre. Alors qu'avait-il passé comme diplôme?*

— Capitaine au grand cabotage. Ça donne le droit d'avoir un certain tonnage, je ne sais plus lequel.

— *Au départ vous êtes partis avec deux matelots, qui vous ont quittés dès l'Angleterre?*

— Oui, Conan et Lucien. Lucien, c'était prévu qu'il s'en aille dès qu'on aurait mis le bateau un peu en route. Il était hollandais et ne voulait pas s'éloigner trop. Conan était suisse. Il faisait tellement l'imbécile que ce n'était pas possible.

— *Des bêtises de navigation?*

— Non, il cassait tout sur le bateau. « Conan-connerie », ça allait très bien ensemble. C'étaient des bêtises graves, ça coûte cher sur un bateau. Ça n'était pas la sécurité avec lui. En Angleterre, on a pris deux Anglais : Terry et Phil. Eux, ce n'était pas pour longtemps. Et puis ils étaient vraiment mous, ces deux-là!

— *Aux Canaries, quand Brel a eu son espèce de coup au cœur, Alice Pasquier était avec vous?*

— Oui, elle était venue nous dire bonjour. On l'avait invitée à venir passer quelques jours sur le bateau, avec nous.

— *C'était juste après la mort de Jojo?*

— Jojo était mort le 1ᵉʳ septembre 1974. Nous étions à Horta *(aux Açores)*, et d'Horta nous sommes allés à Madère, et de Madère aux Canaries, où Alice est venue quelques jours.

— *Vous avez appris la mort de Jojo à la première escale?*

— Oui, je suis allée téléphoner à Alice pour savoir si Jojo allait bien et c'est là que j'ai appris sa mort.

— *Mais quand vous êtes partis, vous saviez déjà qu'il était très malade?*

— Oui, mais le toubib nous avait dit qu'on pouvait partir tranquilles, qu'on aurait le temps de se revoir. Or on n'a pas pu se revoir.

— *Ça a été un coup énorme pour Jacques?*

— Oui. Là, c'était quand même un véritable ami qui partait.

Jojo, c'était son frère. Quand il dit dans sa chanson : « *Jojo, tu frères encore* », c'est tout à fait ça. Avec cette très belle pudeur qu'il y avait entre eux. Jacques me disait : « *Je ne connais rien de Jojo, finalement. Je sais qu'il est là, c'est tout. Je n'ai jamais vu son père, je ne sais pas qui est sa mère, je ne sais rien de tout ça...* »

— *Alors, la traversée des Canaries à Fort-de-France, vous l'avez faite à trois. France Brel, vous et Jacques, qui avait mal au bras.*

— Oui. Jacques avait son bras bloqué. Son côté. Il ne pouvait pas forcer, faire de gros efforts. Je faisais les gros travaux, les choses de force. Lui faisait les choses techniques, les stratégies. L'un faisait ce qu'il pouvait faire, l'autre faisait autre chose.

— *Et plus tard, quand vous n'avez plus été sur le bateau ?*

— Dans la vie ça allait, puisqu'il pilotait son avion. Mais je ne le laissais pas soulever des gros trucs, c'était impossible.

— *Dans votre livre, justement, vous racontez l'arrivée aux Antilles, à Fort-de-France, et le départ de France Brel. A partir de quel moment l'atmosphère s'est-elle dégradée sur le bateau ? Comment cela s'est-il passé ?*

— Mal. Elle est partie de Madère, trois semaines en Belgique, pour faire sa thèse d'assistante sociale : un petit compte rendu. Elle nous a rejoints aux Canaries. J'avais dit à Jacques : « Tu sais, ce n'est peut-être pas bon pour elle, parce qu'elle est bien, là, équilibrée et ça va un petit peu la déconnecter. » Elle y est allée, elle est revenue mal, je pense qu'elle a eu des rapports avec sa mère et elle a déconnecté, la pauvre.

Au départ, ça se passait très bien. Elle voulait me parler, que je la conseille si elle avait des problèmes. Tout ça c'était très bien, très gentil. Jacques était content. Elle a voulu faire un effort, mais ça n'était qu'un effort, ça n'a pas tenu.

— *En arrivant à Fort-de-France, elle décide de quitter le bateau, comme ça ?*

— Oui. Elle décide de s'en aller, mais sans le dire vraiment. Elle a pris le sac de marin de Jacques, elle l'a rempli de ses affaires et elle l'a mis dans le carré. Ça, c'était vraiment très maladroit. Quand on veut partir, on dit à quelqu'un : « Je pars, je suis désolée, je ne me sens pas bien », mais on ne prend pas son sac, comme ça. Ce n'est pas très bien.

— *Ils ne se sont pas expliqués du tout ?*

— Ils s'étaient expliqués avant. Jacques avait cru comprendre et elle avait cru comprendre... Vis-à-vis de Jacques, elle a mal agi, mais elle a agi à sa façon, comme elle a pu, par manque de dialogue. Je lui ai parlé : « Pourquoi tu fais ça comme ça ? » J'ai essayé de lui faire comprendre : « On peut s'entendre, parler ! » Ça a choqué Jacques, donc il l'a carrément virée du bateau.

— *Quels sont les amis qui sont venus vous voir aux Marquises, parmi les gens de votre entourage ?*

— Personne.

— *Marouani n'y est pas allé ?*

— Marouani est venu une fois, oui. Mais il voulait surtout venir pour pouvoir dire qu'il était venu. Je ne veux pas savoir les idées précises.

— *C'est quand même quelqu'un avec qui Jacques Brel est resté en bons termes jusqu'au bout...*

— Non. Jacques, s'il avait vécu, ne serait pas resté avec Marouani.

— *Pourquoi ?*

— Parce que Marouani était au courant de la vente de Barclay.

— *Avant l'enregistrement du disque ?*

— Oui, d'autant plus qu'il y avait des gens de sa famille, je crois, impliqués dans cette vente. On avait commencé les démarches, on avait pris un avocat qui se serait occupé de Jacques, pour enlever doucement toutes les affaires à Marouani, afin que Jacques n'ait plus à traiter avec lui ; mais sans qu'il y ait de heurts.

— *Il n'y a pas d'autres amis, des gens comme Ventura, par exemple, qui soient venus ?*

— Non. Lino était très occupé. Peut-être qu'il serait venu si on était restés plus longtemps. On venait juste de s'installer, on allait faire notre maison ; c'était encore jeune.

— *Vous n'êtes pas restés très longtemps, en fin de compte ?*

— Non. De 1975 à 1978. Deux ans et demi. Il faut le temps de s'installer... On venait les voir, de toute façon, régulièrement à Paris. Tous les trois mois.

— *Est-ce qu'il y a des amis qui ont fait le voyage pour son enterrement ?*

— Non, ça n'était pas possible. Il ne faut pas demander ça aux gens. De toute façon, Jacques ne voulait pas. Il voulait qu'il n'y ait personne. J'ai laissé venir Marouani, mais j'ai eu tort.

— *Sa famille n'est pas venue ?*

— Non, sa famille ne s'est même pas interrogée pour savoir où était enterré Jacques, et elle ne sait pas le nom du village. L'autre jour elle est passée à la télévision, elle n'a même pas su dire le nom, alors... Mais ce n'est pas grave parce que, de toute façon, ça n'était pas leur vie. Elles le savaient et elles n'ont pas cherché à venir. Elles savaient bien que c'était un autre monde. Elles ne connaissaient pas les Marquises ni sa vie. Qu'elles n'aient pas cherché à venir, c'est logique et normal.

— *Il continuait au moins à entretenir des relations avec sa femme, puisqu'elle gérait ses éditions...*

— Il était en train de terminer tout ça, puisqu'il y avait un homme d'affaires qui étudiait la façon d'arrêter ça. Il n'aurait pas récupéré les éditions d'avant, mais il avait gardé celles des chansons du dernier disque.

— *C'est le même homme d'affaires qui était chargé de l'histoire avec Marouani ?*

— Ce n'était pas le même. C'était un Belge qui était en contact avec Marouani, Madame Brel, tout le monde.

— *Vous disiez qu'il comptait garder les droits d'édition de son dernier disque ?*

— Oui, il les a gardés d'ailleurs ; on aurait vécu avec ça. Quand il est mort, c'est la famille qui a hérité, parce qu'on a été pris de court. Il était en train de faire ses papiers de séparation et avait demandé à Monsieur Marouani de faire venir le notaire à la clinique pour qu'on puisse faire nos papiers. Monsieur Marouani a donné comme réponse, après la mort de Jacques d'ailleurs, qu'il ne l'avait pas fait parce que ça portait malchance. Mais ce disque il ne voulait le donner à personne. Cela devait être un disque pour nous.

— *Vous pensez qu'il envisageait de se séparer de sa femme ?*

— Oui.

— *Chose qu'il n'avait jamais faite avant...*

— Si, il y a une vingtaine d'années, ils avaient fait une première instance et comme, finalement, chacun avait sa liberté, ça n'était pas urgent. Là, il ressentait la nécessité de le faire par rapport à ce qu'il voulait entreprendre, la vie...

— *Vous avez lu le livre de Pierre Berruer sur Brel ?*

— Non, je n'ai lu aucun livre.

— *Berruer dit dans ce livre que Brel a appris aux Marquises que Bar-*

*clay était en train de vendre sa maison de disques à Phonogram et que
lui, Brel, était donc vendu par la même occasion, avec tout le fonds de
catalogue.*

— Oui, mais on ne l'a su qu'après avoir fait « Les Marquises ».
On ne l'a pas su quand on le faisait. Parce que si Jacques l'avait su,
il n'aurait pas fait le disque. Il s'est senti trahi par Barclay. Quand
il avait signé avec Barclay, ce n'était pas pour faire ses disques
avec Barclay, c'était simplement pour donner une caution à la
maison Barclay, en difficulté à l'époque. Quand Jacques a dit qu'il
voulait réécrire après dix ans, tout le monde l'y a incité. Il m'a
demandé : « *Est-ce que tu es d'accord pour que je le fasse ?* » — « Oui,
c'est très bien. » Et il a eu envie de le faire. Seulement il avait
l'intention de le faire là où il avait signé et non de se faire vendre
par la suite. Quand il a su que Barclay avait déjà prévu cette vente
et l'incitait, donc, pour pouvoir vendre le tout plus cher, il s'est
senti trahi. Il n'aurait sûrement pas continué avec Barclay s'il était
resté là. L'attitude de Barclay lui avait déplu et il ne voulait pas
que Barclay sorte les chansons. Quand il a su que Barclay avait
déjà vendu, ça a été un déchirement. Et ça, ça l'a aidé à mourir.
C'est la première chose qui lui a fait perdre ses forces, cette trahi-
son.

— *Le fameux lancement du disque bleu, Eddie Barclay dit qu'il n'a
fait aucune promotion.*

— Oui, sauf qu'il l'a annoncé partout. Toutes les radios donnaient toutes les heures une chanson de Brel. Il donnait ça au
compte-gouttes. C'est pas une promotion, ça?

— *Ça n'a donc pas plu à Brel?*

— Ah non! Ça lui a fait descendre encore le moral.

— *Vous n'aimez pas beaucoup Eddie Barclay, on dirait...*

— Non. C'est un malhonnête qui se fait passer pour un honnête, parce qu'il fait des fêtes et tout ça. Ce n'est pas que je ne
l'aime pas, c'est que je le trouve inintéressant. Malheureusement,
il fait partie de ma vie, puisque, chaque fois, on me pose ce nom
devant les yeux. C'est fatigant à la fin, parce que j'ai envie de penser à autre chose. C'est vrai, je fatigue, moi, avec des gens comme
ça!

— *Brel a répété chez Gréco pour ce dernier disque?*

— Oui.

— *Ça a duré longtemps, les répétitions?*

— Oh non ! Les dates du studio avaient été réservées, on a dû y aller à peu près une semaine.

— *Et le disque a été fait en combien de temps ?*

— On n'est pas restés longtemps, puisqu'on avait nos billets d'avion qui étaient pris aller-retour. Un mois en tout à Paris.

— *Vous ne l'avez jamais vu chanter sur scène ?*

— Non, je n'avais pas un intérêt particulier. Je faisais mon travail de mon côté. Brel existait, mais ça n'a pas marqué ma vie. Je n'avais aucun disque de lui, rien.

— *Vous croyez qu'il n'avait jamais été heureux avant les Marquises ?*

— Non, ça il ne l'avait jamais été. Vous savez, il a découvert tellement de choses, quand il est parti... D'ailleurs ses amis qui l'ont vu ont dit : « On ne le reconnaît pas. Sa vie a complètement changé. Ce n'était pas le Brel sur scène, qu'on a connu chantant... » C'était un homme décontracté, ouvert. Il a décompressé. Il savait qu'il était heureux et il a vécu son bonheur. C'était sa plus grande découverte.

— *Est-ce qu'il a été très meurtri par l'échec de* Far-West *?*

— Oui. Il a essayé un moment de ne pas trop y attacher d'importance, mais comme il y a eu des moments difficiles et pénibles avec Lelouch, ça l'a perturbé. Ça a fini de le démolir. Lelouch avait coproduit *Far-West*. Il avait mis trois cent soixante mille francs, si ma mémoire est bonne. Il a fallu que Jacques les rende tout de suite. Voyant que le film ne marchait pas, il a demandé à Lelouch s'il fallait qu'il le rembourse et Lelouch a dit : « *Ce serait mieux, oui.* » Après, Jacques était obligé de le faire. Je pense que c'est un peu la formulation de la question aussi. Mais Lelouch n'a pas dit : « Attends, il faut voir un peu. » Dès le lendemain du Festival de Cannes, Jacques s'est donc trouvé dans l'obligation de rendre l'argent à Lelouch.

— *Dès le lendemain ? Mais le film n'était pas encore sorti en salle...*

— L'accueil avait été tellement mauvais ; Lelouch savait, c'était un homme d'affaires, un financier, que ça ne marcherait pas. Alors là, on est partis.

— *Il s'est fâché avec Lelouch aussi ?*

— Non, il s'est désintéressé.

— *Parce qu'ils étaient assez copains, quand même. Lelouch était venu sur le tournage et aussi sur celui de* Franz.

— Oui. C'est toujours les rapports avec les gens qui sont ambigus chez Jacques. Il regarde toujours les gens en tant qu'individus et Lelouch l'avait intéressé par sa façon de tourner.

— *De toute façon, Jacques Brel n'était pas une personne très objective dans ses rapports avec les gens. Il fonctionnait sur des coups de tête et des coups de cœur.*

— Il regardait, il disait : « *C'est pas un mauvais chat, un mauvais cheval.* » Souvent, moi, je le mettais en garde contre l'un ou l'autre. Et, sur le coup, il s'avérait que cette personne avait vraiment fait quelque chose qui, au bout du compte, le contrariait et, là, il s'énervait. « Mais je te l'ai dit il y a six mois, tu n'as pas voulu voir. »

— *Quel est le cinéaste dont il gardait le meilleur souvenir ?*

— Disons plutôt le film, ce qui se lie au cinéaste puisque le film était chouette, c'était *Mon oncle Benjamin*.

— *Donc Molinaro, le seul avec lequel il ait fait deux films, d'ailleurs.*

— Oui, le seul. *Mon oncle Benjamin* est la seule chose qu'il ait aimé dans ce qu'il a fait.

— *Quelle est la date exacte de son enterrement ?*

— Il est mort le 8 octobre à Paris [1]. Mais c'est le jeudi 13 que nous sommes partis de Roissy. Nous sommes arrivés à Papeete au petit matin, le vendredi 14, nous avons continué sur les Marquises et nous l'avons enterré à midi.

— *C'est une coïncidence, mais Edith Piaf a été enterrée un 14 octobre aussi...*

(Propos recueillis au magnétophone le 13 avril 1988)

---

1. Jacques Brel est mort dans la nuit du 8 au 9 octobre 1978. Mais comme il était trois heures du matin, on admet généralement qu'il est mort le 9.

JEAN LIARDON

Moniteur instructeur à l'école IFR *Les Ailes*, à Genève, Jean Liardon fut non seulement le professeur de Jacques Brel, mais aussi et surtout l'un de ses amis les plus proches à une époque où celui-ci, ayant cessé de chanter, abordait une phase résolument nouvelle de son existence. Soudain plus libre de son temps – ses activités, quoique multiples, étant moins prenantes que les incessantes tournées qui, jusqu'alors, l'accaparaient près de trois cents jours par an –, Jacques effectuera de nombreuses sorties en avion avec Jean Liardon. Seuls pendant de longues heures de vol, les deux hommes noueront ainsi des liens très privilégiés et fort différents de ceux que le chanteur pouvait entretenir avec ses relations du show business.

MARC ROBINE : *Tout d'abord, que signifie le sigle IFR?*

JEAN LIARDON : *Instruments Flight Rules,* autrement dit vol aux instruments. Quelque chose de très différent et de beaucoup plus complexe que le vol à vue auquel Jacques Brel était habitué lorsqu'il vint chez nous en octobre 1969. Comme son nom l'indique, au cours du vol à vue, vous ne perdez jamais le contact visuel avec le sol, tandis que le vol aux instruments permet de voler par n'importe quel temps, sans aucune visibilité : de nuit, par temps de brouillard, de pluie, de neige, etc.

– *Comment s'est passé le premier contact?*

– Quand il est arrivé, il portait encore les cheveux longs de *L'Homme de la Mancha* et Monsieur Saxer, qui dirigeait l'école à l'époque et qui ne connaissait pas Jacques Brel, m'a dit : *« Il y a là un type avec des cheveux longs ; essayez de voir ce que vous pouvez en faire...* » Notre amitié n'est pas venue tout de suite et, pendant toute sa préparation, Jacques a été un élève comme les autres. Au même moment, il y avait également Karajan qui suivait les mêmes cours... J'ai toujours rêvé d'une sortie commune, mais cela n'a jamais pu se faire, pour des histoires de disponibilité respective.

— *Que représente cette formation IFR, par rapport à ce que Brel savait déjà en arrivant chez vous ?*

— En arrivant, il avait sa licence de vol pour monomoteur. Or, le stage de vol aux instruments fait pratiquement toujours passer au bimoteur. Jacques a donc suivi un programme s'étalant sur neuf mois, comprenant deux cents heures de théorie, à raison de quatre à six heures par jour, soixante-dix heures de simulateur de vol et une cinquantaine d'heures de vol réel. Quand il est arrivé à l'école, il avait déjà quelque chose comme cinq cents heures de vol, ce qui n'est pas mal du tout pour un pilote privé. Ici, il a donc passé sa licence de pilote professionnel et sa qualification de copilote de biréacteur « Lear Jet 25 ». En fait, c'est la même qualification que celle de commandant de bord, mais ce dernier doit avoir plus d'expérience. Il lui faut au moins mille heures de vol, ce qu'un privé a peu de chance d'atteindre, car c'est une formation qui coûte très cher. Déjà, à l'époque, il fallait compter aux environs de dix à douze mille francs de l'heure de vol sur jet... et il n'y avait guère que Brel ou Karajan qui pouvaient espérer y arriver.

— *Jacques Brel était-il un pilote particulièrement doué, ou non ?*

— Il était normalement doué, mais très accrocheur. Très consciencieux, très travailleur, très volontaire. Pour le vol aux instruments, il était d'un niveau assez standard ; par contre, il s'intéressait beaucoup à la navigation et à la météorologie, et là, il était vraiment remarquable.

— *Le fait d'être malade, plus tard, n'était-il pas un handicap pour piloter ?*

— A ma connaissance, Jacques n'était pas malade lorsqu'il est venu chez nous. Ou alors il l'ignorait totalement. De toute façon, le cancer n'est pas un cas d'interdiction de vol car il n'entraîne pas de risque de mort subite. Plus tard, ses médecins lui affirmeront d'ailleurs que le jour où son cancer serait trop avancé, il perdrait toute envie de voler. Il n'y avait donc aucun risque pour ses passagers... En outre, tous les six mois, il faut passer un contrôle, que l'on appelle le « check IFR », à la fois médical, théorique et pratique, sur les connaissances en vol. D'avoir ainsi à renouveler sa licence tous les six mois lui était très bénéfique, car cela lui prouvait qu'il était toujours capable de piloter, aussi bien physiquement que techniquement.

Et puis, Jacques avait tenu à ce que Maddly suive un petit stage chez nous, afin qu'elle sache se débrouiller et au moins poser l'avion, au cas où il aurait été victime d'un malaise en vol. Elle a donc effectué un stage sur « Twin Bonanza », le modèle d'avion qu'il possédait aux Marquises. Jojo aussi avait appris à piloter, mais vers la fin Jacques évitait de lui demander quoi que ce soit qui aurait pu trop le fatiguer.

— *Aux Marquises, Jacques volait beaucoup ; il faisait presque l'avion-taxi...*

— Oui, il s'était vraiment mis au service des gens.

— *On a dit qu'à un certain moment il envisageait de poser sa candidature comme pilote de ligne à la Sabena...*

— C'était une plaisanterie, bien sûr. Sa licence PP-IFR lui donnait, effectivement, le droit d'en faire la demande, et cela aurait peut-être pu se faire s'il avait eu vingt-cinq ou vingt-huit ans. Mais Jacques était déjà trop vieux lorsqu'il a passé son brevet ; aucune compagnie ne songerait à embaucher un copilote de quarante et un ans. C'est beaucoup trop tard, et Jacques le savait.

— *On a également parlé du Katanga, on a dit qu'il voulait s'engager aux côtés des mercenaires...*

— Ça aussi, c'était une blague ! Jacques disait parfois qu'il aimerait piloter en Afrique, pour poser un Boeing en pleine forêt vierge ; mais, bien sûr, il n'a jamais songé à se faire mercenaire. Ce sont des rumeurs ridicules ; probablement des inventions de journalistes. Par contre, il est vrai qu'il aurait aimé faire de l'aéronautique de manière un peu plus poussée ; mais pas dans le secteur commercial. Il a même été question, à un certain moment, qu'il devienne instructeur chez nous, car il s'intéressait beaucoup à la formation. Cela a été un projet sérieux vers l'hiver 1973-74, puis il est parti en bateau, il y a eu sa maladie, et on n'en a plus jamais reparlé. Plus tard, il m'a écrit des Marquises pour que l'on étudie ensemble les problèmes de largage de courrier dans les îles autour d'Hiva Oa, là où il ne pouvait pas se poser. Il était d'ailleurs prévu que j'aille là-bas voir la chose avec lui, sur place. Mais son appareil ne se prêtait pas du tout au largage, à cause de la porte située juste au-dessus de l'aile. Enfin, il projetait sérieusement de développer les relations aériennes aux Marquises. Il avait envie de se mettre au service des gens, il faisait tout ce qu'il pouvait pour les aider, comme de transporter des amis ou des malades jusqu'à Papeete, rapporter des colis, etc. Et, bien entendu, tout ça était gratuit. Simplement pour le plaisir de voler... Jacques était totalement désintéressé, mais tout cela lui convenait bien et le rendait heureux.

(Propos recueillis le 29 juin 1988)

ALICE PASQUIER

Alice Pasquier fut la femme de « Jojo », jusqu'à la mort de celui-ci, survenue en 1974, au début du mois de septembre. C'est en 1959 qu'elle fait la connaissance de Georges Pasquier. Celui-ci travaille à l'Institut des pétroles de Rueil-Malmaison et n'est pas encore le secrétaire de Jacques Brel. Ils se marient le 30 avril 1963. Pour l'occasion, Jacques leur offrira leur voyage de noces à Venise. Durant de longues années, Alice Pasquier vécut ainsi dans l'intimité du chanteur; recevant notamment ses coups de téléphone personnels et son courrier, lorsqu'il était en tournée. A ce titre, elle a aussi connu de très près les compagnes successives de Jacques et, plus généralement, la plupart de ses amis et relations de travail.

Marc Robine : *Savez-vous comment Jacques Brel et Jojo se sont réellement rencontrés ?*
Alice Pasquier : Je ne connaissais pas encore mon mari à l'époque, mais je sais qu'ils se sont vus pour la première fois lors d'une « tournée Canetti » en Algérie. Ils y ont vécu la même aventure et se sont liés d'amitié. Jojo était alors bruiteur et imitateur avec les Milson, un groupe comique. Il les a ensuite quittés et a gagné sa vie à l'Institut des pétroles de Rueil, où j'habitais. C'est là que nous nous sommes connus par des relations communes.

Jojo était resté très ami avec Jacques, lequel nous faisait souvent passer de formidables soirées à discuter. Ils se retrouvaient aussi au Tournon... Le début de leur collaboration professionnelle a été le jour où mon mari m'a annoncé la sortie de « La valse à mille temps » chez Philips ; profitant de l'occasion pour me faire part du désir de Brel de l'engager comme secrétaire et homme de confiance. Je ne pouvais qu'accepter, tant cela était important pour lui. Dès lors, ils ont été constamment en tournée. Jojo avait beaucoup de responsabilités. Il recevait l'argent, car Jacques avait horreur d'aller chercher le cachet à la fin d'un spectacle ; ça le gênait. Il fallait d'ailleurs éviter de lui laisser une trop grosse somme, sous peine de la voir immédiatement distribuée à tout le monde...

– *Jojo a travaillé pour Susy Lebrun quand Brel a arrêté de tourner ?*
– Oui. Il était directeur artistique de L'Echelle de Jacob dans les années 1967-68. Il est tombé malade ensuite, en 1969, un cancer des glandes. C'est arrivé d'un coup. Tout le monde a été surpris tant mon mari était solide. Il n'avait jamais eu un rhume et il fumait moins que Jacques... Il a quand même survécu cinq ans, alors qu'on ne lui promettait pas plus de six mois.

Jacques a été formidable. Il allait tous les jours à la clinique quand il était à Paris. A la mort de Jojo, il est revenu immédiatement des Açores et s'est chargé de toutes les formalités afin que je n'aie pas à le faire. A l'enterrement, il a dit cette phrase terrible : « *Le prochain, c'est moi.* » C'était en 1974.

– *Brel vous aimait beaucoup...*
– Nous étions en effet très proches, des confidents l'un pour l'autre. On s'aimait d'un amour bien sûr tout à fait platonique, plein de tendresse. Il savait qu'il pouvait me demander n'importe quoi... A un moment, j'ai eu des problèmes avec ma fille : je ne suis pas allée voir Jojo mais Jacques, qui était plus accessible et plus compréhensif. Il voulait toujours tout arranger avec son cœur d'or. Il était comme un frère auquel je me confiais sans crainte. Il me conseillait quand je le lui demandais. Par contre, et cela peut sembler étrange, on s'est toujours vouvoyés, alors que nous étions très intimes.

– *Vous vous fréquentiez beaucoup ?*
– Oui, car il aimait venir à la maison ; c'était comme chez lui. Il ne me tenait pas à l'écart et téléphonait même quelquefois pour me proposer quelque chose. J'allais acheter ce qu'il fallait et il venait faire la cuisine. Il adorait ça et était excellent cuisinier. Il restait jusqu'à six heures du matin, décontracté.

Jacques a été plein d'attention pour moi à la mort de Jojo. Il m'a invitée à le rejoindre sur son bateau, aux îles Canaries. J'y suis allée huit jours plus tard. Il accueillait toujours ses invités à l'aéroport ; mais seule France était là à mon arrivée. Jacques se sentant fatigué, il séjournait dans un hôtel sur la montagne en surplomb de Santa Cruz. Il nous a fait la fête, il voulait me faire oublier. Lui-même se trouvait déjà affaibli, cela ne faisait aucun doute.

— *Etiez-vous personnellement impliquée dans l'aventure artistique de Jacques Brel, comme pouvait l'être Jojo ?*

— J'assurais le secrétariat à domicile, c'est-à-dire que je recevais et répondais au courrier. J'aiguillais parfois les gens sur Marouani. Je n'allais cependant l'écouter qu'une seule fois quand il jouait à Paris. Nous habitions d'autre part très près de chez lui, quand il demeurait à Neuilly, alors je m'occupais de ses affaires et de son appartement. Comme il ne s'achetait rien, j'étais même obligée de lui chercher des vêtements !

— *Vous l'avez vu jusqu'à sa mort ?*

— Non. Je ne l'ai pas revu après les Canaries. Il a carrément coupé les ponts avant de partir aux Marquises. Je n'ai reçu qu'une seule et unique lettre. Madame Brel a eu un courrier de temps en temps, quand il se sentait très mal. Il disait qu'il allait mourir. Je crois qu'il ne souhaitait pas qu'on le voie et qu'on le plaigne. Ce qui fait qu'il n'a vu personne quand il est revenu pour des examens.

— *Vous qui le connaissiez parfaitement, que pensez-vous de ses relations avec les femmes ?*

— Il n'était pas un homme à femmes, c'était trop compliqué pour lui et il ne les a jamais comprises, au point de leur faire parfois de la peine sans le vouloir. Il n'aimait pas avoir continuellement une femme dans son ombre. Elles l'agaçaient et il préférait passer une soirée avec Jojo par exemple. Les femmes venaient parfois les rejoindre en tournée, quand il n'y avait pas trop de travail, mais ils trouvaient plus agréable d'être entre hommes.

— *On dit de lui qu'il était misogyne...*

— Ah oui ! Il l'était assurément. C'était les femmes qui le violaient. Sinon, il serait toujours resté dans son petit truc ; il n'aurait jamais changé ! Ça n'empêche, d'ailleurs, qu'il était extrêmement gentil. Il téléphonait ou écrivait souvent à Sylvie, de Tokyo par exemple. Mais d'une manière générale, il ne recherchait pas la compagnie des femmes. Il ne fait aucun doute qu'il pensait partir en bateau, seul avec sa fille, ne faisant venir une femme que de temps en temps.

Miche avait tout à fait bien compris ce besoin d'indépendance ; il ne s'en est aperçu qu'à la fin, sans avoir cessé malgré tout de la prendre en considération. D'ailleurs, bien que toutes les femmes qu'il a connues aient demandé qu'il divorce pour les épouser, il ne l'a jamais voulu.

— *Suzanne Gabriello prétend qu'il a écrit « Ne me quitte pas » à son intention. Qu'en pensez-vous ?*

— Elle le revendique peut-être, mais je ne suis pas absolument certaine qu'elle ait raison. Elles peuvent toutes le prendre pour elles !

— *Vous connaissiez bien toutes ses femmes ?*

— Je suis restée amie avec Madame Brel et toute la famille que je fréquentais depuis toujours. Toutes les autres sont venues habiter chez moi, quand Jacques était en tournée. Elles se confiaient facilement.

Lorsqu'il a connu Sylvie, elle avait des problèmes sentimentaux et il a eu un petit peu le rôle de consolateur, comme toujours. Ils ont vécu dix ans ensemble... Sylvie aurait souhaité que Brel soit constamment avec elle, ce qu'il ne voulait surtout pas. Elle ne l'a jamais suivi dans ses pulsions.

Il a ensuite rencontré Monique, au cours d'une croisière. Ça a été un drame pour Sylvie et elle n'a pas pardonné car c'était une de ses amies. Ça n'était pas très correct vis-à-vis d'elle... Monique avait un enfant, on le lui a retiré et on peut dire qu'elle a gâché sa vie. Jacques et elle s'adoraient littéralement. Elle m'a dit qu'elle lui avait proposé de partir avec lui, mais Maddly s'est imposée, malgré une sorte de barrage qu'il m'avait demandé de dresser entre eux.

Maddly et Jacques se sont rencontrés sur le tournage de *L'Aventure, c'est l'aventure*. Elle a profité de la projection de presse pour le revoir ; car il m'avait prévenue, à son retour, qu'elle allait téléphoner, en me précisant de ne donner aucune suite à cet appel. J'avais suivi ses consignes, alors elle a utilisé la voie professionnelle pour arriver à ses fins. C'est elle qui a décidé des événements. Quand Brel est parti en bateau, elle m'a dit qu'elle partait avec lui pour cinq ans : tout était prêt, son appartement déjà reloué... Monique a été très choquée ; elle est venue vivre un an chez moi, en dépression.

– *Vous avez aussi revu Maddly, souvent, par la suite ?*

– Relativement, oui. Elle habitait à la maison quand Jacques s'en allait. Je dois dire que Maddly est une fille intelligente, douée d'un esprit artistique et capable de parler métier avec Brel, quand elle percevait en lui l'envie d'une telle conversation. Très intuitive, elle sentait tout à fait quand cela l'agaçait et qu'il ne fallait pas aller trop loin. C'est finalement elle qui l'a le mieux compris, et il est certain que Jacques a été très heureux avec elle, aux Marquises, dans les dernières années de sa vie. Il n'aurait jamais pu vivre l'équivalent avec d'autres femmes. Il aimait son comportement masculin à son égard et ses réactions d'homme.

– *Il y a eu quelques frictions entre elle et la famille...*

– C'est exact. Brel m'avait déjà fait part, d'ailleurs, de l'embarras dans lequel il se trouvait sur le bateau ; car Miche voulait venir, mais Maddly n'acceptait en aucun cas de s'en aller le temps de sa visite. Elle craignait, sans doute, de ne plus pouvoir revenir ensuite... Madame Brel lui reproche, en outre, sa mainmise sur l'héritage moral de Jacques, depuis sa mort. C'est assez délicat... Ils ont vécu longtemps tous les deux, seuls et heureux.

– *L'avez-vous revue après la disparition de Brel ?*

– Il y a six mois, à la suite d'un coup de téléphone, pour m'annoncer la sortie de son livre. Ses rapports avec lui dans l'au-delà... Une vraie comédie... mais elle y croit ! J'avoue qu'il m'aurait été difficile d'imaginer qu'elle sorte quoi que ce soit sur Brel dans *France-Dimanche* ; lui qui détestait « *ce torchon épouvantable à mettre à la poubelle* », comme il le nommait. Elle qui le connaissait si bien... Il n'aurait pas été content, je vous l'assure.

– *Maddly faisait-elle aussi partie de ce fameux voyage en avion en Guadeloupe ?*

– Tout à fait. Il y avait aussi le directeur de l'aéroport de Genève [1] et sa femme, amis de Brel, un second pilote, ma sœur Lætitia, Jojo, moi et bien évidemment Jacques. Huit personnes au total.

– *Que s'est-il exactement passé ?*

– On est partis en Guadeloupe via le Groenland. Jacques pilotait, un commandant de bord à ses côtés comme il se devait. On était au niveau des glaces et, à la vue des très nombreux icebergs, il

1. Jean Liardon, bien sûr (qui n'est pas directeur de l'aéroport de Genève, mais de l'école de pilotage située à proximité de celui-ci).

a préféré laisser le soin d'atterrir au commandant. On a heurté un bloc de glace invisible à nos yeux et le train d'atterrissage a cédé. Le pilote était vraiment excellent car on n'a presque rien senti ! Seuls quelques baraquements ayant servi à l'armée américaine, pendant la guerre de Corée, entouraient la piste ; ce qui n'était pas de nature à simplifier les choses...

Nous sommes restés immobilisés trois jours à Narsarssuak, au milieu des Esquimaux. Tout était chauffé, heureusement, et j'aime autant vous dire qu'on ne traînait pas dehors ! On a vécu d'étonnants moments... Un avion de ligne, qui assurait le ravitaillement tous les huit jours, avait été prévenu : lorsque la pièce nécessaire est arrivée, tous se sont mis au travail afin que l'on reparte dès le lendemain. Jacques, qui étudiait tout le temps, connaissait aussi la mécanique.

— *Ce voyage était prévu de longue date ?*

— Loin de là ! Il s'était décidé à Rueil lors d'un dîner chez ma sœur. Jacques avait soudain proposé de partir en Guadeloupe, ayant la délicatesse de convier également ma sœur. On a tous décollé huit jours après ! Jacques était comme ça, spontané. Il ne se contentait pas de parler et passait bel et bien à l'acte tout de suite, du jour au lendemain.

(Propos recueillis le 6 mai 1988)

II

Discographie

Cette discographie comprend quatre volets.

Elle répertorie d'une part (en trois volets) tous les enregistrements chronologiques connus de Jacques Brel, titre par titre, recensés – pour la Phonothèque nationale – par M. Jacques Lubin avec M. Marc Monneraye (pour la partie Philips) et M. Jacques Miquel (pour la partie Barclay), qui nous ont aimablement autorisés à reproduire leur travail en toute première publication. Qu'ils en soient expressément remerciés. Le texte intégral de cette étude, accompagné des commentaires des auteurs (que nous avons parfois réduits, faute de place), est à paraître aux Editions de l'AFAS, de la Phonothèque nationale.

Elle reprend d'autre part (dans un quatrième volet) le détail des disques compacts sortis (et disponibles) à ce jour, en particulier ceux qui ont été inclus dans l'*Intégrale* phonographique officielle des chansons de Brel, publiée en 1988 sous le titre générique *Grand Jacques,* chez Phonogram-Barclay.

Enfin, la discographie originale de Jacques Brel, disque par disque (quel qu'en soit le format : 78 tours, 45 tours ou 33 tours 25 et 30 cm et avec les références commerciales d'origine), figure quant à elle dans le cours de l'ouvrage en notes de bas de page, tout au long des seconde et troisième parties (« Le chanteur » et « L'aventurier »).

1 – Enregistrement sur disques Philips
(1953-1961)

Sont mentionnés pour chaque séance d'enregistrement : l'accompagnement musical et la date, puis le titre de la chanson et entre parenthèses les sous-titres des chansons enregistrées par l'artiste, car ceux-ci ne furent pas immuables (c'est le titre retenu et imprimé sur l'étiquette qui est cité en premier, tel que publié) ; et enfin les références des différents supports sur lesquels le titre fut enregistré. Sauf exceptions signalées, tous les enregistrements cités ont été réalisés dans les studios Philips, à Paris : théâtre de l'Apollo, rue de Clichy, de 1953 à 1957, et au studio Blanqui, boulevard Auguste-Blanqui, de 1958 à 1961. Jacques Brel est resté sous contrat exclusif avec Philips du 12 février 1954 au 15 février 1962.

Une édition de l'œuvre intégrale couvrant l'ensemble des périodes Philips et Barclay ayant été publiée en 1988 en disques compacts, il a paru intéressant de signaler ici les versions des titres retenues pour y figurer. Il s'agit de 172 enregistrements réunis en dix CD disponibles en coffret Phonogram-Barclay intitulé *Intégrale – Grand Jacques,* et numérotés de 1 à 10 (voir détail en quatrième partie). Ils sont ici repérés CD01 à CD10.

Les numéros qui figurent après chaque titre de chanson (lorsqu'ils nous sont connus) sont ceux de « catalogage » de la première publication dans chacun des formats parus, à savoir par exemple la référence du 78 tours, du 45 tours ou du 33 tours 25 ou 30 cm sur lequel ou lesquels figure cette chanson. Ils se répartissent selon les références suivantes :
– 78 tours 25 cm : référence 72000 (soit de 72000 à 72999)
– 45 tours simple : référence 372000
– 45 tours durée prolongée : référence 432000
– 33 tours 25 cm, monaural : référence N76000
– 33 tours 30 cm, monaural : référence N77000
– 33 tours 30 cm, stéréophonique : BZ840000

Lorsqu'un enregistrement a été publié sur une sous-marque de Philips (exemple « Fontana »), il est expressément signalé.

Exemple :

IL PEUT PLEUVOIR : N72207 – NE432043 – N76027 – CD01
Ce qui signifie que cet enregistrement de la chanson « Il peut pleuvoir » figure sur le 78 tours 25 cm (réf. N72207), sur le 45 tours durée prolongée (NE432043), sur le 33 tours 25 cm monaural (N76027), ainsi que sur le CD n° 1 de l'intégrale.

*

• Accompagnement : orchestre musette (accordéon : Lou Lougist, guitare : Marcel Mortier, basse : Julien Maclot). Salons Élysées, place Fontainas, Bruxelles, 17 février 1953.
IL Y A : P19055H – 200305 * – CD03
LA FOIRE : P19055H – 200305 * – CD03
Il s'agit du premier 78 tours de Jacques Brel. Enregistrés en Belgique et gravés en Hollande en mars 1955, ces deux titres n'ont été repris sur microsillons qu'en 1982, pour la sortie de la première édition de l'*Œuvre intégrale* en albums 33 tours 30 cm *.

• Jacques Brel s'accompagnant à la guitare. Même session, sans accompagnement d'orchestre.
IL PLEUT (Les carreaux) : maquette acétate 78 tours
SUR LA PLACE : maquette acétate 78 tours
Cette maquette adressée à Jacques Canetti, directeur artistique de SPF, a décidé de la venue de Jacques Brel à Paris.

• Jacques Brel s'accompagnant à la guitare. Paris, 12 octobre 1953.
C'EST TROP FACILE – LE FOU DU ROI – BALLADE – IL PLEUT (Les carreaux) – IL PEUT PLEUVOIR – C'EST COMME ÇA (Simple ronde) – GRAND JACQUES
Tous enregistrements restés inédits. Il s'agit d'une maquette non destinée à la publication.

• André Grassi et son orchestre (et son ensemble). Paris, 15 février 1954.
LA HAINE : NE432018 – N76027 – CD01
LE DIABLE (Ça va) : NE432018 – N76027 – CD01
IL PEUT PLEUVOIR : N72207 – NE432043 – N76027 – CD01
C'EST COMME ÇA : N72207 – N76027 – CD01
IL NOUS FAUT REGARDER (Par-delà) : NE432043 – N76027 – CD01
LE FOU DU ROI : N76027 – CD01

Autres titres pour « Le diable » et « C'est comme ça » : « Ça va, la chanson du diable » et « C'est comme ça depuis que le monde tourne ».

• **André Grassi et son orchestre (clavecin et hautbois). Mêmes lieu et date.**
IL PLEUT (**Les carreaux**) : N76027 – CD01
GRAND JACQUES (**Le grand Jacques**) : NE432018 – N76027 – CD01
SUR LA PLACE : NE432018 – N76027
Le titre « Sur la place » a été réenregistré par Jacques Brel le 10 novembre 1961, avec l'accompagnement de François Rauber et son orchestre. Par la suite, les rééditions Philips ont confondu cette nouvelle version avec celle de 1954. On trouve de ce fait, couramment, l'enregistrement de 1961 avec une date de publication erronée (1955).

• **Jacques Brel s'accompagnant à la guitare. Mêmes lieu et date.**
S'IL TE FAUT : prise inédite (maquette)

• **Michel Legrand et son orchestre. Paris, 11 mars 1955.**
S'IL TE FAUT : N72274 – NE432043 – CD01

• **Michel Legrand et son orchestre (Trio Michel Legrand). Mêmes lieu et date.**
QU'AVONS-NOUS FAIT BONNES GENS ? : NE432043 – N76085 – CD01

• **Michel Legrand et son orchestre (piano et rythmes, Michel Legrand et ses rythmes). Paris, 17 mars 1955.**
LES PIEDS DANS LE RUISSEAU : 1re prise restée inédite
LES PIEDS DANS LE RUISSEAU : NE432043 – N76085 – CD01 (**autre prise**)
LES PIEDS DANS LE RUISSEAU : N72274 (**autre prise**)
Il n'est pas certain que microsillons et 78 tours aient utilisé deux prises différentes.

• **Orchestre, direction André Popp. Paris, 25 octobre 1955.**
LA BASTILLE : B372366 – NE432043 – CD01
Les fiches de studio attribuent bien l'accompagnement à André Popp, ce que confirme la première édition en 45 tours. Dès la première transcription en 33 tours 25 cm, l'accompagnement était attribué à Michel Legrand, à la suite, semble-t-il, d'une erreur portée sur les fiches de travail.

• Avec André Popp *(sic)*. Paris, 14 mai 1956.
QUAND ON A *(sic)* QUE L'AMOUR : prise inédite (maquette)

• André Popp et son orchestre. Paris, 18 septembre 1956.
QUAND ON N'A QUE L'AMOUR * : NE432126 – N76085 – CD01
PRIÈRE PAÏENNE : NE432126 – CD01
* « Quand on n'a que l'amour » : ne pas confondre avec la version de
1960 (accompagnement de François Rauber) que les rééditions datent
de 1956.

• *Idem.* Paris, 19 septembre 1956.
SAINT-PIERRE : prise inédite
LES BLÉS : NE432126 – N76085 – CD01
DITES, SI C'ÉTAIT VRAI (poème) : NE432126
SAINT-PIERRE : NE432126 – N76085 – CD01

• André Popp et son orchestre. Paris, 22 mars 1957.
LA BOURRÉE DU CÉLIBATAIRE : BE432230 – N76085 – CD01
L'AIR DE LA BÊTISE : BE432230 – N76085 – CD01
HEUREUX : BE432230 – N76085 – CD01
J'EN APPELLE : N76085 – CD01
PARDONS : BE432230 – N76085 – CD01

• Jacques Brel s'accompagnant à la guitare, avec François Rauber
au piano. En public au théâtre des Trois-Baudets à Paris. Paris,
14 octobre 1957.
LA BOURRÉE DU CÉLIBATAIRE – HEUREUX – L'AIR DE LA BÊTISE – IL
NOUS FAUT REGARDER – ÇA VA (Le Diable) – AU PRINTEMPS (Printemps) – QUAND ON N'A QUE L'AMOUR

• *Idem.* Paris, 7 décembre 1957.
LA BOURRÉE DU CÉLIBATAIRE – IL NOUS FAUT REGARDER – L'AIR DE LA
BÊTISE (Dame Bêtise) – JE NE SAIS PAS (Je ne sais pas pourquoi) – ÇA
VA « LE DIABLE » (Un jour le diable) – AU PRINTEMPS – QUAND ON N'A
QUE L'AMOUR
Tous enregistrements (des deux soirées) restés inédits.

• Jacques Brel et Simone Langlois en duo. Avec François Rauber
et son orchestre. Paris, 24 décembre 1957.
SUR LA PLACE : Fontana 460566 * – MR660214 ** – CD ***
* 45 tours EP; ** 33 tours 25 cm; *** CD Polygram 846407-2

• André Popp et son orchestre. Paris, 12 mars 1958.
DORS MA MIE, BONSOIR : BE432517 – B76423 – CD02

• *Idem.* Paris, 14 mars 1958.
DEMAIN L'ON SE MARIE * : BE432260 – B76423 – CD01
DITES, SI C'ÉTAIT VRAI (poème) : B76423 – CD02
LE COLONEL : prise inédite (maquette en fin de séance)
* Chanson interprétée avec la voix de Jeanine de Waleyne, et sous-titrée
« La chanson des fiancés ». A cette époque, les studios d'enregistrement
Philips sont transférés de l'Apollo vers de nouvelles installations boule-
vard Blanqui. On notera que quelques modifications dans les systèmes
de numérotation paraissent coïncider avec ce transfert : les numéros de
catalogue échangent leur N contre un B (modification curieusement
anticipée, d'ailleurs, dans le 45 tours 432230 déjà cité).

• François Rauber et son orchestre. Grand Temple protestant,
Paris, 1er avril 1958.
L'HOMME DANS LA CITÉ : BE432260 – B76423 – CD02
JE NE SAIS PAS : BE432326 – B76423 – CD02
LITANIES POUR UN RETOUR : BE432517 – B76423 – CD02
AU PRINTEMPS : prise restée inédite
AU PRINTEMPS : BE432326 – B76423 – CD02

• André Popp et son orchestre. Mêmes lieu et date.
LA LUMIÈRE JAILLIRA : BE432260 – B76423 – CD02
LE COLONEL : B76423 – CD02
VOICI : BE432260 – B76423 – CD02
Accompagnement attribué par erreur à François Rauber dans le 45 tours
432260.

• François Rauber et son orchestre (et son ensemble), avec les
chœurs « La joie au village ». Paris, 7 octobre 1958.
VOIR : BE432326 – B76556 – CD03

• *Idem.* Paris, 21 octobre 1958
L'AVENTURE : BE432326 – B76556 – CD03

• Jacques Brel récite, avec les voix de Madeleine Clervanne,
Simone Langlois, Roland Mesnard et Henri Nassiet. Sans
accompagnement. Paris, 22 octobre 1958.
JE PRENDRAI (poème ; introduction à la Nativité) : PE424101
ÉVANGILE SELON SAINT LUC : PE424101

ANNEXES

Les enregistrements musicaux correspondant à ces textes ont eu lieu le 12 novembre 1958, sans doute par l'orchestre de François Rauber. Celui-ci et Jacques Brel sont cités comme arrangeurs. La première édition de ce 45 tours EP est un livre-disque Philips/Marie-Claire MC2 intitulé *Un soir à Bethléem avec Jacques Brel*. Outre la réédition Philips PE424101, il en existe une autre sous l'étiquette Pergola 450103 PAE.

• **François Rauber et son orchestre (et son ensemble). Paris, 11 septembre 1959.**
LA TENDRESSE : BE432371 – B76483 – CD02
NE ME QUITTE PAS * : BE432371 – B76483 – CD02
LA DAME PATRONNESSE : BE432371 – B76483 – CD02
* Enregistrement de « Ne me quitte pas » également sur le 45 tours BE432517. Le 33 tours 25 cm B76483 a également été publié en stéréo sous le n° BZ840907.

• **François Rauber et son orchestre. Paris, 14 septembre 1959.**
LA MORT : B76483 – CD02
LA VALSE À MILLE TEMPS : BE432371 – B76483 – CD02
LES FLAMANDES : BE432425 – B76483 – CD03

• **François Rauber et son grand orchestre. Paris, 15 septembre 1959.**
ISABELLE : BE432425 – B76483 – CD02
SEUL * : BE432425 – B76483 – CD02
LA COLOMBE : BE432425 – B76483 – CD02
* Enregistrement de « Seul » publié aussi sur le 45 tours BE432517.

• *Idem*. **Paris, 17 septembre 1959.**
JE T'AIME : B76483 – CD02

• **François Rauber et son orchestre. Paris, 25 (?) janvier 1960.**
JE NE SAIS PAS * : 77840L
QUAND ON N'A QUE L'AMOUR : 77861L
* Avec la voix de Jeanine de Waleyne.

• **François Rauber et son orchestre. Paris, 21 février 1961.**
ON N'OUBLIE RIEN : prise inédite
VIVRE DEBOUT : prise inédite
LE PROCHAIN AMOUR : 77863L – CD03
MARIEKE (avec chœurs) : prise inédite
LES SINGES (avec chœurs) : prise inédite

• *Idem*. **Paris, 22 février 1961.**
ON N'OUBLIE RIEN : BE432518 – B76513 – CD03
LE MORIBOND : BE432518 – B76513 – CD03
L'IVROGNE : BE432518 – B76513 – CD03

• *Idem*. **Paris, 30 mars 1961.**
LE PROCHAIN AMOUR : BE432531 – B76513
MARIEKE : prise orchestrale seulement, inédite
LES PRÉNOMS DE PARIS : BE432531 – B76513 – CD03
LES SINGES : B76513 – CD03

• *Idem*. **Paris, 4 avril 1961.**
CLARA : BE432531 – B76513 – CD03
VIVRE DEBOUT (Barthélemy Rosso à la guitare) : B76513 – CD03
Chaque enregistrement des interprétations de Jacques Brel a été suivi
d'une prise de la version orchestrale seule. La prise de « Marieke » avait
d'abord été retenue : il fut convenu de lui substituer pour la publication
celle enregistrée à Bruxelles le 12 avril 1961. Le 33 tours 25 cm B76513 a
été publié en stéréo sous le n° BZ840917.

• **François Rauber et son orchestre *. Bruxelles, 12, 13 et 14 avril
1961.**
MARIEKE : BE432531 – B76513 – CD03
MARIEKE : B372858
LAAT ME NIET ALLEN (Ne me quitte pas) : B372858
DE APEN (Les singes) : B372859
MEN VERGEET NIETS (On n'oublie rien) : B372859
(QUAND ON N'A QUE L'AMOUR) en flamand ** : inédit
* Enregistrements utilisant des prises orchestrales antérieures, qui sont
vraisemblablement celles de février et mars 1961, sauf en ce qui
concerne « Laat me niet allen », car il n'a pas été trouvé trace d'une version « orchestre seul » de « Ne me quitte pas ». Les disques 372858 et
372859 sont des 45 tours simples uniquement commercialisés en Belgique. ** La bande originale de cet enregistrement se trouve à la Fondation internationale Jacques Brel.

• **Orchestre de l'Olympia, direction Daniel Janin. Aux deux pia-
nos : François Rauber et Gérard Jouannest. A l'accordéon : Jean
Corti. Enregistrement en public. Paris, 27, 28 et 29 octobre 1961.**
INTRODUCTION – LES PRÉNOMS DE PARIS – LES BOURGEOIS * ** – LES
PAUMÉS DU PETIT MATIN * ** – LES FLAMANDES – LA STATUE ** –

ZANGRA ** – MARIEKE – LES BICHES ** – MADELEINE * ** – LES SINGES * – L'IVROGNE – LA VALSE À MILLE TEMPS – NE ME QUITTE PAS – LE MORIBOND – QUAND ON N'A QUE L'AMOUR : 77386L – * BE432766 – ** B76556 – CD08

Parmi les documents de travail se trouve un feuillet attribuant en fait « Les prénoms de Paris » à un enregistrement en public réalisé à Londres le 30 octobre 1961 (?).

• François Rauber et son orchestre. Paris, 10 novembre 1961.
JE NE SAIS PAS * : 810382
SUR LA PLACE : 77860L – CD01
* Poster-disque Philips 33 tours 30 cm.

• *Idem.* Paris, 13 novembre 1961.
L'AIR DE LA BÊTISE : 77861L
LA COLOMBE : prise inédite
LA DAME PATRONNESSE : prise rejetée
LA DAME PATRONNESSE : 77862L

En 1966, après la cessation de fabrication des 33 tours 25 cm, la maison Philips a assemblé et réédité 59 titres enregistrés par Jacques Brel de 1954 à 1961, dans une série de cinq albums 33 tours 30 cm composés ainsi :

77860L : La haine – Le diable – Il peut pleuvoir – C'est comme ça – Il nous faut regarder – Le fou du roi – Il pleut – Grand Jacques (15.2.1954) – S'il te faut (11.3.55) – La Bastille (25.10.55) – Prière païenne (18.9.56) – Sur la place (10.11.61).

77861L : Qu'avons-nous fait bonnes gens ? – Les pieds dans le ruisseau (11 et 17.3.1955) – Saint-Pierre – Les blés (19.9.56) – La bourrée du célibataire – Heureux – J'en appelle – Pardons (22.3.57) – Demain l'on se marie (14.3.58) – Quand on n'a que l'amour (25.1.60) – L'air de la bêtise (13.11.61).

77862L : Dors ma mie bonsoir – Dites si c'était vrai (12 et 14.3.1958) – L'homme dans la cité – Litanies pour un retour – Au printemps – La lumière jaillira – Le colonel – Voici – Je ne sais pas (1.4.58) – La mort – Seul (14.9.59) – La dame patronnesse (13.11.61).

77863L : La tendresse – Ne me quitte pas – La valse à mille temps – Les Flamandes – Isabelle – La colombe – Je t'aime (11 au 17.9.1959) – Le prochain amour – Le moribond – L'ivrogne (21 et 22.2.61) – Vivre debout (4.4.61) – Marieke (12.4.61).

77864ʟ : Voir – L'aventure (7 et 21.10.1958) – On n'oublie rien (22.2.61) – Les prénoms de Paris – Les singes (30.3.61) – Clara (4.4.61) – Les bourgeois – Les paumés du petit matin – La statue – Zangra – Les biches – Madeleine (enregistrements en public à l'Olympia d'octobre 1961).

2 – Enregistrements sur disques Barclay (1962-1977)

Toutes les gravures sont issues d'enregistrements réalisés sur bandes magnétiques. Sauf exception signalée, tous les enregistrements cités ont été réalisés à Paris, dans les studios Barclay-Hoche Enregistrements, avenue Hoche. En cas d'enregistrement réalisé pour un usage privé, non commercialisé par les disques Barclay, une note le précise. On remarquera que les enregistrements, le plus souvent, se sont déroulés « en direct », sans l'usage d'un pré-enregistrement orchestral, en mode stéréophonique utilisant deux pistes pour deux canaux. Le procédé multipistes nécessitant un mixage a été rarement employé. Les numéros de catalogage de la première publication, lorsqu'ils nous sont connus, se répartissent comme suit :
– 45 tours simple : 60000 et 61000 (soit 60001 à 60999 et 61001 à 61999)
– 45 tours durée prolongée : 70000 et 71000
– 33 tours 25 cm, monaural : 80000
– 33 tours 30 cm, monaural et/ou stéréophonique : 80000
– 33 tours 30 cm, stéréophonique : 90000

Sont également signalées les versions des titres retenues pour figurer dans l'édition en disques compacts de l'*Œuvre intégrale* parue en 1988 (*cf.* notes de la période Philips). Le format employé dans la série 80000 est précisé.

• François Rauber et son orchestre. Paris, 6 mars 1962.
ZANGRA : 70452 – 80173 – CD04
CASSE-POMPON : 70475 – 80175 – 80173 – CD04
LE PLAT PAYS : 60452 – 61838 – 70475 – 80175 – 80173 – CD04

• *Idem.* Paris, 7 mars 1962.
LA STATUE : 70453 – 80173 – CD04

ROSA (avec chœurs) : 60315 – 61837 – 70452 – 80175 – 80173 – CD04
LES BICHES : 70475 – 80173

• *Idem*. Paris, 9 mars 1962.
LES PAUMÉS DU PETIT MATIN : 60313 – 70452 – 80175 – 80173 – CD04
MADELEINE : 60314 – 61837 – 70452 – 80175 – 80173 – CD04
LES BOURGEOIS : 60313 – 61839 – 70453 – 80175 – 80173 – CD04

• *Idem*. Paris, 14 mars 1962.
CHANSON SANS PAROLES : 80175 – 80173 – CD04
BRUXELLES : 60314 – 61839 – 70453 – 80175 – 80173 – CD04
UNE ÎLE : 60315 – 70453 – 80173 – CD04
80175 est un 25 cm et 80173 un album 30 cm.

• Enregistrements utilisant les orchestrations précédentes. Paris, ? mars 1962.
MJIN VLAKKE LAND (Le plat pays) : 60976 – 70907
ROSA : 60977 – 70907
DE BURGERIJ (Les bourgeois) : 60977 – 70907
DE NUTTELOZEN VAN DE NACHT (Les paumés du petit matin) : 60976 – 70907
Les 45 tours SP 60976 et 60977 et 45 tours EP 70907 sont des pressages belges.

• François Rauber et son orchestre. Paris, 22 novembre 1962.
LES BIGOTES : 60351 – 70491 ★
QUAND MAMAN REVIENDRA : 70491 ★
LES FILLES ET LES CHIENS : prise inédite
LA PARLOTE : 70491 ★

• Enregistrement utilisant l'orchestration précédente. Paris, 1ᵉʳ décembre 1962.
LES FILLES ET LES CHIENS : 60351 – 70491 ★
★ Le 45 tours EP 70491 ainsi composé a été remis au dépôt légal de la Phonothèque nationale à Paris, le 17 décembre 1962, malgré la consigne « NPU » (à ne pas utiliser) figurant sur sa fiche de montage au service de transcription de la firme éditrice. Les quatre titres ont aussi été enregistrés par l'orchestre seul.

• François Rauber et son orchestre. Paris, 2 avril 1963.
QUAND MAMAN REVIENDRA * : 200306 – CD05
LES FENÊTRES : 70556 – 80186 – 80322 – CD04
LA PARLOTE : 70491 – 80186 – 80322 – CD04
* Ce second enregistrement du titre « Quand maman reviendra » n'a été inclus que dans le 33 tours 30 cm n° 200306 (*Intégrale* – 1re édition, 1982) ainsi que dans la réédition de cette *Intégrale* en 33 tours 30 cm et CD en 1988.

• *Idem.* Paris, 3 avril 1963.
LES TOROS : 70556 – 80186 – 80322 – CD04
LA FANETTE : 61841 – 70556 – 80186 – 80322 – CD04
LES FILLES ET LES CHIENS : 70491 – 80186 – 80322 – CD04

• *Idem.* Paris, 10 avril 1963.
LES BIGOTES : 61838 – 70491 – 80186 – 80322 – CD04
LES VIEUX : 61840 – 70556 – 80186 – 80322 – CD04
J'AIMAIS : 80186 – 80322 – CD04
Le 80186 est un 25 cm et 80322 un 30 cm.

• Direction d'orchestre : François Rauber. Paris, 30 mai 1963.
JEAN DE BRUGES (poème symphonique en trois mouvements : La baleine, La sirène, L'ouragan) : 33B1B *
IL NEIGE SUR LIÈGE : 33B1B * – 910026 – CD03
* Le disque 33 tours 25 cm hors commerce 33B1B, intitulé *Jacques Brel chante la Belgique,* a été offert par l'Union des villes et communes belges aux participants du XVIe Congrès de l'Union internationale des autorités locales, à Bruxelles en 1963. *Jean de Bruges*, interprété par Jacques Brel avec Jeanine de Waleyne, dure 13'21 et constitue la face A du disque. En face B, on trouve les titres « Bruxelles », « Le plat pays » et « Il neige sur Liège ». Ce dernier titre a été commercialisé en 1979 dans le 33 tours 30 cm 910026 intitulé *La Belgique vue du ciel*.

• Piano : Gérard Jouannest ; accordéon : Jean Corti ; contrebasse : Ricky Garzon ; batterie : Robert Sola. Enregistrement public au casino de Knokke. Knokke, 23 juillet 1963.
BRUXELLES – ROSA – LA FANETTE – LES FENÊTRES – QUAND ON N'A QUE L'AMOUR – MATHILDE – LES VIEUX – LE PLAT PAYS – LE MORIBOND – LES BIGOTES – MADELEINE : CD 5212372
Intitulé *Brel Knokke*, ce CD publié le 11 octobre 1993, à l'occasion du quinzième anniversaire de la mort du chanteur, est complété par l'interview « Brel parle » réalisée par Henry Lemaire à Knokke en 1971.

• Accompagnement à la guitare : Barthélemy Rosso. Paris, été 1963.

POURQUOI FAUT-IL QUE LES HOMMES S'ENNUIENT ? : 816856-1 – CD03

Longtemps inédit, cet extrait de la bande originale du film *Un roi sans divertissement* a été inclus en 1988 dans le 33 tours 30 cm et le CD 816856 (deuxième édition de l'*Intégrale* de Jacques Brel.

• François Rauber et son orchestre ; au piano : Gérard Jouannest. Paris, 7 janvier 1964.

LES BONBONS : 60471 – 61843 – 70636 – 80222 – 80322 – CD04
LES BERGERS : 60542 – 70635 – 80222 – 80323 – CD04 – 539800-2

• *Idem*. Paris, 8 janvier 1964.

LE DERNIER REPAS : 70636 – 80222 – 80322 – CD05
JEF : 61842 – 70636 – 80222 – 80323 – CD05 – 539 800-2

• *Idem*. Paris, 9 janvier 1964.

MATHILDE : 61840 – 70635 – 80222 – 80323 – CD05 – 539800-2
AU SUIVANT : 60471 – 61842 – 70636 – 80222 – 80322 – CD05

• *Idem*. Paris, 7 mars 1964.

TITINE : 61841 – 70635 – 80222 – 80322 – CD05
TANGO FUNÈBRE : 70635 – 80222 – 80323 – CD05 – 539800-2
LES AMANTS DE CŒUR (The Lovers) * : NC1 – CD03

* Adaptation française par Brel d'une chanson américaine de Rod McKuen, figurant dès 1965 sur le 33 tours 30 cm Barclay non commercialisé *Nuit de la chanson* (NC1). Titre repris en 1982 sur la première édition de l'*Intégrale* (33 tours 30 cm 200305) et sur la seconde en 1988. 80222 est un 25 cm ; 80322 ou 80323 sont des 30 cm ; 539800-2 est la réédition CD (1998) du 30 cm 80323 dans une présentation identique.

• Direction d'orchestre : François Rauber ; au piano : Gérard Jouannest ; à l'accordéon : Jean Corti ; à la contrebasse : Pierre Sim ; à la batterie : Philippe Combelle. En public à l'Olympia. Paris, 16 et 17 octobre 1964.

LE DERNIER REPAS * : 80243 – 80344 – CD09
LES JARDINS DU CASINO * : 70725 – 80243 – 80344 – CD09
AMSTERDAM * : 61844 – 70725 – 80243 – 80344 – CD09
LES VIEUX * : 80243 – 80344 – CD09
LES TOROS * : 200328 80243 – CD09

LES BONBONS : 816854 – CD09

MATHILDE : 816854 – CD09

TANGO FUNÈBRE * : 200328 – 80243 – CD09

LES BIGOTES : 816854 – CD09

LES TIMIDES * : 70725 – 80243 – 80344 – CD09

LES BOURGEOIS : 816854 – CD09

JEF : 816854 CD09

AU SUIVANT : 816854 – CD09

LE PLAT PAYS * : 200328 – 80243 – CD09

MADELEINE : 816854 – CD09

AMSTERDAM : 831285 – CDPY

Tous ces titres ont été enregistrés lors des spectacles des 16 et 17 octobre 1964. Il n'a pas été possible de déterminer la date des enregistrements retenus à l'exception de « Tango funèbre » (le 16). Seulement les huit titres repérés par un (*) avaient été sélectionnés par Jacques Brel lui-même pour être gravés en 1964 sur le 33 tours 25 cm 80243. Après la disparition du 25 cm, seulement cinq de ces enregistrements publics furent réédités sur le 30 cm 80344. Ces titres étaient alors couplés avec les versions studio de « Les bonbons », « Au suivant », « La Fanette », « Les bigotes », « Les filles et les chiens » et « Les fenêtres ». En 1982, les titres initiaux du 25 cm furent repris en 30 cm dans la première intégrale, et en 1988 furent gravés pour la réédition de cette *Intégrale* les sept titres restés inédits. La version d'« Amsterdam » figurant sur le 33 tours 30 cm et le CD Polygram Distribution 831285 est différente de celle gravée habituellement.

• **François Rauber et son orchestre. Paris, 12 février 1965.**

MIJN VLAKKE LAND (Le plat pays) : 60547 – 62376 – 71112 – 93005 – CD06

ROSA : 60548 – 62376 – 71112 – 93005 – CD06

DE BURGERIJ (Les bourgeois) : 60547 – 71112 – 93005 – CD06

DE NUTTELOZEN VAN DE NACHT (**Les paumés du petit matin**) : 60548 – 71112 – 93005 – CD06

Ces réenregistrements de versions flamandes sont sortis en 1976 sur une compilation intitulée *Jacques Brel zingt...* On les retrouve à partir de 1988 dans la réédition de l'*Intégrale*.

• **Accompagnement par un pianiste (Gérard Jouannest?). Paris, octobre 1965.**

LE CHEVAL – LA... LA... LA... : prises inédites

Il s'agit là d'une maquette en vue d'une orchestration ultérieure.

• François Rauber et son orchestre. Paris, 2 novembre 1965.
L'ÂGE IDIOT : 70900 – 80284 – 80323 – CD05 – 539800-2
JACKY : 60643 – 61844 – 70900 – 80284 – 80323 – CD05 – 539800-2

• *Idem.* Paris, 3 novembre 1965.
GRAND-MÈRE : 70901 – 80284 – 80323 – CD05 – 539800-2

• *Idem.* Paris, 6 novembre 1965.
FERNAND : 70901 – 80284 – 80323 – CD05 – 539800-2
LES DÉSESPÉRÉS : 70901 – 80284 – 80323 – CD05 – 539800-2
CES GENS-LÀ : 60643 – 61843 – 70900 – 80284 – 80323 – CD05 – 539800-2
80284 est un 33 tours 25 cm, 80323 un 33 tours 30 cm et 539800-2 la réédition CD (1998) du 30 cm dans la même présentation.

• François Rauber et son orchestre. Paris, 30 décembre 1966.
LE CHEVAL : 60800 – 80334 – CD05
LE GAZ : 71117 – 80334 – CD06
LA... LA... LA... : 80334 – CD05
LES BONBONS 67 : 61845 – 71118 – 80334 – CD05

• *Idem.* Paris, 2 janvier 1967.
FILS DE... : 60800 – 71118 80334 – CD06
MON ENFANCE : 71117 – 80334 – CD05
À JEUN : 80334 – CD06

• *Idem.* Paris, 3 janvier 1967.
LA CHANSON DES VIEUX AMANTS : 61845 – 71118 – 80334 – CD06
MON PÈRE DISAIT : 71117 – 80334 – CD06

• *Idem.* Paris, 18 janvier 1967.
LES CŒURS TENDRES * : 71118 – 80334 – CD03
LES MOUTONS ** : 816856 – CD03
* Du film *Un idiot à Paris.* ** Inédit jusqu'en 1988, 2ᵉ édition de l'*Intégrale.* 80334 et 816856 sont des albums 30 cm.

• François Rauber et son orchestre. Paris, 15 mai 1968.
JE SUIS UN SOIR D'ÉTÉ : 71326 – 80373 – CD06
LA BIÈRE : prise inédite
80373 est un album 30 cm (*idem* pour les enregistrements de septembre).

• Marcel Azzola à l'accordéon. Paris, 7 septembre 1968.
L'ÉCLUSIER : 80373 – CD06

• François Rauber et son orchestre. Paris, 12 septembre 1968.
COMMENT TUER L'AMANT DE SA FEMME QUAND ON A ÉTÉ ÉLEVÉ
COMME MOI DANS LA TRADITION : 80373 – CD06
LA BIÈRE : 61846 – 71326 – 80373 – CD06

• *Idem*. Paris, 14 septembre 1968.
REGARDE BIEN PETIT : 80373 – CD06
UN ENFANT : 71326 – 80373 – CD06
J'ARRIVE : 61789 – 80373 – CD06

• *Idem*. Paris, 23 septembre 1968.
L'OSTENDAISE : 80373 – CD06
VESOUL (Marcel Azzola à l'accordéon) : 61846 – 71326 – 80373 –
CD06

• Extraits de *L'Homme de la Mancha,* avec Joan Diener, Jean-Claude Calon, Jean Mauvais, Louis Navarre et Jacques Provins. Orchestre sous la direction de François Rauber. Paris, 23 au 27 novembre 1968.
LA QUÊTE * – L'HOMME DE LA MANCHA (avec JCC) – LE CASQUE D'OR
DE MAMBRINO (JCC + JP) – DULCINEA (+ chœur des muletiers) –
ALDONZA (avec JD) – LA MORT (avec JD + JCC + LN) – reprises : DUL-
CINEA, LA QUÊTE, L'HOMME DE LA MANCHA – LE CHEVALIER AUX
MIROIRS (avec JM) : 30 cm 80381 réédité en CD 839586-2 et CD06 *
Titres dans lesquels Jacques Brel n'apparaît pas : « Un animal », « Vraiment je ne pense qu'à lui », « Chacun sa Dulcinea », « Pourquoi fait-il toutes ces choses? », « Sans amour », « Gloria ».

• Jacques Brel, narrateur, accompagné par l'orchestre des Concerts Lamoureux dirigé par Jean Laforge. Paris, 12 novembre 1969.
L'HISTOIRE DE BABAR (orchestration Jean Françaix) – PIERRE ET LE
LOUP : 30 cm 80406, réédité en CD 191417-2
Partie orchestrale enregistrée à l'Église franco-libanaise, à Paris.

• François Rauber et son orchestre. Paris, 12 juin 1972.
JE NE SAIS PAS : 80470 – CD10

ON N'OUBLIE RIEN : 80470 – CD10
LES PRÉNOMS DE PARIS : 80470 – CD10
LES FLAMANDES : 80470 – CD10

• *Idem.* Paris, 20 juin 1972.
NE ME QUITTE PAS : prise inédite
LE MORIBOND : 62023 – 80470 – CD10

• *Idem.* Paris, 23 juin 1972.
LE PROCHAIN AMOUR : 80470 – CD10
MARIEKE : 80470 – CD10
NE ME QUITTE PAS : prise inédite
LES BICHES : 61676 – 80470 – CD10

• *Idem.* Paris, 27 juin 1972.
QUAND ON N'A QUE L'AMOUR : 62023 – 80470 – CD10
LA VALSE À MILLE TEMPS : 80470 – CD10
NE ME QUITTE PAS : 61676 – 80470 – CD10
Il s'agit de reprises par Jacques Brel de titres initialement enregistrés chez Philips. 80470 est un album 30 cm.

• François Rauber et son orchestre. Paris, studio Davout, 1972.
LA CHANSON DE VAN HORST : 816856 – CD03
Extrait de la bande originale du film *Le Bar de la fourche*, gravé en 1988 sur la 2ᵉ édition de l'*Intégrale*.

• François Rauber et son orchestre. Paris, 24 mai 1973.
L'ENFANCE : 61789 – 200310 – CD03
Chanson du film *Le Far-West*.

• *Idem.* Paris, fin mai début juin 1974.
NE ME QUITTE PAS : Atlantic SD2.1000 ★
Extrait de la BOF *Jacques Brel Is Alive And Well And Living In Paris*.
★ 33 tours 30 cm.

• François Rauber et son orchestre, avec Gérard Jouannest au piano et Marcel Azzola à l'accordéon. Paris, 5 septembre 1977.
ORLY : 62345 – 62505 – 96010 – CD07 – 810537-2
JOJO (guitare : Michel Gésina) : 62342 – 62369 – 96010 – CD07 – 810537-2

• *Idem.* Paris, 8 septembre 1977.
LA VILLE S'ENDORMAIT : 62341 – 96010 – CD07 – 810537-2

• *Idem.* Paris, 21 septembre 1977.
VOIR UN AMI PLEURER * : 62343 – 96010 – CD07 – 810537-2

• *Idem.* Paris, 22 septembre 1977.
LES F... : 62346 – 96010 – CD07 – 810537-2

• *Idem.* Paris, 23 septembre 1977.
LE BON DIEU * : 62344 – 96010 – CD07 – 810537-2
LES REMPARTS DE VARSOVIE * : 62342 – 62369 – 96010 – CD07 –
810537-2

• *Idem.* Paris, 24 septembre 1977.
JAURÈS (Marcel Azzola à l'accordéon) : 62343 – 96010 – CD07 –
810537-2
LE LION : 62342 – 62505 – 96010 – CD07 – 810537-2

• *Idem.* Paris, 27 septembre 1977.
KNOKKE-LE-ZOUTE TANGO * : 62344 – 96010 – CD07 – 810537-2

• *Idem.* Paris, 29 septembre 1977.
VIEILLIR * : 62341 – 96010 – CD07 – 810537-2

• *Idem.* Paris, 1er octobre 1977.
LES MARQUISES : 62346 – 96010 – CD07 – 810537-2
* Extraits de la comédie musicale *Vilebrequin*. 96010 est un album 30 cm
et 810537-2 est la réédition CD (1998) reprenant la présentation originale.

• *Idem.* Paris, septembre-octobre 1977.
LE DOCTEUR (sketch) – HISTOIRE FRANÇAISE (sketch) – SANS EXI-
GENCES – AVEC ÉLÉGANCE (1re version) – AVEC ÉLÉGANCE (2e version) – MAI 40 * – L'AMOUR EST MORT – LA CATHÉDRALE : titres inédits
Il n'a pas été possible de localiser avec précision ces enregistrements
parmi les séances précédentes. Aucun numéro de titre n'a été attribué à
ces prises. Elles figurent dans l'ordre de leur enregistrement. Tous ces
titres sont demeurés inédits à la demande de Jacques Brel. Toutefois
« Mai 40 » * a été inclus dans la bande originale du film *Brel* de Frédéric
Rossif.

3 – Documents

Cette troisième partie recense des documents pouvant être directement rattachés à la discographie de Jacques Brel. Il s'agit d'abord d'enregistrements inédits réalisés hors des firmes Philips et Barclay, la plupart du temps à l'occasion d'émissions radiophoniques ou télévisées. Les deuxième et troisième rubriques, plus spécifiquement discographiques, reprennent d'une part des gravures isolées d'interviews ou de contributions vocales de Jacques Brel, et d'autre part des musiques de films composées par l'artiste et dont des extraits de certaines d'entre elles ont fait l'objet de disques commercialisés. Enfin, si une multitude d'interprètes a repris des chansons créées par Jacques Brel, rares sont ceux qui ont puisé dans son répertoire inédit, de sorte qu'il a paru intéressant de les citer ici, en quatrième rubrique.

A) ENREGISTREMENTS INÉDITS

• Jacques Brel s'accompagnant à la guitare. Hasselt, 14 et 21 août 1953.

BOURGEOIS GENTILHOMME (éd. Ballade) ★ – LE CIEL (éd. L'Orage) ★ – J'AIME LES PAVÉS (éd. Les Pavés) ★ – LE FOU DU ROI – J'AIME LA FOIRE (éd. La Foire) ★ – SUR LA PLACE – IL PEUT PLEUVOIR – J'AI RETROUVÉ (éd. Les deux fauteuils) ★ – TOUS LES ENFANTS DU ROI ★ – JE SUIS UN VIEUX TROUBADOUR (éd. Le Troubadour) ★ – DERRIÈRE LA SALETÉ (éd. Il nous faut regarder) ★ – PRÈS DES PUITS (éd. C'est comme ça) ★ – TOI ET MOI (éd. A deux) ★ – SI C'ÉTAIT VRAI (éd. Dites, si c'était vrai ?) – BELLE JEANNETTE (éd. Les gens) ★ – COMME UN MARIN (éd. La haine) ★ – TOUTES LES AMITIÉS (éd. Départs) – ÇA VA « Le Diable » – QU'AVONS-NOUS FAIT ? (éd. Qu'avons-nous fait bonnes gens ?) – TOUS LES CHEMINS MÈNENT À ROME (éd. L'ange déchu) ★ – LES PIEDS DANS LE RUISSEAU – MON AMI QUI CROIT (éd. La Bastille) ★ – CE QU'IL VOUS FAUT, MAIS C'EST DE L'AMOUR (éd. Ce qu'il vous faut) ★ – L'ACCORDÉON DE LA VIE (Vieux musicien) ★ – SUIS L'OMBRE DES CHANSONS ★

Ces enregistrements inédits ont été effectués pour la Radiodiffusion belge, studio régional du Limbourg. Les titres (*) ont été déposés et édités « papier » sous ce nom.

• **Jacques Brel s'accompagnant à la guitare. En public, (?) 1953.**
SI TU REVENAIS
Titre enregistré pour la Radio suisse romande.

• **Accompagnement non identifié. Été 1963.**
LA TOISON D'OR (complainte)
Titre enregistré au cours d'une émission radiophonique d'Europe N° 1 consacrée à Pierre Corneille. Au cours de la même séance a été enregistrée la répétition de ce titre en première prise. Documents archivés à la Fondation internationale Jacques Brel.

• **Accompagnement non identifié. Pays-Bas, 1963.**
LE PENDU
Enregistré pour l'émission *Domino* de la télévision néerlandaise.

• **Accompagnement non identifié. 1965.**
PLACE DE LA CONTRESCARPE (Jean-Pierre Suc)
Enregistré pour l'émission de F. Chatel *Chansons pour un ami* consacrée à Jean-Pierre Suc et diffusée sur la 1re chaîne de l'ORTF le 5 juin 1965 (archives INA).

• **Jacques Brel récite sur un accompagnement non identifié. 13 octobre 1966.**
DÉGELS (poème d'Emile Verhaeren)
Enregistré au cours de l'émission *Les Quatre cents coups* de la Radiodiffusion française (archives INA).

• **Accompagné par Gérard Jouannest et sa formation. 1966.**
JE SUIS BIEN – HÉ M'MAN
Ces deux titres ont été enregistrés au cours de répétitions. Le premier lors de la dernière tournée de Jacques Brel en 1966 (vidéocassette *Brel 10 ans déjà*), l'autre au cours d'un reportage télévisé de l'ORTF (archives INA).

• **Accompagnement non identifié. 1968.**
CE PETIT CHEMIN (Mireille/Jean Nohain)
Enregistré au cours de l'émission *Le Grand Échiquier* consacré à Mireille (archives INA).

• **François Rauber et son orchestre. Studio inconnu, Paris, 1969.**
MOURIR POUR MOURIR – BUVONS UN COUP (a cappella) – LES POR-
TEURS DE RAPIÈRES (a cappella)
Ces trois titres sont inclus dans la bande originale du film *Mon oncle Ben-
jamin* (inédite).

• **François Rauber et son orchestre, chœurs dirigés par Denis
Héroux. Mai-juin 1974.**
LIBELLULE
Extrait non retenu au montage du film *Jacques Brel Is Alive And Well And
Living In Paris* (archives Philips, bande OC 5723).

B) GRAVURES ISOLÉES

• **Jacques Brel récite, accompagné par un orchestre non identifié.
Début 1966.**
NOS AMIS LES MINEURS : 45 tours EP HBNPC
Disque non commercialisé, réalisé par le service des relations publiques
et sociales des Houillères du bassin Nord-Pas-de-Calais. Texte de Jean
Mauduit, musique de Dino Castro.

• **Sans indication de date.**
JACQUES BREL PARLE DE BRASSENS – JACQUES BREL : « À BIENTÔT » :
33 tours 30 cm Philips 9101087
Ces deux interventions radiophoniques de Jacques Brel sont gravées sur
l'album Philips consacré à *20 ans d'émissions avec Georges Brassens à
Europe N° 1,* publié en 1976.

• **Paris, 16 juillet 1967.**
ENTRETIEN JACQUES BREL/DOMINIQUE ARBAN : 33 tours 30 cm Barclay 6863364

• **Knokke, 8 janvier 1971.**
ENTRETIEN JACQUES BREL/HENRY LEMAIRE : 33 tours 30 cm Barclay
6863364
Cet album a été édité avec le concours de la Fondation internationale
Jacques Brel dans le cadre de la recherche contre le cancer. Tirage hors
commerce de 1988 coédité par Barclay et Prisunic, gravé sur une seule
face, il comporte en outre les titres suivants : « Les cœurs tendres »
(1967), « La Quête » (1968) et « Quand on n'a que l'amour » (1972).

• BREL PARLE : 45 tours CGRI 100
Cet extrait de la bande-son du film *Brel parle* est un entretien entre
Jacques Brel et Henry Lemaire et M. Lobet. Le disque, qui comporte en
face B la chanson « Vivre debout », est une coproduction du commissa-
riat général aux relations internationales de la Communauté française de
Belgique et du Centre Wallonie-Bruxelles à Paris, avec l'aide de la Fondation internationale Jacques Brel. Pressé en Belgique, ce microsillon a
été diffusé dans le cadre de l'exposition « Brel ».

• BREL PARLE : disque compact Barclay 521237-2
Il s'agit de l'intégralité de l'interview accordée par Jacques Brel à Henry
Lemaire, incluse dans le CD Barclay intitulé *Brel Knokke*, publié le
11 octobre 1993 à l'occasion du quinzième anniversaire de la mort du
chanteur. Cette interview (durée 42'03) est précédée du récital enregistré au casino de Knokke le 23 juillet 1963.

• Paris, 21 mai 1973.
« Radioscopie » de Jacques Brel par Jacques Chancel : cassette
Radio France 730521

C) MUSIQUES DE FILMS

LES RISQUES DU MÉTIER : inédit
(1967. Musique de J. Brel et F. Rauber)

LA BANDE À BONNOT (Au restaurant – La fuite en voiture – La mort
de Raymond-la-science) : 45 tours Bagatelle B370920F
(1968. Musique de J. Brel et F. Rauber; direction d'orchestre :
F. Rauber)

MON ONCLE BENJAMIN : inédit
(1969. Musique de J. Brel et F. Rauber)

FRANZ (« Franz valse » au limonaire hooghuis – « Franz valse » version orchestrale) : 45 tours Barclay 61567
(1972. Musique de J. Brel et F. Rauber; direction d'orchestre :
F. Rauber)

LE BAR DE LA FOURCHE : inédit
(1972. Musique de J. Brel, F. Rauber et G. Jouannest)

LE FAR-WEST : inédit
(1973. Musique de J. Brel et F. Rauber)

L'EMMERDEUR (L'emmerdeuse – Knokke-le-Zoute) : 45 tours RCA
SAG 41132
(1973. Musique de J. Brel et F. Rauber; direction d'orchestre :
F. Rauber, à l'accordéon : M. Azzola)

VOLTIGE MON RÊVE : inédit
(1979. Film de Francis Liardon : utilisation d'une musique
composée par J. Brel et F. Rauber, avec G. Jouannest au piano)

D) CHANSONS ORIGINALES
CRÉÉES PAR DIVERS INTERPRÈTES

• DIS-MOI TAMBOUR (J. Brel / F. Véran)
Interprète : Florence Véran (1958), 45 tours EP Versailles 90S157
• LES CROCODILES (J. Brel)
Interprète : Sacha Distel (1963), 45 tours EP RCA Victor 86005
• JE M'EN REMETS À TOI (J. Brel / C. Dumont)
Interprète : Charles Dumont (1963), 33 tours 30 cm Philips
77890
• VIEILLE (J. Brel)
Interprète : Juliette Gréco (1963), 33 tours 30 cm Philips 77485
• JE SUIS BIEN (J. Brel / G. Jouannest)
Interprète : Juliette Gréco (1967), 33 tours 30 cm Philips 70342
• HÉ M'MAN (J. Brel / G. Jouannest)
Interprète : Martine Baujoud (1968), 45 tours EP AZ EP1173
• ODE À LA NUIT * (J. Brel)
Interprète : Lucie Dolène (1969), 45 tours EP Philips 437483BE
• CHANSON DE ZORINO * (J. Brel)
Interprètes : Lucie Dolène et Linette Lemercier (1969), 45 tours
EP Philips 437483BE
• PÈRE EST BATH (J. Brel, F. Rauber, A. Goraguer), instrumental
Interprète : Alain Goraguer et son orchestre, 33 tours 30 cm
Philips
* Bande originale du dessin animé *Tintin et le temple du soleil*.

Jacques Lubin, Jacques Miquel et Marc Monneraye remercient Mme Thérèse Chasseguet (Barclay), MM. Paul Houdebine et Gérard Cormier (Phonogram), ainsi que la Fondation internationale Jacques Brel à Bruxelles, pour leur aimable assistance.

4 – Discographie CD

Cette discographie en disques compacts comporte deux volets.

Le premier volet présente l'intégrale des chansons de Jacques Brel couvrant l'ensemble des périodes Philips et Barclay, telle que publiée en 1988. Il s'agit de 172 enregistrements réunis en 10 CD disponibles en coffret Phonogram-Barclay (BA 816719-2), intitulé *Intégrale Jacques Brel – Grand Jacques,* ou vendus séparément, sous les références de catalogue 816720-2 à 816729-2 et numérotés de 1 à 10. Ce coffret comprend également un livret biographique écrit par Marc Robine.

Le second volet présente trois autres CD d'enregistrements réalisés par Jacques Brel, qui ne figurent pas dans l'*Intégrale.* Il existe en outre différentes compilations des chansons de Brel, parmi lesquelles il faut particulièrement citer un superbe livre-disques de trois CD, intitulé *Quand on n'a que l'amour,* comportant un livret écrit par Marc Robine et illustré de nombreuses photos (réf. Barclay 531707-2).

A) L'INTÉGRALE

INTÉGRALE JACQUES BREL : GRAND JACQUES
Volume 1 : GRAND JACQUES. La haine – Grand Jacques (C'est trop facile) – Il pleut (Les carreaux) – Le Diable (Ça va) – Il nous faut regarder – C'est comme ça – Il peut pleuvoir – Le fou du roi – Sur la place – S'il te faut – La Bastille – Prière païenne – L'air de la bêtise – Qu'avons-nous fait, bonnes gens – Pardons – Saint Pierre – Les pieds dans le ruisseau – Quand on n'a que l'amour – J'en appelle – La bourrée du célibataire – Heureux – Les blés – Demain l'on se marie (La chanson des fiancés).

Volume 2 : LA VALSE À MILLE TEMPS. Au printemps – Je ne sais pas – Dors ma mie, bonsoir – Dites, si c'était vrai (poème) – Le colonel – L'homme dans la cité – La lumière jaillira – Voici – Litanies pour un retour – Seul – La dame patronnesse – La mort – La valse à mille temps – Je t'aime – Ne me quitte pas – Isabelle – La tendresse – La colombe.

Volume 3 : LES FLAMANDES. Les Flamandes – L'ivrogne – Marieke – Le moribond – Le prochain amour – Vivre debout – Les prénoms de Paris – Clara – On n'oublie rien – Les singes – Voir – L'aventure – Les moutons – Les amants de cœur (The Lovers) – Il neige sur Liège – Pourquoi faut-il que les hommes s'ennuient ? – Les cœurs tendres – L'enfance – La chanson de Van Horst – Il y a – La foire.

Volume 4 : LE PLAT PAYS. Le plat pays – Zangra – Le caporal Casse-Pompon – La statue – Rosa – Les bourgeois – Madeleine – Les paumés du petit matin – Bruxelles – Chanson sans paroles – Une île – Les bigotes – Les vieux – Les fenêtres – Les toros – La Parlote – Les filles et les chiens – La Fanette – J'aimais – Les bergers – Les bonbons.

Volume 5 : JEF. Jef – Tango funèbre – Les désespérés – L'âge idiot – Mathilde – Au suivant – Titine – Quand maman reviendra – Le dernier repas – Grand-mère – Fernand – La chanson de Jacky – Ces gens-là – La... La... La... – Le cheval – Mon enfance – Les bonbons 67 (2ᵉ version).

Volume 6 : J'ARRIVE. La chanson des vieux amants – A jeun – Fils de... – Mon père disait – Le gaz – L'Ostendaise – Je suis un soir d'été – Un enfant – Comment tuer l'amant de sa femme... – Vesoul – J'arrive – La bière – L'éclusier – Regarde bien petit – La Quête – Mijn vlakke land (Le plat pays) – De burgerij (Les bourgeois) – Rosa – De nuttelozen van de nacht (Les paumés du petit matin).

Volume 7 : LES MARQUISES. Jaurès – La ville s'endormait – Vieillir – Le Bon Dieu – Les F... – Orly – Les remparts de Varsovie – Voir un ami pleurer – Knokke-le-Zoute tango – Jojo – Le lion – Les Marquises.

Volume 8 : BREL EN PUBLIC, OLYMPIA 61. Les prénoms de Paris – Les bourgeois – Les paumés du petit matin – Les Flamandes – La statue – Zangra – Marieke – Les biches – Madeleine – Les singes – L'ivrogne – La valse à mille temps – Ne me quitte pas – Le moribond – Quand on n'a que l'amour.

Volume 9 : BREL EN PUBLIC, OLYMPIA 64. Amsterdam – Les timides – Le dernier repas – Les jardins du casino – Les vieux – Les toros – Tango funèbre – Le plat pays – Les bonbons – Mathilde – Les bigotes – Les bourgeois – Jef – Au suivant – Madeleine.

Volume 10 : NE ME QUITTE PAS. Ne me quitte pas – Marieke – On n'oublie rien – Les Flamandes – Les prénoms de Paris – Quand on n'a que l'amour – Les biches – Le prochain amour – Le moribond – La valse à mille temps – Je ne sais pas.

B) DIVERS

L'HOMME DE LA MANCHA. L'homme de la Mancha (duo) – Un animal * – Dulcinea – Vraiment je ne pense qu'à lui * (trio) – Le casque d'or de Mambrino – Chacun sa Dulcinea * – Pourquoi fait-il toutes ces choses ? * – La Quête – Sans amour * – Gloria * – Aldonza – Le chevalier aux miroirs – La mort : Dulcinea (reprise), La Quête (reprise), L'homme de la Mancha (reprise), De profondis *, le final * [CD Barclay 839586-2 ; * sans Brel].

JACQUES BREL RACONTE. Pierre et le loup – L'histoire de Babar [CD Rym Musique/Polygram 191417-2].

BREL KNOKKE. Bruxelles – Rosa – La Fanette – Les fenêtres – Quand on n'a que l'amour – Mathilde – Les vieux – Le plat pays – Le moribond – Les bigotes – Madeleine (en public au casino de Knokke, le 23-7-63). Brel parle (interview de 42'03 réalisée à Knokke en 1971 par Henry Lemaire) [CD Barclay 521237-2].

III

Filmographie

1956
LA GRANDE PEUR DE MONSIEUR CLÉMENT
Réalisation de Paul Deliens
Distribution : Jacques Brel, Jean Nergal, etc.
Fiche technique – Scénario et dialogues : Paul Deliens et Jacques Brel, images : Paul Deliens, musique : Jacques Brel, durée : 20 min.
Inédit

1962
PETIT-JOUR
Réalisation de Jacques Pierre
Distribution : Jacques Brel, Roger Hanin, Jean-Luc Godard, Anna Karina, Félix Marten, Pierre Barouh, Claude Bessy, Olivier Despax.
Fiche technique – Scénario et dialogues : Jacques Pierre et Antoine Flachot, images : Raoul Coutard et Suzuki, musique : Jacques Brel et François Rauber, montage : Germaine Artus, production : Christine Gouze-Rénal, durée : 16 min.
Sortie : diffusé sur TF1 en 1973, et sur FR3 en 1976.

1967
LES RISQUES DU MÉTIER
Réalisation d'André Cayatte
Distribution : Jacques Brel, Emmanuelle Riva, Jacques Harden,

Nadine Alari, Christine Fabréga, René Dary, Muriel Baptiste, Delphine Deysieux, Jean Mauvais, etc.
Fiche technique – Scénario : André Cayatte et Armand Jammot, dialogues : Armand Jammot, images : Christian Matras, musique : Jacques Brel et François Rauber, décors : Paul Boutié, montage : Hélène Plemianikoff, production : Gaumont, durée : 105 min, genre : dramatique.
Sortie le 20 décembre 1967.
Exclusivité parisienne : 350 000 entrées.

1968

LA BANDE À BONNOT ou LES ANARCHISTES
Réalisation de Philippe Fourastié
Distribution : Jacques Brel, Annie Girardot, Bruno Crémer, Jean-Pierre Kalfon, Pascal Aubier, Armand Mestral, Michel Vitold, Anne Wiasemsky, etc.
Fiche technique – Scénario : Rémo Forlani, Philippe Fourastié, Pierre Fabre et Jean-Pierre Beaurenaut, dialogues : Marcel Julian, images : Alain Levent, musique : Jacques Brel et François Rauber, décors : Guy Littays, montage : Jacqueline Thiédot, production : Intermondia Films, Kinésis Films, Méga Films et Valoria Productions, durée : 110 min, genre : dramatique historique.
Sortie le 30 octobre 1968.
Exclusivité parisienne : 150 000 entrées.

1969

MON ONCLE BENJAMIN
Réalisation d'Edouard Molinaro
Distribution : Jacques Brel, Claude Jade, Bernard Blier, Paul Frankeur, Armand Mestral, Robert Dalban, Paul Préboist, Rosy Varte, Bernard Alane, Jean-Pierre Lamy, Jacques Provins, Alfred Adam, etc.
Fiche technique – Scénario : André Couteaux et François Hauduroy, d'après le roman de Claude Tillier, dialogues : André Couteaux et François Hauduroy, images : Alain Levent, musique : Jacques Brel, décors : François de Lamothe, montage : Robert et Monique Isnardon, production : Gaumont, durée : 90 min, genre : comédie.

Sortie le 26 novembre 1969.
Exclusivité parisienne : 200 000 entrées.

1970
MONT-DRAGON
Réalisation de Jean Valère
Distribution : Jacques Brel, Françoise Prévost, Carole André,
Paul Le Person, Catherine Rouvel, Pascal Mazzotti, etc.
Fiche technique – Scénario : Jean Valère, Jacques Ralf, Pierre Péle-
gri et Philippe Dumarçay, d'après le roman de Robert Margerit,
dialogues : Pierre Pélegri et Philippe Dumarçay, images : Alain
Levent, musique : Jack Arel, montage : Paul Cayatte, production :
Alcinter et Films Jacques Leitienne, durée : 95 min, genre : drama-
tique.
Sortie le 16 décembre 1970.
Exclusivité parisienne : 400 000 entrées.

1971
LES ASSASSINS DE L'ORDRE
Réalisation de Marcel Carné
Distribution : Jacques Brel, Paola Pittagora, Catherine Rouvel,
Charles Denner, Michel Lonsdale, Boby Lapointe, Jean-Roger
Caussimon, etc.
Fiche technique – Scénario : Marcel Carné, d'après le roman de
Jean Laborde, dialogues : Paul Andréota, images : Jean Badal,
musique : Pierre Henry et Michel Colombier, décors : Rino Mon-
dellini, montage : Henri Rust, production : Belles Rives et West
Films, durée : 110 min, genre : dramatique.
Sortie le 5 mai 1971. Exclusivité parisienne : 300 000 entrées.

1972
FRANZ
Réalisation de Jacques Brel
Distribution : Jacques Brel, Barbara, Danièle Evenou, Simone
Max, Fernand Fabre, Serge Sauvions, Louis Navarre, Jacques
Provins, François Cadet, etc.
Fiche technique – Scénario : Jacques Brel et Paul Andréota, dia-
logues : Jacques Brel et Paul Andréota, musique : Jacques Brel et
François Rauber, décors : Jean Marlier, montage : Jacqueline

Thiédot, production : Belles Rives-Cinévog, durée : 90 min, genre : dramatique.
Sortie le 2 février 1972. Exclusivité parisienne : 100 000 entrées.

1972
L'AVENTURE, C'EST L'AVENTURE
Réalisation de Claude Lelouch
Distribution : Jacques Brel, Lino Ventura, Charles Denner, Aldo Maccione, Charles Gérard, Johnny Hallyday, Nicole Courcel, André Falcon, Gérard Sire, Yves Robert, Maddly Bamy, etc.
Fiche technique – Scénario : Claude Lelouch et Pierre Uytterhoeven, dialogues : Claude Lelouch et Pierre Uytterhoeven, images : Jean Collomb, musique : Francis Lai, montage : Jeanine Boublil, production : Films 13, Artistes associés et Films Ariane, durée : 120 min, genre : comédie.
Sortie le 3 mai 1972. Exclusivité parisienne : 700 000 entrées.

1972
LE BAR DE LA FOURCHE
Réalisation d'Alain Levent
Distribution : Jacques Brel, Rosy Varte, Isabelle Huppert, Bernard Lajarrige, Gabriel Jabbour, etc.
Fiche technique – Scénario : Alain Levent, François Boyer, Philippe Dumarçay, d'après le roman de Gilbert des Voisins, dialogues : François Boyer, images : Alain Levent, musique : Jacques Brel, décors : Michel le Broin, montage : Eric Pluet, production : SNC et Production Dela, durée : 85 min, genre : comédie.
Sortie le 23 août 1972. Exclusivité parisienne : 20 000 entrées.

1973
LE FAR-WEST
Réalisation de Jacques Brel
Distribution : Jacques Brel, Gabriel Jabbour, Danièle Evenou, Arlette Lindon, Simone Max, France Arnelle, et tous les amis de Jacques (Lino Ventura, Michel Piccoli, Juliette Gréco, Charles Gérard, Claude Lelouch, Edouard Caillau, Grégoire Katz, etc.).
Fiche technique – Scénario : Jacques Brel, dialogues : Jacques Brel et Paul Andréota, images : Alain Levent, musique : Jacques Brel et François Rauber, décors : Daniel Hicter, montage : Jac-

queline Thiédot, production : IFC Films et Films 13, durée : 85 min, genre : comédie.
Sortie le 15 mai 1973. Exclusivité parisienne : 20 000 entrées.

1973
L'EMMERDEUR
Réalisation d'Edouard Molinaro
Distribution : Jacques Brel, Lino Ventura, Caroline Cellier, Jean-Pierre Darras, Nino Castelnuovo, Jean-Louis Tristan, Jean Franval, Pierre Vialla, etc.
Fiche technique – Scénario : Francis Weber d'après sa pièce : *Le Contrat*, dialogues : Francis Weber, images : Raoul Coutard, musique : Jacques Brel et François Rauber, décors : François de Lamothe et Pierre Duquesne, montage : Robert et Monique Isnardon, production : Alexandre Mnouchkine et Georges Dancigers, durée : 80 min, genre : comédie.
Sortie le 19 septembre 1973.
Exclusivité parisienne : 600 000 entrées.

1976
JACQUES BREL IS ALIVE AND WELL AND LIVING IN PARIS
Réalisation de Denis Héroux
Distribution : Mort Schuman, Elly Stone, Joe Masiell et la participation de Jacques Brel.
Fiche technique – Scénario : Mort Schuman et Eric Blau, musique : Jacques Brel, durée : 90 min, genre : comédie musicale.
Sortie le 28 janvier 1976. Exclusivité parisienne : 10 000 entrées.

Vidéographie

Cassettes vidéo (sélections françaises)

BREL
Réalisation de Catherine Dupuis
(distribution : MPM/MPM, durée : 51 min)
De ses débuts (télévision en 1957) à ses grands succès de la période Philips.

BREL
Réalisation de Frédéric Rossif
(distribution : Proserpine, durée : 90 min)
Montage de documents scéniques et d'images d'actualité.

BREL 10 ANS DÉJÀ
Réalisation de Claude Vernick
(distribution : Melrose, durée : 60 min)
Enregistrement de la tournée de Jacques Brel en 1966. Enregistrement en public et reportage dans l'océan Indien (Djibouti, Madagascar, Réunion, Maurice).

BREL QUINZE ANS D'AMOUR
Réalisation de Claude Michels
(distribution : Polygram Music Vidéo, durée : 60 min)
Les adieux de Brel à l'Olympia le 6 octobre 1966. 16 titres enregistrés en public.

BREL KNOKKE
Réalisation de la Fondation internationale Jacques Brel
(distribution : Pouchenel, durée : 76 min)
Récital de Jacques Brel au casino de Knokke-le-Zoute le 23 juillet 1963 (11 titres) et interview de l'artiste par Henry Lemaire à Knokke en 1971.

IV

Bibliographie

1964. Jean Clouzet : *Jacques Brel*, Editions Pierre Seghers (collection « Poètes d'aujourd'hui »).

1966. François Pierre : *Jacques Brel, seul mais réconcilié*, Editions Foyer Notre-Dame (collection « Vie, amour et chansons », n° 5).

1966. Lucien Rioux : *Vingt ans de chansons*, Editions Arthaud.

1967. Dominique Arban : *Cent pages avec Jacques Brel*, Editions Seghers.

1967. Jacques Brel : *Chansons*, Editions Tchou (collection « Chansons »).

1971. Eric Blau : *Jacques Brel Is Alive And Well And Living In Paris*, Editions E.P. Duffon & Co, New York.

1971. Henry Lemaire : *Quitte à me tromper, Entretiens avec Jacques Brel*, Editions Rossel & Cie, Bruxelles.

1975. Marcel Carné : *La Vie à belles dents*, Editions Jean-Pierre Ollivier.

1976. Linda Hantrais : *Le Vocabulaire de Georges Brassens, comparé au vocabulaire de Jacques Brel et de Léo Ferré*, 2 volumes, Editions Klincksieck.

1976. Bruno Hongre et Paul Lidsky : *Jacques Brel, Chansons*, Editions Hatier (collection « Profil d'une œuvre », n° 52).

1977. Pol Vandromme : *Jacques Brel : l'exil du Far-West*, Editions Labor, Bruxelles.

1978. Pierre Barlatier : *Jacques Brel*, Editions Solar.

1978. Jacques Canetti : *On cherche jeune homme aimant la musique*, Editions Calmann-Lévy.

1978. Philippe Dampenon : *Jacques Brel*, Editions Gérard Cottreau (collection « Les grandes vedettes »).

1978. Angèle Guller : *Le 9ᵉ art*, Editions Vokaer, Bruxelles.

1978. Jean Jaque : *Jacques Brel, une vie... une légende*, Editions Delville (collection « Vedettes du xxᵉ siècle »).

1979. Martin Monestier : *Jacques Brel, le livre du souvenir*, Editions Tchou.

1979. Monique Watrin : *Dieu et le sens de la vie dans la chanson contemporaine (Georges Brassens et Jacques Brel)*, Mémoire de thèse (Université de Metz).

1980. Franz Van Helleputte : *Pour toi Jacques Brel, Quartiers d'ascendance et généalogie*, Edition à compte d'auteur (Houdeng-Aimeries).

1981. Chantal Brunschwig, Louis-Jean Calvet et Jean-Claude Klein : *Cent ans de chanson française*, Editions du Seuil.

1982. Maddly Bamy : *Tu leur diras*, Editions du Grésivaudan.

1982. Dominique Arban, Pierre Barlatier, Christian Petit : *Jacques Brel, un homme au large de l'espoir*, Editions Les Presses Françaises.

1982. Jacques Brel : *Œuvre intégrale*, Editions Robert Laffont.

1982. Joëlle Monserrat : *Jacques Brel*, Editions Francis Le Goulven/PAC (collection « Têtes d'affiches »).

1982. Juliette Gréco : *Jujube*, Editions Stock.

1982. Vincent Libon : *Franz, le droit de rêver*, Mémoire de licence en histoire de la littérature (Conservatoire Royal de Liège).

1982. Revue *Paroles et Musique* (n° 21) : *Spécial Jacques Brel* (dossier collectif réalisé par Jacques Vassal, Marc Robine, Lucien Nicolas, Marc Legras, etc., coordonné par Fred Hidalgo), Editions de l'Araucaria, Brézolles.

1983. Pierre Berruer : *Jacques va bien, il dort aux Marquises*, Editions des Presses de la Cité.

1983. Claudine Decorte : *Jacques Brel. La révolte et les groupes sociaux, étude stylistique*, Mémoire de licence en philologie romane (Faculté de philosophie et lettres de l'Université d'Anvers).

1984. Olivier Todd : *Jacques Brel, une vie*, Editions Robert Laffont.

1984. Jacques Lorcey et Joëlle Monserrat : *Jacques Brel*, Editions PAC.

1986. Jacques Brel : *L'Homme de La Mancha,* adaptation française de Jacques Brel, Editions Fondation internationale Jacques Brel, Bruxelles. L'édition américaine originale de *Man Of La Mancha,* de Dale Wasserman, date de 1966 et a été publiée par Random House (New York).

1986. Antoine : *Voyage aux Amériques,* Editions Arthaud.

1987. Jean Clouzet et Jacques Vassal : *Jacques Brel,* nouvelle édition de la monographie de Jean Clouzet de 1964, augmentée d'un texte complémentaire de Jacques Vassal, Editions Seghers (collection « Poésie et chansons »).

1987. *Revue belge du Cinéma* (n° 24) : *Jacques Brel, cinéaste et comédien* (ouvrage collectif coordonné par Jean-Philippe Chenevière), Editions APEC, Bruxelles.

1988. Jean Clouzet : *Jacques Brel,* tome 1 : *De Bruxelles à « Amsterdam »,* édition revue et augmentée de la monographie de 1964, Editions Club des Stars/Seghers (collection « Les classiques compacts »).

1988. Jacques Vassal : *Jacques Brel,* tome 2 : *de l'Olympia aux « Marquises »,* Editions Club des Stars/Seghers (collection « Les classiques compacts »).

1988. Maddly Bamy : *Pour le jour qui revient,* Editions Yva Peyret (Suisse).

1988. France Brel et André Sallée : *Brel,* Editions Solar.

1988. *La BD chante Jacques Brel* (ouvrage collectif en quatre volumes, tous préfacés par France Brel), produit par New Strip Creativity, pour les éditions Brain Factory International, Bruxelles.

1988. Revue *Paroles et Musique* (n° 11, nouvelle formule) : *Spécial Jacques Brel* (dossier dirigé par Marc Robine avec la participation de Jacques Vassal), Editions de l'Araucaria.

1988. Eddie Barclay : *Que la fête continue,* Editions Robert Laffont/Cogite.

1988-1996. François Dacla, Jean Queinnec et Marc Robine : *Anthologie de la chanson française enregistrée,* Editions EPM.

1989. Laurent Greilsamer et Daniel Schneidermann : *Un certain Monsieur Paul, L'affaire Touvier,* Editions Fayard.

1989. Pierre Saka : *Histoire de la chanson française, de 1930 à nos jours,* Editions Nathan.

1990. Julos Beaucarne : *Brel,* Editions de l'Acropole.

1990. Patrick Baton : *Jacques Brel, une œuvre,* Editions Labor.

1990. Monique Watrin : *La Quête du bonheur chez Jacques Brel,* Editions Sévigny.

1992. Jacques Brel : *Tout Brel,* textes et chansons, édition complète et corrigée de l'*Œuvre intégrale* parue en 1982, U.G.E. (collection « 10/18 »).

1993. Thierry Denoël : *Pierre Brel, le frère de Jacques,* Editions Le Cri, Bruxelles.

1993. Prisca Parrish : *Jacques Brel, l'homme et la mer,* Editions Plon.

1995. Stéphane Hirschi : *Jacques Brel, chant contre silence,* Librairie Nizet (collection « Chanteurs-Poètes » n° 2).

1997. *Brel en bande dessinée,* ouvrage collectif, Editions Vent d'Ouest.

1997. Revue *Chorus – Les Cahiers de la chanson* (n° 20, été 1997) : *Brassens-Brel-Ferré, trois hommes dans un salon (ou la rencontre historique),* édition revue et augmentée du texte intégral de la table ronde réalisée par François-René Cristiani en janvier 1969, Editions du Verbe.

1998. Pierre Brel : *Jacques Brel, mon grand petit frère,* Editions Collection Livres (Bruxelles).

1998. Eric Zimmermann et Jean-Pierre Leloir : *Jacques Brel, le rêve en partage...,* Editions Didier Carpentier.

1998. Revue *Chorus – Les Cahiers de la chanson* (n° 25, automne 1998) : *Spécial Jacques Brel,* dossier collectif dirigé par Fred Hidalgo avec la contribution principale de Marc Robine, Editions du Verbe.

Remerciements

Je tiens à remercier tout spécialement les personnes suivantes, pour leur aide précieuse, leur amicale collaboration et la gentillesse avec laquelle elles m'ont ouvert leurs archives et leurs souvenirs. Cet ouvrage ayant été commencé il y a un peu plus de dix ans, certaines, hélas, ne sont plus de ce monde, mais ma mémoire leur conserve toute l'estime et la gratitude à laquelle elles ont droit. Quant aux vivants, ils savent tous ce que je leur dois...

Merci, donc, à Albert Agostino, Johan Anthierens, Antoine, Dominique Arban, Charles Aznavour, Marcel Azzola, Catherine Balance, Maddly Bamy, Eddie Barclay, Julos Beaucarne, Pierre Berruer, Pascale Bigot, Jean-Michel Boris, Denis Bourgeois, Bruno Brel, Richard Cannavo, Jacques Canetti, Thérèse Chasse-guet, Patricia Coquatrix, Jean Corti, François-René Cristiani, Didier Daeninckx, Delfeil De Ton, Serge Dillaz, Raymond et Fabienne Dupuis, Marie-France Etchegoin, Maurice Fanon, Michel Ferry, Claude Furet, Tonio Gémème et Pépina, Henri Gougaud, Laurent Greilsamer, Claude Grellier, Klaus Hoff-mann, Sylvie Hubert, maîtres Raymond et François Illouz, Roger Kahane, Mick Lanaro, Marc Legras, Gerhardt Lehner, Frédéric Leibovitz, Jean-Pierre Leloir, Claude Lelouch, Paul Lepanse, Jean Liardon, René Mahé, Robert Manuel, Richard Marsan, Marie-Claire Mendès France, Alice Pasquier, Pierre Perret, Hugo Pratt, Véronique Quaglio, François Rauber, Ariste Robin et Gladys Salazar, Baudouin Saeremans, Catherine Sauvage, Mort Shuman, Jean-Paul Sermonte, Henri Tachan, Franz Van Helleputte, Herman Van Veen et Alain Viard.

Merci, également, pour leur gentillesse et leur disponibilité aux employés des services de documentation de la Phonothèque nationale et de la Bibliothèque nationale, à Élisabeth Rullier de l'INA, ainsi qu'au service de presse d'Europe N° 1.

Merci aux animateurs de la Fondation internationale Jacques Brel, à Bruxelles *, et en particulier à Madame Brel, à Rosa Freda et à Karl Crabbé.

Un merci tout spécial à Jacques Lubin et Jean Queinnec, mémoires vivantes de la chanson et du disque, ainsi qu'à François Dacla et Maryse Poux, de chez EPM.

Merci, aussi, à Daniel Pantchenko, qui a passé tant d'heures sur mon ordinateur à rattraper toutes mes bêtises.

Merci, surtout, à Fred Hidalgo, qui a cru en ce livre depuis plus de dix ans, et à Mauricette qui a dû bien peiner pour mettre en forme mes incohérences informatiques.

Merci à Anne Carrière pour sa confiance.

Merci à Jacques Vassal qui, bien qu'ayant lui-même beaucoup écrit sur Jacques Brel, a toujours su en parler librement avec moi, sans l'ombre d'une arrière-pensée de rivalité.

Merci, quand même – et sans rancune –, à Gérard Meys, Charley Marouani et Gérard Jouannest, qui n'ont pas voulu répondre à mes questions, par fidélité à une parole donnée.

Merci, enfin, à Hélène Triomphe pour sa patience de fée et son aide de tous les instants.

Sans oublier un bonjour amical aux habitants de Brinay, qui ont connu la genèse de ce livre, et un salut fraternel à l'équipage de *La Ribaude*, qui a tant navigué du côté des Marquises...

MARC ROBINE

Nous remercions d'autre part tous les éditeurs des chansons de Jacques Brel, dont sont cités des extraits dans cet ouvrage : les Éditions musicales Bagatelle, Carrousel, Champs-Élysées, Intersong-Paris, Mary Melody, Micro, Paris Mélodies, SEMI, World Music, les Nouvelles Éditions Caravelle, Méridian, les Productions musicales Alleluia-Gérard Meys, les Publications Francis Day, ainsi et surtout que les Éditions musicales Pouchenel et la famille Brel.

* Fondation internationale Jacques Brel, Place de la Vieille Halle aux Blés, 11 – B-1000 Bruxelles – tél. : 32/2.511.10.20, fax : 32/2.511.10.21.

Table des matières

CHORUS – LES CAHIERS DE LA CHANSON

Membre du comité de rédaction de *Chorus – Les Cahiers de la chanson,* considérée comme la revue de référence de la chanson francophone, l'auteur de cet ouvrage est également celui de nombreuses biographies de chanteurs et chanteuses parues dans ce périodique trimestriel.

Marc Robine a ainsi réalisé (ou largement contribué à la réalisation) des dossiers importants consacrés à Charles Aznavour, Gilbert Bécaud, Boby Lapointe, Francis Lemarque, Pierre Perret, Serge Reggiani, Boris Vian... Mais il est aussi et surtout l'auteur principal des « dossiers spéciaux » de *Chorus* consacrés à Georges Brassens (n° 17), Léo Ferré (n° 8), Serge Gainsbourg (n° 14), Edith Piaf (n° 5)... ou Jacques Brel (n° 25).

Tous ces dossiers, de plusieurs dizaines de pages chacun, abondamment illustrés (de photos et documents souvent inédits), sont inclus, à raison d'un ou deux par numéro selon leur importance, dans le sommaire normal de la revue qui – forte de 196 pages et suivant le rythme des saisons – traite en priorité et sous toutes ses formes de l'actualité de la chanson francophone.

La plupart des numéros parus depuis sa création (à la suite de la disparition du mensuel *Paroles et Musique* dont *Chorus* constitue aujourd'hui le prolongement naturel) restent disponibles chez l'éditeur. En particulier le n° 20 (été 1997) dont il est question dans cet ouvrage à propos de la rencontre à jamais unique entre Georges Brassens, Jacques Brel et Léo Ferré du 6 janvier 1969, organisée par François-René Cristiani. Une table ronde devenue mythique, dont le texte intégral – introuvable depuis sa première et seule publication en février 1969 – a été réédité sous une nouvelle présentation (augmentée de passages non retenus à l'origine et enrichie de plusieurs photos inédites de Jean-Pierre Leloir).

Chorus – Les Cahiers de la chanson
Editions du Verbe, BP 28, 28270 Brézolles
Tél. : 02.37.43.66.60 – Fax : 02.37.43.62.71
E-Mail : chorus@club-internet.fr
Site Internet : http://www.club-internet.fr/chorus/

Cet ouvrage a été réalisé par la
SOCIÉTÉ NOUVELLE FIRMIN-DIDOT
Mesnil-sur-l'Estrée
pour le compte des Éditions Anne Carrière
et des Éditions du Verbe (Chorus)
en novembre 1998

Imprimé en France
Dépôt légal : septembre 1998
N° d'édition : 119 - N° d'impression : 44193